Testjaarboek 2013

Testjaarboek 2013

1e druk, november 2012

Inlichtingen: Consumentenbond
Auteur: Consumentenbond
Samenstelling: Georgie Dom
Eindredactie: Vantilt Producties, Nijmegen
Grafische verzorging: Het vlakke land, Rotterdam
Foto's omslag: Consumentenbond en websites fabrikanten
ISBN 978 90 5951 1903
NUR 600

INHOUD

INLEIDING

De Consumentenbond is een organisatie die opkomt voor de belangen van de consument. Daarnaast staan we bekend als testorganisatie. Er is geen bedrijf of instantie die zoveel producten en diensten geheel onafhankelijk en kritisch onderzoekt als wij.

In deze 25e (!) editie van het *Testjaarboek* vindt u samenvattingen van tests die zijn verschenen tussen november 2011 en november 2012 in de *Consumentengids*, de *Digitaalgids*, de *Reisgids* en de *Gezondgids*. Deze bundeling resulteert in een praktische, uitgebreide en objectieve koopwijzer.

Het *Testjaarboek* is al jaren een waardevolle hulp bij het doen van een juiste aankoop. Op het Testoordeel van de Consumentenbond kunt u namelijk bouwen. De testapparaten worden anoniem ingekocht en zorgvuldig onderzocht, soms in samenwerking met buitenlandse zusterorganisaties. Ook de praktijkproeven naar diverse soorten dienstverlening gebeuren anoniem en onafhankelijk. Het resultaat: kritische en betrouwbare informatie over meer dan 2000 apparaten, producten en diensten.

De tests zijn verdeeld in productcategorieën. Tests van camcorders, blurayspelers, digitale camera's, tv's en dergelijke vindt u bij 'Beeld & geluid'. Het hoofdstuk 'Computer, internet & telefonie' bevat onder meer tests van externe harde schijven, laptops, *tablets*, modemrouters, printers en smartphones. Onder 'Gezondheid & verzorging' vindt u tests van bijvoorbeeld bloeddrukmeters, lichttherapielampen en middelen bij verstopping. Natuurlijk ontbreekt ook de categorie 'Huis & tuin' niet, met tests van onder andere espressoapparaten, koelvrieskasten, friteuses, vaatwassers en wasmachines. Verder vindt u tests van ham, groente en fruit, thee, vleesvervangers enzovoort in het hoofdstuk 'Voeding'. Onder 'Vrije tijd & vervoer' ten slotte vallen onder andere tests van autobanden, autokinderzitjes, elektrische fietsen, vliegtickets en hotelboekingssites.

Er zijn te veel tests om allemaal te vermelden. U vindt ze terug in de inhoudsopgave of het alfabetische register achterin. Per test vindt u steeds de belangrijkste resultaten en bovenaan kunt u lezen in welk nummer van welke gids u het uitgebreide, complete testverslag kunt vinden. Aan het

eind van een test ziet u waar u de laatste, actuele gegevens op onze website kunt vinden.
U ziet bij de meeste tabellen in dit *Testjaarboek* (en op onze website) niet alleen of een product goed is, maar ook hoe het ene goede product toch nog kan verschillen van het andere goede product. In de kolom Testoordeel staat dan aangegeven hoe het geteste product heeft gescoord. Het product met de hoogste score staat bovenaan. Zie voor verdere instructies over de tabellen het kader 'Handleiding voor de tabellen'.

Veel plezier met en voordeel van deze jubileumeditie!

Handleiding voor de tabellen

De aanbevelingen in de tests zijn gebaseerd op de volgende uitgangspunten:

- *Beste uit de test* is bedoeld voor producten met de beste testresultaten, ongeacht de prijs. Dus producten die in de test boven de rest uitsteken.
- *Beste koop* geldt voor producten met de beste prijs-kwaliteitverhouding. Hierbij zijn de testresultaten afgezet tegen de prijs van het product.
- *Afrader* slaat op producten die dusdanig slecht zijn dat we ze afraden.
- ++ = zeer goed   + = goed   □ = redelijk   – = matig   –– = slecht
- ■ = Beste uit de test   ▶ = Beste koop   ▼ = Afrader

BEELD & GELUID

Blu-rayspelers

Consumentengids januari 2012

De afgelopen jaren is de verkoop van blu-rayspelers hard gegroeid. In een op de zes huishoudens staat inmiddels een blu-rayspeler. Toch is zijn voorganger – de dvd-speler – nog niet uit de winkels verdwenen. Met beide apparaten kun je dvd-films bekijken, maar een blu-rayspeler kan ook films op blu-rayschijfjes afspelen. De capaciteit van een blu-rayschijfje is vijf keer zo groot als die van een dvd. Hierdoor is het mogelijk beeld in *high definition* (HD) op te slaan. HD betekent veel meer beeldpunten, waardoor het beeld met blu-ray tot wel vijf keer scherper is dan dat van dvd.
Bij alle geteste blu-rayspelers is de beeldkwaliteit van blu-rayschijfjes uitmuntend. Ook ziet het beeld er heel goed uit als je dvd's afspeelt. Hoewel de prijzen van de geteste blu-rayspelers uiteenlopen van minder dan €100 tot bijna €300, zeggen ze niets over de beeldkwaliteit. Die van de goedkoopste speler is net zo goed als die van de duurste speler.
De bediening is bij alle blu-rayspelers een fluitje van een cent. Ze reageren goed op de afstandsbedieningen en die zien er overzichtelijk uit. Alleen de aanduidingen bij de knoppen van Sharp zijn wat onduidelijk en de knopjes zitten erg dicht op elkaar. De reactietijd van de knoppen op de spelers zelf is ook in orde: alle spelers reageren direct. Alleen bij de Samsung BD-D6900 is er een kleine vertraging.

Lange laadtijd

De meeste blu-rayspelers hebben een groot nadeel: de laadtijd, al is die voor blu-rayschijfjes wel afgenomen. Voor de geteste modellen in 2010 was die gemiddeld 21 seconden. De spelers hebben nu gemiddeld meer dan 15 seconden nodig om de lade met een blu-rayschijfje te sluiten en de film te starten.
Vreemd genoeg is de laadtijd van een dvd langer geworden. In 2010 duurde het starten van een film op dvd gemiddeld zo'n 25 seconden, terwijl

blu-rayspelers tegenwoordig gemiddeld 40 seconden nodig hebben om een dvd te laden.

Het is niet zo dat goedkope spelers langzamer zijn dan dure spelers. De laadtijd verschilt wel per fabrikant. De spelers van Panasonic zijn het snelst met ruim tien seconden. De spelers van Sony zijn het langzaamst en hebben minstens 20 seconden nodig. De lange laadtijden zijn volgens fabri-

Blu-rayspelers

		Merk & Type	Richtprijs	Testoordeel	Beeldkwaliteit	Gebruiksgemak	Laadtijd	Veelzijdigheid	Foutcorrectie	Energiegebruik	3D	Internet-toegang
		Weging voor Testoordeel			20%	30%	15%	15%	10%	10%		
■	1.	**Philips** BDP5200	€130	**7,9**	++	+	□	++	++	+	√	√
■	2.	**LG** BD660	€105	**7,8**	++	+	□	+	++	++	√	√
■	3.	**Sony** BDP-S780	€240	**7,8**	++	+	□	+	++	+	√	√
■	4.	**LG** BD670	€150	**7,7**	++	+	–	+	++	+	√	√
■	5.	**Samsung** BD-D6500	€200	**7,7**	++	+	–	+	++	++	√	√
■	6.	**Sony** BDP-S580	€200	**7,7**	++	+	□	+	++	++	√	√
■	7.	**Samsung** BD-D7500	€270	**7,7**	++	+	□	+	++	++	√	√
	8.	**Samsung** BD-D5500	€140	**7,5**	++	+	–	+	++	++	√	√
	9.	**Sony** BDP-S480	€140	**7,5**	++	+	□	+	++	+	√	√
	10.	**Panasonic** DMP-BDT310	€200	**7,5**	++	+	–	+	++	++	√	√
▶	11.	**Philips** BDP3200	€90	**7,4**	++	+	□	–	++	++		
	12.	**Samsung** BD-D5300	€115	**7,4**	++	+	–	□	++	++		√
	13.	**Panasonic** DMP-BDT210	€170	**7,4**	++	+	□	+	–	++	√	√
▶	14.	**Panasonic** DMP-BD75	€90	**7,3**	++	+	+	□	□	++		
	15.	**Panasonic** DMP-BDT110	€140	**7,3**	++	+	□	□	++	++	√	√
	16.	**Sony** BDP-S380	€115	**7,2**	++	+	□	–	++	++		√
	17.	**Philips** BDP2800	€90	**7,1**	++	+	□	–	++	++		
	18.	**Sony** BDP-S280	€100	**7,1**	++	+	□	–	++	++		√
	19.	**Samsung** BD-D6900	€250	**7,1**	++	+	–	+	++	□	√	√
	20.	**Philips** BDP8000	€230	**6,9**	++	+	–	+	–	□	√	√
	21.	**Toshiba** BDX1200	€95	**6,7**	++	+	–	––	++	++		
	22.	**Sony** BDP-S185	€100	**6,7**	++	+	□	–	□	++		√
	23.	**Philips** BDP3280	€130	**6,7**	++	+	–	–	–	++	√	
	24.	**Sharp** BD HP35S	€170	**6,6**	++	+	––	□	+	++	√	√

++ Zeer goed + Goed □ Redelijk – Matig –– Slecht ■ Beste uit de test ▶ Beste koop

- De prijzen zijn van oktober 2011.
- Om 3D-films te kunnen bekijken, heb je een 3D-tv, bijbehorende 3D-brillen, een 3D-blu-rayspeler en 3D-blu-rayschijfjes nodig.

Filmprijzen

Nieuwe films zijn tegenwoordig meestal ook te koop in een blu-rayversie. Ook oudere films worden steeds vaker op blu-ray uitgebracht. Bij internetwinkel Bol.com zijn ongeveer 5000 titels op blu-ray te koop. Dit is nog lang niet te vergelijken met de enorme hoeveelheid dvd's – 75.000 titels bij Bol.com – die in de loop der jaren is uitgebracht.
Gemiddeld kost een blu-rayfilm nu €15. Sommige films kosten evenveel op blu-ray als op dvd, maar meestal betaal je €5 tot €10 meer voor de blu-rayvariant. Zo kost *Alice in Wonderland* op blu-ray €20 en op dvd €13. Een blu-rayfilm in 3D is nog weer €5 tot €10 duurder dan een normale blu-rayfilm.
Vooral bij kinderfilms wordt met het blu-rayschijfje vaak een dvd van de film meegeleverd. Handig voor bijvoorbeeld de dvd-speler in de auto.

kanten te wijten aan de software die moet worden geladen om een schijfje te kunnen afspelen.

Niets missen

Dat sommige spelers duurder zijn dan andere, is vooral te verklaren door extra mogelijkheden en functies. Duurdere modellen hebben vaak aansluitingen om direct een verbinding met een thuisnetwerk of internet te maken. Ook zijn spelers die 3D-films kunnen afspelen duurder.
Een andere extra functie is de mogelijkheid om via een speciaal menu uitgeklede versies van verschillende websites te bekijken zonder dat je de computer hoeft aan te zetten. Voorbeelden zijn Nu.nl, Buienradar en Facebook. Welke websites er worden aangeboden, verschilt per fabrikant.
Bij alle fabrikanten kun je video's via YouTube bekijken. Echt interessant wordt het bij een aantal spelers van LG, Philips en Samsung. Via de internetdienst van Videoland of MovieMax kun je via de afstandsbediening films huren. Een abonnement is niet nodig, omdat er per film wordt betaald. De meeste kosten ongeveer €5 voor twee dagen. Het aanbod is niet heel uitgebreid, maar er zitten wel veel recente films bij.
Het is soms ook mogelijk om gratis gemiste tv-programma's terug te kijken via de blu-rayspeler. Uitzending Gemist – van de publieke omroepen – is alleen te zien via spelers van Philips. Programma's van de RTL-zenders zijn te zien via LG en Philips, en Sony heeft de programma's van SBS 6, Net5 en Veronica. Meestal kun je alleen tv-programma's terugkijken die tot een week eerder zijn uitgezonden.

Om gebruik te kunnen maken van de internetdiensten moet je de blu-rayspeler via een ethernetkabel verbinden met de internetmodem of de router. Sommige spelers zijn ook draadloos te verbinden. Op televisies en home-cinemasystemen worden overigens ook internetdiensten aangeboden. Het aanbod is hetzelfde en hangt ook hier af van de fabrikant.
Alle spelers in de test hebben een usb-aansluiting waarmee foto's en video's te bekijken zijn. De spelers van Panasonic, behalve de DMP-BD75, hebben een geheugenkaartlezer om beelden van het SD-geheugenkaartje uit een fotocamera direct te bekijken.

Denk aan de kabel

De blu-rayspeler wordt met een HDMI-kabel aan de tv gekoppeld. Zo'n kabel wordt niet meegeleverd. De prijzen van losse kabels lopen uiteen van een tientje tot honderden euro's. In de meeste gevallen voldoet een goedkope. Koop een zo kort mogelijke kabel, want bij een lange is er kans op signaalverlies. Op veel HDMI-kabels staat een snelheidsindicatie, zoals 'High Speed' of 'Standard Speed'. Voor een blu-rayspeler is een High Speed-HDMI-kabel nodig. Kabels met de opdruk 'Standard Speed' kunnen het signaal alleen in lagere kwaliteit doorlaten. Op goedkope kabels staat vaak geen aanduiding, maar ze kunnen voldoen. Probeer er gerust een en schaf alleen een kabel met High Speed-opdruk aan wanneer deze goedkope niet voldoet.

IN DETAIL

Philips BDP5200 (Beste uit de test)

Deze blu-rayspeler is geschikt voor 3D-schijfjes en maakt gebruik van internet-diensten mogelijk. Hij heeft een usb-aansluiting om foto's en video's direct af te spelen. Ook is de speler te koppelen aan het thuisnetwerk.
Nadeel: het laden van blu-rayschijfjes gaat niet zo snel en het laden van dvd's duurt echt te lang.

Panasonic DMP-BD75 (Beste koop)

Je kunt foto's bekijken via de usb-aansluiting, maar verder heeft deze Panasonic geen extra functies.
Onhandig is dat de knoppen op de bovenkant van de speler zijn geplaatst. Ook ontbreekt er een digitale audio-uitgang en kun je er alleen via de analoge audio-uitgang een apart geluidssysteem aan koppelen.

Voorkom dubbeling

Al met al is van zowel de goedkope als de dure spelers de beeldkwaliteit zeer goed en het gebruiksgemak in orde. Alleen als je geïnteresseerd bent in de extra functies, is het overwegen van een duurdere speler de moeite waard. Maar dergelijke extra functies zitten ook op veel televisies en homecinemasystemen. Bekijk in dat geval eerst welke mogelijkheden de televisie al heeft. Zo voorkom je dubbele functies en kun je mogelijk een apparaat uitzoeken dat over aanvullende extra's beschikt.

Zie ook het dossier *Blu-rayspelers* op www.consumentenbond.nl.

Camcorders

Consumentengids juli/augustus 2012

Om te filmen heb je niet per se een camcorder nodig. Met vrijwel alle fotocamera's en smartphones zijn eenvoudig filmpjes te maken en de kwaliteit hoeft niet tegen te vallen. Er worden dan ook steeds minder camcorders verkocht: vorig jaar een kwart minder dan het jaar ervoor.
Toch heeft een goede camcorder een paar belangrijke voordelen ten opzichte van de andere apparaten. De beeldkwaliteit is beter, vooral bij weinig licht. Enkele nieuwe camcorders van Sony, Panasonic en Canon doen het dankzij nieuwe sensoren zelfs zeer goed onder alle lichtomstandigheden. Dit hebben we nog nooit eerder in onze test gezien. Daarnaast is de bediening van camcorders eenvoudig, vooral bij het zoomen. Dat veroorzaakt bovendien geen storend geluid, een kwaal waar veel van de eerdere fotocamera's en camcorders wel last van hebben. Het derde voordeel is dat je met de meeste camcorders, waaronder de acht geteste apparaten, ook kunt fotograferen.
Vorig jaar kostte een camcorder die goede filmpjes maakt onder alle lichtomstandigheden algauw €500. Maar inmiddels hebben de goedkopere modellen hun beeldkwaliteit verbeterd. Een goede camcorder is er nu al voor €300.
Fabrikanten brengen hun apparaten vaak als serie op de markt. Ze verschillen meestal alleen in geheugencapaciteit. Soms hebben duurdere camcorders in de serie extra functies, zoals gps en een ingebouwde projector. Wie wat geld wil besparen, kiest uit een serie de camcorder zonder extra's of ingebouwd geheugen. Je hebt dan wel een geheugenkaart nodig.

Sony HDR-CX570 (Beste uit de test)
Richtprijs: €580
Soortgelijk type: HDR-PJ580 (7,5; €790)
Testoordeel: 7,5
De video's en foto's behoren tot de beste uit de test. Zelfs bij kunstlicht en weinig licht is de beeldkwaliteit van de video's zeer goed. Ook de geluidskwaliteit is goed. Bij fel zonlicht is het beeld van het aanraakscherm nog goed zichtbaar.

Sony HDR-CX250 (Beste uit de test)
Richtprijs: €390
Soortgelijke typen: HDR-PJ260 (7,1; €560), HDR-CX260 (7,1; €480), HDR-XR260 (7,0; €640)
Testoordeel: 7,1
Bij kunst- en daglicht is de videokwaliteit zeer goed, maar bij weinig licht zit er wat ruis in het beeld en is het onscherp. Het geluid is goed en zoomen veroorzaakt amper stoorgeluid. De accuduur is met 2,5 uur een van de beste uit de test.

Canon Legria HF M52
Richtprijs: €700
Soortgelijke typen: HF M56 (6,9; €580), HF M506 (6,9; €500)
Testoordeel: 7,0
Deze camcorder maakt de beste video's bij weinig licht, al zijn ze ietwat donker. Ook bij dag- en kunstlicht is de beeldkwaliteit zeer goed. De foto's vallen wat tegen: de kleuren zijn te verzadigd. De camcorder start snel op en het maken van opnamen is eenvoudig.

Panasonic HC-V700
Richtprijs: €500
Soortgelijk type: geen
Testoordeel: 6,9
Gebruiksvriendelijke camcorder met goede beeldstabilisatie. De beeldkwaliteit is goed, maar bij weinig licht zijn de kleuren wat flets en zijn de details niet zichtbaar. Het aanraakscherm is uitstekend, zelfs bij fel zonlicht. De accuduur van 75 minuten is erg kort.

Sony HDR-CX210
Richtprijs: €320

Soortgelijke typen: HDR-CX200 (6,3; €270), HDR-CX190 (6,3; €260), HDR-PJ200 (6,2; €360)
Testoordeel: 6,4
Voordelige camcorder met goede beeldkwaliteit onder alle lichtomstandigheden, al zijn bij dag- en kunstlicht niet alle details goed zichtbaar en is het beeld bij weinig licht wat donker. De geluidskwaliteit is in orde, maar er klinkt wat stoorgeluid bij het zoomen.

JVC GZ-GX1
Richtprijs: €580
Soortgelijk type: geen
Testoordeel: 6,4
Beelden gemaakt bij kunstlicht ogen zacht, zonder veel details. Bij daglicht en weinig licht is de beeldkwaliteit wel ruim voldoende. De scherpte van de foto's is zeer goed. De geluidskwaliteit, vooral van stemmen, is goed. De accuduur is slechts 75 minuten.

JVC GZ-EX215
Richtprijs: €280
Soortgelijke typen: GZ-EX210 (6,3; €350), GZ-E205 (6,1; €230), GZ-E200 (6,1; €260), GZ-E15 (6,1; €190)
Testoordeel: 6,3
Kleine, voordelige camcorder met goede geluidskwaliteit, al is zoomen wel zacht hoorbaar. De beeldkwaliteit is voldoende bij daglicht en weinig licht, maar valt tegen bij kunstlicht. Foto's zijn dan wazig met een blauwe zweem. De camcorder start wat langzaam op.

Samsung HMX-F80
Richtprijs: €180
Soortgelijk type: geen
Testoordeel: 5,9
Een echt instapmodel met een onvoldoende voor beeldkwaliteit bij kunstlicht en weinig licht. De beelden zijn vaag en korrelig. Foto's hebben een lage resolutie en zijn een beetje geel. De bediening is eenvoudig en het scherm zeer goed, ook bij fel licht.

Zie ook het dossier *Videocamera's* op www.consumentenbond.nl.

Camcorders, pocket-

Digitaalgids november 2011

Pocketcamcorders zijn klein, draagbaar en eenvoudig in gebruik. Ze maken prima filmpjes, zolang er maar genoeg licht is. We beoordeelden tien pocketcamcorders tot €200 op videokwaliteit bij daglicht, weinig licht en kunstlicht. Daarbij hebben we gelet op geluidskwaliteit, gebruiksgemak, fotokwaliteit en batterijduur.
Alleen de Sony Bloggie MHS-TS20 en MHSFS1 hebben een intern geheugen, de andere camcorders hebben een kaartslot voor SD-, SDHC- en/of SDXC-geheugenkaarten.

Zie ook het dossier *Videocamera's* op www.consumentenbond.nl.

IN DETAIL

Kodak PlaySport Zx5

€160 (www.camera.nl)

Met de Zx5 kun je heel goed filmen en gemakkelijk goede foto's maken. Het LCD-schermpje is klein, maar scherp. Deze camcorder heeft de beste geluidskwaliteit van allemaal en werkt bijna twee uur zonder op te laden.

Sony Bloggie MHS-TS20

€200 (www.correct.nl)

Samen met de Kodak Zx5 de beste. Deze camcorder scoort het hoogst op geluidskwaliteit en gebruiksgemak. Groot voordeel: de TS20 kan op het interne geheugen van 8 GB 80 minuten video van de hoogste kwaliteit opnemen. Helaas is de batterij al binnen een uur leeg. Verder past de camcorder zich slecht aan de lichtsterkte aan.

Kodak PlayFull Ze1

€130 (www.neboweb.nl)

De Ze1 is heel snel klaar (drie seconden) om een video op te nemen of te bekijken en is gemakkelijk in gebruik. De videokwaliteit is voldoende, maar het beeld is soms wat te geel of te blauw. Op een computerscherm zie je dat meer dan op een tv.

JVC Picsio GC-FM2

€130 (Media Markt)

Voor de beste videokwaliteit bij zowel dag- als kunstlicht koop je deze FM2. Het is heel eenvoudig om foto's te maken, maar ze hebben wel een blauwe waas. Jammer is dat de batterij maar net een uur meegaat. De geluidskwaliteit is helaas onvoldoende.

Sony Bloggie MHS-FS1

€160 (www.mikro.nl)

De batterij levert nog geen uur stroom, maar dat is voldoende om het geheugen (4 GB) zonder tussentijds opladen te vullen met een video van de hoogste kwaliteit. Bij kunstlicht worden de kleuren onnatuurlijk. De geluidskwaliteit houdt niet over, maar is nog wel een van de beste.

JVC Picsio GC-WP10

€180 (www.bobshop.nl)

De WP10 levert goede videokwaliteit bij dag- en kunstlicht, maar het geluid is onvoldoende. Mooie foto's maken gaat eenvoudig en goed. Ook laadt de WP10 snel op (in minder dan een uur), maar dat kan alleen via een usb-stekker en niet via een stopcontact.

Panasonic HM-TA20

€160 (Media Markt)

Deze camcorder is niet geschikt voor wie haast heeft: het opladen duurt drie uur. De videokwaliteit bij dag- en kunstlicht is voldoende, maar filmen bij weinig licht gaat, net als bij de andere camcorders, minder goed. Fotograferen is erg onhandig.

Toshiba Camileo S30

€150 (www.comcom.nl)

Dankzij de pistoolgreep kun je het schermpje draaien zoals je wilt. De videokwaliteit is bij daglicht voldoende, maar bij kunstlicht is de witbalans niet in orde en is er veel beeldruis. De geluidskwaliteit is slecht.

Sanyo Xacti PD1

€90 (www.camera.nl)

Geen aanrader. De batterij gaat maar ruim een halfuur mee. De geluidskwaliteit is slecht en als je inzoomt tijdens het filmen, hoor je dit in de opname terug. De videokwaliteit is net niet voldoende.

Toshiba Camileo BW10
€100 (Media Markt)
Bij dag- en kunstlicht is de videokwaliteit voldoende, maar de fotokwaliteit niet. Na iets meer dan een uurtje filmen is de batterij al leeg. Het opladen van de BW10 duurt maar liefst 2,5 uur en kan alleen via een usb-kabeltje.

Camera's, compact-

Consumentengids juli/augustus 2012

Steeds meer foto's worden alleen nog maar op beeldschermen bekeken. Denk aan vakantiefoto's op *tablet*, smartphone of pc. De platte tv is inmiddels de opvolger van de diaprojector. Via HDMI of usb bekijk je foto's van de camera op een groot formaat, mits je een kabeltje hebt. Maar ook zonder kabel kun je de foto's prima bekijken op het scherm van een compactcamera. Steeds beter eigenlijk, want de afgelopen tien jaar zijn de schermen een stuk groter en scherper geworden, zo blijkt uit de resultaten van de bijna 1200 camera's die de Consumentenbond vanaf 2002 tot nu heeft getest.
Hadden camera's voorheen vaak een schermpje ter grootte van een uit de kluiten gewassen postzegel, tegenwoordig beslaan ze soms bijna de hele achterkant van het toestel.
Ook de scherpte van de schermen (de resolutie) is toegenomen, zo blijkt uit testgegevens van de afgelopen vijf jaar. De schermen hebben tegenwoordig bijna drie keer zoveel beeldpunten (pixels), terwijl het oppervlak niet drie keer zo groot is geworden. Hoe meer beeldpunten een scherm kan weergeven, des te gedetailleerder het beeld is.
Op een klein scherm zien foto's er meestal goed uit: ze zijn scherp en levendig van kleur. Maar het beeld op het scherm van de camera zegt niets over de kwaliteit van de foto. Door in te zoomen krijg je daar al beter zicht op. Op de monitor van een pc of ander groot scherm zie je pas echt of de foto is gelukt.

Bij felle zon en schemer

De 17 camera's in de test zijn goed te gebruiken als digitaal fotolijstje. Afspelen gaat goed en ook als je er niet recht voor staat, is er meestal voldoende te zien op het scherm.

Compactcamera's

	Merk & Type	Richtprijs	Testoordeel	Rapportcijfer beeldscherm	Bij fel licht	Bij weinig licht	Onder een hoek	Fotobeoordeling	Verversingssnelheid	Rapportcijfer fotokwaliteit	Gebruiksgemak	Video	Flitser	Optisch zoombereik	Schermformaat	Aanraakscherm
				Beeldscherm												
Weging voor Testoordeel				10%						40%	30%	10%	10%			
■	**Canon** Ixus 230 HS	€190	**6,8**	6,6	□	+	++	+	□	7,7	□	□	+	8x	3"	
▶	**Casio** Exilim EX-H30	€150	**6,7**	5,4	–	–	++	+	+	7,6	□	□	+	12,5x	3"	
1.	**Nikon** Coolpix P310	€270	**6,8**	6,1	–	□	++	++	+	7,5	□	□	+	4,2x	3"	
2.	**Canon** Ixus 500HS	€270	**6,1**	6,1	□	□	++	+	□	6,1	□	□	□	12x	3"	
3.	**Nikon** Coolpix S9300	€260	**6,0**	6,0	–	□	++	+	+	6,6	□	–	□	18x	3"	
4.	**Panasonic** Lumix DMC-TZ30	€350	**6,7**	5,9	–	□	++	+	+	7,2	+	□	+	20x	3"	√
5.	**Casio** Exilim EX-ZR200	€240	**6,7**	5,8	–	□	++	++	+	7,1	+	□	□	12,5x	3"	
6.	**Panasonic** Lumix DMC-FT4	€350	**6,5**	5,8	□	□	++	□	□	7,0	+	□	□	4,6x	2,6"	
7.	**Nikon** Coolpix S6300	€150	**6,2**	5,8	□	□	+	□	□	6,5	□	□	+	10x	2,6"	
8.	**Panasonic** Lumix DMC-3D1	€440	**6,4**	5,7	–	□	++	+	+	7,2	□	+	□	4x	3,5"	√
9.	**Olympus** SZ-14	€200	**6,3**	5,5	□	–	+	+	+	6,9	□	□	+	24x	3"	
10.	**Fujifilm** FinePix F660EXR	€250	**6,3**	5,5	□	–	++	+	+	6,8	+	□	□	15x	3"	
11.	**Olympus** SH-21	€190	**6,0**	5,5	–	□	+	+	□	6,2	□	+	+	12,5x	3"	√
12.	**Panasonic** Lumix DMC-TZ25	€280	**6,6**	5,3	–	□	++	□	+	7,0	+	□	□	16x	3"	
13.	**Samsung** ST77	€130	**6,0**	5,0	□	–	+	□	□	7,0	□	□	□	5x	2,6"	
14.	**Panasonic** Lumix DMC-SZ7	€230	**6,3**	4,9	–	□	□	□	+	6,7	+	□	+	10x	3"	
15.	**Olympus** SP-620UZ	€170	**6,3**	4,6	□	–	□	–	□	7,1	□	□	+	21x	3"	

++ Zeer goed + Goed □ Redelijk – Matig –– Slecht ■ Beste uit de test ▶ Beste koop

- De prijzen zijn gepeild in mei 2012.
- De camera's zijn geselecteerd en gerangschikt op hun oordeel voor het beeldscherm. Het zijn eenvoudige (ultra)compactcamera's die zijn getest in 2012 en een Testoordeel van 6 of hoger hebben. De bovenste twee in de tabel voldoen niet aan deze selectiecriteria, maar zijn opgenomen omdat ze een betere keuze zijn.

Maar bij fel zonlicht reflecteren de schermen te sterk, waardoor er van het beeld weinig meer overblijft dan een dof, grijs vlak. Ook bij weinig licht – schemer – zijn de schermen meestal niet best. Het beeld is donker, korrelig en er is weinig contrast, waardoor er weinig meer is te zien. Alleen Beste uit de test Canon Ixus 230 HS haalt een voldoende bij weinig licht. De rest van de beeldschermen van de geteste compactcamera's doen het maar matig bij extreme lichtomstandigheden.

Beter fotograferen

- Plaats de horizon niet in het midden van de foto, maar op eenderde van boven of onder. Dit maakt het beeld een stuk interessanter.
- Creëer diepte in een foto door ook iets op de voorgrond vast te leggen, bijvoorbeeld een boom of een dier.
- Het lijnenspel van een weggetje of riviertje, diagonaal in het landschap, doet het ook goed.
- Kies voor ongebruikelijke camerastandpunten. Een foto vanuit een heel lage of hoge positie kan spannend zijn.
- Gebruik de invulflits bij fel zonlicht om contrasten en diepe schaduwen op gezichten te verminderen.
- Bij zonsondergang en -opgang is het licht vaak erg mooi. Dit zijn goede momenten voor landschapsfotografie. Ook portretten pakken dan vaak goed uit vanwege de warme kleuren.

Duurdere camera's doen het doorgaans beter. Neem de Canon G1 X. Met een rapportcijfer van 7,6 voor zijn scherm staat deze geavanceerde compactcamera aan de top. Het schermbeeld is helder en toont erg veel contrast, waardoor er bij fel licht nog voldoende te zien is, ondanks de reflectie. Ook bij weinig licht is het beeld helder. Duurdere camera's hebben niet alleen vaak betere schermen, maar scoren ook op de andere testonderdelen beter. De camera's met de beste testresultaten zijn systeemcamera's en spiegelreflexcamera's. Die kosten minimaal €350.

Met gestrekte armen

'Een LCD-schermpje is leuk, maar bij zonnig weer ziet u er weinig op. Een doorzichtzoeker is onontbeerlijk', stond er in de *Consumentengids* van februari 2002. Sindsdien is er veel veranderd, want geen enkele eenvoudige compactcamera uit een recente test heeft nog een zoeker om doorheen te

kijken. Fotograferen doe je tegenwoordig bijna altijd met gestrekte armen; het onderwerp bekijk je op het LCD-scherm.
Spiegelreflexcamera's en sommige grotere compactcamera's, zoals de Canon G1 X, hebben nog wel een zoeker. De archetypische fotografenhouding – met de camera tegen het oog – geeft meer stabiliteit en dus minder bewegingsonscherpte. Bovendien gebruikt een zoeker, in tegenstelling tot het beeldscherm, geen energie, waardoor de accu minder snel leeg is.
Compactcamera's hebben twee soorten zoekers: optisch en elektronisch. Een optische zoeker toont de werkelijkheid en is in feite dus een soort kijkgaatje. Maar dat is voor het fotograferen niet altijd handig, want gemiddeld wordt er eenderde meer getoond dan er uiteindelijk op de foto staat. De optische zoeker van een spiegelreflexcamera laat wel preciezer zien wat er op de foto komt. Bij een elektronische zoeker zit er een klein LCD-scherm in de zoeker. Het

IN DETAIL

Canon Ixus 230 HS (Beste uit de test)

Richtprijs: €190
Testoordeel: 6,8
Deze compactcamera maakt goede foto's met mooie kleuren. Voor portretfoto's met flits is hij niet zo geschikt. Positief is dat de beeldstabilisatie zeer goed is. Hij filmt goed in full-HD, maar neemt wel storende geluiden op.

Casio Exilim EX-H30 (Beste koop)

Richtprijs: €150
Testoordeel: 6,7
Een goede camera voor reizigers. Het optisch zoombereik (12,5x) loopt van 24 tot 300 mm. De automatische panoramafunctie is handig en de macrofunctie zeer goed. Bij weinig licht zijn de foto's zeer goed.

Met grote sensor

De Canon PowerShot G1 X (Testoordeel 6,5; €750) is een compactcamera van iets meer dan een halve kilo. Bijzonder is de beeldsensor, die qua formaat vergelijkbaar is met een spiegelreflexcamera. Een voordeel daarvan is dat de G1 X bij weinig licht betere foto's maakt en desgewenst ook foto's met een onscherpe achter- en voorgrond kan maken. De vaste lens heeft 4x zoom, vanaf 28 mm groothoek. Nadeel: de optische zoeker laat meer zien dan wat er op de foto komt en hij is traag.

beeld daarvan komt overeen met dat van het grote scherm achterop de camera en met de foto. Bridge- of superzoomcamera's zijn hiermee vaak uitgerust.

Compact systeem

Grote compactcamera's lijken door hun forse zoomlens op een spiegelreflexcamera, maar bieden niet dezelfde mogelijkheden. De beeldkwaliteit bij weinig licht is meestal slechter. Ook spelen met scherptediepte – een foto met onscherpe voor- of achtergrond – is niet mogelijk. Het verwisselen van lenzen is er ook niet bij, want de lens zit vast op het camerahuis (de *body*).

Wie bereid is meer geld uit te geven aan een compact toestel met veel mogelijkheden, kan kiezen voor een systeemcamera met verwisselbare lenzen. Dit type camera biedt spiegelreflexmogelijkheden, maar is lichter en kleiner omdat er geen spiegelsysteem in de body zit. Daardoor kunnen de lenzen dichter bij de sensor worden geplaatst. De behuizing en de lenzen zijn veel compacter dan bij een spiegelreflexcamera.

Een camera met een standaardlens (3x zoom) weegt maximaal zo'n 650 gram, een spiegelreflex begint bij 750 gram. Dat is nog altijd een stuk zwaarder dan de kleinste compactcameraatjes, die tussen de 120 en 190 gram wegen.

Een systeemcamera met verwisselbare lenzen heeft een grotere beeldsensor (een diagonaal tot 28 mm) dan een compactcamera (een diagonaal van 7 of 10 mm). Daardoor presteren ze doorgaans beter bij weinig licht. Foto's hebben minder last van beeldruis en je hoeft minder snel te flitsen voor een goed beeld. Met een grotere beeldsensor is een kleinere scherptediepte mogelijk. Vaak levert het mooie foto's op als alleen het hoofdonderwerp scherp is en de voor- en/of achtergrond onscherp.

Aanraakscherm

Sinds 2010 zitten er ook camera's met een aanraakscherm in de test. Aangestoken door het succes van smartphones en tablets heeft inmiddels elk groot merk er een in zijn assortiment. De schermen zijn vaak groter dan gemiddeld. Ze hebben soms wel een diagonaal van 3,5 inch; hetzelfde formaat als het scherm van de iPhone 4S.

De mogelijkheden verschillen per camera. Meestal kun je scherpstellen, afdrukken en functies kiezen in een menu. Net als bij een smartphone bedien je de functies door met je vingers te tikken op of te vegen over het aanraakscherm. Dat gaat niet bij alle schermen even goed. Er zijn er die vlot en soepel reageren, maar trage toestellen zijn er ook. De aanraakbediening hebben we nog niet getest. Een algemeen nadeel is dat een aanraakscherm fel zonlicht meestal sterker reflecteert dan een normaal beeldscherm.

Zie ook het dossier *Digitale camera's* op www.consumentenbond.nl.

Camera's, digitale

Consumentengids november 2011

Dankzij de grotere beeldsensor maken spiegelreflexen en compacte systeemcamera's doorgaans betere foto's bij weinig licht dan gewone compactcamera's. Bovendien bieden ze meer mogelijkheden om foto's met een vage achtergrond te maken. De los verkrijgbare lenzen en andere accessoires moeten van hetzelfde 'systeem' zijn, vandaar de term 'systeemcamera'. Ook voor beginnende fotografen worden systeemcamera's steeds aantrekkelijker. Zo zijn er modellen met minder knoppen en meer uitleg op het scherm.

Met of zonder spiegel

Een compacte systeemcamera bevat geen spiegel. Daardoor zijn de lenzen en de behuizing kleiner en lichter dan van een spiegelreflexcamera. Dat scheelt gesjouw. Een ander verschil is dat de compacte systeemcamera's scherpstellen via contrastdetectie, net als gewone compactcamera's. Deze techniek wordt steeds sneller en zorgt ervoor dat de foto's van compacte systeemcamera's over het algemeen scherper zijn dan die van spiegelreflexcamera's.
Wel zijn spiegelreflexcamera's gemiddeld nog steeds het snelst en compactcamera's het langzaamst. Maak je gebruik van het LCD-scherm in plaats van de optische zoeker, dan zijn de spiegelreflexen van Canon en Nikon heel traag. De helft van de compacte systeemcamera's heeft geen aparte zoeker; dat is onhandig bij fel licht. De andere helft toont in een kleine LCD-zoeker precies wat je op het scherm, en dus ook op de foto, ziet.
De geavanceerde compactcamera's in de tests van de Consumentenbond worden geselecteerd op een aantal eigenschappen die systeemcamera's ook hebben. Ze hebben diafragmavoorkeuze en sluitertijdvoorkeuze en zijn

handmatig scherp te stellen. Verder hebben ze minimaal een flitsschoen om een externe flitser aan te sluiten, een klein LCD-scherm in de zoeker of de mogelijkheid om te fotograferen in het onbewerkte RAW-formaat. RAW-bestanden moet je zelf 'ontwikkelen' tot een foto in jpeg-formaat.
Binnen de groep geavanceerde compactcamera's hebben de grote camera's een flink zoombereik (10 tot 30x) en de kleine een sensor die net wat groter is dan die van gewone compactcamera's. Daardoor hebben de kleine camera's in zakformaat iets van de eerdergenoemde voordelen van een grotere beeldsensor. Het voordeel van de grotere modellen is dat je ver kunt inzoomen om details te fotograferen. Kijk dan in de LCD-zoeker, zodat je de camera stevig

Geavanceerde compactcamera's

1 Canon PowerShot G12 (Beste uit de test)
Prijs: €470
Zoombereik: 28-140 mm (5x)
Testoordeel: 7,0
Voor scherpe en kleurrijke foto's, ook bij weinig licht. Met de zeer goede flitser kun je in donkere situaties zorgen voor extra licht. Het is bijzonder dat het toestel een optische zoeker heeft, die helaas niet zo best is. Het draaibare LCD-scherm scoort ruim voldoende, behalve in fel zonlicht. Net als bij de andere toestellen kun je veel handmatig instellen.

2 Nikon Coolpix P7000 (Beste uit de test)
Prijs: €430
Zoombereik: 28-200 mm (7,1x)
Testoordeel: 6,9
Zeer geschikt om 's avonds zonder flits scherpe foto's mee te maken. Mocht het toch te donker zijn, dan doet de flitser zijn werk goed. De optische zoeker heeft een klein blikveld. De HD-filmopnamen voldoen wat betreft beeld- en geluidskwaliteit. Vrij uniek is de microfoonaansluiting.

3 Canon PowerShot SX30 IS (Beste koop)
Prijs: €360
Zoombereik: 24-840 mm (35x)
Testoordeel: 6,8
Een flexibele camera met draaibaar scherm, LCD-zoeker en heel veel zoom. De beeldstabilisatie werkt niet goed: helemaal uitgezoomd zijn de foto's wat

wazig. De HD-filmpjes zijn dik in orde, net als het geluid. De flitser doet zijn werk zeer goed en je kunt ook een losse flitser aansluiten.

4 Canon PowerShot S95 (Beste koop)

Prijs: €370
Zoombereik: 28-105 mm (3,8x)
Testoordeel: 6,7

De allerkleinste van het stel heeft geen flitseraansluiting en zoeker, maar kan wel fotograferen in het onbewerkte RAW-formaat. Mede door de iets grotere sensor en dito lensopening zijn de foto's goed. Dat geldt ook voor de HD-filmpjes, waarvan het geluid zelfs zeer goed is. Het grootste nadeel is dat scherpstellen bij weinig licht niet altijd soepel gaat.

5 Sony Cyber-shot DSC-HX100V

Prijs: €470
Zoombereik: 27-810 mm (30x)
Testoordeel: 6,4

Vergelijkbaar met de Canon SX30 IS, maar duurder door gps en kompas. Die leggen locatie en richting van de foto vast en dat kan interessant zijn voor reizigers. De aanpassingssnelheid van het draaibare scherm en de LCD-zoeker zijn beter dan bij de Canon. De foto's zijn iets minder van kwaliteit, vooral bij weinig licht. De full-HD-filmpjes zijn goed; het geluid is voldoende.

6 Panasonic Lumix DMC-FZ45

Prijs: €300
Zoombereik: 25-600 mm (24x)
Testoordeel: 6,3

Een goedkoop en veelzijdig toestel. Heeft een groothoek voor weidse landschappen (macrofotografie), kan ver inzoomen en heeft een goede flitser en dito LCD-zoeker. Dat laatste is maar goed ook, want het scherm laat te wensen over. Dat geldt ook voor de snelheid, voor de foto's bij weinig licht en voor het geluid van de HD-filmpjes.

7 Panasonic Lumix DMC-LX5

Prijs: €410
Zoombereik: 24-90 mm (3,8x)
Testoordeel: 6,3

Deze camera is erg geschikt voor foto's en filmpjes van een diner bij kaarslicht of om kleine bloemen of dieren beeldvullend vast te leggen. Trillende handen leiden niet snel tot bewogen foto's, want de beeldstabilisatie werkt heel goed. De kwaliteit van het scherm is ruim voldoende en dat is fijn, want de kleine LX5 heeft geen zoeker. Het toestel heeft wel een flitsaansluiting en foto's in RAW-formaat.

Compacte systeemcamera's

1 Panasonic Lumix DMC-G10 (Beste koop)
Met lens: G Vario 14-42 mm
Prijs: €400
Testoordeel: 7,2
Al lange tijd een Beste koop. Het scherm komt als ruim voldoende uit de test, maar de aanpassingssnelheid van de LCD-zoeker is wat laag. De G10 reageert over het algemeen snel genoeg. De foto's zijn goed. Ook de HD-filmpjes zijn goed, maar soms net niet helemaal scherp. Het geluid klinkt vlak en vervormd, met ruis op de achtergrond.

2 Panasonic Lumix DMC-GF2W
Met lens: G Vario 14-42 mm
Prijs: €600
Testoordeel: 6,8
Iets kleiner dan zijn voorganger, de G2, die met een Testoordeel van 7,4 een van de Beste uit de test was. De fotokwaliteit is gemiddeld en hetzelfde geldt voor de filmpjes, hoewel de full-HD-opnamen wel opvallend scherp zijn. De G3 heeft een zeer goede LCD-zoeker en een goed scherm. Dit draaibare aanraakscherm is bij fel licht beter bruikbaar dan dat van de G2.

3 Panasonic Lumix DMC-G3
Met lens: G Vario 14-42 mm
Prijs: €700
Testoordeel: 7,0
De kleinste en lichtste systeemcamera van Panasonic (505 gram met lens). Het toestel heeft weinig knoppen en is te bedienen via het kwalitatief goede aanraakscherm. De foto's zijn goed en de snelheid is voldoende. De full-HD-filmpjes zijn beter dan die van de G3, maar het geluid klinkt ver weg, bevat weinig lage tonen en kraakt hard bij zoomen en scherpstellen.

4 Sony NEX-5

Met lens: 18-55 mm SEL1855

Prijs: €500

Testoordeel: 6,6

Deze Sony heeft een kantelbaar scherm met goede beeldkwaliteit, maar geen zoeker. De redelijk kleine NEX-3 weegt samen met de lens 554 gram. Door de gebruiksvriendelijke bediening is het erg eenvoudig om foto's met een vage achtergrond te maken. De foto's en HD-filmpjes zijn goed, maar de NEX-3 is wat traag. De flitser wordt los meegeleverd.

5 Sony NEX-3

Met lens: 18-55 mm SEL1855

Prijs: €420

Testoordeel: 6,6

Lijkt veel op de NEX-3, hoewel vorm en materiaal van het toestel anders zijn. De beeldkwaliteit van de full-HD-filmpjes is beter dan die van de HD-filmpjes van de NEX-3, vooral bij daglicht. Snelheid, foto- en schermkwaliteit zijn vergelijkbaar.

6 Samsung NX11

Met lens: 18-55 mm OIS

Prijs: €450

Testoordeel: 6,6

Met zijn 645 gram inclusief lens is de NX11 de zwaarste van deze zeven compacte systeemcamera's. Bij weinig licht is het donkere scherm minder goed bruikbaar. De LCD-zoeker is wat beter. De camera is redelijk snel. De fotokwaliteit is ruim voldoende, maar de beeldstabilisatie stelt teleur. Evenals de HD-filmpjes: die vertonen kleurfouten, zijn aan de zijkant onscherp en klinken iel en snerpend.

7 Olympus Pen E-PL2

Lens: 14-42 mm II MSC

Prijs: €520

Testoordeel: 6,2

De foto's van de Pen E-PL2 zijn in vergelijking met die van de andere hier getoonde compacte systeemcamera's wat teleurstellend. Zo zijn foto's bij weinig licht te donker. Het scherm is wel redelijk en ook de HD-filmpjes komen ruim voldoende uit de test. Op de flitsaansluiting past een stereomicrofoon, zoeker of flitser.

Spiegelreflexcamera's

1 Sony alpha 33 (Beste uit de test)

Met lens: 18-55 mm DT SAM SAL1855

Prijs: €620

Testoordeel: 7,4

De snelste camera van deze selectie. In tegenstelling tot een traditionele spiegelreflexcamera heeft hij een vaste, lichtdoorlatende spiegel en een (goede) LCD-zoeker. Het draaibare scherm is prima en de full-HD-filmpjes zijn goed. De fotokwaliteit komt als ruim voldoende uit de test; alleen de foto's bij weinig licht zijn nogal donker. Gelukkig zit er een goede flitser op.

2 Sony alpha 55V (Beste uit de test)

Met lens: 18-55 mm DT SAM SAL1855

Prijs: €720

Testoordeel: 7,4

De luxere uitvoering van de alpha 33. Met gps om de locatie en de tijd van de gemaakte foto vast te leggen. Het toestel heeft ook meer pixels, maar dat geeft geen groot verschil in de fotokwaliteit.

3 Canon EOS 600D (Beste uit de test)

Met lens: EF-S 18-55 mm IS II

Prijs: €700

Testoordeel: 7,4

Een spiegelreflexcamera met een zeer goede zoeker die prima foto's maakt, ook bij weinig licht. Fotograferen met het draaibare scherm gaat erg traag. Ook zonder het scherm is deze camera niet sneller dan de Sony's. De full-HD-filmpjes scoren ruim voldoende, op het storende zoom- en scherpstelgeluid na.

4 Canon EOS 1100D (Beste koop)

Met lens: EF-S 18-55 mm IS II

Prijs: €460

Testoordeel: 7,2

Deze Canon maakt goede, scherpe foto's met levendige kleuren. Het scherm reflecteert enorm en fotograferen gaat net zo traag als met de 600D. Je kunt dus beter de zeer goede zoeker gebruiken. De HD-filmpjes zijn iets minder scherp dan de full-HD-filmpjes van de 600D en hebben het storende zoom- en scherpstelgeluid.

5 Nikon D3100 (Beste koop)
Met lens: AF-S G 18-55 mm VR
Prijs: €460
Testoordeel: 7,0
De foto's en full-HD-filmpjes scoren een ruime voldoende. Ook met deze camera kun je beter fotograferen via de (goede) zoeker, want als je het scherm gebruikt, gaat het ongeveer net zo traag als bij de Canons. Ook past het scherm zich bij beweging niet snel aan en oogt het donker en contrastloos bij weinig licht. De flitser is prima, maar de beeldstabilisatie is onvoldoende.

6 Nikon D5100
Met lens: AF-S G 18-55 mm VR
Prijs: €680
Testoordeel: 7,0
De kwaliteit van de foto's en full-HD-filmpjes is vergelijkbaar met die van de D3100. De beeldstabilisatie in de lens doet het op de D5100 wel stukken beter. Ook het draaibare scherm is veel beter, maar net als bij de vorige Nikon kun je beter de zoeker gebruiken. De D5100 reageert trager dan de andere hier besproken spiegelreflexen.

7 Sony alpha 290
Met lens: 18-55 mm DT SAM SAL1855
Prijs: €370
Testoordeel: 6,3
Een goedkoop instapmodel met weinig franje. Hij heeft geen filmfunctie en om te fotograferen moet je – toch wat ouderwets – door de zoeker kijken. Het scherm is dan ook niet echt goed. De fotokwaliteit komt als ruim voldoende uit de test. Bij weinig licht doet deze spiegelreflex het beter dan zijn broertjes 33 en 55V, die bovenaan in deze lijst staan.

kunt vasthouden. Zorg ook dat je stabiel staat, want bij ver inzoomen is de kans op bewogen foto's groot.
Een voordeel van alle compactcamera's is dat je makkelijk iets heel kleins beeldvullend op de foto kunt zetten. Bij systeemcamera's moet je daar een macrolens voor kopen en niet alle systemen hebben zo'n lens.
We geven een selectie van de camera's uit onze test in de prijsklasse van €300 tot €750 (de prijzen zijn van augustus 2011), die op de markt zijn gekomen

in 2010 en 2011. Op www.consumentenbond.nl staan nieuwere geteste camera's, waaronder een aantal opvolgers van de hier getoonde modellen.

Zie ook het dossier *Digitale camera's* op www.consumentenbond.nl.

Camera's, systeem-

Consumentengids oktober 2012

Een spiegelreflexcamera koop je inmiddels voor nog geen €400, inclusief een lens (of beter gezegd: objectief). In 2011 zijn er vooral veel Nikons D3100 en Canons EOS 1100D gekocht. Deze spiegelreflexen worden gezien als instapmodellen voor wie gewend is aan een compactcamera. Ze zijn kleiner dan (semi)professionele spiegelreflexen. Voor wie een nog kleinere camera met de fotokwaliteit van een spiegelreflex wil, is er de categorie compacte systeemcamera's.

Geen spiegel, geen zoeker

Wanneer bij een camera verscheidene lenzen en andere accessoires horen, spreken we van een systeemcamera. Een spiegelreflexcamera is dus een type systeemcamera. Een compacte systeemcamera heeft geen spiegelsysteem en kan daardoor veel kleiner zijn dan zijn spiegelreflexbroer.
In de race om de kleinst mogelijke systeemcamera is behalve het spiegelsysteem de zoeker het kind van de rekening: er komen steeds meer modellen met alleen een scherm. Bij fel licht kan dat lastig zijn en verzienden hebben hun leesbril nodig om te kunnen fotograferen. Niet zo gek dus dat bijna 85% van de systeemcameragebruikers in ons panel het belangrijk vindt dat je behalve op het scherm door een zoeker kunt kijken.
Bijkomend voordeel van kijken door een zoeker is dat je de camera stabieler vasthoudt. In het Testoordeel krijgen camera's met een zoeker dan ook gemiddeld 0,3 punt extra. De Nikon 1 V1 is de kleinste systeemcamera met zoeker. Een spiegelreflex heeft altijd een zoeker.

Grote sensor

De fabrikanten proberen zo klein mogelijke camera's te maken met een zo groot mogelijke gevoelige plaat erin. De afmetingen van deze beeldsensor zijn belangrijk, nog meer dan het aantal megapixels. Grotere sensoren zijn

beter bij weinig licht en bieden meer mogelijkheden voor foto's met een vage achtergrond, zoals portretten.
Een nadeel van een grotere sensor is dat het moeilijker is om heel kleine objecten beeldvullend en helemaal scherp te krijgen. Een voorwerp fotograferen kleiner dan een bankpas lukt bij de meeste camera's niet met de meegeleverde standaardlens. Dit gaat wel goed met een gewone compactcamera. Voor wie regelmatig kleine objecten wil fotograferen met een systeemcamera, bijvoorbeeld een ring, kan het best een macrolens kopen. Een ring blijft weliswaar op tafel liggen als je er dichtbij komt, maar een vlinder fladdert zo uit beeld. Dan is het handig als je meer afstand kunt houden en dus meer kunt inzoomen (bijvoorbeeld met een brandpuntsafstand van 100 mm in plaats van 55 mm).

Systeemcamera's

	Merk & Type	Met lens	Richtprijs	Testoordeel
	Spiegelreflexcamera's			
	Canon EOS 650D	EF-S 18-55 mm IS II	€780	**7,3**
▶	**Canon** EOS 1100D	EF-S 18-55 mm IS II	€370	**7,2**
	Sony Alpha 37K	18-55 mm DT SAM SAL1855	€570	**7,0**
	Nikon D3200	AF-S G 18-55 mm VR	€570	**7,0**
	Pentax K-30	smc DA 18-55 mm AL WR	€800	**7,0**
	Compacte systeemcamera's			
	Nikon 1 V1	1 NIKKOR VR 10-30	€600	**7,1**
▶	**Panasonic** Lumix DMC-G3K	G Vario 14-42 mm	€490	**6,9**
	Panasonic Lumix DMC-GF5X	G X Vario PZ 14-42 mm	€620	**6,8**
	Olympus Pen mini E-PM1	14-42 mm II R MSC	€350	**6,5**
	Samsung NX1000	20-50 mm II OIS	€620	**6,5**
	Sony NEX-F3K	18-55 mm SEL1855	€590	**6,3**
	Pentax K-01	smc DAL 18-55 mm AL	€680	**6,0**

▶ Beste koop

- De prijzen zijn gepeild in augustus 2012.
- In de tabel staan per merk de meest recent geteste modellen onder €900. Als extra is toegevoegd de Beste koop per categorie van tientallen geteste camera's. De Besten uit de test (niet getoond) halen een 7,5.
- Om de bij de lenzen genoemde brandpuntsafstanden (mm) te kunnen vergelijken met de in de tekst genoemde waarden, moeten ze worden vermenigvuldigd met 1,6 (Canon), 1,5 (Nikon, Samsung, Pentax en Sony), 2 (Panasonic en Olympus) of 2,7 (Nikon 1).
- De Nikon 1 V1 is de enige compacte systeemcamera met zoeker in de tabel.

Van de lenzen die los worden gekocht, is de zoomlens met een flink bereik favoriet. De vraag is dan of je een extra lens koopt naast de standaard-3x-zoomlens of ter vervanging van deze standaardlens. De eerste optie is goedkoper (vanaf €130), maar heeft als nadeel dat je steeds van lens moet wisselen om ver in of uit te zoomen. Een losse 10x-zoomlens is er vanaf €165 en voor 15x betaal je algauw €480. Wie een groter optisch zoombereik wil zonder lenzen te wisselen, kan beter een compactcamera kopen. Een aanduiding als 15x wordt overigens niet vermeld bij losse lenzen, wel het bereik in millimeters. Het aantal keren zoom is te berekenen door de hoogste waarde in millimeters op de lens te delen door de laagste.
Bij zoomen gaat het om het variëren van de brandpuntsafstand; 50 mm ervaren we als normaal zicht. Uitzoomen geeft een dynamischer beeld: iets op de voorgrond lijkt afgescheiden van de rest (groothoek: kleiner dan 35 mm). Inzoomen geeft een kleinere scherptediepte en een wat statischer en platter beeld, waarin alles wat dichter bij elkaar lijkt te staan (tele: groter dan 75 mm). Voor portretten is een brandpuntsafstand van ongeveer 100 mm geschikt, maar groter kan ook.

Weinig licht

Om optimaal gebruik te maken van de grote sensor in een systeemcamera is het aantrekkelijk een lens te kopen die goed is bij weinig licht. Het scherptediepte-effect is daarmee ook groter. Zo'n duurdere 'lichtsterke' lens is te herkennen aan de lage getallen die achter de '1:' of 'f/' op de lens of in de documentatie staan (2,8 of lager). Bij goedkopere merken kost een 3x-zoomlens met 1:2,8 gemiddeld €400, maar bij Nikon en Canon ben je zeker €600 kwijt of zelfs meer dan het dubbele. Veel goedkoper is de meestverkochte losse lens: de 50 mm met 1:1,8 (€100) van Canon. Hij kan niet in- of uitzoomen, maar is wel een uitkomst in situaties met heel weinig licht. Andere merken hebben ook dit type lenzen. Een nadeel van foto's die zijn gemaakt met een grote lensopening is dat ze (gemiddeld) onscherper zijn. Ook is de kans op donkere hoeken op de foto groter, al merken veel mensen die niet op.

Slimme systemen

Vroeger konden lenzen apart worden getest op kwaliteitsaspecten, zoals donkere hoeken en vertekeningen. Maar tegenwoordig zijn lenzen heel wat complexer. Ze zijn vaak voorzien van slimme systemen, zoals beeldstabilisatie, en kunnen zelf aan de camera doorgeven welke (lens)fouten worden gemaakt. Dan kan de camera die fouten corrigeren voordat de foto als jpeg-

Standaardzoomlenzen

Lenzen getest op de Canon EOS 60D		Richtprijs	Testoordeel
Canon EF-S 15-85 mm f/3.5-5.6 IS USM		€650	7,7
Canon EF-S 18-55 mm f/3.5-5.6 IS II	x	€100	7,6
Canon EF-S 17-55 mm f/2.8 IS USM		€870	7,5
Canon EF-S 18-55 mm f/3.5-5.6 IS	x	€100	7,4
Tamron SP AF 17-50 mm F/2.8 XR Di II VC LD Aspherical IF		€420	7,1
Sigma 17-50 mm F2.8 EX DC OS HSM		€600	7,1
Sigma 17-70 mm F2.8-4 DC Macro OS HSM		€400	6,6

Op de Canon EOS 60D:
- is het gebruik van de zonnekap bij de duurste lens aan te raden;
- blijkt de beeldstabilisatie van versie II van de 18-55 mm Canonlens beter dan bij zijn voorganger;
- leiden de Tamron- en Sigmalenzen tot donkere hoeken op foto's;
- reageren de Tamron- en Sigmalenzen minder snel dan de Canonlenzen.

Lenzen getest op de Nikon D7000		Richtprijs	Testoordeel
Nikon AF-S DX NIKKOR 17-55 mm f/2.8G ED		€1250	7,9
Nikon AF-S DX NIKKOR 16-85 mm f/3.5-5.6G ED VR		€520	7,6
Nikon AF-S DX NIKKOR 18-105 mm f/3.5-5.6G ED VR	x	€210	7,5
Tamron SP AF 17-50 mm F/2.8 XR Di II VC LD Aspherical IF		€420	7,4
Sigma 17-50 mm F2.8 EX DC OS HSM		€630	7,3
Sigma 17-70 mm F2.8-4 DC Macro OS HSM		€400	7,3

Op de Nikon D7000:
- presteert de duurste lens het best;
- hebben de Nikonlenzen minder last van vertekening dan die van Sigma en Tamron;
- zijn de Sigma- en Tamronlenzen iets minder makkelijk in het gebruik;
- reageren alle lenzen ongeveer even snel en langzamer dan op de Canoncamera;
- maakt de Tamronlens de scherpste foto's.

- De met een x gemarkeerde lenzen in de tabel zijn de goedkoopste lenzen die worden meegeleverd met de Canon EOS 60D respectievelijk de Nikon D7000.
- Op dezelfde camera's zijn duurdere lenzen getest (prijzen van eind juli 2012) met ongeveer hetzelfde zoombereik, maar met een lagere f-waarde.
- De testresultaten gelden alleen voor deze camera-lenscombinaties. Er is getest op onder andere scherpte, vertekening, donkere hoeken, andere lensfouten en snelheid.

bestand wordt opgeslagen. Zo kan het dat een lens op de ene camera zorgt voor foto's met donkere hoeken of vertekening en op een andere camera geen problemen geeft. Als de camera 'dezelfde taal spreekt' als de lens en de informatie die de lens doorgeeft daadwerkelijk gebruikt, is de samenwerking optimaal. In onze test van standaardzoomlenzen op de Nikon D7000 en Canon EOS 60D (zie de gelijknamige tabel) lijken lenzen van het cameramerk in het voordeel te zijn. Voor de beste samenwerking kan het nodig zijn de camera en/of de lens te updaten. Hoe dat moet, wordt uitgelegd op www.consumentenbond.nl/camerafirmware.

Zie ook het dossier *Digitale camera's* op www.consumentenbond.nl.

Camerasoftware

Digitaalgids mei 2012

Heb je wat aan de meegeleverde fotobewerkingssoftware van je camera? Dat is namelijk niet altijd het geval: sommige pakketten zijn verrassend goed, maar andere zeer matig.

Wat & hoe

Onze Britse zusterorganisatie Which? vergeleek van zeven grote cameramerken de software die wordt meegeleverd bij camera's. De Britten beoordeelden hoe goed de pakketten zijn in het aanpassen van kleuren, het bijsnijden van een foto en het vergroten of verkleinen van een beeld. Ook keken ze naar de kwaliteit van de automatische correctie en de rode-ogenverwijderaar. Tot slot beoordeelden ze het installatiegemak en de stabiliteit van de software. Sony Play Memories is nieuw en werd aanvullend door onszelf geprobeerd.

1 Samsung

Intelli-Studio

Het fotobewerkingspakket van Samsung kan zich meten met programma's als Photoshop Elements. Ook de veeleisende gebruiker kan hiermee uit de voeten. Je kunt eenvoudig inzoomen, verkleinen en roteren. Fijn is dat je in foto's kunt knippen en plakken; dat kan niet met alle pakketten. Rode ogen verwijderen gaat eenvoudig, zelfs bij gezichten op de achtergrond. Een scheve horizon heb je zo weer recht. Intelli-Studio is ook goed in het aanpassen van helderheid, contrast, kleur en scherpte. Een groot nadeel was dat het programma tijdens onze test twee keer crashte, maar dat weegt voor ons niet op tegen de voordelen.

2 Canon

Zoombrowser EX (Camerawindow)

Deze fotobewerkingssoftware is geschikt voor corrigeren en retoucheren, zoals een vuiltje wegwerken of een te gladde huid bijwerken. De rode-ogenverwijderaar werkt redelijk goed. Inzoomen, bijsnijden en draaien zijn mogelijk, maar een eenvoudige knip- en plakfunctie ontbreekt. Belangrijke functies zijn diep begraven in de menu's, zodat je in het begin flink moet zoeken. Voor creatieve uitspattingen is het programma minder geschikt. Zo ontbreekt het gereedschap om te tekenen op een foto.

3 Olympus

Viewer 2

Een redelijk programma voor de beginner en de iets verder gevorderde gebruiker, hoewel het op het eerste gezicht misschien wat overweldigend is. Viewer 2 heeft goed retoucheergereedschap en handige speciale effecten. Over het gebruiksgemak zijn we gematigd tevreden: er zijn erg veel knoppen om te leren kennen. Wel zet het programma in een handomdraai de horizon recht. Ook heeft het een redelijke autocorrectie voor kleuren en een goede rode-ogencorrectie.

4 Nikon

View NX2

Redelijk programma om foto's mee te corrigeren, maar minder geschikt voor creatief werk. Bijsnijden, zoomen, roteren, kopiëren en plakken zijn dik in orde. Sommige van deze functies zijn te geavanceerd voor de gemiddelde gebruiker. Helderheid, kleur en contrast zijn ook aan te passen. Verscherpen kan ook, maar een beeld juist zachter maken niet. Jammer dat autocorrectie ontbreekt, maar de horizon op de foto is wel weer makkelijk recht te zetten. Het programma is een tikkeltje complex, maar de functies worden goed uitgelegd.

5 Fujifilm

MyFinePixStudio

Degelijk programma voor de volhouder. Sommige functies zijn nogal verstopt in de menu's en daardoor duurt het lang voordat je weet waar je moet zijn. De knoppen zijn nogal klein en je moet wisselen van scherm voor sommige bewerkingen en effecten. Helderheid, kleur, contrast en scherpte zijn handmatig aan te passen. De automatische correctie mist finesse, waardoor 'na' er slechter uitziet dan 'voor'. De rode-ogencorrectie werkt goed.

6 Panasonic

Lumix photofunstudio 6

Erg veel *fun* heb je niet met dit pakket, want foto's bewerken gaat niet makkelijk. Inzoomen, bijsnijden en draaien zijn mogelijk, maar een knip- en plakfunctie ontbreekt. Dat is een behoorlijk gemis. Functies zijn diep begraven in de menu's, waardoor je in het begin flink moet zoeken. De grootste teleurstelling zijn de beroerde, verouderde vormgeving en de veel te kleine knoppen. Erg storend zijn ook de vensters die bij sommige bewerkingen ineens opduiken.

7 Sony

Cybershot PMB & Play Memories

Cybershot Picture Motion Browser (PMB) kan direct naar de prullenbak. Foto's bekijken en organiseren gaat prima, maar de fotobewerking schiet tekort: de meeste standaardfuncties ontbreken.
Bij nieuwe camera's levert Sony Play Memories. Het organiseren en delen van foto's gaat hetzelfde als bij PMB. De standaardfuncties die zijn voorganger niet had, zitten er nu wel bij. Maar erg tevreden zijn we nog niet. Zo krijgen ogen een onnatuurlijke kleur met de rode-ogenverwijderaar en de autocorrectie maakt foto's alleen maar fletser.

Zie ook het dossier *Digitale camera's* op www.consumentenbond.nl.

Digitale tv

Consumentengids juni 2012

Beeld dat een tijdje wegvalt of blokkerig overkomt, is erg vervelend. Ook beeld dat stilstaat terwijl het geluid doorloopt, kan ergerlijk zijn. Het komt allemaal voor bij de aanbieders uit ons panelonderzoek, maar bij de ene beduidend vaker dan bij de andere (zie de tabel 'Kwaliteit digitale tv').
Bij Tele2 Interactieve TV heeft meer dan 40% begin dit jaar een storing ervaren. De betrouwbaarheid van de televisieverbinding bij Tele2 wordt dan ook als laagste beoordeeld (rapportcijfer 6,6). Ook het aantal tv-problemen bij Caiway en KPN Interactieve TV liegt er niet om: een kwart heeft er last

van. Bij CanalDigitaal zat je dit jaar in januari en februari het best: slechts 4% meldde een strubbeling.

Wat is er te zien in HD?

De publieke omroepen nemen steeds vaker eigen producties op in HD, zoals *Tussen Kunst en Kitsch*. Ook werden bij hen de grote sportevenementen in de zomer van 2012, zoals het EK voetbal, de Tour de France en de Olympische Spelen, in HD uitgezonden.
De commerciële zenders kopen al enkele jaren veel tv-series en films in HD, vooral in de Verenigde Staten. Maar ze nemen ook zelf steeds meer in HD op. SBS 6 doet dit bijvoorbeeld met *Hart van Nederland* en *Shownieuws*. Dit geldt ook voor de wedstrijden van het Nederlands elftal buiten het EK. Ook RTL zette de eerste stap met de HD-opname van de serie *Moordvrouw*. In 2013 volgen live-uitzendingen, zoals *RTL Nieuws* en *RTL Boulevard*.

Kwaliteit digitale tv

	Testoordeel	Kwaliteit digitale tv	Kwaliteit standaardbeeld (SD)	Kwaliteit HD-beeld	Geluidskwaliteit	Betrouwbaarheid tv-verbinding	Kwaliteit apparatuur	Storingsvrij	Omgang met storingen	Tevredenheid provider
Weging voor Testoordeel		60%							20%	20%
ZeelandNet/Delta	**7,9**	8,0	7,7	8,0	7,9	7,8	7,7	88%	7,5	7,7
CanalDigitaal	**7,8**	8,4	8,1	8,5	8,2	8,0	7,4	96%	–	6,9
Ziggo	**7,4**	7,9	7,7	8,1	7,8	7,8	7,3	87%	6,3	6,9
KPN Interactieve TV	**7,4**	7,7	8,0	7,9	7,9	7,6	7,5	76%	7,0	6,6
UPC	**7,3**	7,7	7,6	8,0	7,7	7,6	6,8	81%	6,5	6,9
KPN Digitenne	**7,3**	7,5	7,1	nvt	7,4	7,0	7,2	92%	7,0	6,6
Tele2 Interactieve TV	**6,8**	6,9	7,3	7,5	7,4	6,6	7,0	58%	6,2	7,1
Caiway	**6,6**	7,4	7,3	7,7	7,5	7,0	7,3	75%	4,8	6,2

- De resultaten gaan over januari en februari 2012.
- De kolom 'Kwaliteit digitale tv' is het totaal van de zes deelaspecten ernaast.
- Voor CanalDigitaal hebben wij onvoldoende gegevens over de omgang met storingen.
- 'Omgang met storingen' en 'Tevredenheid provider' betreffen ook niet-tv-diensten.

Storingen oplossen

Een storing is natuurlijk niet leuk en als je er een hebt, wil je dat die snel en goed wordt opgelost. Ook op dit punt zijn er grote verschillen tussen de

De buren juichen eerder

Iedereen heeft het weleens meegemaakt: vol spanning wachtend op de aanloop naar de beslissende strafschop en ineens juichen de buren al. We namen de proef op de som in Den Haag en sloten vijf televisies op verschillende manieren aan. We zagen het beeld en geluid van Nederland 1 het eerst via KPN Digitenne (ether), maar het scheelde hooguit een halve seconde met zowel analoge als digitale televisie via de kabel (Ziggo). Vervolgens zagen we het beeld via satelliettelevisie van CanalDigitaal en als laatste bij Tele2 (ADSL). De commerciële zender RTL 4 kwam het snelst binnen via analoge kabel-tv, op de voet gevolgd door digitale kabeltelevisie en daarna via de ether.
Bij het kijken naar Nederland 1 liep het verschil tussen de uitzendsystemen op tot wel drie seconden. Bij RTL 4, die in tegenstelling tot Nederland 1 versleuteld wordt doorgegeven, liep het verschil zelfs op tot vijf seconden.

providers. Voor de omgang met storingen krijgt Caiway het rapportcijfer 4,8 en Zeelandnet/Delta een 7,5. Caiway scoort vooral laag vanwege de slechte bereikbaarheid van de klantenservice.
Bij Tele2, UPC en Ziggo is de bereikbaarheid prima, maar het oplossingsvermogen onvoldoende. 'De klantenservice is echt een crime: wachten, doorverbinden, weer wachten enzovoort', aldus een panellid. Hoewel Tele2 de meeste tv-storingen had, zijn de panelleden over het algemeen best tevreden over deze provider. Ze geven gemiddeld een 7,1.

Extra apparatuur

Er zijn verschillende manieren om digitale tv door te geven: kabel, satelliet, ether en ADSL (IP-TV). Via glasvezel digitaal tv-kijken kan ook, maar die is pas op een beperkt aantal plaatsen aangelegd. Een postcodecheck op de site van de aanbieders of met de overstapservice op www.consumentenbond.nl/digitaletv geeft aan wat op uw adres qua signaal en abonnement mogelijk is. Wanneer de keuze voor signaal en aanbieder is bepaald, is de apparatuur aan de beurt. Voor digitale tv heb je altijd een digitale tuner nodig, ingebouwd in een decoder of *personal video recorder* (PVR). Een PVR is een decoder met een ingebouwde harde schijf, waarmee je uitzendingen kunt opnemen en pauzeren.
Alle nieuwe televisies hebben tegenwoordig een ingebouwde digitale tuner. Er is dan geen losse decoder nodig. Bij alle providers, behalve Caiway, is wel een speciale insteekkaart (CAM) vereist, waar de smartcard van het abonnement

in moet. Voor televisie via de ADSL-internetaansluiting (IP-TV) is altijd een losse decoder nodig. Satelliet-tv is te ontvangen met een schotelantenne. Alles wat via de ether gaat, zoals Digitenne, vereist een kamerantenne.

Tv-abonnementen voor HD

Provider	Maandkosten analoog	(Extra) maandkosten digitaal	HD-zenders in basispakket	Extra HD-zenders in aanvullend pakket	Maandkosten aanvullend HD-pakket	Decoder in bruikleen of kopen	Nederland 1, 2, 3 HD	RTL 4, 5, 7, 8 HD	SBS 6, Veronica, Net 5 HD
Kabel (DVB-C)									
Caiway Basic	nvt	€17,95	21	12	€9,95	koop	basis	basis	basis
Delta Digitale TV	€16,45	€0	0	20	€9,95	koop	HD-pakket	HD-pakket	HD-pakket
UPC Digitale TV	€17,50	€5,50	0	25	€7,50	leen	HD-pakket	HD-pakket	HD-pakket
Ziggo TV Standaard	€17,20	€0	12	nvt	nvt	koop	basis	basis	basis
Satelliet (DVB-S)									
CanalDigitaal BasisHD	nvt	€14,95	39	nvt	nvt	leen	basis	basis	basis
Adsl (IP-TV)									
KPN Interactieve TV	nvt	€15,00	11	7	€7,50	leen	basis	basis	basis
Tele2 Interactieve TV	nvt	€9,00	0	3	€5,00	leen	HD-pakket	niet mogelijk	niet mogelijk
Telfort Interactieve TV	nvt	€11,00	10	nvt	nvt	leen	basis	basis	basis
XS4All Televisie	nvt	€15,00	10	8	€7,50	leen	basis	basis	basis
Ether (DVB-T)									
KPN Digitenne	nvt	€9,00	0	nvt	nvt	leen	nvt	nvt	nvt

- nvt = niet van toepassing
- De abonnementsprijzen zijn van april 2012. Tele2 noemt alleen de prijs inclusief internet (€35). De prijs voor Tele2 Interactieve TV (€9) is berekend door het basisabonnement internet (€26) daarvan af te trekken.
- CanalDigitaal en Ziggo hebben geen aanvullend HD-pakket. Extra HD-zenders kunnen wel deel uitmaken van uitgebreide pakketten.
- Het HD-pakket van UPC bevat meer zenders in de uitgebreide versies.
- CanalDigitaal heeft 21 HD-zenders in het basispakket. Daarnaast zijn 18 buitenlandse HD-zenders vrij te ontvangen via de satelliet.
- Telfort bood ten tijde van de test nog geen HD-pakket aan. Inmiddels doet hij dat wel.
- T-Mobile Online werkt voor HD-tv samen met CanalDigitaal. De klant sluit daarvoor een contract af met CanalDigitaal en krijgt diens HD-pakket.
- EDPNet, Scarlet en T-Mobile Online bieden ook digitale televisie via de ether aan, met dezelfde zenders als KPN Digitenne. De abonnementsprijs kan verschillen.
- Met Interactieve TV (KPN, Tele2, Telfort) kun je gemiste programma's terugkijken en films huren. Dat kan ook bij UPC, XS4All en Ziggo.

Sommige aanbieders geven apparaten in bruikleen, bij andere moet je die kopen. Dat kan bij de provider zelf en in elektronicawinkels. Wij hebben de panelleden gevraagd naar hun ervaringen met de apparatuur (zie de tabel 'Kwaliteit digitale tv'). Alleen UPC krijgt hiervoor een rapportcijfer van net onder de 7. Een UPC-panellid: 'De PVR valt vaak uit en is niet meer te bedienen. Ook reageert hij traag. De stekker eruit is de enige oplossing. Verder worden geprogrammeerde uitzendingen geregeld niet opgenomen.'

Scherp beeld

Voor de televisiekijker is goed beeld belangrijk. De digitale beeldkwaliteit krijgt van de panelleden bij alle aanbieders een redelijke of goede beoordeling. KPN Digitenne krijgt het laagste rapportcijfer, maar nog wel een 7,1. Digitenne verstuurt het digitale signaal in een lagere kwaliteit dan andere providers.

Voor een scherper beeld met nog meer details is er *high definition* (HD). Het HD-signaal bevat meer beeldpunten dan het standaardsignaal (SD). HD-televisie via de ether (bij Digitenne en wederverkopers van Digitenne) is niet mogelijk.

De belangrijkste Nederlandse zenders in HD-kwaliteit zitten bij alle aanbieders in het basispakket of in een aanvullend HD-pakket (zie de tabel 'Tv-abonnementen voor HD'). Uitzondering is Tele2 Interactieve TV, die alleen Nederland 1, 2 en 3 in een aanvullend pakket aanbiedt.

CanalDigitaal levert het grootste aantal HD-zenders in het basispakket. Delta, UPC en Tele2 Interactieve TV vereisen een aanvullend HD-pakket, dat extra geld kost, bij Delta zelfs bijna €10 per maand. Het aantal HD-zenders wordt bij diverse providers momenteel snel uitgebreid.

De panelleden waarderen de kwaliteit van HD wat hoger dan gewone digitale uitzendingen. CanalDigitaal-kijkers geven zelfs een 8,5.

HD-kwaliteit

Om echt HD te kijken, is een HD-tv (*HD-ready* of *full-HD*) en een HD-decoder nodig. Het programma moet ook zijn opgenomen en geproduceerd met HD-camera's en -apparatuur. SBS 6, Net5 en Veronica tonen een HD-logo in beeld als dat het geval is. RTL meldt: 'Dit programma is ook beschikbaar in HD.' Bij Nederland 1, 2 en 3 wordt niets aangegeven. Als een programma niet in HD is opgenomen, wordt bij alle HD-zenders het SD-beeld opgeschaald naar HD. De kwaliteit van zulke uitzendingen is in principe minder goed dan die van echte HD-uitzendingen.

IN DETAIL

Cisco 8485DVB

Prijs: €460

Testoordeel: 5,6

Bij een alles-in-éénpakket kost deze interactieve HD-PVR met 320 GB €99 (actieprijs). Hij kan één programma tegelijk opnemen in standby. In die stand verbruikt hij 16,6 W, vandaar het vrij lage Testoordeel.

Humax iHDR-5200c

Prijs: €330

Testoordeel: 7,6

De Humax met een harde schijf van 500 GB kan in standby twee programma's tegelijk opnemen. Het opstarten duurt langer dan bij de Cisco: bijna een halve minuut. Het verbruik in standby-stand is 0,4 W.

Zie ook het dossier *Digitale-televisieproviders* op www.consumentenbond.nl.

E-readers

Consumentengids juni 2012

De voordelen van *e-readers* liggen voor de hand: een hele boekencollectie past op een apparaatje van nog geen 200 gram. Dat scheelt sjouwen op vakantie. Ook het lezen gaat prettig. De meeste e-readers liggen fijn in de hand. Ze hebben een scherm waarop je zelfs in fel zonlicht goed kunt lezen en bij de betere e-readers zijn de marges en de lettergrootte van de tekst aan te passen. Velen die de overstap hebben gemaakt, vinden lezen met een e-reader zelfs aangenamer dan lezen van papier.

Boeken kopen

De e-readermarkt wordt wereldwijd gedomineerd door de Kindle van internetboekhandel Amazon. Kindles zijn uitstekende e-readers, maar boeken kopen gaat uitsluitend via Amazons eigen boekwinkel. Die winkel bevat nog geen Nederlandstalige boeken. Kindles zijn dus alleen interessant voor wie vooral Engelse boeken leest. Met het programma Calibre kun je boeken omzetten in een formaat dat de Kindle wel aankan.

IN DETAIL

Kobo Touch Edition (Beste uit de test)
Richtprijs: €100
Testoordeel: 8,3
Lichte en comfortabele e-reader met wifi en aanraakscherm. De bediening is in het Nederlands en heel gebruiksvriendelijk. Vooral de bibliotheek is handig. Je kunt de eigen boekwinkel vanaf de e-reader bezoeken; in Nederland gevuld door Libris.

Sony Reader Wi-Fi (Beste uit de test)
Richtprijs: €150
Testoordeel: 8,3
Zeer populaire e-reader van Sony. Voorzien van wifi. Heeft een prima scherm en ligt fijn in de hand. Heeft een goed aanraakscherm én is voorzien van fysieke bladerknoppen. Nadelen: de Sony heeft een spiegelende rand die stoort bij het lezen.

Amazon Kindle (Beste uit de test)
Richtprijs: €125
Testoordeel: 8,1
Dit instapmodel van Kindle van de vierde generatie heeft niet al te veel opties. Er is geen aanraakscherm en geen 3G en de reader heeft maar 2 GB opslag, die niet uit te breiden is. Hij heeft wel wifi. Voordeel van deze soberheid is dat deze e-reader erg licht en goedkoop is.

Amazon Kindle Touch 3G (Beste uit de test)
Richtprijs: €200
Testoordeel: 8,1
De nieuwste Kindle met 3G. Met deze e-reader kun je overal ter wereld zonder extra kosten via mobiel internet boeken kopen bij Amazon. Verder is hij hetzelfde als de normale Kindle Touch. Voor die ene functie betaal je dus wel zo'n €50 extra.

Amazon Kindle Touch (Beste uit de test)
Richtprijs: €150
Testoordeel: 8,0
Deze Kindle van de vierde generatie heeft een aanraakscherm. Dat scherm werkt prima, maar fysieke bladerknoppen ontbreken als alternatief. Hij is iets

minder comfortabel dan zijn voorganger, de Kindle Keyboard, al kan hij wel sneller bladeren.

Bookeen Cybook Odyssey
Richtprijs: €150
Testoordeel: 7,9
Dit topmodel van Bookeen heeft een erg snel scherm. Verder is het apparaat mooi vormgegeven en heeft hij een aanraakscherm en wifi. Qua gebruiksgemak valt hij nogal tegen: hij is lastig en frustrerend in het gebruik en loopt vaak vast.

Barnes & Noble Nook SimpleTouch
Richtprijs: €190
Testoordeel: 7,8
De Nook van de Amerikaanse boekwinkel is in veel opzichten een kloon van de Kindle. Hij ondersteunt echter wel ePub-bestanden en kan dus ook boeken van Nederlandse boekwinkels aan. Deze e-reader wordt niet officieel verkocht in Nederland.

iRiver Story HD
Richtprijs: €150
Testoordeel: 7,7
De iRiver Story heeft een van de beste schermen die er op dit moment te krijgen zijn. Hij ligt fijn in de hand en bladert snel, maar is jammer genoeg heel lastig te bedienen. Ook de bibliotheekfunctie van deze e-reader werkt maar matig.

Bij de overige e-readers kun je wel zelf kiezen waar je boeken koopt. Alle Nederlandse onlineboekwinkels leveren hun boeken in hetzelfde formaat (ePub). Alle readers, behalve de Kindle, kunnen met dat formaat overweg. De Consumentenbond test e-readers onder andere op de beeldkwaliteit, het leescomfort en het gebruiksgemak. We bespreken de 8 readers – er zijn er 40 getest – met de beste papieren.

Zie ook het dossier *E-readers* op www.consumentenbond.nl.

Filmtoestellen

Consumentengids december 2011

Veel mobiele telefoons zijn prima in staat om een filmpje op te nemen. Vooral die van een smartphone zijn soms verbazingwekkend goed. De iPhone 4S die de Consumentenbond testte, kreeg een zeer goed oordeel voor videokwaliteit. Toch zou de iPhone 4S in de camcordertest tegenvallen. Waarschijnlijk zou hij daarin voor videokwaliteit een krappe voldoende scoren. De beste telefoons zijn namelijk nauwelijks beter dan de goedkoopste camcorders. Vergeleken daarmee zijn films van mobieltjes vaak onstabieler en hebben meer beeldfouten.

Inzoomen

Met een mobieltje kun je alleen digitaal inzoomen. Dit komt neer op het weglaten van steeds meer pixels aan de rand van het beeld. Dat geeft bij de kleine sensor die de smartphone heeft duidelijk kwaliteitsverlies. Je kunt dus beter niet inzoomen. Veel in- en uitzoomen zorgt hoe dan ook voor een onrustige film, maar soms is een zoomfunctie wel handig.
Met een fotocamera kun je wel inzoomen zonder kwaliteitsverlies. Daarbij beweegt een motortje de lensdelen en dat maakt geluid, wat hoorbaar is op de opname. Fabrikanten gaan hier verschillend mee om: de ene camera kan tijdens filmen niet zoomen, de andere alleen digitaal en bij weer een andere wordt bij het zoomen simpelweg geen geluid opgenomen.
Fotocamera's worden steeds geschikter gemaakt voor filmen, met onder andere een speciale opnameknop. Eerst overschakelen naar de videofunctie is daardoor niet meer nodig. Je kunt snel wisselen tussen fotograferen en filmen. Met sommige camera's kan het zelfs tegelijk, in hoge kwaliteit.
De videokwaliteit van compactcamera's varieert enorm. Er zitten heel slechte tussen, maar sommige zijn net zo goed als een gemiddelde camcorder.
Zoomen en scherpstellen met een systeemcamera (een fotocamera met verwisselbare lens) veroorzaakt meestal een krassend geluid in de film. Als we dat probleem negeren of een externe microfoon aansluiten, is de filmkwaliteit bijna net zo goed als die van een camcorder.

Vage achtergrond

Een ander nadeel van een systeemcamera is dat de bediening meestal niet geoptimaliseerd is voor filmen. Je moet namelijk aan de lens draaien om te zoomen. Daarbij is het heel lastig om de camera stil te houden. Daarom

Goed en voordelig filmen

	Beste videofunctie in zijn soort	Goed en voordelig in zijn soort
Camcorder	Canon Legria HF S20 (€800), Panasonic SDT750 (€800)	Panasonic SD90 (€470)
Kleine fotocamera	Sony HX9V (€300)	Casio Exilim EX-ZR10 (€210)
Superkleine fotocamera	Sony WX10 (€240)	Canon Ixus 115 HS (€145)
Spiegelreflex	Sony alpha 580 (€650)	Sony alpha 33 (€550)
Compactsysteemcamera	Sony NEX-5 (€400)	–
Pocketcamcorder	Bloggie TS20 (€200)	Kodak Playsport Zx5 (€150)
Smartphone	iPhone 4S (€640)	Samsung Galaxy S (€340)

hebben Panasonic en Nikon stillere lenzen met een zoomknop gemaakt, speciaal om dit probleem op te lossen.
Bijzonder aan het filmen met een systeemcamera is dat je filmpjes kunt maken waarbij de achtergrond van het onderwerp vaag is. Dat kan heel mooi zijn, maar het is ook moeilijk om precies het juiste deel scherp in beeld te krijgen. De relatief kleine Panasonic Lumix DMC-GF3 maakt dat makkelijker: je kunt eenvoudig het scherm aanraken waar het beeld scherp moet zijn. Als je de focus naar een ander punt verplaatst, maakt het scherpstelsysteem een rustige overgang. Met een schuifregelaar geef je aan hoeveel je scherp in beeld wilt hebben.

In de broekzak

Een nadeel van de meeste systeemcamera's, en dan vooral van spiegelreflex-camera's, is dat ze zo groot zijn. Een pocketcamcorder is – de naam zegt het al – klein genoeg om in een broekzak te stoppen. De meeste pocketcam-corders hebben geen autofocus en kunnen alleen digitaal zoomen. Daarom hebben ze geen last van verstoringen in het geluid.
Het scherm is klein en meestal niet al te best. De beeldkwaliteit is echter vaak verrassend goed. Er zijn aardig wat gewone camcorders die duurder en een stuk slechter zijn. Bij weinig licht blijven de pocketcamcorders wel achter bij gewone camcorders.
Pocketcamcorders (€100 à €200) zijn eenvoudig te bedienen, want veel meer dan een opname- en stopknop zit er meestal niet op. De standaard-usb-aansluiting maakt het makkelijk om video's over te zetten naar de pc en de accu op te laden.

Al met al zijn er aardig wat alternatieven voor de 'gewone' camcorder, die in de afgelopen jaren steeds kleiner is geworden, maar nog steeds geen broekzakformaat heeft. Zeker wie niet meer dan €400 uit wil geven, kan een pocketcamcorder of fotocamera in overweging nemen. Een echt goede camcorder kost veel meer dan €550.
Het voordeel van camcorders is dat de bediening is geoptimaliseerd voor filmen. Dat is nog niet bij alle fotocamera's en mobieltjes het geval. Inzoomen gaat makkelijk en haast zonder stoorgeluid. Ook zijn er camcorders met een enorm zoombereik. Bij maximaal inzoomen is het onmogelijk om zonder statief stabiele video-opnamen te maken. De duurdere camcorders hebben meestal een zoombereik van zo'n 10x, wat voldoende is.

Fotoboeken

Consumentengids september 2012

Fotoboeken zijn er zo klein als een ansichtkaart en zo groot als een dienblad. Er is keuze uit staande, liggende en vierkante albums, een kaft met linnen of (kunst)lederen bekleding, en pagina's van gewoon papier en echt fotopapier. De Consumentenbond onderzocht liggende fotoboeken, ongeveer in A4-formaat, met fotokaft en normaal dan wel fotopapier.
Omdat fotopapier slechts aan een kant een afbeelding heeft, plakken de centrale twee pagina's met de ruggen tegen elkaar. Dat zorgt voor stevige, dubbelzijdige pagina's. De linker- en rechterpagina bestaan uit één vel en daardoor lopen de foto's mooi door. Nadeel is dat er minder pagina's in een boek passen. Wie een boek wil maken met meer dan 80 pagina's, kan dus beter een versie met normaal papier bestellen. Bij Blurb kan dit zelfs tot 440 pagina's en tot 220 pagina's met ProLine Pearl Photo-papier. De foto's op dit

Papier maakt het verschil

Fotoboeken zijn te bestellen met normaal papier en met fotopapier. Bij afdrukken op normaal papier worden de foto's opgebouwd uit kleine puntjes van verschillende kleuren inkt. Die puntjes vormen een zichtbaar patroon. Dat valt vooral op in kleurvlakken. Bij foto's op fotopapier is het beeld vloeiender en is geen raster te zien.

speciale papier worden geprint als op normaal papier. De pagina's hebben een gewone dikte en vallen niet plat open als albums met echt fotopapier. Wie flexibel wil zijn in het aantal pagina's, kiest een boek waarbij je pagina's per set van twee kunt toevoegen. Dit kan onder andere bij Top-Fotoalbum, Webprint, Apple, Albelli en Hema.

Paar afdrukcentrales

Er zijn legio aanbieders van fotoboeken, maar er bestaan slechts een paar afdrukcentrales. De geteste fotoboeken met normaal papier van de Hema en Albelli zijn van hetzelfde boektype. Ook de geteste boeken met fotopapier van de Hema, Fujiprint en MyPhotoFun lijken sterk op elkaar.
Alle fotoboeken die als Beste uit de test rollen, komen van de afdrukcentrale van Cewe. Cewe Color produceert de geteste fotoboeken van Albert Heijn, Kruidvat en Snapfish. Daarnaast verkoopt Cewe het eigen merk Cewe Fotoboek via partners als Fotoalbum.nl, Bol.com, Trekpleister en Media Markt. De partners zijn te vinden op de website van Cewe. De software van deze aanbieders lijkt erg op elkaar, maar het productaanbod en de prijzen verschillen onderling wel.
Je kunt bij Albert Heijn, Kruidvat en Fotoalbum.nl de bestelling eenvoudig veranderen van normaal papier in fotopapier en andersom. Bij Hema en Snapfish moet je helemaal opnieuw beginnen met de opmaak, omdat de software voor boeken met fotopapier afwijkt. Bij MyPhotoFun kun je een boek weliswaar omzetten naar een andere papiersoort, maar de opmaak raakt dan helemaal in de war, dus daar schiet je niets mee op.

(On)handig werken

Een panel van drie experts beoordeelde de fotoboekprogramma's op gebruiksgemak. De software van Albelli en Cewe blinkt uit in mogelijkheden en gebruiksvriendelijkheid. Het downloaden en installeren is zo gedaan. Je kunt een fotoboek handmatig vullen met foto's, maar ook automatisch. Er is dan alvast een opzet waarmee je snel aan de slag kunt. Bij Cewe is aan te geven of er veel foto's op weinig pagina's moeten of weinig foto's op veel pagina's. De opmaak aanpassen gaat het best bij Cewe, bij Fotovoordelig juist niet. Daar vergt bijvoorbeeld een fotovak slepen of vergroten veel stappen.
Het panel is het minst te spreken over de online-applicaties van Fotovoordelig en Snapfish. Je installeert dan geen software, maar werkt in de internetbrowser. Met de online-applicatie van Fotovoordelig kunnen twee mensen

Fotoboeken

		Merk & Type	Formaat in cm	Prijs	Testoordeel	Minimaal en maximaal aantal pagina's	Extra pagina's per keer	Software	Afdrukkwaliteit	Boekkwaliteit	Gebruiksgemak software	Mogelijkheden software	Levertijd
		Weging voor Testoordeel							40%	15%	30%	10%	5%
■	1.	**Fotoalbum.nl** A4 Panorama, fotopapier	28x21	€57	**7,9**	26-82	8	wml	+	+	++	++	□
■	2.	**Snapfish** 20x30 cm Liggend, fotopapier	28x21	€50	**7,8**	26-82	8	wml	+	+	++	++	□
■	3.	**Kruidvat** Large liggend, fotopapier	28x21	€51	**7,8**	26-82	8	wml	+	+	++	++	□
■	4.	**Albert Heijn** Standaard liggend, fotopapier	28x21	€54	**7,8**	26-82	8	wml	+	+	++	++	□
	5.	**Fotoalbum.nl** A4 Panorama, normaal papier	28x21	€46	**7,6**	26-154	8	wml	+	□	++	++	+
▶	6.	**Top-Fotoalbum** Original fotoalbum, fotopapier	28x19	€35	**7,4**	26-74	2	wm	+	+	+	+	++
	7.	**Kruidvat** Large Liggend, normaal papier	28x21	€46	**7,4**	26-154	8	wml	+	□	++	++	□
	8.	**Albert Heijn** Standaard liggend, normaal papier	28x21	€47	**7,4**	26-154	8	wml	+	□	++	++	□
▶	9.	**Fujiprint** Briljant A4 liggend, fotopapier	29x19	€31	**7,3**	24-72	8	w	+	+	+	+	++
	10.	**Hema** Groot belicht, fotopapier	29x19	€41	**7,2**	24-72	16	wm	+	+	+	+	+
	11.	**MyPhotoFun** A4 liggend, fotopapier	29x19	€42	**7,0**	24-72	16	w	+	+	□	+	□
	12.	**Apple** Harde kaft L, normaal papier	29x22	€59	**7,0**	20-100	2	m	+	□	+	+	++
	13.	**Webprint** Exclusief, fotopapier	31x21	€41	**6,8**	24-96	2	o	+	+	□	+	+
	14.	**Albelli** Liggend L, normaal papier, platliggend	29x22	€47	**6,7**	24-120	2	wmo	□	□	+	++	+
	15.	**Albelli** Liggend L, normaal papier	29x22	€41	**6,6**	24-120	2	wmo	□	□	+	++	+
	16.	**Hema** Groot liggend harde omslag, normaal papier	29x22	€47	**6,6**	24-120	2	wmo	□	□	+	++	+
	17.	**Hema** Groot liggend harde omslag, norm. papier, platl.	29x22	€53	**6,6**	24-120	2	wmo	□	□	+	++	+
	18.	**Blurb** Standaard liggend, normaal papier	25x21	€38	**6,5**	20-440	20	wmo	+	□	+	□	□
	19.	**Blurb** Standaard liggend, ProLine Pearl Photo papier	25x21	€54	**6,5**	20-220	20	wmo	+	□	+	□	□
	20.	**Snapfish** 20x30 cm Liggend, normaal papier	28x21	€43	**6,3**	26-154	8	o	+	□	□	+	+
	21.	**MyPhotoFun** Large liggend harde omslag, norm. pap.	34x25	€41	**5,5**	20-120	2	w	□	□	□	+	+
	22.	**Fotovoordelig** A4 Liggend, normaal papier	30x22	€43	**5,0**	24-99	2	o	□	□	–	+	□

++ Zeer goed + Goed □ Redelijk – Matig –– Slecht ■ Beste uit de test ▶ Beste koop

- De prijzen zijn van juli 2012.
- Alle albums zijn liggend, ongeveer A4-formaat, hebben zijdeglanspapier en een fotokaft en bevatten 40 of 42 pagina's.
- De namen zijn ontleend aan de website. In de software worden soms andere namen gebruikt.
- Bij Blurb kun je pagina's per 2 stuks toevoegen, maar je betaalt per set van 20 pagina's.
- w = Windows, m = Mac, l = Linux, o = online-applicatie (werkt op alle systemen).

tegelijkertijd aan een album werken. De software is echter zo onhandig dat dit voordeel niet opweegt tegen het ongemak. Bij Snapfish zit je vast aan de standaardlay-out en kun je bijvoorbeeld het fotokaderformaat niet aanpassen. Panorama's en eigen fotoachtergronden zijn evenmin mogelijk.

Mooie afdrukken

Het gebruiksgemak is natuurlijk belangrijk, maar het eindresultaat telt pas echt. Daarom wegen afdrukkwaliteit en boekkwaliteit zwaar mee in het Testoordeel. Drie fotografen keken kritisch naar kleuren, kleurverloop, helderheid, contrast en scherpte. De afdrukkwaliteit van kaft en binnenwerk werden apart beoordeeld.
'De algemene indruk is goed', zegt een van de fotografen. 'In de vorige test in 2009 zat veel verschil tussen de beste en de slechtste albums. Bij deze test is er een grotere middenmoot en zijn de uitschieters minder extreem.' Een andere fotograaf vult aan: 'De verschillen zitten vooral in de kleurverlopen.

IN DETAIL

Fotoalbum.nl (Beste uit de test)

A4 Panorama, fotopapier
Testoordeel: 7,9
Fotoalbum.nl verkoopt het Cewe Fotoboek, het huismerk van Cewe. De software is het gebruiksvriendelijkst en heeft veel mogelijkheden. De scherpe afdrukken zijn fris van kleur en het boek valt goed open.

Top-Fotoalbum (Beste koop)

Original fotoalbum, fotopapier
Testoordeel: 7,4
Top-Fotoalbum biedt een goede afdruk- en boekkwaliteit en is een van de goedkoopste uit de test. De levering is supersnel. De kaft is vrij gevoelig voor krassen. Panorama's lopen mooi door van de linker- naar de rechterpagina.

Bij normaal papier is vaak een raster van inktpuntjes zichtbaar, bij fotopapier zijn de kleurverlopen vloeiender.'
De fotografen zijn verrast wanneer ze horen dat het mooiste en het minst gewaardeerde fotoboek van dezelfde aanbieder zijn. Het boek met fotopapier van MyPhotoFun heeft volgens de fotografen de beste afdrukkwaliteit. Maar het boek met normaal papier krijgt een onvoldoende. Dat het ene soort album van een aanbieder goed is, zegt dus niks over de andere soorten.
De drie fotografen en een boekbinder beoordeelden ook de boekkwaliteit. 'De boeken met normaal papier hebben een lijmrug die wordt ingeklemd door de kaft. Daardoor bollen de pagina's op als je het boek openlegt', aldus de boekbinder. 'De boeken met fotopapier zien er beter uit doordat de pagina's mooi openvallen en de foto's vloeiend van de linker- naar de rechterpagina lopen.'
Bij de Hema en Albelli zijn voor een meerprijs ook platliggende fotoboeken met normaal papier verkrijgbaar. Het panel is er niet enthousiast over: 'De pagina's blijven mooi openliggen, maar de naad in het midden ziet er vreemd uit. Ook zit er een soort transparante strip over het midden. Ik dacht eerst dat het een foutje bij het inbinden was.'

Luxe voor zelfde prijs

Het bijzondere is dat de 'luxe' boeken met fotopapier van eenzelfde aanbieder niet altijd duurder zijn dan die met gewoon papier. In beide gevallen kost een boek van 40 of 42 pagina's gemiddeld €46. Een basisalbum van 20, 24 of 26 pagina's kost zo'n €28. Daarbovenop komt een bedrag voor extra pagina's: dat gaat per set van 2, 8 of 16. Per pagina kost het ongeveer €0,60. Meestal is een fotokaft inbegrepen, maar soms kost dat extra geld. De prijs staat bij de meeste programma's altijd zichtbaar in beeld. Het totaalbedrag verandert bij het toevoegen van meer pagina's. Apple, Blurb en Top-Fotoalbum laten de prijs niet altijd op het beeldscherm zien. Zodra je gaat bestellen, komen er verzend- en verwerkingskosten bij.

100% tevredenheidsgarantie?

Blurb heeft aan het eind een onaangename verrassing in petto: de prijzen op de website en in de software zijn exclusief btw, waardoor er aan het eind 6% bovenop komt. Dit is niet toegestaan bij producten die aan consumenten worden verkocht. De Consumentenbond heeft Blurb hierop aangesproken. Blurb heeft beloofd de prijzen te zullen aanpassen.

We vroegen de aanbieders welke service klanten kunnen verwachten als ze niet tevreden zijn over het geleverde fotoboek. Wanneer het boek bij bezorging beschadigd is of fabrieksfouten bevat, geven alle aanbieders gratis een nieuw exemplaar of geld terug.
Wanneer je zelf een fout ontwerp hebt aangeleverd, zijn sommige aanbieders wat terughoudender. Een aantal aanbieders zegt een gulle service zonder gezeur toe. Albelli geeft een '100% tevredenheidsgarantie' en Albert Heijn een 'onvoorwaardelijke kwaliteitsgarantie'. Hema meldt: 'De klant heeft gelijk en de Hema zal in voorkomende gevallen het album altijd kosteloos opnieuw produceren.'

Zie ook het dossier *Fotoboeken* op www.consumentenbond.nl.

Homecinemasets

Consumentengids december 2011

Tv's worden steeds platter en het beeld wordt steeds mooier. Het geluid heeft echter te lijden onder die afslankneiging, want goed geluid heeft ruimte nodig. Ruimte voor grotere luidsprekers in een platte tv is er niet. Sluit daarom

Oersoundbar

In 2005 bracht Yamaha als soundbarpionier het type YSP-1 op de markt. Met 40 kleine luidsprekers en 2 grote versterkers in één behuizing maakt die het mogelijk om geluid te richten. Het doel is een zo goed mogelijk rondomgeluid te krijgen uit een enkele luidsprekerbox. Dit werkt het best in een min of meer rechthoekige kamer, want het systeem maakt gebruik van reflecties.
Naast opvolgers van het oermodel YSP-1 bracht Yamaha eenvoudigere en goedkopere modellen uit met minder luidsprekers, zoals de Yamaha YSP2200 die 16 luidsprekertjes en een losse subwoofer heeft. Het rondomgeluid haalt het echter nog niet bij een 5.1-systeem, maar het overtreft de ruimtelijkheid van alle geteste 2.1- en soundbarsystemen. Helaas laat het systeem bij gewone stereoweergave veel punten liggen. De klankkwaliteit is niet zo goed als dat van andere soundbars. De Yamaha is alleen te overwegen voor wie veel films kijkt en echt geen 5.1-systeem wil.

Bose

Bose is een grote speler op de markt van homecinemasystemen. Helaas kost het goedkoopste 5.1-systeem met dvd-speler €3500. Bose maakt geen homecinemasystemen met blu-rayspeler. Je kunt deze er wel op aansluiten. We hebben de Bose Cinemate GSII (€800) getest. Dit systeem lijkt op het oog op een 2.1-systeem, maar valt eigenlijk in de categorie 'soundbar'. Er is dus geen kast met versterker, tuner en blu-rayspeler, maar wel een interfacemodule. Dit kastje moet worden aangesloten op de tv en vormt de verbinding met de Boseluidsprekers.
Volgens onze test klinkt de Bose Cinemate GS II ongeveer even goed als de Panasonic SC-HTB520 (€350). Bij het afspelen van een cd klinkt de Panasonic wat beter, bij het creëren van een surroundimpressie is de Boseset wat beter. Bij de metingen blijkt de Bose geluiden wat luider weer te kunnen geven.

een goede stereo- of homecinemaset aan en je hebt een prima oplossing om mager tv- en filmgeluid te verbeteren. Bovendien geeft zo'n set veel extra mogelijkheden.
Naast de 5.1-homecinemasystemen (een versterker met blu-rayspeler, vijf luidsprekers en een *subwoofer* oftewel baskast) en 2.1-systemen (met twee luidsprekers en een subwoofer) is er nu ook een ruime keuze aan *soundbars*. Een soundbar is een langwerpige kast met een aantal luidsprekers die je onder de tv zet of hangt. De soundbar wordt bijna altijd aangevuld met een losse subwoofer voor de laagste tonen. Bij een soundbar moet je zelf nog een blu-rayspeler kopen en aansluiten, want hij is niet ingebouwd zoals bij andere homecinemasets. Er bestaan ook soundbars met een ingebouwde blu-rayspeler, maar de keuze is nog beperkt.
Wie regelmatig films kijkt, rondomgeluid (*surround sound*) belangrijk vindt en het niet erg vindt om zes luidsprekerkasten in zijn woonkamer op te stellen, kan het best een 5.1-systeem kiezen. Veel mensen vinden die hoeveelheid luidsprekerboxen en bijbehorende bedrading echter een bezwaar. Dan kan een 2.1-systeem een alternatief zijn. Maar vooral het ruimtelijk effect haalt het niet bij dat van een 5.1-systeem. Een andere oplossing is een soundbar. Die is nog makkelijker te plaatsen dan een 2.1-systeem.

Nieuw en beter

Veel van de fabrikanten vernieuwen ieder jaar hun productreeksen. Het gaat vaak om toevoeging van extra functies en minder vaak om verbetering van

Tv-geluidssystemen

	Merk & Type	Richtprijs	Testoordeel	Geluid (zie ook andere tabel)	Gebruiksgemak	Beeld	Radio	Foutcorrectie	Veelzijdigheid	Energiegebruik	iPod-docking	Geheugenkaartlezer	Internetbrowser	Draadloze subwoofer	Afmetingen (cm) soundbarluidspreker	Automatische geluidsafstelling
5.1-systemen																
▶ ■ 1.	**LG** HX751	€400	**7,3**	+	□	++	++	+	□	++						
▶ 2.	**Samsung** HT-D5500	€370	**7,0**	+	□	++	+	+	+	+	√					√
3.	**Philips** HTS5562/12	€500	**7,0**	+	□	++	++	+	□	++	√	√	√			
4.	**Sony** BDV-E380	€400	**6,6**	+	+	++	□	+	+	++	√		√			√
5.	**Panasonic** SC-BTT270EGK	€320	**6,2**	+	–	++	++	+	□	++	√	√				
6.	**Pioneer** BCS-212	€380	**5,9**	□	+	++	++	+	□	++						
2.1-systemen																
■ 1.	**LG** HX721	€400	**7,2**	+	□	++	++	+	+	++						
▶ 2.	**Panasonic** SC-BTT262EGK	€300	**6,5**	+	□	++	+	□	+	++	√	√				
3.	**Samsung** HT-D5200	€300	**6,0**	□	+	++	+	+	+	+	√					
4.	**Philips** HTS7202/12	€520	**6,0**	□	□	+	++	–	+	+	√	√	√			
5.	**Samsung** HT-D7000	€420	**5,1**	□	□	++	+	□	□	+	√					
6.	**Sony** BDVL600	€450	**4,8**	□	□	++	□	+	+	□	√		√			
7.	**Sony** BDV-EF200	€330	**4,6**	□	□	++	□	++	+	++	√		√			
Soundbars																
1.	**Panasonic** SC-HTB520	€350	**6,0**	□	+				–	□				√	102x8x5	
2.	**Bose** Cinemate GS series II	€800	**5,9**	□	□				––	++					9x3x6	
3.	**Samsung** HW-D570	€400	**5,5**	□	+				□	□				√	105x8x5	
4.	**Philips** HTS3111/12	€180	**5,3**	□	□				––	+					95x10x5	
5.	**Yamaha** YSP-2200	€700	**5,2**	□	+				□	□					95x8x14	√
6.	**Samsung** HW-D450	€300	**5,1**	□	+				–	□				√	96x10x6	
7.	**Sharp** HT-SL50	€200	**3,1**	––	□				––	+					80x3x4	

++ Zeer goed + Goed □ Redelijk – Matig –– Slecht ■ Beste uit de test ▶ Beste koop

- Het Testoordeel is opgebouwd uit suboordelen die voor de volgende percentages meetellen: geluid 40%, gebruiksgemak 25%, foutcorrectie 10%, veelzijdigheid 10%, beeld 5%, radio 5% en energiegebruik 5%.
- Alle 5.1- en 2.1-systemen hebben een blu-rayspeler.
- Alle systemen, behalve de Philips HTS7202/12, hebben een HDMI-ARC-aansluiting.
- Alle 5.1- en 2.1-systemen, behalve de Sony BDVL600, hebben een lijningang (aux-aansluiting).
- Bij 2.1-sets weegt geluid voor 45% mee en het gebruiksgemak voor 20%; in het oordeel voor geluid weegt de stereoweergave zwaarder dan de surroundweergave.

- Bij soundbars weegt geluid voor 75% mee, gebruiksgemak voor 15%, veelzijdigheid voor 5% en energiegebruik voor 5%.
- Voor de Yamaha YSP-2200 is een weging gebruikt met meer nadruk op films kijken.
- De Bose Cinemate staat bij de soundbars ingedeeld, maar hij heeft, net als 2.1-systemen, twee kleine luidsprekers en een subwoofer.

kwaliteit. Veel mogelijkheden die bij onze vorige test in 2010 nog maar bij een deel van de apparaten te vinden waren, zijn nu gemeengoed. Alle apparaten kunnen nu meer details op een HD-scherm (*high definition*) laten zien bij gebruik van gewone dvd's. De speler vult dan ontbrekende beeldinformatie aan. Even scherp als echt HD-beeld wordt het niet, maar de beeldkwaliteit verbetert wel. Ook kunnen alle apparaten de 3D-beeldsignalen van 3D-blu-raydiscs doorgeven.
In 2010 was nog minder dan de helft van de apparaten voorzien van een HDMI-ARC-aansluiting. Nu hebben op een na alle 2.1- en 5.1-systemen zo'n aansluiting, en dat is handig. Voorheen moest je het geluid van de tv naar de homecinemaset leiden met een extra kabeltje. Nu volstaat de nieuwste versie HDMI-kabel. Overigens moet ook de tv ARC ondersteunen om het te kunnen gebruiken.
Alle homecinemasets kunnen mp3's afspelen, en foto's en van internet gehaalde video's tonen. Een foto is in een tot drie seconden te zien; een computer doet dit altijd sneller. Alle apparaten zijn voorzien van DLNA, waarmee je audio- en videobestanden op een computer in een thuisnetwerk kunt opzoeken en afspelen.
Homecinemasets hebben geen hoofdtelefoonaansluiting en ook geen scartaansluiting meer. Enkele soundbars hebben wel een draadloze verbinding met de subwoofer. Je hoeft deze kast dan alleen nog op het stopcontact aan te sluiten.
Een homecinemaset moet voor het beste resultaat worden ingesteld op de ruimte. Dat kan gehoormatig, maar sommige hebben een automatisch afstelsysteem, dat reuzehandig is.

Internetmogelijkheden

Alle 5.1- en 2.1-homecinemasets hebben een internetportaal. Dat is een pagina of menu met allerlei onlinediensten, zoals Picasa, Facebook, YouTube en Buienradar. Hoe uitgebreid dit portaal eruitziet, bepaalt de fabrikant. Het kan zo nu en dan veranderen; meestal komen er functies bij.

Enkele homecinemasets hebben een internetbrowser om ook naar andere webpagina's te surfen. Dit werkt niet zo goed als op een computer. Het bedieningsgemak laat te wensen over: een lang internetadres invoeren met de afstandsbediening is lastig. Ook worden niet alle pagina's even goed getoond. Bij de Philips HTS7202 kun je een computertoetsenbord en muis aansluiten, eventueel zelfs draadloos.
De internetmogelijkheden van homecinemasets hebben veel overeenkomsten met de internetmogelijkheden van tv's en blu-rayspelers. De portalen van Panasonic en Samsung vallen op door de snelle reactietijd; die van LG zijn juist traag.

Geluidskwaliteit in detail

	Merk & Type	Totaaloordeel geluid	Stereo-cd	Stemkwaliteit	Rondomgeluid en stemlocalisatie
5.1-systemen					
1.	**LG** HX751	+	+	+	++
2.	**Samsung** HT-D5500	+	□	+	++
3.	**Philips** HTS5562/12	+	□	+	++
4.	**Sony** BDV-E380	+	□	□	++
5.	**Panasonic** SC-BTT270EGK	+	□	+	++
6.	**Pioneer** BCS-212	□	–	□	++
2.1-systemen					
1.	**LG** HX721	+	+	+	––
2.	**Panasonic** SC-BTT262EGK	+	+	□	––
3.	**Samsung** HT-D5200	□	+	–	–
4.	**Philips** HTS7202/12	□	+	□	––
5.	**Samsung** HT-D7000	□	□	–	––
6.	**Sony** BDVL600	□	□	–	––
7.	**Sony** BDV-EF200	□	□	–	––
soundbars					
1.	**Panasonic** SC-HTB520	□	+	+	––
2.	**Bose** Cinemate GS series II	□	□	□	–
3.	**Samsung** HW-D570	□	□	□	––
4.	**Philips** HTS3111/12	□	□	□	––
5.	**Yamaha** YSP-2200	□	–	□	□
6.	**Samsung** HW-D450	□	–	□	––
7.	**Sharp** HT-SL50	––	––	––	––

++ Zeer goed + Goed □ Redelijk – Matig –– Slecht

Geluid

We vergeleken de homecinemasets ook nog met de Samsung LE40C750-tv, die al een redelijk goed geluid geeft, en beoordeelden of ze kwaliteit toevoegen. De meeste geteste 5.1-systemen zorgen inderdaad voor een betere klank. De meeste geteste 2.1-systemen zorgen eveneens voor een verbetering, vooral omdat ze een subwoofer hebben. Maar de midden- en hoge tonen klinken soms onnatuurlijk, vooral de Sony- en Samsungsets hebben hier last van. De meeste soundbars verbeteren het geluid van een al redelijk klinkende tv niet echt. Met de soundbar van Sharp klinkt het geluid zelfs slechter. Alleen die van Panasonic en de Bose Cinemate GS laten een duidelijke algehele verbetering van de geluidskwaliteit horen.

IN DETAIL

LG HX751 (Beste koop én Beste uit de test)

Prijs: €400

Testoordeel: 7,3

Deze 5.1-homecinemaset scoort goed op een hele reeks testaspecten. Hij heeft nuttige mogelijkheden, zoals een draadloze netwerkverbinding en een uitgebreide klankregeling. Kleine minpunten zijn er ook: het apparaat verslikt zich in foto's van meer dan 4 MB en het iPod-dock geeft alleen audio door en geen bedieningssignalen. Het display had beter gekund.

Panasonic SC-BTT262EGK (Beste koop)

Prijs: €300

Testoordeel: 6,5

Dit 2.1-systeem klinkt bij stereo-cd's goed en is zuinig met energie. Het rondomgeluid is slecht, zoals bij alle 2.1-systemen. Er is een ingebouwde iPod-dock en hij kan SD-kaarten lezen met bijvoorbeeld foto's. De ventilator is zachtjes hoorbaar. Helaas heeft het apparaat een nogal klein, donker en spiegelend display.

Panasonic SC-HTB520

Prijs: €350

Testoordeel: 6,0

Deze soundbar verbetert op een eenvoudige manier het geluid van veel tv's. Hij is de enige die goed scoort bij stereogeluid en stemgeluid. Rondomgeluid mag je er niet van verwachten. Hij heeft een draadloze subwoofer; die heeft alleen netspanning nodig. Het apparaat heeft alleen een HDMI-in- en -uitgang en dus geen andere aansluitingen.

Bij het beoordelen van film-, stem- of orkestgeluid kun je op verschillende aspecten letten. De klank moet natuurlijk zijn en de richting waar het geluid van een instrument vandaan komt moet duidelijk zijn. In de tabel 'Geluidskwaliteit in detail' staan detailoordelen voor de geluidskwaliteit.

Zie ook het dossier *Homecinema-sets* op www.consumentenbond.nl.

Onlinevideo op laptop

Digitaalgids juli 2012

Op vakantie kun je je favoriete programma's gratis bekijken met een tv-ontvanger in je laptop. Maar installatie en gebruiksgemak vallen tegen. We testten zes modellen die je via een usb-poort op de laptop aansluit

1 Terratec Cinergy TStick Black

€27 (MyCom)

De beste van de zes. De installatie van de TStick Black bevat veel stappen, maar gaat probleemloos. De tv-ontvangst is goed. De software oogt rommelig, maar alles werkt. Je kunt behalve tv opnemen en pauzeren ook radio luisteren. Zappen met de afstandsbediening gaat veel sneller dan met de software.

2 PCTV nanoStick Solo

€30 (Paradigit)

Na de installatie (vanaf twee cd's: onhandig) programmeert de nanoStick zelf zenders. Prettig is dat alleen de gratis zenders in de lijst worden gezet. Het beeld oogt door de lage resolutie vrij onscherp. Een programmagids en afstandsbediening ontbreken. Live-tv pauzeren, opnemen of terugspoelen gaat probleemloos.

3 PCTV picoStick

€38 (Paradigit)

De picoStick is de kleinste ontvanger in deze test: de usb-stick is slechts 2 bij 0,5 cm. Hij wordt wel erg warm tijdens het tv kijken. De software is dezelfde als die van de nanoStick. We zien hetzelfde onscherpe beeld. De antenne is uitschuifbaar, wat kan helpen bij slechte ontvangst. Een afstandsbediening ontbreekt.

4 Elgato eyeTV DTT deluxe

€77 (Alternate)

De installatie van de eyeTV ging niet in één keer goed. Daarnaast hadden we meer pogingen nodig om de zenders te vinden. De eyeTV werkt als enige ook op de Mac. De software voor Windows is identiek aan die bij de Terratec-ontvangers. De twee bijgeleverde antennes zijn stevig en kantelbaar. Het is de enige ontvanger met een handzame afstandsbediening.

5 Terratec Cinergy TStickRC

€25 (MyCom)

De TStickRC lijkt op onze nummer één (de TStick). Hij heeft dezelfde software en de antenne is bijna identiek. Alleen de afstandsbediening heeft iets minder functies. Ook de beeldkwaliteit is goed. Waarom raden we de TStickRC dan af? Je moet lukraak een driver uit een lijst kiezen: grote kans dat die niet werkt met de TStickRC.

6 Asus My Cinema-U3000 Hybrid

€70 (Alternate)

Deze prijzige ontvanger geeft prima beeld, als het tenminste lukt om hem te installeren. Dat lukte ons lang niet altijd en soms alleen met veel moeite. Het is onhandig dat de productcode op de cd staat die in de laptop zit. De programmagids was moeilijk te vinden. Volgens de doos is dit product alleen geschikt voor XP en Vista.

en waarmee je via DVB-T tv en radio ontvangt. De meeste hebben een afstandsbediening en een elektronische programmagids. We beoordeelden de ontvangstkwaliteit, het gebruiksgemak en de mogelijkheden. De ontvangers zijn geïnstalleerd op meerdere notebooks. Ze vereisen 300 MB tot 5 GB vrije schijfruimte en zijn geschikt voor Windows. Alleen de ontvanger van Elgato is geschikt voor Mac. Met alle ontvangers is het mogelijk om de tv-zender waarnaar je kijkt op te nemen, te pauzeren of terug te spoelen.

Zie ook het dossier *Laptops* op www.consumentenbond.nl.

Onlinevideo op tv

Digitaalgids september 2012

Om een film te kijken was je tot voor kort aangewezen op de bioscoop of de videotheek. Ook bleef je thuis voor je favoriete tv-programma. Maar die tijden zijn veranderd: een film bestel je met de afstandsbediening en een televisie-uitzending kijk je wanneer het jou uitkomt.

Wat & hoe

We beoordeelden vijf manieren om films en Programma Gemist via internet te bekijken op tv. Centraal stonden gemak, filmaanbod en beeldkwaliteit, die we 1 tot 5 sterren gaven. Voor Ziggo gebruikten we een Humax iHDR-5200-decoder (Beste getest) met het digitale basisabonnement van Ziggo, de laptop in de test was een Acer Aspire 7750G. De slimme tv was een Samsung UE32D6500. De apparaten werden draadloos verbonden met internet. Apple, Ziggo en Microsoft (via de Xbox) verhuren zelf films. Voor de andere mogelijkheden gebruikten we de Video on Demand-diensten Veamer en Pathé Thuis. Met een lijst van 13 recente en oude films peilden we de kwaliteit van het filmaanbod.

Er zijn in korte tijd veel manieren ontstaan om veel meer te doen met de tv. De belangrijkste ontwikkeling is dat steeds meer apparaten zelfstandig een verbinding met internet kunnen maken, vaak draadloos via wifi. Zo kun je tegenwoordig bioscoopfilms, internetfilmpjes en oude tv-uitzendingen terugkijken via de 'slimme' televisie, via de televisieprovider, via een los kastje van Apple of Google of 'ouderwets' door de laptop met de tv te verbinden. We hebben vijf oplossingen in de praktijk getest om tv-programma's en speelfilms op tv te bekijken. Onder het kopje 'Praktijktest' leest u hoe ze scoren op gemak, aanbod en beeldkwaliteit.

Programma Gemist

De eerste vorm van het nieuwe tv-kijken is een programma kijken wanneer het jou uitkomt. Bij de publieke omroep kun je via www.uitzendinggemist.nl programma's tot ongeveer een jaar geleden nog terugzien. Het aanbod is erg groot en gratis. Bij RTL XL (RTL 4, 5, 7 en 8) is er ook veel keuze, maar vaak moet je betalen (meestal €1) om een programma te zien. Daarnaast zijn er bij RTL XL afleveringen van series en films te huur die niet op tv zijn vertoond. De programma's bij SBS 6 Gemist, Veronica Gemist en Net5 Gemist zijn gratis, maar lang niet alle programma's die op tv worden uitgezonden, zijn daar te zien. Het nieuwe tv-kijken vindt steeds vaker plaats op tablet en smartphone. De *apps* van RTL XL en Uitzending Gemist geven snel toegang tot programma's, maar het aanbod is kleiner dan via hun websites. Maar het kan nog eenvoudiger. Met de nieuwe *smart* tv's van LG, Philips, Sharp en Sony kun je direct met de afstandsbediening oude afleveringen opzoeken en terugkijken. Dit kan ook als je een interactief tv-abonnement hebt bij Ziggo, UPC, Tele2, KPN, XS4All en enkele glasvezelaanbieders.

Sony en Google TV

Sony levert sinds eind augustus 2012 het eerste product (de mediaspeler NSZ-GS7) met Google TV, helaas net te laat voor deze test. Daarmee krijg je vanaf de tv toegang tot bekende Googlediensten. Verder gaat Sony tv's, maar ook andere apparaten, uitrusten met een eigen filmdienst: Video Unlimited. De videotheek bevat 1500 films tussen de €3 en €6.

Mediaspelers

De winkels liggen vol mediaspelers. Deze kastjes van onder andere Philips, Western Digital en Logitech spelen video's direct vanaf de computer af op de tv. Films moeten dus al op de harde schijf staan en dat betekent bijna automatisch dat ze zijn gedownload van een uitwisselnetwerk. Veel gedoe, kans op virussen en niet altijd legaal. Om die reden hebben we mediaspelers in deze test niet meegenomen. Wij concentreren ons op de nieuwe – legale – manieren om video te kijken via internet (Video on Demand), zonder dat je iets hoeft te downloaden.

Video huren via internet

Tegenwoordig hoef je voor een speelfilm de deur niet meer uit. Via Video on Demand (VOD) bestel je een film vanuit je luie stoel. Die hoef je niet meer eerst te downloaden, want de film 'streamt' via internet direct naar de televisie. Je kunt VOD bestellen via een slimme televisie, via de kabelaanbieder, via een apart kastje of via de laptop. Na het starten van een gehuurde film heb je meestal 48 uur om hem af te spelen. Nieuwe films zijn bijna altijd in de hoogste kwaliteit te huur (full-HD), oudere titels vaak alleen in lagere kwaliteit (SD). Ons gebruikerspanel was positief over de beeldkwaliteit van de HD-films die ze op alle vijf de manieren hebben bekeken.

Het filmaanbod daarentegen kan nog wel een stuk beter. Nu zijn er tussen de 500 en 1000 nieuwe en oudere films. Uit een kleine peiling blijkt dat de meeste filmdiensten maar 5 of 6 films hadden van de 13 films op onze boodschappenlijst. Eén dienst had er acht. Dat niet elke film *on demand* te huren is, heeft alles te maken met rechten en licenties. Desondanks steekt het filmaanbod schril af bij dat van de traditionele videotheek.
Een tweede verbeterpunt is de prijs van de films. Uit recent onderzoek van onderzoeksbureau GFK blijkt dat Nederlanders ontevreden zijn over de prijs van films die je huurt via internet. Een nieuwe film in HD-kwaliteit kost tussen de €5 en €7. Volgens GFK voelen consumenten er wel voor om onbeperkt video te kijken tegen een vast bedrag. In Nederland bestaat zoiets nog niet. In Amerika, maar ook in landen om ons heen, bestaan dergelijke diensten al langer. De bekendste is Netflix, een van oorsprong Amerikaanse dienst die voor $8 per maand onbeperkt toegang biedt tot 11.000 onlinefilms en -series. Wie een abonnement heeft, kan films kijken via allerlei apparaten: mediaspelers, consoles, smartphones, tablets en pc's. De dienst is sinds begin 2012 ook in Engeland actief. Er gaan geruchten dat Netflix naar Nederland komt.

Praktijktest

Hoe krijg je het internet naar de tv in de huiskamer? Een praktijktest waarin we het gemak, de beeldkwaliteit en het aanbod onderzochten van Programma Gemist en *streaming video* op tv. Hoe meer sterretjes (van de in totaal vijf), des te beter.

1 De slimme tv (Samsung TV met Pathé Thuis)

Elke grote tv-maker heeft inmiddels slimme tv's met een internetverbinding en een menu met apps. Net als bij een smartphone bieden die apps toegang tot internetdiensten als Twitter, Nu.nl en Buienradar, maar er zijn ook apps waarmee je direct films kunt huren en bekijken.

Filmdienst

We bekeken een film op een slimme tv van Samsung en huurden een film via de dienst Pathé Thuis. Bij Pathé Thuis moet je eerst een account aanmaken en een tegoed storten voordat de film kan beginnen. Betalen kan met iDeal – doe dat via de laptop, want via de tv is dat zeer omslachtig. De meningen over het kiezen van een film bij de videodienst waren wisselend: van 'handig, die videotheekschappen', naar 'rommelig' tot 'te veel informatie te dicht op elkaar'.

De afstandsbediening heeft zo veel knoppen dat het zoeken is naar de juiste knoppen om het afspelen te bedienen.

Programma Gemist
Samsung heeft nog geen app voor Programma Gemist. Philips, LG, Sharp en Sony hebben die wel al op hun slimme televisies. De beeldkwaliteit daarvan is vaak wel wat korrelig.

Conclusie
De bediening is minder soepel dan via Ziggo en Apple (zie verderop), maar het is een interessante extra als je toch al van plan was een nieuwe tv te kopen. Op www.consumentenbond.nl/televisies ziet u welke tv's geschikt zijn voor VOD.

Prijs film in HD: €4-€5
Filmaanbod: ★★☆☆☆
Gebruiksgemak: ★★☆☆☆
Beeldkwaliteit: ★★★★☆
Geschikt voor: Filmbibliotheek, Uitzending Gemist/RTL XL, YouTube

2 Los kastje (Apple TV)

De Apple TV (€110) is een klein zwart kastje met internetdiensten voor de tv dat zich in een handomdraai laat installeren. De Apple TV sluit je met een HDMI-kabel aan op de tv en via wifi of een netwerkkabel op internet. Het menu van de Apple TV is overzichtelijk, mooi vormgegeven. De afstandsbediening is prettig in haar eenvoud (alleen afspelen, stop-pauzeknop en vooruitspoelen), maar is zo klein dat zij snel verdwijnt tussen de kussens van je bankstel.

Filmdienst
Om een film te huren hebt je een iTunes-account nodig, gekoppeld aan een creditcard. Dat account maak je aan via de tv of via de pc. Een film huur je bij Apples eigen videotheek en kost tussen de €3 en €5; iets goedkoper dan bij de rest. Veel films hebben alleen een Engelse beschrijving en soms ontbreekt Nederlandse ondertiteling. Wel fijn zijn de gebruikerservaringen en de sterrenscore bij de films. Films zijn ook te koop in iTunes, maar die moet je dan eerst downloaden met iTunes op de pc. Daarna kun je die via het netwerk afspelen met Apple TV.

Programma Gemist
Op Apple TV zijn geen tv-uitzendingen terug te zien, maar voor wie een iPhone of iPad (2 of 3) heeft, is er een omweg. De Apple TV kan via de Airplay-functie het beeld op een iPhone of iPad namelijk op je tv-scherm projecteren, dus ook de apps van Uitzending Gemist en RTL XL. De Apple TV heeft nog veel meer mogelijkheden. Een eerste indruk is te lezen op www.consumentenbond.nl/apple-tv.

Conclusie
Eerste keuze voor wie een iPad of iPhone heeft.

Prijs Apple TV: €110
Prijs HD-film bij Apple: €3-€5
Filmaanbod: ★★★☆☆
Gebruiksgemak: ★★★★☆
Beeldkwaliteit: ★★★★☆
Geschikt voor: Filmbibliotheek, Uitzending Gemist/RTL XL, YouTube

3 Tv-abonnement (Ziggo en Humax-decoder)

Wie al een digitaal tv-abonnement heeft bij Ziggo, UPC, Tele2, KPN, XS4All of een glasvezelaanbieder, kan ook een film huren via de tv. We probeerden de videodienst Ziggo on Demand met de decoder Humax iHDR-5200. Op andere decoders kan de bediening iets verschillen.

Filmdienst
Bij Ziggo moet je eenmalig een code invoeren en dan kan het huren beginnen. Het bedrag wordt dan gewoon aan de factuur toegevoegd. Het menu van Ziggo on Demand doet nogal Spartaans aan en heeft wat weg van Teletekst, maar is wel overzichtelijk. Op de afstandsbediening is het daarentegen zoeken naar de juiste functie in een woud aan knoppen. Ook is het onhandig dat je tijdens het typen van een filmtitel niet automatisch suggesties krijgt.

Programma Gemist
Ziggo's 'Programma Gemist' biedt een uitstekende beeldkwaliteit, stukken beter dan wanneer je uitzendingen op de computer terugkijkt. Het aanbod met de gewone website is vergelijkbaar, maar toch zijn er opvallende verschillen. Sommige afleveringen van series van commerciële omroepen zijn gratis via Ziggo, terwijl betaald moet worden via de gewone website. Andersom komt ook voor.

Conclusie
Eerste keuze voor Ziggo-abonnees. Bekijk het interactieve televisieaanbod van Ziggo en andere aanbieders op www.consumentenbond.nl/interactieve-tv.

Prijs HD-film 'Ziggo on Demand': €4-€6
Filmaanbod: ★★★☆☆
Gebruiksgemak: ★★★☆☆
Beeldkwaliteit: ★★★★☆
Geschikt voor: Filmbibliotheek, Uitzending Gemist/RTL XL

4 Spelcomputer (Microsoft Xbox 360)

De Xbox 360 is uitgegroeid van spelcomputer tot een veelzijdig interactief apparaat, inclusief Zune On Demand, de onlinefilmdienst van Microsoft.

Filmdienst
Het is even wennen, maar een controller als afstandsbediening werkt in de praktijk best goed. Het is dus niet nodig om hiervoor een aparte afstandsbediening te kopen. De betaling loopt via een puntentegoed dat gekoppeld is aan een creditcard: een film van €6 kost 500 punten. De menu's zijn vlot door te bladeren en zien er strak uit. Bij elke film staat een voorvertoning die gelijk begint te spelen. Door de overdaad aan informatie is het wel even zoeken hoe je een film moet huren. Films kopen kan ook. Het koopaanbod is niet gelijk aan het huuraanbod, waarschijnlijk vanwege licenties. Gehuurde films zijn ook af te spelen op Windows-pc's en Windows Phone 7-smartphones.

Programma Gemist
Met de introductie van Windows 8 kun je binnenkort ook gemiste uitzendingen terugkijken op de Xbox 360.

Conclusie
Alleen overwegen als je al een Xbox hebt.

Prijs Xbox 360: vanaf €200
Prijs HD-film via Zune: €6
Filmaanbod: ★★★☆☆
Gebruiksgemak: ★★★☆☆
Beeldkwaliteit: ★★★★☆
Geschikt voor: Filmbibliotheek, YouTube

5 De laptop (met onlinedienst Veamer)

Tot slot een oude oplossing: gewoon de laptop aan de tv koppelen en dan het laptopbeeld op de tv bekijken. Veel mensen doen het en meestal werkt het goed. Meestal, want pas bij de derde Windows 7-laptop kregen we het beeld van de laptop op de tv. De resolutie van de laptopmonitor is bepalend voor de kwaliteit van het tv-beeld. Onze Acer-laptop had een resolutie van 1600x900 pixels, net iets minder dan full-HD-kwaliteit.
Het grote voordeel van deze mogelijkheid is dat je elke videosite op tv kunt zien. Een duidelijk nadeel is het gedoe met snoeren en het ontbreken van een afstandsbediening (voor elke handeling moet je naar de laptop).

Filmdienst
De website van deze videodienst voert eerst een snelheidscheck uit. Alleen bij een snelle verbinding is een film in HD-kwaliteit te bekijken, anders krijg je een lagere kwaliteit. Veamer speelt films af met de Windows Media Player, wat alleen werkt op Windows-computers. Mac-gebruikers kunnen uitwijken naar andere webdiensten als Pathé Thuis en MovieMax. Het filmaanbod van Veamer valt tegen: maar 3 van de 13 films op onze boodschappenlijst waren te huur. Een film huren kost bij Veamer meestal €4 of €5. Losse afleveringen van series zijn te huur voor €1,50.

Programma Gemist
Uitzendingen via de gewone sites www.uitzendinggemist.nl en www.rtlxl.nl zijn blokkerig en duidelijk van lagere kwaliteit dan via Ziggo.

Conclusie
Veel gedoe, aanbod valt tegen. Alleen als je geen geld uit wil geven.

Prijs film in HD: €4-€5
Filmaanbod: ★★☆☆☆
Gebruiksgemak: ★★☆☆☆
Beeldkwaliteit: ★★★★☆
Geschikt voor: Filmbibliotheek, Uitzending Gemist/RTL XL, YouTube

Conclusie

Het is anno 2012 redelijk makkelijk om op tv films te huren en oude uitzendingen terug te kijken. De beeldkwaliteit is prima, maar filmaanbod en huurprijzen kunnen beter. Ziggo en Apple TV steken er qua gemak bovenuit.

Streaming muziekdiensten

Digitaalgids maart 2012

Wat & hoe

We vergeleken vijf *streaming* muziekdiensten op aanbod, gebruiksgemak, mogelijkheden (onder andere mobiel), geluidskwaliteit, voorwaarden en verplichte koppelingen met diensten als Facebook. Alle diensten werken met een maandabonnement. We vermelden de reguliere maandtarieven, exclusief kortingsacties. Alle diensten zijn gebruiksvriendelijk.

Bij streaming muziekdiensten speel je muziek direct af via internet. Nummers hoeven niet te worden gedownload en dat scheelt tijd en hardeschijfruimte. Met een maandabonnement (en een internetverbinding) heb je toegang tot miljoenen nummers. Die zijn tegen bijbetaling ook mobiel te beluisteren op een smartphone of tablet. Om hoge telefoonrekeningen te voorkomen, is het soms mogelijk een afspeellijst op te slaan (offline luisteren). Veel diensten hebben een koppeling met sociale media als Facebook om zo via vrienden en muziekliefhebbers muziek te delen en te ontdekken. De eerste onlinemuziekdienst was Spotify, maar inmiddels is er veel meer keuze. Welke moet u hebben?

1 Spotify: de eerste, de beste

Spotify was de eerste *streaming* muziekdienst en is inmiddels zo populair dat je er bij Albert Heijn tegoedbonnen voor kunt kopen. De dienst is flink uitgebreid met allerlei innovatieve manieren om nieuwe muziek te ontdekken. Muzieksites van Oor en RollingStone bieden bijvoorbeeld de mogelijkheid gerecenseerde albums direct in Spotify te beluisteren.
Het aanbod is zowel zeer breed als diep en vooral daarom vinden wij Spotify de beste dienst. Er is popmuziek van grote acts, maar ook onbekend materiaal van kleine platenlabels. Klassieke bands als The Beatles en Led Zeppelin ontbreken, maar dat is ook bij de andere diensten het geval. Bij Spotify moet je software installeren om muziek te luisteren, de andere diensten draaien in de browser. Nadeel: nieuwe Spotify-gebruikers hebben een Facebookaccount nodig om zich te kunnen registreren.

2 Deezer: in alles de nummer twee

Deezer is de grootste concurrent van Spotify. Het aanbod komt overeen en heeft dezelfde geluidskwaliteit. Het grote verschil is dat gratis luisteren niet mogelijk is, vandaar de tweede plaats. Bij Deezer zijn de mogelijkheden om nieuwe muziek te ontdekken vrij uitgebreid (bijvoorbeeld via radiostations van artiesten), maar net wat beperkter dan bij Spotify. Bij artiesten staan de namen van fans. Volg een fan met dezelfde muzieksmaak en je krijgt automatisch een overzicht van interessante muziek. Ook bij Deezer heb je een Facebookaccount nodig om van alle mogelijkheden gebruik te kunnen maken. Eenmaal geregistreerd kun je Facebook opzeggen.

3 Last.fm: radio

Bij Last.fm kun je niet zelf een nummer uitkiezen, maar luister je naar de radio via zenders per genre en artiest. Last.fm was een van de eerste die hiermee kwam, maar inmiddels is dat niet zo bijzonder meer. Waar het platform nog steeds in uitblinkt, zijn de vernuftige manieren om nieuwe muziek te ontdekken. Neem bijvoorbeeld de Scrobble-software. Die voegt gegevens over de muziek die je afspeelt automatisch toe aan je profiel op Last.fm. Daardoor krijg je een heel nauwkeurig inzicht in je muzieksmaak. Last.fm gebruikt de informatie om muziekadviezen verder te verbeteren. Voor veel gebruikers zijn de mogelijkheden wellicht te uitgebreid.

4 Grooveshark: hobbydienst

Bij Grooveshark overheerst het hobbygevoel. Gebruikers kunnen hun eigen muziek uploaden en dat zorgt voor een zeer compleet aanbod. Of dat aanbod allemaal legaal is, blijft in het midden. Grooveshark legt de verantwoordelijkheid bij de gebruiker. Veel muziekbestanden hebben een geluidskwaliteit van 128 kbps en dat is aan de lage kant. Een nadeel van de gebruikersbijdragen is dat er fouten zitten in de catalogus. Hoezen ontbreken soms en albums staan er meerdere keren in.

5 RaRa: te beperkt

Digitale muziek voor dummy's. De website kent weinig poespas. Het voordeel van deze eenvoud is dat je RaRa snel onder de knie hebt. Het aanbod is vrij beperkt: geen Nederlandstalige muziek, minder bekend dance-aanbod en het alternatieve aanbod schiet tekort. De manieren om muziek te ontdekken, steken schril af bij de mogelijkheden van de andere diensten. Vooralsnog is er alleen een Android-*app*, maar een app voor de iPhone is in de maak.

Streaming muziekdiensten

	Spotify	Deezer	Grooveshark	Last.fm	RaRa
Website	spotify.com/nl	deezer.com/nl	grooveshark.com	last.fm	rara.com
Omvang muziekcatalogus	15.000.000	13.000.000	15.000.000	12.000.000	10.000.000
Gratis versie met beperkingen	reclame, lage kwaliteit, max 20 uur p/m	alleen eerste 30 seconden	reclame	alleen eerste 30 seconden	nee
Kosten abonnement zonder beperkingen	€5 p/m	€5 p/m	€6 p/m of €60 p/jr	€3 p/m	€5 p/m
Premiumabonnement inclusief luisteren op smartphone en offline	€10 p/m	€10 p/m	€9 p/m of €90 p/jr	nee	€10 p/m
Facebookaccount nodig bij aanmelding?	✓	✓			
Nederlands aanbod		✓	✓		✓
Cd-kwaliteit (192 kbps) mogelijk	✓	✓			✓

iTunes Match

Apple heeft geen streamingdienst, maar iTunes Match. Voor €25 per jaar kun je je muziekcollectie in iTunes beluisteren in hogere kwaliteit en op andere computers via Apples gratis backupdienst iCloud. iTunes kijkt eerst of jouw muziek in Apples muziekwinkel iTunes Store staat. Bij een match kun je dat nummer in de hoogste iTuneskwaliteit downloaden. Muziek zonder match wordt geupload naar iCloud, zodat je die ook kunt downloaden naar andere apparaten. Onze ervaring: het werkt, maar het aantal matches viel tegen en het uploaden duurde lang: 8 uur voor 625 nummers.

Televisies

Consumentengids november 2011

De technische ontwikkeling van televisies ging de afgelopen jaren razendsnel: van internettoegang via de tv tot ledachtergrondverlichting en 3D. Over de nieuwste televisies is echter weinig nieuws te melden. Wel zitten de in de laatste jaren geïntroduceerde technologieën nu op steeds meer toestellen.

Ingebouwde tuner

De digitale tuner is inmiddels standaard: alle televisies in deze test hebben een ingebouwde tuner om digitale tv via de kabel (DVB-C) en via de ether (DVB-T) te ontvangen. Bij DVB-T heb je een kamerantenne nodig.
Ongeveer 30% heeft ook een tuner voor digitale tv via de satelliet (DVB-S). Uit een recente enquête van de Consumentenbond bleek dat van de 874 ondervraagden die digitale tv kijken, ongeveer 1 op de 6 gebruikmaakt van de ingebouwde digitale tuner. Het grote voordeel is dat je geen aparte decoder meer nodig hebt. Dit scheelt in energiekosten en je kunt toe met één afstandsbediening.
Naast een ingebouwde digitale tuner heb je voor digitale tv een Conditional Access Module (CAM) nodig en een smartcard. De smartcard van de televisieprovider gaat in de CAM; de smartcard is gekoppeld aan het abonnement. De CAM is voor elke tv-provider anders en ontsleutelt het digitale signaal van de zenders in het abonnement. De CAM met smartcard plaats je in de Common Interface (CI), een sleuf die meestal aan de zijkant van de tv zit. Om digitale tv via de ingebouwde kabeltuner te kijken, moet de televisie een CI+-certificering hebben. Daarnaast moet de tv door de grote kabelbedrijven UPC en Ziggo zijn gecertificeerd. In de praktijk beschikken de meeste nieuwe televisies over CI+- én tv-providercertificering. Op de websites van UPC en Ziggo staat welke tv's met DVB-C tuner inmiddels zijn goedgekeurd.
Voor Ziggo, Caiway en andere kabelbedrijven zijn er twee goedgekeurde CAM's verkrijgbaar: van Neotion en van Smit. Beide worden door Ziggo ook wel Digitale Televisiemodule genoemd. Ze kosten €60 zonder smartcard.

Geschikte CAM

UPC gebruikt een andere versleuteling en heeft een andere CAM. Deze UPC CI+-module is alleen in bruikleen te krijgen bij een los tv-abonnement. Je

81cm-televisies

		Merk & Type	Richtprijs	Testoordeel	Beeldkwaliteit	Geluidskwaliteit	Extra functies	Gebruiksgemak	Aansluitingen en tuners	Energiegebruik	Beeldkwaliteit via HDMI - standaard	Beeldkwaliteit via HDMI - optimaal	3D-kwaliteit	Schermtype	Full-HD	Timeshift en opnemen	Internet-portal
■	1.	**Philips** 32PFL9606H	€1100	**7,3**	+	+	+	□	+	++	□	+	□	lcd-led	√	√	√
■	2.	**Samsung** UE32D6530	€750	**7,2**	+	–	++	+	++	+	+	++	+	lcd-led	√	√	√
■	3.	**Samsung** LE32D550	€390	**7,0**	+	+	++	+	+	+	+	+		lcd	√		
■	4.	**Philips** 32PFL6606H	€510	**7,0**	+	+	+	□	+	++	□	+		lcd-led	√	√	√
■	5.	**Panasonic** TX-L32E30E	€700	**7,0**	+	□	+	+	++	++	□	+		lcd-led	√	√	√
■	6.	**LG** 32LW570S	€800	**7,0**	+	□	+	+	++	++	□	+	++	lcd-led	√		√
■	7.	**Loewe** Xelos 32 LED 100/CI+	€1300	**7,0**	+	+	+	□	+	+	+	+		lcd-led	√	√	
	8.	**LG** 32LK450	€360	**6,9**	□	+	++	+	+	+	□	+		lcd	√		
	9.	**Samsung** LE32D450	€390	**6,9**	+	□	++	+	+	+	+	+		lcd			
	10.	**Samsung** UE32D5000	€450	**6,9**	+	□	++	+	+	++	+	+		lcd-led	√		
	11.	**Samsung** UE32D5700	€530	**6,9**	+	□	+	+	++	++	□	+		lcd-led	√		√
	12.	**LG** 32LV375S	€550	**6,9**	+	□	+	+	+	++	□	+		lcd-led	√		√
	13.	**Samsung** UE32D5720	€700	**6,9**	+	□	+	+	++	++	□	+		lcd-led	√		√
	14.	**Sharp** LC-32LE630E	€590	**6,8**	+	+	+	□	+	++	□	+		lcd-led	√		√
	15.	**Sony** KDL-32EX720	€730	**6,8**	+	□	+	□	++	+	+	+	–	lcd-led	√	√	√
▶	16.	**LG** 32LK330	€330	**6,7**	□	□	+	+	+	+	□	+		lcd			
▶	17.	**LG** 32LK430	€340	**6,7**	□	□	++	+	+	+	□	□		lcd	√		
	18.	**Sony** KDL-32CX520	€430	**6,7**	+	□	+	□	++	+	+	+		lcd	√	√	√
	19.	**Panasonic** TX-L32DT30E	€1000	**6,7**	□	+	+	+	++	□	□	+	+	lcd-led	√	√	√
	20.	**Samsung** UE32D4000	€380	**6,6**	□	□	+	+	+	++	□	□		lcd-led			
	21.	**LG** 32LV5500	€540	**6,6**	+	–	+	+	+	+	□	+		lcd-led	v		√
	22.	**LG** 32LV3550	€430	**6,5**	□	–	++	+	+	++	–	+		lcd-led	v		
	23.	**Panasonic** TX-L32C3E	€350	**6,4**	+	□	+	+	+	+	□	+		lcd			
	24.	**LG** 32LV2500	€390	**6,4**	□	–	++	+	+	++	□	+		lcd-led			
	25.	**Sharp** LC-32LE430E	€480	**6,4**	□	□	+	□	+	++	□	□		lcd-led			
	26.	**LG** 32LW4500	€600	**6,4**	□	–	++	+	+	++	□	□	+	lcd-led	√		
	27.	**Philips** 32PFL4606H	€450	**6,3**	□	□	+	□	+	+	□	+		lcd	√		
	28.	**Panasonic** TX-L32E3E	€460	**6,3**	□	□	+	+	+	++	□	0		lcd-led	√		
	29.	**Philips** 32PFL5406H	€425	**6,2**	□	□	+	□	+	++	□	□		lcd-led			
	30.	**Philips** 32PFL5606H	€460	**6,0**	□	□	+	□	+	++	□	□		lcd-led	√		
	31.	**Philips** 32PFL3606H	€350	**5,9**	□	□	+	□	+	+	–	□		lcd	√		
	32.	**Toshiba** 32RL833	€430	**5,9**	□	–	+	□	+	+	□	□		lcd-led	√		√

++ Zeer goed + Goed □ Redelijk – Matig –– Slecht ■ Beste uit de test ▶ Beste koop

- De prijzen zijn van eind augustus 2011.
- Het Testoordeel is opgebouwd uit suboordelen die voor de volgende percentages meetellen: beeldkwaliteit 40%, geluidskwaliteit 20%, extra functies 17,5%, gebruiksgemak 12,5%, energiegebruik 5% en aansluitingen en tuners 5%.

- Extra functies zijn onder meer teletekst, foto's kijken, de tv als computermonitor, internetdiensten op de tv, de tv in een computernetwerk, de opnamefunctie en de elektronische programmagids.
- Alle televisies in de tabel hebben een ingebouwde tuner, geschikt voor digitale tv via de kabel (DVB-C) en via een kamerantenne (DVB-T). Enkele tv's van Panasonic, LG en Samsung zijn ook geschikt voor digitale tv via de satelliet (DVB-S). Kijk hiervoor op www.consumentenbond.nl/televisies.
- Bij de modellen uit de Philips 6606-serie kan een firmware-update nodig zijn voordat de timeshift en het opnemen werken. Zie www.philips.nl.
- Samsung heeft in een serie vaak meerdere modellen die technisch gelijk zijn, maar een ander ontwerp of distributiekanaal hebben. Ook de prijs verschilt vaak. De UE32D6500 en UE32D6510 zijn gelijk aan de UE32D6530 en zijn ook Beste uit de test. De UE40D6500 en UE40D6510 zijn gelijk aan de UE40D6530 en zijn ook Beste uit de test. De UE46D6500/10/40 zijn vergelijkbaar met de UE46D6530, de UE32D4010 is vergelijkbaar met de UE32D4000 en de UE40D5720 is vergelijkbaar met de UE40D5700.
- Bij het beoordelen van de 3D-beeldkwaliteit kijken we naar het 3D-effect en de stabiliteit van en flikkeringen in het beeld. Ook kijken we of er *crosstalk* voorkomt: het ene oog krijgt iets te zien dat eigenlijk voor het andere oog is bedoeld. Zie www.consumentenbond.nl/3dtv.

kunt dan kiezen tussen een decoder of een CI+-module. Bij het alles-in-éénpakket met internet en telefonie van UPC moet je voor de hoofdtelevisie gebruikmaken van een losse decoder. Voor een tweede televisie kun je wel de CI+-module in bruikleen krijgen (voor €4 per maand).
Wie digitale tv via een kamerantenne wil ontvangen, heeft een daarvoor geschikte CAM nodig en een televisie met DVB-T-tuner. De tv hoeft niet extra gecertificeerd te zijn.
Een CAM kun je kopen (circa €50), maar bij bijvoorbeeld KPN ook huren in plaats van een losse decoder.
De zenders van de publieke omroepen en de regionale omroep worden via de ether zonder versleuteling verzonden en kun je dus zonder abonnement bekijken. Daarvoor heb je dus geen smartcard en CAM nodig, alleen een tv met een DVB-T-tuner en een kamerantenne.
Enkele tv's van Panasonic, Sony, LG en Samsung hebben ook een ingebouwde tuner om digitale tv via de satelliet te ontvangen. Via de satelliet worden veel zenders zonder versleuteling verzonden. Dit zijn vooral buitenlandse zenders die zonder abonnement te ontvangen zijn. Wie de Nederlandse zenders wil ontvangen via de satelliet heeft een CanalDigitaal-abonnement met een CAM en smartcard nodig. De CAM kost €60 zonder smartcard.

Bij gebruik van een CAM hangen zapsnelheid en getoonde zenderinformatie af van de betreffende tv. We hebben dit bekeken bij zes gecertificeerde televisies van 81 cm (32 inch) met ingebouwde digitale tuner van LG, Panasonic, Philips, Samsung, Sharp en Sony.
De zapsnelheid varieerde behoorlijk: van minder dan twee tot soms wel zeven of acht seconden. Het gaat de ene keer sneller dan de andere, omdat de eigenschappen van de zender waar je naartoe zapt van invloed zijn. Zo duurt zappen naar een HD-zender (*high definition*) gemiddeld 1,5 seconden langer dan naar een SD-zender (*standard definition*).
Ook duurt het langer om naar een zender te zappen die in een andere multiplex zit. Een multiplex is een pakketje van digitale tv-zenders die samen worden verstuurd. Nederland 1, 2 en 3 in SD-kwaliteit zitten bij alle providers samen in zo'n pakketje. RTL 4 zit hier niet bij.
Zappen van Nederland 1 naar Nederland 2 gaat sneller dan van Nederland 1 naar RTL 4. Het verschil is gemiddeld 0,3 seconde, soms bijna 1 seconde. Welke zenders samen in een multiplex zitten, verschilt per provider en soms zelfs per regio.

Standaard een optimaal beeld

Met de komst van een verplicht Europees energielabel voor televisies hebben alle toestellen een *home mode setting*, oftewel standaardbeeldinstellingen. Het energiegebruik op het label moet gemeten zijn met de tv in deze instellingen. We beoordeelden de beeldkwaliteit met zowel de standaardinstellingen als de best mogelijke beeldinstellingen voor elke tv (zie de tabellen).
Het loont om na het uitpakken van de doos de tv niet klakkeloos neer te zetten. Beter pas je eerst even de beeldinstellingen aan. Bij de meeste tv's van LG, Panasonic, Philips, Sharp en Toshiba maakt het aanpassen van de beeldinstellingen vaak het verschil tussen onvoldoende en voldoende beeldkwaliteit. Het grootste verschil constateren we bij de Beste uit de test Philips 32PFL9606H. Bij veel Samsung- en Sony-tv's is het beeld met de standaardinstellingen wel goed, maar kan het beter. Bij het instellen kun je afgaan op eigen smaak, maar op www.consumentenbond.nl/televisies staan de optimale beeldinstellingen via HDMI die zijn gebruikt in de test. Wie een andere aansluiting dan HDMI heeft, kan deze instellingen als startpunt nemen.
Het energiegebruik van LCD- en LCD-led-tv's is gemiddeld maar 7 W hoger met de optimale instellingen. De meeste plasma-tv's gebruiken wel aanzienlijk meer energie met de optimale instellingen: tussen de 40 en 100 W meer.

Vergelijken in de winkel

Bij het beoordelen van het beeld in de winkel kun je het best op huidskleur letten. Gezichten zien er onnatuurlijk uit als ze te rood of te bleek zijn. Bij het groen van een voetbalveld is een goede kleurweergave veel lastiger in te schatten.
Vraag de verkoper welk signaal wordt gebruikt. Waarschijnlijk worden er HD-beelden getoond. Gebruik je thuis een ander signaal, dan is de kans groot dat de beeldkwaliteit niet hetzelfde zal zijn.
Probeer, als het kan, met de afstandsbediening het geluid te beoordelen. Wanneer het geluidsvolume langzaam omhooggaat, geldt: hoe eerder je kraakgeluiden of storingen hoort, des te slechter de geluidskwaliteit is. Bij mannenstemmen en muziek met veel bas treden storingen eerder op dan bij vrouwenstemmen en weinig bas. Ga in elk geval af op je eerste indruk. Hoe langer je namelijk luistert, hoe meer je gewend raakt aan het geluid.

Ook de manier waarop je van kanaal wisselt, speelt een rol. Zappen met omhoog- en omlaagtoets op de afstandsbediening gaat bij alle tv's even snel. Dit duurt gemiddeld 2,6 seconden en dat is vergelijkbaar met de zapsnelheid van de gemiddelde decoder.

Cijfertoetsen

Je kunt ook van zender wisselen door het zendernummer op de afstandsbediening in te toetsen. Vooral bij digitale televisie via kabel of satelliet is de lijst met zenders groot en kan het voorkomen dat je naar zendernummer 211 of 752 gaat. Dit gaat altijd langzamer dan met omhoog- en omlaagtoets. Het duurt een dikke 2,5 seconde langer. De tv wacht namelijk na elk ingedrukt cijfer even of er nog een volgt. Zappen met de cijfertoetsen gaat bij de televisies van Philips, Sharp en Sony wel een stuk sneller dan bij de televisies van LG, Panasonic en Samsung. Het duurt bij de laatste drie gemiddeld 1,4 seconde langer.
Als je digitale tv via een kamerantenne (DVB-T) kijkt, gaat het zappen langzamer dan wanneer je de ingebouwde kabeltuner gebruikt. Dat scheelt gemiddeld zo'n 1,3 seconde. Bij kabeltelevisie is er geen verschil te merken tussen de grote aanbieders Ziggo en UPC. Bij Ziggo maakt het niet uit of je de CAM van Neotion of Smit gebruikt.
Zie ook het filmpje over het gebruik van een ingebouwde digitale tuner op www.consumentenbond.nl/televisies.

102-119cm-televisies

		Merk & Type	Richtprijs	Testoordeel	Beeldkwaliteit	Geluidskwaliteit	Extra functies	Gebruiksgemak	Aansluitingen en tuners	Energiegebruik	Beeldkwaliteit via HDMI - standaard	Beeldkwaliteit via HDMI - optimaal	3D-kwaliteit	Schermtype	Full-HD	Timeshift en opnemen	Internet-portal
	102-109 cm (40-43 inch)																
■	1.	**Samsung** UE40D6530	€1080	**7,7**	+	+	++	+	++	□	+	+	+	lcd-led	√	√	√
■	2.	**Samsung** UE40D8000	€1800	**7,7**	+	+	++	+	++	□	+	++	++	lcd-led	√	√	√
■	3.	**Samsung** UE40D7000	€1600	**7,5**	+	□	++	+	++	□	+	++	++	lcd-led	√	√	√
■	4.	**Samsung** UE40D6750	€1200	**7,3**	+	□	+	+	++	□	+	+	+	lcd-led	√	√	√
■	5.	**Sony** KDL-40EX720	€880	**7,0**	+	□	+	□	++	+	+	+	□	lcd-led	√	√	√
	6.	**Samsung** UE40D5700	€700	**6,9**	+	□	++	+	++	+	□	+		lcd-led	√		√
▶	7.	**Samsung** LE40D550	€530	**6,8**	+	□	++	+	+	–	□	+		lcd	√		
	8.	**Samsung** UE40D5000	€600	**6,8**	+	□	++	+	+	+	□	+		lcd-led	√		
	9.	**LG** 42LW4500	€670	**6,8**	+	□	++	+	+	+	□	+	+	lcd-led	√		
	10.	**Samsung** UE40D6200	€810	**6,8**	+	–	++	+	++	□	□	+	+	lcd-led	√		√
	11.	**Philips** 40PFL6606H	€750	**6,7**	+	+	+	□	+	++	□	+		lcd-led	√	√	√
	12.	**Panasonic** TX-L42E30E	€900	**6,7**	+	□	+	+	++	+	□	+		lcd-led	√	√	√
	13.	**Philips** 42PFL7606H	€900	**6,7**	+	+	+	□	+	+	□	+	+	lcd-led	√	√	√
	14.	**Sony** KDL-40CX520	€600	**6,6**	+	+	+	□	++	–	□	+		lcd	√	√	√
	15.	**Sony** KDL-40EX521	€680	**6,6**	+	□	+	□	++	+	□	+		lcd-led	√	v	√
	16.	**Sony** KDL-40EX520	€750	**6,6**	+	□	+	□	++	+	□	+		lcd-led	√		√
	17.	**LG** 42LW650S	€1300	**6,6**	+	–	+	+	++	+	□	+	++	lcd-led	√		√
	18.	**LG** 42LV3550	€590	**6,5**	□	–	++	+	+	+	–	□		lcd-led	√		
	19.	**LG** 42PT353	€430	**6,3**	□	□	+	+	+	–	□	□		plasma			
	20.	**LG** 42LK450	€480	**6,3**	+	–	++	+	+	□	□	+		lcd	v		
	21.	**Samsung** PS43D450	€500	**6,3**	□	+	□	+	+	–	□	+		plasma			
	22.	**Philips** 40PFL5606H	€600	**6,3**	□	□	+	□	+	++	□	□		lcd-led	√		
	23.	**Samsung** PS43D490	€570	**6,1**	□	□	□	+	+	–	□	+	+	plasma			
	24.	**Panasonic** TX-L42E3E	€600	**6,1**	□	□	+	+	+	□	□	□		lcd-led	√		
	25.	**Panasonic** TX-PF42S30	€500	**6,0**	□	+	+	+	+	–	–	□		plasma	√		√
	26.	**Philips** 42PFL4606H	€580	**6,0**	□	□	+	□	+	□	–	□		lcd	√		
	27.	**Panasonic** TX-P42C3E	€430	**5,8**	□	□	+	+	+	–	–	□		plasma			
	28.	**Panasonic** TX-P42GT30E	€1400	**5,8**	□	–	+	+	++	–	–	□	+	plasma	√	√	√
	29.	**Panasonic** TX-P42G30E	€900	**5,7**	□	–	+	+	++	––	–	□		plasma	√	√	√
	30.	**Philips** 42PFL3606H	€500	**5,5**	□	□	+	□	+	□	–	□		lcd	√		

++ Zeer goed + Goed □ Redelijk – Matig –– Slecht ■ Beste uit de test ▶ Beste koop

- Zie ook de uitleg bij tabel '81cm-televisies'.
- De tv's met beeldmaten 117 t/m 119 cm (46-47 inch) krijgen geen predicaten, omdat slechts een klein aantal van deze tv's is getest.

	Merk & Type	Richtprijs	Testoordeel	Beeldkwaliteit	Geluidskwaliteit	Extra functies	Gebruiksgemak	Aansluitingen en tuners	Energiegebruik	Beeldkwaliteit via HDMI - standaard	Beeldkwaliteit via HDMI - optimaal	3D-kwaliteit	Schermtype	Full-HD	Timeshift en opnemen	Internet-portal
117-119 cm (46-47 inch)																
1.	**Samsung** UE46D8000	€2100	**7,5**	+	+	++	+	++	□	+	++	+	lcd-led	√	√	√
2.	**Samsung** UE46D6530	€1340	**7,1**	+	□	++	+	++	□	+	+	+	lcd-led	√	√	√
3.	**Sony** KDL-46CX520	€750	**6,9**	+	+	+	□	++	–	+	+		lcd	√	√	√
4.	**Philips** 47PFL7606H	€1240	**6,9**	+	+	+	□	+	+	□	+	+	lcd-led	√	√	√
5.	**Sony** KDL-46EX725	€1280	**6,8**	+	□	+	□	++	□	+	+	–	lcd-led	√	√	√
6.	**Philips** 46PFL6606H	€1000	**6,5**	□	+	+	□	+	++	□	□		lcd-led	√	√	√
7.	**LG** 47LW650S	€1500	**6,5**	+	–	+	+	++	+	□	+	++	lcd-led	√		√
8.	**LG** 47LV3550	€750	**6,2**	□	–	++	+	+	□	□	□		lcd-led	√		
9.	**Panasonic** TX-P46GT30E	€1600	**5,5**	□	–	+	+	++	––	□	□	+	plasma	√	√	√

Zenderinformatie

Het is handig als je bij het zappen informatie over het tv-programma krijgt. Bij digitale televisie wordt extra informatie over de zender meegestuurd met het beeldsignaal. De tv kan dit lezen en gebruikt dit bijvoorbeeld om de naam en de eindtijd van het programma op het scherm te tonen. Ook wordt deze informatie gebruikt voor de elektronische programmagids. Welke informatie hoe wordt getoond, is afhankelijk van het merk televisie.
Alle televisies laten bij het zappen het zendernummer en de zendernaam zien. Prettig is dat LG, Panasonic en Sony ook de naam van het huidige programma tonen. Panasonic en Sony geven daarbij aan op welke tijd het programma is begonnen en tot wanneer het duurt. Panasonic toont zelfs een balkje dat aangeeft hoelang het al bezig is. Dit balkje kun je ook bij LG, Samsung en Sony zien, maar dan moet je eerst op de informatieknop op de afstandsbediening drukken. Via die knop kun je ook informatie over de inhoud van het programma krijgen. Alle afstandsbedieningen, behalve die van Philips en Sharp, hebben zo'n knop. Het is hinderlijk dat je bij Philips en Sharp extra stappen via het menu moet doorlopen om de programmainformatie te kunnen zien.

Programmagids

Alle televisies hebben een elektronische programmagids (EPG) met een overzicht van de programma's die te zien zijn op de verschillende zenders.

Via een knop op de afstandsbediening ben je direct in de EPG, behalve bij Philips en Sharp, want daar kom je er via het menu. In de EPG zie je, afhankelijk van de fabrikant, vijf tot acht televisiezenders in één scherm. Er staat voor de komende 1,5 tot 2,5 uur welke programma's er uitgezonden zullen worden. Ook kun je de programmainhoud bekijken.
Aardig is dat Samsung en Sony in een klein deel van de EPG het televisieprogramma tonen waarnaar je kijkt. Zo hoef je niets te missen. Bij Philips en Sharp zie je alleen het huidige en volgende programma, onafhankelijk van hoelang ze duren.

IN DETAIL

LG 32LK430 (Beste koop)
Richtprijs: €340
Testoordeel: 6,7
Deze full-HD-LCD-televisie presteert aardig voor een goede prijs. Helaas is de beeldkwaliteit via alle beeldingangen net iets minder dan gemiddeld, maar nog wel redelijk. Het gebruiksgemak daarentegen is prima. De EPG is heel overzichtelijk. Veel extra functies, zoals internettoegang, ontbreken op dit basismodel. Ook kun je niet opnemen op een externe harde schijf.

Samsung LE40D550 (Beste koop)
Richtprijs: €530
Testoordeel: 6,8
De beeldkwaliteit van HD-beelden op deze full-HD-LCD-televisie is goed, zeker in deze prijsklasse. Ook de geluidskwaliteit is beter dan die van de meeste tv's met deze beeldmaat. Het energiegebruik is helaas aan de hoge kant. Het toestel biedt weinig extra mogelijkheden, maar is wel geschikt voor het gebruik van een CAM en heeft een handige EPG.

Samsung UE46D8000
Richtprijs: €2100
Testoordeel: 7,5
Deze flinke full-HD-LCD-ledtelevisie is het vlaggenschip van Samsung. Er hangt een stevig prijskaartje aan, maar daar krijg je ook wat voor, zoals internettoegang via *apps* en de mogelijkheid om op te nemen op een externe harde schijf. Ook is de tv geschikt om 3D te kijken. De beeldkwaliteit via de ingebouwde digitale tuners is goed en bij HD-beelden zelfs zeer goed. In absolute zin is dit toestel niet zo energiezuinig, maar voor een tv met deze beeldmaat valt 89 W alleszins mee.

Live pauzeren

Sinds 2010 zijn er televisies te koop waarmee je livetelevisie kunt pauzeren als je gebruikmaakt van de ingebouwde digitale tuner. Hiervoor moet een losse harde schijf worden aangesloten op een usb-poort van de televisie. De zender waarnaar je kijkt wordt daarop (tijdelijk) opgenomen, zodat je een tv-programma kunt pauzeren en zelfs terugspoelen met de afstandsbediening. Zodra je naar een andere zender zapt, wordt deze opslagbuffer overschreven.

Op de externe harde schijf kun je ook programma's opnemen. Omdat er maar één digitale tuner van elk type in de televisie zit, kun je helaas niet een andere zender opnemen dan de zender waarnaar je kijkt. Dat kan wel met een losse PVR (*Personal Video Recorder*).

Een ander nadeel van de ingebouwde digitale tuner is dat interactieve televisie niet wordt ondersteund. Dat betekent dat je niet via de televisieprovider films kunt huren of tv-uitzendingen kunt terugkijken. Toch zijn de voordelen zonneklaar: er is nog maar één afstandsbediening nodig en de losse decoder, die vaak veel energie gebruikt, kan de deur uit.

Zie ook het dossier *Televisies* op www.consumentenbond.nl.

Beveiligingssoftware

Consumentengids maart 2012

'Let op!!! Onwettige activiteiten gedetecteerd!!! Uw operationele systeem is geblokkeerd wegens inbreuk op de Nederlandse wetgeving! Om blokkering van uw pc op te heffen moet u €100 geldboete betalen! Bij verzuim deze geldboete te betalen zullen alle gegevens van uw pc worden gewist!' We vonden deze verontrustende tekst op een pc die was geïnfecteerd met een virus. De computer was zo goed als onbruikbaar geworden: elke internetpagina werd doorgeleid naar een officieel uitziende pagina met bovenstaande melding, inclusief politielogo. Wie de €100 'boete' betaalt, krijgt in het beste geval een code waarmee de pc weer te gebruiken is. In het ergste geval gebeurt er niets en is de €100 foetsie.

Brutaler

De makers van kwaadaardige software worden steeds brutaler. Tot een paar jaar geleden was het voor cybercriminelen zaak om een computer zo onopvallend mogelijk te infecteren, zodat ze hem konden gebruiken om spam te versturen. Kwaadaardige software, oftewel malware, was vooral stiekem: gebruikers wisten vaak niet eens dat hun computer was geïnfecteerd. Tegenwoordig wordt malware steeds vaker gebruikt om consumenten direct op te lichten. Bij een andere populaire zwendel krijgen computergebruikers een prominente melding dat hun pc virussen bevat. Tegen betaling is er een program-

Wat is malware?

Malware is een afkorting voor *malicious* (kwaadaardige) software. Het is een verzamelnaam voor internetbedreigingen met exotische namen als virussen, wormen, rootkits en spyware. Het onderscheid tussen de soorten malware is vaak alleen interessant voor experts. Vandaar dat wij in het artikel één term gebruiken.

ma te downloaden dat alle problemen oplost. Echter: die software doet vervolgens helemaal niets.
Een computer infecteren met kwaadaardige software is eenvoudig. Vaak is het aanklikken van een link in een e-mail of op een internetpagina al voldoende. Zie ook het kader 'Tien tips voor veilig internet'.

Bescherming

Hoe goed je ook oplet, soms kan er toch malware op de pc terechtkomen. Regelmatig worden slechtbeveiligde internetpagina's gekraakt en zo geprepareerd dat bezoekers, zonder het in de gaten te hebben, worden geïnfecteerd. Voor bescherming tegen deze gevaren is het verstandig om beveiligingssoftware te installeren. Deze software herkent en blokkeert bekende dreigingen.

Een blokkade inbouwen

Een firewall is een programma waarmee je ongewenst internetverkeer kunt blokkeren. Helaas blokkeren de meeste firewalls alleen verkeer dat binnenkomt. Gelukkig doet de ingebouwde firewall van Windows 7 het al heel goed. Sommige firewalls van de geteste pakketten deden het met de standaardinstellingen zelfs minder goed.
Alle fabrikanten hebben ook een antivirusprogramma zonder firewall. Dat is vaak een stuk goedkoper. Voor wie geen behoefte heeft aan een geavanceerde firewall is zo'n programma een goed alternatief.

De Consumentenbond testte er 18; 4 daarvan zijn gratis en blokkeren alleen malware. De 14 betaalde pakketten zijn *internet security suites*. Ze bieden bescherming tegen malware, houden spam tegen en hebben extra's als een firewall en ouderlijk toezicht. We testten van die pakketten alleen de firewall (zie het kader 'Een blokkade inbouwen').
Programma's die beschermen tegen malware lopen altijd achter de feiten aan: pas als een bedreiging is gevonden en geanalyseerd, kan er ter bescherming software worden gemaakt. 'Verse' malware is daarom het gevaarlijkst. Goede antimalware beschermt dus niet alleen tegen bekende virussen, maar ook tegen nieuwe dreigingen.
Het programma van G-data levert de beste bescherming tegen malware. Dat heeft ook een keerzijde: G-Data vraagt behoorlijk veel van de pc en scoort daarom minder goed op systeembelasting. Andere programma's met goede malwarebescherming zijn Avira, Bitdefender en Kaspersky.

Gratis variant

De gratis programma's worden steeds beter. De gratis variant van Avira scoort iets minder goed dan de betaalde, maar houdt meer tegen dan de meeste betaalde pakketten. Vandaar dat dit programma het predicaat Beste koop krijgt. De gratis variant van Avira bevat wel reclame voor de betaalde versie. Dat geldt ook voor de gratis programma's van AVG en Avast!. Het populaire gratis antivirusprogramma van Microsoft, Security Essentials, maakt geen reclame, maar is nog niet zo goed als de concurrentie.

Erger dan de kwaal

Niet elke virusscanner spoort malware even goed op, maar het is altijd beter dan niets. Toch vragen we ons bij sommige programma's af of het middel niet erger is dan de kwaal. Het begint al bij het kopen van de programma's. Wie software online koopt, moet goed opletten dat er niet automatisch geld van zijn creditcard wordt afgeschreven voor een verlenging als het abonnement is afgelopen. Een aantal fabrikanten doet dit standaard, maar is daar niet echt duidelijk over. In sommige gevallen vallen de kosten voor zo'n automatische verlenging flink hoger uit dan de aanschaf van een nieuw product.

Tien tips voor veilig internet

1. Klik niet zomaar op links in e-mails, op Facebook en in chatberichten.
2. Installeer op een Windows-pc op z'n minst een gratis virusscanner.
3. Open niet zomaar e-mailbijlagen. Gebruik de virusscanner bij een verdacht bestand.
4. Virustotal.com (Engelstalig) kan een bestand of link gratis scannen met tientallen virusscanners.
5. Houd alle programma's up-to-date.
6. Populaire programma's zijn aantrekkelijk voor hackers. Gebruik alternatieven als Sumatra of FoxIt voor het lezen van pdf's en Google Chrome of Firefox voor internet.
7. Bezoek via een openbaar draadloos netwerk geen site waar je moet inloggen.
8. Gebruik zo veel mogelijk websites die beginnen met 'https'. De 's' staat voor *secure*. Sites als Facebook ondersteunen het, maar meestal niet standaard. Dan kun je het aanzetten.
9. Gebruik sterke wachtwoorden en nooit twee keer dezelfde.
10. Wachtwoordbeheerprogramma's als KeePass kunnen helpen om unieke wachtwoorden te gebruiken.

Beveiligingsprogramma's

		Merk & Type	Richtprijs	Aantal pc's	Kosten verlengen 1 jaar	Testoordeel	Antimalware	Gebruiksgemak	Systeembelasting	Firewall
	Weging voor Testoordeel						60%	15%	15%	10%
■	1.	**Avira** Internet Security 2012	€40	1	€40	**6,7**	+	+	+	□
■	2.	**G-Data** InternetSecurity 2012	€40	1	€40	**6,6**	+	□	□	□
■	3.	**Eset** Smart Security 5 Home Edition	€40	1	€28	**6,5**	□	++	+	+
▶	4.	**Avira** Free Antivirus	gratis	nvt	nvt	**6,3**	□	+	+	□
	5.	**Bitdefender** Internet Security 2012	€40	1	€30	**6,3**	+	+	□	–
▶	6.	**Microsoft** Security Essentials 2	gratis	nvt	nvt	**6,0**	□	++	+	□
	7.	**F-Secure** Internet Security 2012	€45	1	€45	**5,9**	+	+	□	–
	8.	**Kaspersky** Internet Security 2012	€50	1	€40	**5,9**	+	□	+	–
	9.	**AVG** Anti-Virus Free Edition 2012	gratis	nvt	nvt	**5,6**	□	–	+	□
	10.	**Bullguard** Internet Security 12	€50	1	€50	**5,6**	□	□	+	–
	11.	**Avast!** Free Antivirus	gratis	nvt	nvt	**5,5**	□	–	+	□
	12.	**Avast!** Internet Security 6	€40	1	€40	**5,4**	□	–	+	□
	13.	**AVG** Internet Security 2012	€45	1	€38	**5,4**	□	–	□	□
	14.	**Symantec** Norton Internet Security 2012	€75	3	€50	**5,2**	□	–	+	–
	15.	**Trend Micro** Titanium Internet Security 2012	€40	1	€40	**5,1**	□	□	+	□
	16.	**McAfee** Internet Security 2012	€65	1	€65	**4,8**	□	□	□	–
	17.	**Check Point** ZoneAlarm Internet Security Suite 2012	€35	1	€35	**4,7**	□	–	□	–
	18.	**Panda** Internet Security 2012	€50	1	€50	**4,3**	–	–	□	–

++ Zeer goed + Goed □ Redelijk – Matig –– Slecht ■ Beste uit de test ▶ Beste koop

De prijzen zijn van januari 2012.

Bij kopen op internet moet je ook opletten dat fabrikanten je geen onnodige extra's aansmeren, zoals een back-up-cd of een downloadgarantie. Die extra's staan vaak standaard aangevinkt en dan betaal je zo €15 te veel. Sommige programma's maken reclame voor eigen producten. Bij gratis programma's is dat gebruikelijk, maar het gebeurt ook steeds vaker bij betaalde pakketten. Dat gaat best ver: bij AVG kun je de snelheid van je pc analyseren, waarbij de gevonden 'fouten' pas opgelost kunnen worden als je voor €25 een extra product koopt. Uit een test, gepubliceerd in de *Digitaalgids* van januari 2012, blijkt bovendien dat dit product nauwelijks iets doet. Dit lijkt op de praktijken waar beveiligingssoftware je juist tegen zou moeten beschermen. Een andere negatieve ontwikkeling is dat steeds meer beveiligingsprogramma's uitbreidingen of werkbalken (*toolbars*) toe voegen aan je webbrowser.

Positief toekomstbeeld

Ondanks de aanhoudende dreiging van kwaadaardige software is er reden om positief te zijn over de toekomst. Windows 7 is een stuk veiliger dan XP en Microsoft zet die ingeslagen weg voort. In Windows 8 zal Security Essentials van Microsoft zijn ingebouwd voor een betere standaardbescherming. Bij Windows valt daardoor voor hackers – en voor makers van beveiligingssoftware – steeds minder te halen.

In deze test zitten maar vijf programma's die de browser ongemoeid laten. Meestal gaat het om een toolbar die aangeeft of webpagina's te vertrouwen zijn.
Sommige programma's vinden het nodig om Googles zoekresultaten aan te vullen met een veiligheidsadvies. Het is vast goed bedoeld, maar het zou wat ons betreft beter zijn wanneer de software schadelijke internetpagina's blokkeert en verder niets van zich laat horen.
Gelukkig is er beveiligingssoftware waar weinig op aan te merken is. G-Data, Avira en Eset bewijzen dat het mogelijk is om op eenvoudige wijze goed beschermd te zijn tegen malware.

IN DETAIL

Avira Internet Security 2012 (Beste uit de test)

Prijs: €40 per jaar (€40 bij verlengen)

Testoordeel: 6,7

De beveiligingssoftware van Avira scoort op alle punten prima. Het programma is eenvoudig, heeft een goede firewall en beschermt goed tegen malware. Het is dit jaar voor het eerst Nederlandstalig verkrijgbaar.

Avira free antivirus (Beste koop)

Prijs: gratis

Testoordeel: 6,3

Het gratis programma van Avira beschermt iets minder goed dan de betaalde variant. Internet Security 2012 heeft een betere blokkering van foute internetpagina's. Toch scoort dit programma heel behoorlijk voor een gratis pakket.

Zie ook het dossier *Virusscanners* op www.consumentenbond.nl.

Glasvezelinternet

Digitaalgids september 2012

Elk jaar worden er een half miljoen huizen op glasvezel aangesloten. Dat gaat dus hard. Inmiddels zijn 1 miljoen woningen (van de 7,5 miljoen) 'verglaasd' tot in de woning. Pas bij voldoende inschrijvingen gaat glasvezel de grond in. Daarom gaan verkopers de deuren langs om glasvezelabonnementen aan de man te brengen. Ze hebben mooie verhalen: supersnel internet, klaar voor de toekomst, beter dan kabel en ADSL.
De Consumentenbond zocht uit hoe de vork in de steel zit en zette de nuchtere feiten tegenover de fantastische claims.

Claim 1: supersnel

Bij glasvezel denk je aan snelheid. De associatie is zo sterk dat ook kabel- en ADSL-providers hun abonnementen namen geven als *fiberspeed* of *fiberfast* (zie het kader 'Kunstglas'). Maar is glasvezel nu echt zo snel?
Glasvezelinternet wordt aangeboden in snelheden tot maar liefst 1000 Mbit/s. Dat is stukken sneller dan de snelste abonnementen van kabel (160 Mbit/s) en ADSL (80 Mbit/s). Op papier klopt de bewering dus. Maar maakt glasvezel die beloofde snelheid ook waar?
We hebben de glasabonnementen van 50 en 100 Mbit/s afgezet tegen vergelijkbare abonnementen van ADSL en kabel. Onze metingen laten zien dat de theoretische topsnelheden in de praktijk niet worden gehaald (zie de grafiek 'Wordt de snelheid waargemaakt?'). Bij de 50 Mbit/s-abonnementen over glas wordt gemiddeld 74% van de beloofde snelheid waargemaakt. Dat is vergelijkbaar met de 50 Mbit/s-kabelabonnementen.

Kunstglas

Internetproviders die hun diensten niet over glasvezel tot in de woning aanbieden, suggereren soms dat zij toch glasvezelinternet aanbieden. Ze noemen hun abonnementen bijvoorbeeld *fiberspeed* of *fiberfast*. 'We hebben het grootste glasvezelnetwerk van Nederland', stelt Ziggo, 'tot bijna aan uw voordeur.' UPC: 'Zelfs het laatste stukje UPC-kabel, de aansluiting op uw huis, is volledig klaar voor de toekomst'. De internetpakketten van UPC heten daarom alvast Fiber Power. Het gaat hier niet om echte glasvezelabonnementen (met glas tot in de woning) en dat is verwarrend voor de consument.

Bij de 100 Mbit/s-abonnementen van glas en kabel zijn de effectieve snelheden iets lager: tussen de 65% (kabel) en 72% (glas) van het maximum. Kijken we naar de snelle abonnementen waarover we voldoende metingen hebben (zie de tabel 'Snelheid abonnementen vanaf 50 Mbit/s), dan valt op dat er twee abonnementen onder deze gemiddelden scoren: de 100 Mbit/s-glasabonnementen van KPN en XMS (64 en 67%).
De pc en het thuisnetwerk kunnen bij hoge snelheden een remmende factor zijn. Oudere computers en routers kunnen dergelijke hoge snelheden niet aan.
Er speelt nog een factor een rol: veel pakketten zijn *triple play*, dus inclusief televisie en telefonie. Bij glasproviders als KPN en XS4All hangt bij de 100 Mbit/s-abonnementen de bandbreedte (8 Mbit/s voor een HD-kanaal) af van de internetsnelheid. Bij 50 Mbit/s-abonnementen niet. Raar maar waar.
En ADSL? Van de snelste abonnementen wordt gemiddeld maar de helft waargemaakt. Meer is voor ADSL (en de opgevoerde variant VDSL) erg lastig door de technische beperkingen van het telefoonnet. Alleen de langzaamste 8 Mbit/s-abonnementen halen 70% van wat is beloofd.
Conclusie: alleen glasvezel biedt snelheden tot wel 1 Gbit/s. In de categorie 50 tot 120 Mbit/s zijn glasvezel en kabel in de praktijk even snel.

Claim 2: snel uploaden

Nog een belofte van glasvezel: down- en uploaden gaat erg snel. Dat betekent in de praktijk sneller bestanden opslaan op internet, fotoalbums uploaden of video's uploaden naar YouTube.
Onze metingen bevestigen de claim: je kunt veel sneller uploaden dan met

Topsnelheid binnenshuis

Check bij snel internet (50 Mbit/s of meer) ook de bottlenecks in huis die de snelheid afremmen:

- Krijg je geen modemrouter van de provider? Zorg dan dat de router die je gebruikt de internetsnelheid aankan.
- Plaats de router niet in de meterkast, maar trek een kabel en zet de router op een centrale plek in huis. Zo heb je meer snelheid en bereik via wifi.
- Gebruik het elektriciteitsnet om de andere kamers te bereiken. *Homeplug*-adapters op 200 Mbit/s (€60 per twee) voldoen.

Meer tips: www.consumentenbond.nl/internetsneller.

Wordt de snelheid waargemaakt?

Downloadsnelheid	Adsl	Kabel	Glas	Glas	Kabel
Beloofde snelheid	40 Mbit/s	50 Mbit/s	50 Mbit/s	100 Mbit/s	120 Mbit/s
Gemeten snelheid	22 Mbit/s	37 Mbit/s	37 Mbit/s	72 Mbit/s	77 Mbit/s
Percentage gemeten t.o.v. beloofde snelheid	56%	74%	74%	72%	65%

- Bron: iPing.
- Peildatum: mei-juni 2012. De gemiddelden zijn gebaseerd op alle metingen bij alle abonnementen in mei-juni 2012.
- Methode: zie de tabel 'Snelheid abonnementen vanaf 50 Mbit/s'.

ADSL en kabel, die niet meer dan 1 tot 10 Mbit/s beloven. Maar ook bij glasvezel blijft de teller steken op circa driekwart van de beloofde maximumsnelheid. Je doet genoemde uploadklussen waarschijnlijk niet vaak, dus het nut van een extra snelle uploadverbinding is meestal beperkt.
Conclusie: met glasvezel kun je veel sneller uploaden dan met kabel en ADSL.

Claim 3: superieure tv-kwaliteit

Glasvezelaanbieders leveren net als de concurrentie complete pakketten met televisie. Volgens de reclames betekent dat 'superieur tv-kijken', 'scherper beeld' en 'echt HD'. We vragen ons alleen af: scherper dan analoge tv en dan via de kabel? Het signaal dat de huiskamer binnenkomt is HD of niet, op welke manier dan ook. Om bandbreedte te sparen, kunnen providers het signaal wel comprimeren en dat kan tot kwaliteitsverlies leiden. Van de publieke zenders in HD (zie 'Beeld & geluid', 'Digitale tv') weten we dat de kabelaars die ongecomprimeerd doorgeven. Dat kan glasvezel dus niet nog beter maken.
Conclusie: HD via glasvezel is niet beter dan HD via de kabel of via andere kanalen.

Claim 4: klaar voor de toekomst

Glasvezelaanbieders verleiden klanten graag met de belofte dat ze met glasvezel klaar zijn voor de toekomst. Maar het is koffiedik kijken welke toekomstige toepassingen een zeer snelle internetverbinding nodig maken.
Vooral video vreet bandbreedte. Stel dat de Amerikaanse videodienst Netflix naar Nederland komt (zie 'Beeld & geluid', 'Onlinevideo op tv'), dan

kun je voor een vast maandbedrag onbeperkt films en series naar de pc of tv *streamen* via internet. In full-HD-kwaliteit kost dat 6 Mbit/s.
In de toekomst kijken we mogelijk ook tv met een 3D-bril. Voor 'gewone' HD-tv is er bij livetelevisie nu al tussen 8 en 24 Mbit/s nodig, voor de 3D-variant zeker 50% meer. Dat tikt lekker aan. Ook onlinegaming kan een datavreter worden. Gamers kunnen nu al terecht bij Onlive.com. Deze dienst streamt populaire games rechtstreeks naar de pc: dat kost tussen de 5 en 8 Mbit/s.
Glasvezel heeft nu al abonnementen tot 1 Gbit/s. Maar Ziggo laat ons weten dat de kabel ook kan worden opgevoerd tot die snelheid. Het lijkt er dus op dat in de toekomst de kabel eveneens de benodigde bandbreedte kan leveren.
Conclusie: met kabel ben je evengoed voorbereid op de toekomst.

Snelheid abonnementen vanaf 50 Mbit/s

	Internetaansluiting	Beloofde snelheid	Gemeten snelheid	Percentage gemeten t.o.v. beloofde snelheid
KPN	adsl	50 Mbit/s	24 Mbit/s	47%
KPN	glasvezel	50 Mbit/s	36 Mbit/s	72%
Solcon	glasvezel	50 Mbit/s	37 Mbit/s	74%
UPC	kabel	50 Mbit/s	37 Mbit/s	73%
XS4ALL	glasvezel	50 Mbit/s	38 Mbit/s	76%
Ziggo	kabel	50 Mbit/s	38 Mbit/s	75%
UPC	kabel	60 Mbit/s	39 Mbit/s	65%
Ziggo	kabel	80 Mbit/s	47 Mbit/s	59%
XMS	glasvezel	100 Mbit/s	64 Mbit/s	64%
KPN	glasvezel	100 Mbit/s	67 Mbit/s	67%
UPC	kabel	120 Mbit/s	77 Mbit/s	64%
Ziggo	kabel	120 Mbit/s	78 Mbit/s	65%

- Bron: iPing.
- Peildatum: mei-juni 2012.
- Selectie: abonnementen met minstens 100 metingen per klant. Het aantal klanten per pakket loopt van 29 tot en met 417.
- Methode: met het programma Nuria van iPing is op de pc van duizenden internetters de maximale down- en uploadsnelheid gemeten, op momenten dat de pc even niets te doen had.

Glasvezel in Nederland

In Nederland ligt er bij ruim een miljoen huishoudens glasvezel tot aan de voordeur. 350.000 gezinnen hebben ook daadwerkelijk een abonnement. In 136 van de 415 gemeenten ligt er glasvezel. De gemeenten met de hoogste glasvezeldekking zijn te vinden in het midden en zuidoosten van het land, maar de nieuwe uitrol is redelijk gelijkmatig verdeeld over heel Nederland. Ook in Noord- en Zuid-Holland wordt steeds meer glasvezel uitgerold. (*Bron*: Stratix i.s.m. FttH Platform Nederland, juni 2012.)

Aanbod en prijzen

In Nederland bepalen gemeenten samen met netwerkbedrijven (die de kabels aanleggen) en internetproviders waar glasvezelprojecten starten. De consument heeft daar niet veel invloed op. In menige gemeente en wijk ligt al glasvezel, maar nog niet helemaal tot aan de woningen. Per aansluiting bedragen de kosten toch nog gemiddeld €1000. Het netwerkbedrijf (meestal Reggefiber, een bedrijf waar KPN een fors aandeel in heeft) verdient de investering terug via de abonnementen van de providers.

Enkele tientallen providers zijn actief op de glasvezelnetwerken (niet alleen van KPN). De 12 grootste staan in de tabel 'Triple play-pakketten'. Welke providers dat zijn, verschilt per gemeente (per wijk of zelfs straat). Hoe u het best glasvezel kunt aanvragen als er een glasvezelproject start, leest u in het kader 'De weg naar glas'.

We hebben ook een prijsonderzoek uitgevoerd. Een combinatiepakket van snel internet, telefonie en televisie is bij de meeste glasproviders ongeveer even duur als vergelijkbare pakketten van kabel- en ADSL-providers: tussen de €50 en €60 per maand (zie de tabel 'Triple play-pakketten').

Tussen de glasabonnementen onderling zien we wel verschillen. Voor televisie op de extra tv's in huis zijn er twee stromingen. KPN, Telfort en XS4All verhuren voor €4 per maand een extra decoder voor interactieve tv op een tweede toestel. De meeste andere glasproviders geven het tv-signaal digitaal en analoog door. Zo kun je tv blijven kijken op de extra toestellen in huis via de coaxkabels die er al liggen.

Triple play-pakketten vanaf 50 Mbit/s (met internet, tv en telefonie)

Provider	Downloadsnelheden (Mbit/s)	Prijs per maand	Kosten monteur	Ook analoge tv	Tv-kijken ook via app	Opmerkingen
Glasvezel						
Caiway	75/150/300	€50/€60/€70	vanaf €59		✓	
Concepts ICT	50/100/500	€45/€54/€74	inclusief	✓	✓	digitale tv kost na eerste jaar €6 per maand
KPN	50/100/500	€56/€66/€86	€65		✓	inclusief interactieve tv op tweede televisie
Lijbrandt	50/100/500	€51/€61/€81	€51	✓	✓	
Ons Brabant Net	60/100/500	€50/€65/€85	€45	✓	✓	bij het €50-pakket zitten geen interactieve tv-functies. Bij het €85-pakket zitten extra zenders en onbeperkt bellen
Ons Net	60/100/500	€50/€65/€80	€45	✓	✓	bij het €50-pakket zit geen interactieve tv
Scarlet	50/60/100	€60/€65/€70	geen monteur	✓	✓	inclusief mobiele telefonie
Solcon	50/100	€51/€66	inclusief	✓	✓	
Telfort	50/100	€48/€58	€75		✓	inclusief interactieve tv op tweede televisie
Vodafone	50/100/500	€54/€64/€99	€38	✓	✓	
XMS	50/100/200	€50/€60/€90	€100	✓	✓	
XS4all	50/100	€65/€75	inclusief		✓	interactieve tv op een tweede tv kost €4 p/m
Kabel						
Caiway	50	€66	€59			voor elk tweede tv toestel €14 voor installatie
UPC	50/100/120	€53/€65/€73	inclusief	✓		
Zeeland-Net	50/80/160	€61/€81/€106	inclusief	✓		internet, telefonie en tv ook los af te nemen
Ziggo	50/120	€52/€67	inclusief	✓	✓	
ADSL						
KPN	80	€66	€65		✓	inclusief interactieve tv op tweede televisie
Scarlet	50	€46	geen monteur			inclusief mobiele telefonie
Tele2	50	€40	€70			voor extra tv-opties als hd-tv moet worden bijbetaald. Extra decoder voor €5 per maand
Telfort	50	€45	€70		✓	interactieve tv op een tweede tv kost €4 p/m
T-Mobile Online	60	€53	€90			

- Prijspeiling: augustus 2012.
- Prijzen: prijzen zijn in hele euro's, acties/actietarieven zijn niet meegenomen.
- Selectie: de grootste glasvezelaanbieders staan in de tabel, voor alle aanbieders zie: www.eindelijkglasvezel.nl. Snelheden van boven de 100 Mbit/s worden nog niet overal (binnen verzorgingsgebied) aangeboden.

- Televisie: interactieve televisie (het terugkijken van gemiste programma's en het huren van films via de televisieaanbieder) is bij de meeste providers inbegrepen in het digitale televisiepakket. Extra opties als extra (HD-)zenders kunnen de maandprijs verhogen. Bij sommige aanbieders kun je zonder meerkosten tv kijken met een app op telefoon of tablet.

Klachten

Behalve vragen krijgt de Consumentenbond ook de nodige klachten over glasvezel. Heel wat leden zeggen zich misleid te voelen door verkopers van providers aan de deur. De aanvraag duurt langer dan beloofd. Op dat moment kunnen mensen niet meer onder hun contract uit. Ook zijn er ineens extra kosten, bijvoorbeeld voor extra apparatuur om op een tweede of derde toestel televisie te kunnen kijken. Ook krijgen we klachten over niet direct goed werkende apparatuur. Daarom adviseren we om de apparatuur door een monteur van de provider te laten installeren. Soms is dat gratis.
Veel problemen voorkom je door niet met de verkoper (van één provider) aan de deur zaken te doen, maar om zelf een passend abonnement te kiezen (zie het kader 'De weg naar glas').

Hoe snel is genoeg?

Supersnel internet klinkt leuk, maar welke snelheid heb je nu eigenlijk echt nodig?
Licht gebruik Surfen en mailen op niet meer dan één pc. Mogelijk met: alle internetabonnementen.
Gemiddeld gebruik Behalve bovenstaande ook Uitzending Gemist en YouTube in een hoge resolutie bekijken, livetelevisie via web-tv en af en toe films kijken, muziek en andere grote bestanden downloaden. En al deze taken op enkele pc's en tablets tegelijk, via het thuisnetwerk. Mogelijk met: alle internetabonnementen met een beloofd maximum van 20 Mbit/s of meer.
Zwaar gebruik Behalve bovenstaande ook het regelmatig (en snel) downloaden van grote bestanden (bijvoorbeeld via peer-to-peernetwerken). Mogelijk met: glasvezel- en kabelabonnementen met een beloofd maximum van 50 Mbit/s of meer.

Meer keuze

Al met al kunnen we stellen dat de voordelen van glasvezel niet uniek zijn (het kan ook met kabel) of beperkt nut hebben. Toch is het goed dat er glasvezel de grond in gaat, want daardoor worden de keuzemogelijkheden voor consumenten vergroot. Voor supersnel internet kon je tot nu toe alleen terecht bij de kabelaanbieder in je regio: Ziggo, UPC, Caiway of Zeeland-Net. Prettig is dat consumenten bij glasvezel meestal ook nog eens kunnen kiezen uit meerdere providers.

Conclusie

Glasvezel maakt zijn belofte grotendeels waar: hoge snelheden bij down- en uploaden én uitstekende tv-kwaliteit. Maar bij kabelproviders kan dat ook en voor dezelfde prijs. Glasvezel betekent daarom vooral: meer keuze.

De weg naar glasvezel

1 *Wat zijn de plannen?*

De eerste stap heeft u meestal niet zelf in de hand: er wordt al dan niet besloten dat er in uw gemeente glasvezel wordt aangelegd. Voer uw postcode in op www.eindelijkglasvezel.nl en kijk wat de plannen zijn. In dit overzicht ontbreken nog enkele lokale initiatieven. Woont u in de regio waar Caiway actief is, kijk dan op www.cif-glasvezel.nl.

2 *Geduld*

Dat er plannen zijn voor glasvezel betekent nog niet dat het wordt gelegd. De kosten zijn enorm. Sinds enige tijd werkt Reggefiber, het bedrijf dat de meeste glasvezel legt, met vraagbundeling: eerst moet minstens 30% van de huishoudens die op glas kunnen worden aangesloten een abonnement nemen (voor internet en eventueel tv en telefonie). Om die 30% te bereiken, organiseert Reggefiber informatieavonden in of nabij de gemeente. Als die 30% is bereikt, duurt het daadwerkelijke aanleggen nog enkele maanden tot een jaar (of nog langer).

3 *Vergelijk aanbiedingen*

Ook de glasvezelproviders flyeren er flink op los en sturen verkopers langs de deur. Ga niet (direct) in zee met een door de provider ingehuurde verkoper aan de deur. Vergelijk op www.eindelijkglasvezel.nl rustig de verschillende providers en abonnementen die op uw adres actief zijn (doe de postcodecheck).

4 *Overstapservice*
U heeft een abonnement gekozen en schrijft zich in. In veel gevallen kunt u bij de bestelling ook een overstapservice inschakelen. Providers regelen dan het tijdig opzeggen van het abonnement bij de oude provider of vertellen wanneer u dat moet doen. Dat scheelt gedoe en lang dubbele rekeningen betalen. Op www.consumentenbond.nl/glasvezel vindt u meer informatie over deze overstapservices.

5 *Afspraak voor oplevering*
Bij de aanleg gaat de stoep in uw straat open. Het betrokken netwerkbedrijf (Reggefiber of CIF) spreekt met u af wanneer ze bij u een kastje (de glasvezelmodem) in huis monteren. Aandachtspunt: de modem heeft een stopcontact nodig in de meterkast. De eventuele aanleg daarvan moet u zelf verzorgen.

6 *Oplevering*
Op de opleverdatum wordt internet werkend opgeleverd over de glasvezelaansluiting. Als u ook een monteur bij de provider heeft besteld, komt deze langs om de apparatuur van deze provider te installeren.

Zie ook het dossier *Glasvezel* op www.consumentenbond.nl.

Harde schijven, externe

Digitaalgids januari 2012

Wat & hoe
Onze Engelse collega's van *Which? Computing* hebben negen externe harde schijven getest van 1 TB (1000 GB). Alleen twee schijven van LaCie ontbreken, omdat die vanaf januari 2013 niet meer verkrijgbaar zijn. Onderzocht zijn het functioneren direct 'uit de doos', lees- en schrijfsnelheden via usb 2 en usb 3 (indien aanwezig) en het gebruiksgemak (fysieke bediening, software en kabels).

De mobiele harde schijven zijn klein en handig voor onderweg, maar de traditionele harde schijven voor naast de computer bieden nog altijd meer opslag en snelheid voor minder geld. Zeven modellen van 1000 GB zijn getest.

*De met een * gemarkeerde schijven zijn alleen via internet goed verkrijgbaar.*

1 Western Digital MyBook Essential

€90 (usb 2+3)

Een uitstekend presterende harde schijf. Met 92 MB per seconde via usb 3 is hij nog niet zo snel als de nummer 2, de LaCie Minimus, en de plastic pianolak behuizing oogt ook wat minder solide dan het aluminium van de LaCie. De schijf maakt geen geluid, maar kan aardig warm worden (30 °C). De meegeleverde back-upsoftware laat zich intuïtief bedienen.

2 LaCie Minimus

€90 (usb 2+3)

LaCie weet met de Minimus compact design te combineren met snelheid. De stijlvolle en compacte aluminium behuizing voelt robuust aan, de schijf maakt nauwelijks geluid en verbruikt weinig stroom. De schijf is al relatief snel via usb 2 en haalt met usb 3 snelheden tot 98 MB/s. Bij de schijf levert LaCie back-upsoftware, plus 10 GB aan online-opslagruimte. Nadeel: hij kan alleen plat liggen.

3 Buffalo DriveStation

€160 (usb 2+3)*

De Buffalo DriveStation noteert de hoogste snelheid via usb 3: 113 MB/s, maar dan hebben we het belangrijkste voordeel wel gehad. Het inpluggen van de kabel in de usb 3-poort is lastig, de aan-uitknop zit niet op de kast maar op de voedingskabel en de plastic behuizing komt niet erg solide over. Ook de ingebruikname laat te wensen over. In de Windows Verkenner duikt de schijf op als twee stations, dat is verwarrend. En voor topsnelheden moeten eerst speciale 'turbo-drivers' worden geïnstalleerd. Te duur voor wat hij biedt.

4 Western Digital MyBook for Mac

€180 (usb 2)*

Een harde schijf voor Mac-gebruikers, maar toch met een usb-2-poort. Een beetje merkwaardig, omdat Macs al jaren standaard zijn uitgerust met een snellere FireWire 800-poort. Hij is simpel, makkelijk in het gebruik en werkt prima. De aan-uitknop is klein, net als de usb 2-poort van het priegelige mini-usb-type, die overigens wel solide is. De snelheid valt tegen. Mac-gebruikers kunnen daarom beter een andere harde schijf kiezen en die formatteren voor de Mac.

5 Seagate FreeAgent GoFlex Desk

€140 zonder usb 3-adapter (usb 2)*

Een gewone usb 2-harde schijf die gemiddeld presteert. Handig van Seagate: er is nu een usb 3-adapter waar je de schijf in kunt zetten, maar die kost €50. Dan is het ineens een usb 3-schijf. Maar verder zijn we niet erg te spreken over deze Seagate. Het is lastig om de kabel in de mini-usb-aansluiting te klikken, rechtop staat hij wankel en een aan-uitschakelaar ontbreekt. De back-upsoftware deïnstalleren is een crime: elk programma moet los worden verwijderd. Op zoek naar een usb 3-schijf? Kies liever de nummer 1 of 2.

6 Seagate Expansion

€140 (usb 2)*

De Expansion is een 'kale' harde schijf, zonder extra's als back-upsoftware (maar dat is geen probleem als je die toch al hebt). Hij is voorgeformatteerd in NTFS en kan direct worden gebruikt. Helaas zien we ook hier een priegelige usb 2-aansluiting. Vervelender nog zijn de lage snelheden, vooral bij het versturen van kleine bestanden. Het stroomverbruik is met 7,8 W uitzonderlijk hoog.

7 Western Digital Elements

€90 (usb 2)

Net als de nummer 6 een schijf zonder franje of back-upsoftware en dat zien we terug in de lage prijs. Ook deze schijf is al geformatteerd voor Windows. Mac-gebruikers moeten de schijf opnieuw formatteren, maar dat wordt goed uitgelegd. De usb-2-snelheden liggen tussen de 26 en 43 MB/s en dat is gemiddeld iets hoger dan die van de Seagate Expansion.

NTFS, FAT32 of HFS+

Soms heeft de fabrikant de schijf al ingedeeld (geformatteerd), soms moet je dat zelf nog doen. FAT32 is een oudere standaard die werkt onder Windows en Mac. Deze bestandsindeling laat geen bestanden toe groter dan 4 GB. Opvolger voor Windows is NTFS, dat efficiënter werkt en bestanden kan versleutelen. Mac-gebruikers kunnen kiezen tussen FAT32 of HFS+ (een soort NTFS, maar dan voor de Mac).

Usb 2 en usb 3

Al jaren is usb 2 de standaard voor randapparatuur. Met een theoretische maximumsnelheid van 60 MB/s (in de praktijk vaak de helft) is dat snel genoeg voor alledaags gebruik, maar het gaat haperen bij veeleisende toepassingen, zoals het *streamen* van HD-video. De nieuwste generatie externe harde schijven (in onze test de nummers 1, 2 en 3) werkt met het zesmaal snellere usb 3. Probleem is nog wel dat usb 3 als computeraansluiting niet standaard is. Aangesloten op een usb 2-poort wordt de usb 3-schijf een gewone usb 2-schijf.

Internetproviders

Digitaalgids juli/augustus 2012

In de Providermonitor staan het (lokale) Zeelandnet en (landelijke) XS4All opnieuw op nummer een en twee. De verrassing is Ziggo op de derde plaats met een 7,5. De score is weer iets hoger dan in de vorige test in 2009. Toen was de kabelprovider nog hekkensluiter met een totaalscore van 5,9. ADSL-aanbieder KPN scoort laag op de prijs-kwaliteitverhouding. Aan de kwaliteit lijkt het niet te liggen. Rest de conclusie dat klanten KPN te duur gaan vinden.

Providermonitor

						Paneloordelen					
	Provider	adsl of kabel	Totaalscore (okt.-apr.)	Laatste score (mrt.-apr.)	Ten opzichte van voorgaande halfjaar	Kwaliteit internet	Kwaliteit telefoon	Storingsvrij (%)	Storingen oplossen	Tevredenheid	Oordeel prijs/kwaliteit
1	**Zeelandnet**	k	**8,0**	8,0	=	8,3	8,5	87	7,6	7,9	6,8
2	**XS4All**	a	**7,7**	7,7	=	8,4	7,6	80	6,4	8,2	6,6
3	**Ziggo**	k	**7,5**	7,5	=	7,8	8,2	80	8,1	7,0	6,6
3	**Tele2**	a	**7,5**	7,4	▼	7,4	8,1	75	7,0	7,1	7,0
5	**Solcon**	a	**7,4**	7,5	▲	7,8	7,6	78	7,6	7,5	6,7
6	**KPN**	a	**7,2**	7,3	▲	7,5	8,2	82	7,2	6,5	5,9
7	**Online**	a	**7,1**	7,0	▼	7,1	7,1	74	6,9	6,6	6,7
8	**UPC**	k	**7,0**	7,1	▲	7,3	8,0	75	7,4	6,5	6,2
8	**Alice**	a	**7,0**	6,8	▼	6,7	7,6	69	6,2	6,5	6,5
10	**Telfort**	a	**6,6**	6,7	▲	6,7	6,6	68	8,0	6,0	6,8
11	**Caiway**	k	**6,5**	gg	gg	gg	gg	60	6,7	gg	gg

▼ = minstens 10% onder gemiddelde ▲ = minstens 10% boven gemiddelde gg = geen gegevens

Laptops

Consumentengids september 2012

Er zijn erg veel soorten laptops te koop. Omdat de prijzen variëren en de eigenschappen nogal uiteenlopen, is het verstandig om van tevoren je wensen goed op een rij te zetten. Laptops zijn er in veel schermmaten, van nog geen 10 inch tot meer dan 20 inch. Het maakt nogal uit of de computer alleen voor eenvoudige dingen als tekstverwerken en internetten wordt gebruikt of voor de nieuwste games en het bewerken van HD-videobeelden. Koop de laptop ook niet te krap, want over een jaar zijn je wensen misschien wel veranderd.

Processor

In advertenties voor computers wordt altijd de processor (CPU) genoemd, de centrale rekenchip van de computer. De belangrijkste merken zijn Intel en AMD. Een langzame processor is goedkoper dan een snelle, maar kan veel ergernis geven. Het aantal rekenkernen (*cores*) en de kloksnelheid (GHz) geven samen een indicatie van de snelheid. In advertenties staat dit meestal duidelijk aangegeven. Zo niet, vraag er dan naar in de (web)winkel.
Een *dualcore*-processor (met twee rekenkernen) kan makkelijker meer programma's tegelijk aan. Hij is prima voor kantoorwerkzaamheden, internetten, mailen en spelletjes. Een *quadcore*-processor (met vier rekenkernen) kan nog meer zware taken tegelijk soepel uitvoeren. Hij is nodig voor veeleisende programma's, zoals HD-video bewerken en zware 3D-games. Maar hij is niet per definitie twee keer sneller dan de versie met twee rekenkernen. De kloksnelheid geeft aan hoeveel berekeningen elke kern per seconde kan uitvoeren. Een laptop met een 3GHz-processor is niet per se twee keer zo snel als een laptop met een 1,5GHz-processor, want andere onderdelen kunnen de snelheid beperken.
Intel heeft twee soorten processoren. De budgetprocessoren zijn goedkoper, maar ook minder krachtig. Ze worden aangeduid met Celeron en Pentium. De snellere bestaan in drie varianten: Intel Core i3 zit in instapmodellen, i5 in laptops voor actievere gebruikers en i7 in computers voor het zware werk.

Garantie

Op de meeste laptops zit een jaar fabrieksgarantie, soms twee jaar en er zijn zelfs winkelketens die drie jaar geven. Vaak is de garantie op de accu korter, bijvoorbeeld zes maanden.

Accuduur

Advertenties zeggen weinig over de werktijd op een volle accu. Dit is namelijk erg afhankelijk van hoe intensief de laptop wordt gebruikt. De accucapaciteit neemt ook in de loop van de tijd af. De accu van een duurdere laptop gaat niet automatisch langer mee.

Ook AMD heeft budgetprocessoren (E- en Cseries) en snellere (A4 als instapper, A6 als middenmoter en A8 voor zware taken).
Zowel bij Intel als bij AMD staat in advertenties vaak een code, zoals de Intel Core i7-3610QM. Het eerste cijfer (hier de 7) geeft de generatie van de processor aan: hoe hoger, hoe beter. De Q staat voor een vierkernige processor en de M geeft aan dat de processor speciaal voor notebooks is ontworpen. Bij *ultrabooks*, moderne slanke notebooks met een fors prijskaartje, zien we ook de letter U voorbijkomen. Die geeft aan dat het om een extra energiezuinige processor gaat.
Bevat het modelnummer van een Core i3/i5/i7-processor drie cijfers (zoals Core i7-920), dan is hij uit de eerste serie en dus iets verouderd.
Zie voor meer informatie de test 'Processoren' verderop in dit hoofdstuk.

Intern geheugen

Het interne geheugen slaat tijdelijk gegevens en programma's op, zodat de processor er snel en direct bij kan. Bij het uitschakelen van de computer worden die gegevens meteen uit het geheugen gewist. Hoe meer geheugen, des te sneller en soepeler de computer bij zware toepassingen werkt. De minimum geheugenruimte om onder Windows 7 en 8 prettig te werken, is 4 GB; 6 of 8 GB is aan te raden voor wie meer zware programma's tegelijk gebruikt. Informeer voor de aanschaf of er extra geheugen bij te plaatsen is.

Harde schijf

Op de harde schijf worden alle bestanden opgeslagen, zoals foto's, muziek en tekstdocumenten. Ze blijven bewaard wanneer je de laptop uitzet. Net als bij het interne geheugen geldt dat meer meestal beter is. Ook geldt vaak: hoe meer gigabyte per harddisk, des te lager de kosten per gigabyte. Kies een harde schijf die voor nu en in de toekomst voldoende opslagcapaciteit biedt. Wie later toch tekort komt, kan een externe harde schijf aansluiten of de interne schijf laten vervangen door een met meer ruimte.

De opslagcapaciteit wordt uitgedrukt in gigabytes of zelfs terabytes (1 TB = 1000 GB). Wie van plan is veel muziek, foto's of films op de laptop te zetten, gaat voor een harde schijf van 1 TB. De keerzijde is dat meer capaciteit ook meer kost.
Tegenwoordig wordt steeds vaker opslagruimte van het type SSD aangeboden. Deze nieuwe generatie geheugenopslag bevat geen draaiende, magnetische schijven, maar geheugenchips. SSD zorgt voor een vlotter reagerende laptop en bovendien is SSD minder kwetsbaar voor schokken. Er is ook minder warmteontwikkeling, de laptop is stiller en gebruikt minder energie. Het nadeel is de prijs. Laptops met een SSD van 128 of 256 GB kosten al snel rond de €1000 of meer. Een combinatie van een gewone harde schijf en een kleine hoeveelheid (16/20 GB) SSD komt steeds vaker voor. Je betaalt dan niet de hoofdprijs voor de voordelen van SSD, maar de nadelen van een gewone harde schijf blijven, zoals stootgevoeligheid, warmteontwikkeling en meer geluidsproductie.

Laptops

		Merk & Type	Richtprijs	Testoordeel	Scherm (inch)
	Top-5 kleine laptops				
■	1.	**Lenovo** IdeaPad U410 Silver	€900	**7,3**	14,0
■	2.	**HP** Envy 4-1030ed (B3Y31EA)	€850	**7,2**	14,0
■	3.	**Samsung** NP530U3B-A01NL	€890	**7,2**	13,3
■	4.	**Sony** Vaio VPC-SVT1311W1E	€1000	**7,0**	13,3
■	5.	**Asus** Zenb. UX31E-RY009V	€1100	**7,0**	13,3
	Top-5 middelgrote laptops				
■	1.	**Samsung** NP550P5C-T01NL	€1000	**7,3**	15,6
■	2.	**Toshiba** Satellite R850-14T	€700	**7,2**	15,6
■	3.	**Asus** N56VM-S3088V	€800	**7,2**	15,6
	4.	**Lenovo** IdeaPad Z580-M81DFMH	€800	**6,9**	15,6
	5.	**Acer** Aspire M3-581T-32364G34Mn	€600	**6,8**	15,6
	Top-5 grote laptops				
■	1.	**Asus** N76VZ-V2G-T1023V	€1200	**7,1**	17,3
	2.	**Samsung** NP300E7A-S03NL	€610	**6,7**	17,3
	3.	**Acer** Aspire V3-771-52458G50Ma	€650	**6,7**	17,3
	4.	**HP** Pavilion g7-1390ed (A9Z19EA)	€630	**6,5**	17,3
	5.	**Acer** Aspire 7750G-52458G50Mn	€670	**6,5**	17,3

■ Beste uit de test

Videochip

Na de processor is de videochip (GPU) de belangrijkste chip in de computer. Hij voert alle grafische bewerkingen uit voor onder andere animaties, vensters en 3D-spellen. De goedkopere laptops hebben vaak een videochip die een beetje van het interne geheugen gebruikt. Deze voldoet prima voor wie geen ingewikkelde games en programma's gebruikt. Wie dat wel doet, heeft een krachtige videokaart met eigen geheugen nodig. Zulke laptops zijn te herkennen aan de hoeveelheid geheugen die bij de videokaart wordt genoemd en aan de termen 'nVidia Geforce' of 'AMD Radeon'. Videochips hebben geen eigen geheugen en worden meestal aangeduid met Intel HD Graphics.

Beeldscherm

Advertenties vermelden altijd het formaat beeldscherm. Dit varieert van 11,6" (11,6 inch = 29,5 cm) tot 17,3" (43,9 cm) en betreft de diagonaal van het scherm. Grotere schermen zijn makkelijker af te lezen, maar maken de laptop zwaarder. De scherpte van het beeldscherm wordt vooral uitgedrukt in het aantal beeldpunten. Hoe meer punten, des te fraaier het beeld. Mensen met goede ogen zijn meestal gebaat bij een zo hoog mogelijke resolutie. Ook als er veel vensters tegelijkertijd openstaan, is een hoge resolutie prettig. Maar hoe hoger de resolutie, des te duurder de laptop. Een normale resolutie is 1366x768 en een hoge 1920x1080 of zelfs meer.
Alle laptops hebben een LCD-scherm. Het scherm van de meeste laptops is reflecterend in plaats van ontspiegeld. Een reflecterend scherm biedt mooiere kleuren, maar kan hinderlijk zijn door de spiegeling van bijvoorbeeld achtergrondverlichting.

Windowsversie

Op de meeste laptops is Windows 7 Home Premium als besturingssysteem geïnstalleerd. Per november 2012 kun je voor €15 overstappen naar Windows 8 mits de laptop na juni 2012 is aangeschaft. Windows 8 kan nog wel kinderziekten bevatten.

Overstappen naar Apple

Wie overstapt van een Windows-pc naar een Apple moet in het begin even zoeken naar programma's en mogelijkheden. Gekochte Windowsprogramma's zijn dan niet zomaar bruikbaar.

Alle Applecomputers hebben het besturingssysteem OS X; de nieuwste versie heet Mountain Lion.

Mogelijkheden

Let bij de aanschaf op voldoende usb-poorten. Hoe meer, hoe beter. Usb 2 is nu nog standaard, maar usb 3 is sneller. Dat is handig bij het kopiëren van veel en grote bestanden naar een apparaat dat ook een usb 3-aansluiting heeft. Om de laptop eenvoudig aan te sluiten op een moderne televisie is een HDMI-uitgang nodig.

Zie ook het dossier *Laptops* op www.consumentenbond.nl.

Mobiel internet

Digitaalgids juli 2012

Wie smartphone zegt, zegt data. Als je de deur uitloopt, ga je niet meer via wifi op internet, maar via het mobiele 3G-netwerk van de provider. Doe je dat regelmatig, dan is het slim om bij een abonnement een maandelijkse databundel af te nemen. Providers adverteren met datapakketten van 50 MB per maand tot enkele gigabytes. Maar welke heeft u nodig? Met een te kleine bundel beland je snel in het hoge buitenbundeltarief. Een te ruime bundel is weer zonde van het geld. Een inschatting maken is nog niet eenvoudig, maar onze test helpt u daarbij.

Databundel

Uit onze peiling blijkt dat 40% van de smartphonegebruikers niet weet wat hij maandelijks aan data verbruikt. In het overzicht ziet u hoeveel megabytes de verschillende toepassingen ongeveer verbruiken. We hebben dit vertaald naar drie gebruiksprofielen.

Lichte gebruiker: 200 MB

E-mailen, mobiele websites bekijken en nieuws-*apps* kosten weinig dataverkeer. Dat kan probleemloos met een bundel van 200 MB per maand. Dan houd je nog voldoende megabytes over om af en toe 'gewone' websites te bezoeken of apps te gebruiken die wat meer data kosten.

Actieveling: 500 MB

Wie veel apps gebruikt en regelmatig nieuwe downloadt, kan toe met een iets grotere bundel van 500 MB. Let op: alleen rondkijken in de *app store* zonder iets te downloaden, kost al snel enkele megabytes.

Veelvraat: 1 GB

Bundels van 1 GB of zelfs nog groter raden we alleen aan voor echte veelgebruikers die regelmatig video en audio *streamen*. Denk aan YouTube, Uitzending Gemist, internetradio en Spotify. Vooral bij video gaat het hard. Met een paar uur Uitzending Gemist zit je zo op 1 GB. Gebruik dus vooral thuis en waar mogelijk wifi, want dat scheelt veel data en is sneller.

Snelheid

Naast verschillende databundels bieden providers ook snelheden aan, variërend van 32 kbit/s tot 14,4 Mbit/s, zo'n 460 keer zo snel. Vaak geldt: hoe groter de databundel, des te hoger de snelheid. Video kost immers veel bandbreedte en dus ook veel data. Maar hoeveel heb je echt nodig? Uit

Wat verbruikt welke app?

Type gebruik	Dataverbruik	Databundel 200 MB	500 MB	1 GB	Wifi	Snelheid
• E-mail (alleen tekst) • Nieuws-apps • Mobiele site bezoeken	0,1-1 MB per actie	✓	✓	✓	✓	384 kbit/s
• E-mail met bijlage • App gebruiken (weer, route, navigatie, zoekopdracht, spelletje, social media, enz.) • Normale website bezoeken • Foto of mp3 downloaden • App updaten	1-5 MB per actie	!	✓	✓	✓	1 Mbit/s
• Rondkijken in de app store • Kleine app downloaden • Grote app downloaden	1-10 MB per actie 1-10 MB per actie 10-30 MB per actie	!	!	✓	✓	1 Mbit/s
• Internetradio/streaming audio • Skype telefoongesprek (audio)	60-75 MB per uur 40-160 MB per uur	x	!	!	✓	1 Mbit/s
• Skype-videogesprek • Tv/video kijken via app (Uitzending Gemist, RTL XL, Ziggo...) • YouTube-video	200-300 MB per uur 250-750 MB per uur 120-1300 MB per uur	x	x	!	✓	3,6 Mbit/s

✓ dit kan probleemloos ! incidenteel doen x beter niet doen

1 Mbit snel zat

Om te onderzoeken hoeveel snelheid je voor welke toepassing nodig hebt, heeft onderzoeker Sanne Jansweijer een praktijktest uitgevoerd met 1, 3,6 en 14,4 Mbit/s, via een wifinetwerk.

'Gebruikers vonden 1 Mbit/s voldoende voor praktisch alle toepassingen die weinig data verbruiken, zoals de 9292ov-app en routes plannen in Google maps.' Ook bij internetradio (0,3 tot 0,7 Mbps) merkten de gebruikers geen verschil. Alleen voor YouTube-filmpjes was 3,6 Mbit/s nodig voor vloeiend beeld. Jansweijer: 'Dat is logisch, want YouTube vraagt 2,5 Mbit/s. Snelheden hoger dan 3,6 Mbit/s zijn vooral voor *tablets* en laptops interessant.'

een praktijktest (zie het kader '1 Mbit snel zat') blijkt dat 1 Mbit/s voor verreweg de meeste toepassingen ruim voldoende is. Video-apps als YouTube houden ook rekening met het netwerk en schakelen naar een lagere kwaliteit (en dus verbruik) als je niet via een wifinetwerk verbonden bent, maar via 3G.

Staar je overigens niet blind op de snelheden waarmee wordt geadverteerd. Dat zijn theoretische maximumsnelheden. De snelheid zakt in bij obstakels als muren (bij gebruik binnenshuis), ver weg van de zendmast en op plekken waar veel smartphones dezelfde zendmast gebruiken. De grote providers hebben een dekkingskaart op hun website.

Welk data-abonnement?

Met een bundelgrootte en een snelheid in het achterhoofd kan de zoektocht naar de juiste databundel beginnen. Als je een abonnement afsluit met een databundel, dan kost dat doorgaans omgerekend een paar cent per megabyte (zie ook de tabel 'Data-abonnementen'). Je kunt er ook voor kiezen helemaal geen data-abonnement af te sluiten. Maar als je dan toch internet gebruikt, betaal je wel de hoofdprijs: €1 tot €1,50 per MB.

Let bij een databundel op de volgende zaken:

- Bent je vrij om zelf de databundel te kiezen of zit je dan ook vast aan een belbundel? Bij KPN moet je altijd meer belminuten afnemen bij een grotere databundel. De meeste andere providers laten je daar vrij in.
  De meeste vrijheid heb je bij abonnementen die je per maand een aantal eenheden geven. Eén eenheid is een belminuut, een sms of een megabyte. Voorbeelden zijn Hollandsnieuwe en Smart Start van T-Mobile. Het na-

Data-abonnementen (abonnement en sim-only)

Provider	Netwerk	Naam product	Maandtarief vanaf*	Maandtarief incl. belbundel?	Databundels (van-tot, MB)*	Verplicht meer belminuten bij grotere databundel?	Snelheden (kbit/s)*	Tarief buiten bundel	Bij te kopen bundels als databundel op is	Bundel p/maand kosteloos aanpassen/opzeggen
KPN	KPN	Bel-Sms-Web (XL)	€30	✓	100-2000	✓	2048-14400	€0,10/MB	250 MB (€5)	
Hi	KPN	Messaging Light	€0		onbeperkt		32	nvt	250 MB (€5), 1 GB (€12,50)	
Hi	KPN	Messaging	€10		500-2000		2048-14400	snelheid verlaagd tot 32 kbit/s	250 MB (€5), 1 GB (€12,50)	
Hi	KPN	Sim Only Web	€17	✓	100-750	✓	2000	€0,10/MB	250 MB (€5), 1 GB (€12,50)	
Telfort	KPN	Telfort Basis	€5		5-1000		2000	nvt, bundel bijkopen	250 MB (€7,50)	
T-Mobile	T-Mobile	Smart Start	€15	✓	70-600		1000	€0,35/MB	200 MB (€10)	
T-Mobile	T-Mobile	Smart Plus/iSmart	€25	✓	250-2000	✓	3600-14400	€0,10/MB	€4,95 voor onbeperkt 64 kbit/s	
Vodafone	Vodafone	Bel+Sms+Web	€22	✓	200-4000		7200-14400	€0,10/MB	50 MB (€1,50), 100 MB (€ 2,50)	
Ben	T-Mobile	internetbundel	€7		200-1500		1000-2000	€0,10/MB	–	✓
Hollands-nieuwe	Vodafone	sim only of abonnement	€10,50	✓	275/550		2000	binnenbundeltarief	500 MB (€10)	
Tele2	T-Mobile	internetbundel	€5		200-1500		2000-3600	€0,25/MB (200 MB-bundel), €0,15/MB (overig)	–	✓ ‡
Simyo	KPN	geen naam	€7		50-1500		2000	€0,10/MB	–	✓
Rabo Mobiel	KPN	onbeperkt	€10		onbeperkt		384	nvt	–	✓
Rabo Mobiel	KPN	overige	€5		100-1000		7200	€0,10/MB	–	✓
Simpel	T-Mobile	internet	€2,50		50-1000		384	€2,50 per 50 MB	50 MB (€2,50)	

- We zijn waar mogelijk uitgegaan van een tweejaarcontract en reguliere maandtarieven. Prepaidpakketten en speciale BlackBerry-abonnementen zijn buiten beschouwing gelaten.
- * = Onder elk product vallen meerdere abonnementen. Genoemd is het maandtartief van het goedkoopste abonnement met de kleinste databundel. Databundels en snelheden hangen af van het specifieke abonnement.
- ‡ = sim-only opzegbaar per maand

deel is wel dat je minder hebt aan een datateller-app. Die telt alleen de megabytes, niet de belminuten en sms'jes.

- Controleer de snelheid. Soms is het zoeken naar de downloadsnelheid van het abonnement. De uploadsnelheid is meestal stukken lager. In het algemeen geldt: hoe groter de bundel, des te hoger de snelheid (én de prijs). Maar de verschillen tussen providers zijn groot. Telfort geeft 2 Mbit/s, Vodafone minstens 7,2 Mbit/s. De snelheden blijven natuurlijk theoretische maxima en kunnen lager uitpakken.
- Wat gebeurt er als de bundel op is? Alle providers sturen een waarschuwings-sms als je (bijna) op je datalimiet zit. Daarna betaal je meestal een buitenbundeltarief van €0,10 per MB. Sommige abonnementen van T-Mobile zitten daar een factor 2 tot 3 boven. Dan kunnen de kosten onverwacht oplopen. De datakraan dichtdraaien kan ook. Telfort sluit internet af (tot je data bijkoopt) en Hi knijpt de snelheid af tot 32 kbit/s, net genoeg om berichten te versturen. Veel providers bieden de mogelijkheid om een bundel van 250 of 500 MB bij te kopen.
- KPN en T-Mobile hebben een eigen netwerk van hotspots door het land, waar je via wifi kunt internetten. Tegen een meerprijs heb je daartoe toegang, bij de duurdere abonnementen is toegang vaak inbegrepen.
- Laat je niet verleiden om een te grote databundel af te sluiten. De meeste providers hebben een hele reeks databundels oplopend tot 1 of 2 GB, maar de meeste gebruikers hebben aan 250 of 500 MB meer dan voldoende.
- Veel providers werken met actietarieven voor de eerste 3, 6 of 12 maanden. Daarna gaat het maandbedrag vaak fors omhoog.
- Bij de meeste providers kun je kiezen uit sim-only (je hebt al een toestel) of een abonnement (je koopt een toestel). Bij Vodafone, Telfort en Hi koop je het toestel niet, maar lease je het. Na afloop van het contract kun je het toestel dan alsnog kopen.
- Wisselt je gebruik, dan is het prettig als je de bundel (kosteloos) per maand kunt aanpassen of uitzetten. Dat kan bij Ben, Simyo en Rabo Mobiel.

Dataverbruik onder controle

1 *Gebruik wifi waar mogelijk*

Gebruik thuis en waar mogelijk draadloos internet, zeker als je data-intensieve apps gaat gebruiken. Dat scheelt kostbare megabytes uit de databundel.

2 *Installeer een datateller-app*

Een datateller-app houdt bij hoeveel data je verbruikt. Daarmee voorkom je onverwachte overschrijdingen, omdat de apps je waarschuwen als de maandlimiet in zicht komt. Populaire gratis apps zijn DataMan Free (voor iPhone) en My Data Manager (voor Android). Datatellers zijn echter niet 100% nauwkeurig en betrouwbaar. Controleer daarom ook het verbruik bij de provider (zie tip 4). Verder verkort het gebruik van datateller-apps de accuduur. Zie ook www.consumentenbond.nl/datatellers.

3 *Let op de factuurdatum*

De meeste aanbieders rekenen de datalimiet voor mobiel internetten niet per kalendermaand, maar per factuurperiode. Die datum verschilt per gebruiker en is dus bijna nooit de eerste dag van de maand. Stel de datateller zo in dat hij rekent vanaf de factuurdatum.

4 *Check dataverbruik bij provider*

Bij steeds meer providers kun je inloggen en je werkelijke dataverbruik volgen. Telfort, Vodafone en T-Mobile hebben zo'n netwerkteller op hun website. De gegevens kunnen wel één of twee dagen achterlopen.

5 *Reclame in apps*

Sommige gratis apps gebruiken als tegenprestatie ongemerkt de internetverbinding. Ze laden tijdens het gebruik steeds advertenties. Het gaat niet om veel data (denk aan 0,01 MB per advertentie), maar het kan toch aantikken, zeker in het buitenland bij een provider die het verbruik naar boven afrondt.

6 *Zet mobiel internet tijdelijk uit*

Als je de mobiel even niet gebruikt en zeker wilt zijn dat apps op de achtergrond geen data binnenhalen, dan kun je de toegang tot mobiel internet tijdelijk blokkeren. Voor de iPhone volg je de volgende stappen: Instellingen, Algemeen, Netwerk, 'Mobiele data' uit. Voor de Android gaat het als volgt: Apps, Instellingen, Draadloos en netwerken, (Meer,) Mobiele netwerken, 'Gegevenstoegang aan' uit.

Mobiel internet in het buitenland

Digitaalgids juli 2012

Mobiel internet kan in het buitenland erg handig zijn: kijken waar je naartoe moet met Google Maps, de openingstijden van het museum raadplegen en – natuurlijk – de weersvoorspellingen opzoeken.
Tot voor kort resulteerde mobiel internet (ook wel *dataroaming* genoemd) in het buitenland in torenhoge rekeningen van duizenden euro's. Voor dataverbruik in het buitenland golden veel hogere tarieven. Providers rekenden soms wel €30 voor 1 MB.
De Europese Commissie greep in. Sinds juni 2010 moeten providers de internettoegang blokkeren als je in het buitenland voor €59,50 aan data hebt verbruikt. Je moet dan eerst een sms'je sturen voordat je het web weer op kunt.
Behalve prijsplafonds voor bellen en sms'en is ook per 1 juli 2012 het tarief voor dataverkeer aan banden gelegd: 1 MB in het buitenland mag maximaal €0,83 kosten. Alle providers hanteren dit tarief. Het maximum per megabyte wordt de komende jaren verder verlaagd naar €0,54 (juli 2013) en €0,24 (juli 2014).
En buiten de EU? Daar geldt per 1 juli 2012 ook de blokkering bij €59,50 aan kosten. Gelukkig maar, want tarieven van €10 voor 1 MB zijn daar nog steeds eerder regel dan uitzondering. Rabo Mobiel vraagt zelfs €15 voor 1 MB!

Buitenland-tips

1 Gebruik wifi

In het buitenland kun je op veel plaatsen gebruikmaken van wifi. In cafés en hotels is het gebruik van het draadloze netwerk vaak zelfs gratis.

2 Zet dataroaming uit op je telefoon

Kosten voor bellen in het buitenland kun je gemakkelijk voorkomen door niemand op te bellen en de telefoon niet aan te nemen. Maar *apps* hebben er een handje van om op de achtergrond data te versturen. Als je datagebruik via een buitenlands netwerk wilt voorkomen, kun je dat uitzetten. Je kunt dan nog wel internetten via wifi. Voor de iPhone volg je de volgende stappen: Instellingen, Algemeen, Netwerk, 'Dataroaming' uit. Voor de Android geldt: Apps, Instellinen, Draadloos en netwerken, (Meer,) Mobiele netwerken, 'Gegevensroaming' uit.

Reisbundels

Om de datakosten in het buitenland te drukken, bieden KPN, Vodafone en T-Mobile reisbundels aan. Met zo'n bundel koop je een aantal megabyte aan dataverkeer, waardoor je omgerekend meestal een dubbeltje betaalt per megabyte. Let hierbij op de volgende zaken:

- Als vakantieganger wil je niet voor een jaar vastzitten. Let dus op of het om een losse bundel gaat of een abonnement, zoals T-Mobile Internet

Voordeelpakketten buitenland

Naam	Vast bedrag	Tegoed (MB)	Beleid buiten bundel	Waar geldig	Per maand opzegbaar?
Hi Vakantie Internet bundel	€10 per maand	100 MB	nieuwe 100 MB-bundel	EU	ja
KPN Internetbundel EU	€10 per maand	100 MB	nieuwe 100 MB-bundel	EU	ja
T-Mobile Internet Europa	tot 1 aug. 2012 €9,95 per maand, daarna €14,95	500 MB	snelheid 64 kbit/s	EU	nee
T-Mobile Travel & Surf kleine dagpas	per 24 uur: zone 1 €1,95, zone 2 €4,95, zone 3 €9,95	5 MB (zone 1), 2 MB (zone 2 en 3)	koop nieuwe pas	wereld	nvt
T-Mobile Travel & Surf grote dagpas	€4,95 per 24 uur	50 MB	koop nieuwe pas	wereld	nvt
T-Mobile Travel & Surf weekpas	€14,95 per week (zone 1, 2) €29,95 per week (zone 3)	100 MB (zone 1), 10 MB (zone 2 en 3)	snelheid 64/64 (zone 1), koop nieuwe pas (2 en 3)	wereld	nvt
Vodafone Alles-in-1 op Reis	€2 per gebruikte dag	per gebruikte dag: 20 min. bellen/gebeld worden, 20 sms en 35 MB	€0,83/MB	42 passport-landen	nee
Vodafone Op Reis pakket	€15 per maand	100 min. bellen/gebeld worden + onbeperkt sms, 200 MB	€2,50 per 250 MB	42 passport-landen	nee
Vodafone Internet op Reis Dagbundel Wereld	€5 per gebruikte dag	per gebruikte dag: 4 MB	€2,50/MB	buiten passport-landen	nee

T-Mobile

Zone 1: EU-landen, Zwitserland, Noorwegen, IJsland. Zone 2: rest van Europa, Canada, Australië, Turkije, Marokko, Suriname, Aruba, Nederlandse Antillen, VS. Zone 3: alle overige landen.

Vodafone

Vodafone brengt het tarief alleen in rekening als je in de periode ook van internet gebruikmaakt.

Europa en Vodafone Op Reis. Vodafone heeft nog twee reisbundels die doorlopen, maar daarvoor betaal je alleen als je er gebruik van maakt.
- Ga je langere tijd op reis, dan is een maandbundel relatief voordelig.
- Let goed op wat er gebeurt als de bundel op is. Bij Hi en KPN koop je automatisch een nieuwe bundel van 100 MB. T-Mobile sluit de toegang af of beperkt de snelheid, zodat je niet voor onverwachte verrassingen komt te staan. Alle providers sturen overigens een sms zodra de limiet is bereikt.
- Controleer vooraf in welke tariefzone het land van bestemming valt. T-Mobile werkt met drie zones, Vodafone hanteert in '*passport*-landen' een goedkoper tarief.
- Bij het afsluiten van sommige reisbundels wordt de EU-datalimiet automatisch uitgeschakeld. Je krijgt dus geen waarschuwing als je tegen de €60 aan zit. Dat is verraderlijk. Het dataverbruik kan in het buitenland meestal niet worden opgevraagd bij de provider en het is dus nog belangrijker om het zelf met een datateller in de gaten te houden.

Zie ook het dossier *Veilig internet onderweg* op www.consumentenbond.nl.

Mobiele telecomproviders

Consumentengids september 2012

De drie grote providers in Nederland – KPN, T-Mobile en Vodafone – hebben een eigen netwerk. Ze bieden zelf abonnementen aan. Daarnaast zijn er de dochters Hi en Telfort van KPN en Ben van T-Mobile. Zij maken gebruik van het moedernetwerk, maar bieden eigen abonnementen aan. Verder zijn er nog de kleinere providers als AH Mobiel en Simpel, die netwerkruimte inkopen. Dankzij deze constructie zijn er in Nederland nu meer dan 40 providers. Ons advies: zie de kleintjes niet over het hoofd.
Prepaid bellen kost bij de grote providers tussen de €0,25 en €0,35 per minuut. Bij de kleinere kan dat veel goedkoper. Simyo rekent €0,10 per minuut, maar dan geldt wel een starttarief van €0,10 per gesprek. AH Mobiel en Tele2 zijn duur met €0,35 per minuut. Tele2 biedt drie 'voordeeltariefplannen'. Daarmee wordt bellen, sms'en of internetten goedkoper, al zijn er wat drempels. Je moet een voordeeltarief 'aanzetten' door een code te sms'en. De bevestiging die Tele2 terugstuurt, kost €0,50. Na 30 dagen verloopt het

Abonnement

Provider	Netwerk	Aansluitkosten	Afronding	Buitenbundeltarief per minuut	Buitenbundeltarief per sms	Buitenbundeltarief per MB	MB-tarief zonder databundel	Houdbaarheid tegoed (mnd)
Hollandsnieuwe	Vodafone	€10,00	per minuut					3
Kruidvat Helder	KPN	€10,00	per minuut	€0,20	€0,20	€0,59	nvt	1
Tele2	T-Mobile	€9,95	per minuut	€0,30	€0,30	€0,15-0,25	€1,00	1
Rabo Mobiel	KPN	€24,95	alleen 1e minuut		€0,15	€0,10	€1,25	1
Simpel	T-Mobile	€15,00	per minuut	€0,30	€0,30	€2,50/50 MB	€2,50	1
Simyo	KPN	€14,95	per minuut	€0,30	€0,30	€0,10	€1,00	1
Youfone	KPN	€14,95	per minuut	€0,30	€0,30	€0,10	€1,25	1

- Hollandsnieuwe rekent voor bellen, sms'en en internetten buiten de bundel evenveel als binnen de bundel. Bij Rabo Mobiel geldt dat alleen voor bellen.
- Kruidvat Helder brengt bij bellen buiten de bundel de eerste minuut volledig in rekening, daarna betaal je per seconde.

tariefplan en moet het opnieuw worden geactiveerd. En weer volgt een bevestiging à €0,50.

Hema heeft Prepaid Slim. Hiermee machtigt de klant Hema het beltegoed elke maand €10 op te waarderen via automatische incasso. Bellen is dan goedkoper. Dit is alleen gunstig als je zeker weet dan je elke maand voor €10 belt, anders loopt het tegoed snel op.

Bij Rabo Mobiel kun je 'Sms' aanzetten voor een lager sms-tarief, maar de belminuten worden duurder.

Ook Youphone is creatief met de module 'Afrekenen per seconde'. De gesprekken worden dan niet per minuut, maar per seconde afgerekend. Dat zou gemiddeld zo'n 30% goedkoper zijn. De module kost wel weer €9,95 per maand.

Doseren

Juist de kleine providers bieden allerlei opties om de mobielkosten onder controle te houden.

Hollandsnieuwe heeft een combinatie van abonnement en prepaid: zodra de bundel van het abonnement op is, kun je niet meer bellen, sms'en of internetten. Wie verder wil, moet tegoed bijkopen. Voor het verbruik betaal je dan het binnenbundeltarief.

Kruidvat Helder werkt ook zo, maar zodra je tegoed bijkoopt, betaal je het duurdere buitenbundeltarief. Wel worden gesprekken dan per seconde afgerekend. Hoe dan ook: hoge rekeningen achteraf zijn er niet bij.
Bij *Bliep betaalt de klant vanuit zijn prepaidtegoed per dag €0,50 of €1, waarmee hij onbeperkt kan sms'en en internetten. Bij €1 geldt een hogere internetsnelheid. Maakt hij daarvan tijdelijk geen gebruik, dan kan hij dit op 'pauze' zetten en zijn er geen kosten. Internetten in het buitenland kan niet. Op de website staat: 'We bieden dit niet aan, omdat het vanwege de belachelijk hoge kosten in 80% van de gevallen tot klachten leidt.'
Geen zin in een contract van een of twee jaar? Rabo Mobiel, Simyo en Tele2 hebben naast een- en tweejarige contracten ook maandelijks opzegbare contracten. Dat betekent eigenlijk dat er geen contract is. Die vrijheid leidt wel tot hogere maandkosten.

Geleverde kwaliteit

Wie belt, sms't of internet, maakt altijd gebruik van een van de drie netwerken. Maar de provider bepaalt tegen welke voorwaarden en prijs. Ook qua service ben je gebonden aan de provider. De kwaliteit van het netwerk is

Prepaid

Provider	Netwerk	Aansluitkosten	Tegoed bij aansluiting	Tarief per minuut	Tarief per sms	Tarief per MB	Afronding per	Houdbaarheid tegoed (mnd)
AH Mobiel	KPN	€9,95	€10,00	€0,35	€0,12	€2,50	minuut	9
Aldi Talk	KPN	€10,00	€13,00	€0,13	€0,04	€0,29	1e minuut	12
***Bliep**	T-Mobile	€1,00	€1,00	€0,25	–	–	seconde	onbeperkt
Deka	Vodafone	€9,95	€10,00	€0,13	€0,05	€0,75	1e minuut	12
Hema Prepaid Basis	KPN	€5,00	€5,00	€0,16	€0,06	€0,40	seconde	12
Hollandsnieuwe	Vodafone	€2,50	€10,00	€0,20	€0,08	–	minuut	3
Kruidvat	KPN	€5,00	€5,00	€0,12	€0,05	€0,59	1e minuut	12
Rabo Mobiel	KPN	€10,00	€15,00	€0,20	€0,10	€2,00	seconde	onbeperkt
Simyo	KPN	€2,50	€7,50	€0,10	€0,10	€1,00	seconde	onbeperkt
Tele2 Basis	T-Mobile	€9,95	€10,00	€0,35	€0,15	€2,50	1e minuut	6

- Rabo Mobiel en Simyo: het starttarief is €0,10 per gesprek.
- Onbeperkt houdbaar tegoed geldt bij minimaal eenmaal per zes maanden bellen.
- *Bliep: op dagen dat je €0,50/€1 betaalt, kun je onbeperkt sms'en en internetten.
- MB-tarief Hollandsnieuwe: €1,50 per dag voor 20 MB.

niet zomaar te vertalen naar alle providers op dat netwerk. Neem de storing bij Telfort in juli 2012: klanten van Telfort hadden problemen met mobiel internetten, maar KPN- en Hi-abonnees, die op hetzelfde netwerk zitten, hadden nergens last van.

Zie ook het dossier *Mobiele telefoons* op www.consumentenbond.nl.

Mobiele telefoons

Consumentengids oktober 2012

De honderdduizenden toestellen die maandelijks over de toonbank gaan, zijn grofweg te verdelen in drie categorieën. Er zijn heel eenvoudige basistelefoons, telefoons met extra's (zoals een camera en/of muziekspeler) en smartphones. Het aanbod van smartphones is de laatste jaren gegroeid en het aanbod van eenvoudige telefoons is juist uitgedund. Een belangrijk verschil tussen een smartphone en een gewone mobiele telefoon is dat je op een smartphone applicaties (*apps*) kunt gebruiken. Het installeren van zulke programma's is heel eenvoudig. Na een paar handelingen op het aanraakscherm weet je hoe laat de trein vertrekt, vind je de dichtstbijzijnde geldautomaat en weet je de naam van het liedje dat je hoort op de radio; de mogelijkheden zijn eindeloos. Door de gemakkelijke toegang tot allerlei informatie stromen smartphones ook vol met gegevens van de gebruiker. Die liggen op straat bij verlies of diefstal van het toestel. Beveiligen kan, maar dit moet je zelf inschakelen. Ook apps kunnen toegang hebben tot het adresboek, de foto's en de plek waar de telefoon zich bevindt. Er zijn appmakers die respectvol met deze informatie omgaan, maar meestal is onbekend wat er precies mee gebeurt. Zeker bij een gratis app is de kans groot dat je met persoonlijke informatie 'betaalt'. Een telefoon zonder apps en internetverbinding is veiliger. Voor wie aan bellen en sms'en genoeg heeft, zijn er meer voordelen: de telefoon is lichter, kleiner, goedkoper en de accu raakt minder snel leeg.

Zes systemen

Met de keuze voor een smartphone kies je ook voor een van de zes besturingssystemen. Daarvan zijn iOS van Apple en Android van Google het populairst. Ze hebben het grootste appaanbod.

Symbian van Nokia en het systeem van BlackBerry worden steeds minder verkocht. Windows Phone van Microsoft is nog klein, maar heeft potentie en Bada van Samsung is vrij onbekend en ook klein. Een app van het ene systeem werkt niet op het andere. Bekende apps, zoals NOS Teletekst, worden wel voor meerdere systemen uitgebracht. Wie met de aanschaf van een nieuwe telefoon overstapt op een ander systeem, moet zijn favoriete apps – voor zover niet gratis – opnieuw kopen. Heeft de nieuwe telefoon hetzelfde systeem, dan blijven alle apps zonder kosten toegankelijk.

Apples iOS heeft strakke menu's en een eenduidige vormgeving. Het aantal instelmogelijkheden is beperkt tot het noodzakelijke. Dit houdt de bediening eenvoudig. Met de nieuwste versie van iOS kun je per app instellen welke informatie deze mag gebruiken, zoals het adresboek of de locatie van de telefoon. iOS werkt alleen op toestellen van Apple. Het goedkoopste model begint bij €350.

Android wordt gebruikt door veel andere merken. Er zijn legio mogelijkheden om de bediening naar eigen hand te zetten. Iedere app geeft bij installatie duidelijk aan welke informatie wordt gebruikt, maar het blokkeren van bepaalde informatie is niet mogelijk. Bij twijfel kun je de app beter niet installeren. De goedkoopste toestellen met Android beginnen bij €100.

Bij Windows Phone kun je eveneens kiezen uit verschillende merken telefoons. Het ziet er heel anders uit. De huidige versie (7.5) werkt soepel, is gebruiksvriendelijk en vooral handig voor wie veel met sociale media bezig is. De aangekondigde en veelbelovende Windows Phone versie 8 werkt niet op de huidige telefoons. Smartphones met Windows Phone halen in onze tests tot nu toe geen Testoordeel hoger dan 7,2. Dit heeft weinig met het besturingssysteem te maken, maar vooral met zwaarwegende testonderdelen, zoals degelijkheid en ontvangstkwaliteit.

Samsung maakt ook telefoons met Bada, dat sterk lijkt op Android. De weinige daarvoor geschikte apps zijn vaak wat duurder.

Seniorentelefoons

Een speciale categorie zijn de mobiele telefoons voor ouderen. De toetsen zijn groter, net als de letters op het beeldscherm. Ook is het belsignaal luider in te stellen en zit er meestal een alarmfunctie op. Daarmee kan met een druk op de knop een noodnummer worden gebeld of een nood-sms worden verstuurd. Uit eerdere tests blijkt dat het gebruiksgemak soms toch matig is. 'Gewone' telefoons bevallen vaak beter.

Mobiele telefoons

	Merk & Type	Richtprijs	Testoordeel	Kwaliteit toestel	Ontvangstkwaliteit	Bellen en sms'en	Camera	Afdrukvertraging	Video	Muziekspeler	E-mail	Internet	Navigatie	Synchronisatie	Gewicht (gram)	Schermdiagonaal (cm)	Vrij geheugen (GB)	AMR-breedband	Micro-SD kaartslot
Weging voor Testoordeel				25%		15%	10%		5%	10%	10%	15%	5%	5%					
Top-smartphones																			
■ 1.	**Samsung** Galaxy S III 16GB	€600	**8,2**	+	□	++	+	++	+	++	++	++	+	++	132	12,2	16	√	√
■ 2.	**Motorola** RazrXT910	€450	**8,0**	+	+	++	+	++	+	+	++	+	+	++	126	10,9	8	√	√
■ 3.	**LG** Optimus 4x HD P880	€500	**8,0**	+	□	++	+	++	+	+	++	+	□	++	141	12,0	16	√	√
■ 4.	**Samsung** Galaxy Note	€500	**8,0**	+	□	+	+	+	+	+	++	++	+	++	175	13,4	16	√	√
■ 5.	**Samsung** Galaxy S Advance GT-I9070	€330	**7,9**	+	□	++	+	□	+	++	++	+	+	++	119	10,0	8	√	√
■ 6.	**Samsung** Galaxy S II GT-i9100	€430	**7,9**	+	□	++	+	□	+	+	++	+	+	++	116	10,4	16	√	√
■ 7.	**Apple** iPhone 4S	€600	**7,9**	+	+	+	++	++	++	+	++	+	+	+	140	8,9	14		
■ 8.	**Samsung** Galaxy Nexus	€500	**7,8**	+	+	++	+	++	+	+	++	+	+	+	139	11,8	16	√	
Goedkope smartphones																			
1.	**HTC** One V	€280	**7,4**	+	□	+	+	++	+	+	++	+	□	+	116	9,3	4	√	√
2.	**Samsung** Galaxy Ace Plus GT-S7500	€250	**7,1**	+	+	+	□	−−	□	+	+	+	□	++	116	9,3	3		√
3.	**Samsung** Galaxy mini 2 GT-S6500	€170	**7,0**	+	+	+	□	+	□	+	+	+	□	+	106	8,4	2,7	√	√
4.	**Samsung** Wave 3 S8600	€260	**7,0**	□	−	++	□	−	□	+	+	+	□	+	125	10,0	1	√	√
5.	**Sony Ericsson** Xperia Ray (ST 18i)	€270	**7,0**	+	+	+	□	−	□	+	+	+	□	+	100	8,4	0,3	√	√
6.	**BlackBerry** Curve 9320	€200	**6,8**	+	+	+	+	++	□	+	+	□	□	++	102	6,2	0,5		√
7.	**Nokia** Lumia 710	€260	**6,8**	+	+	+	□	−	□	+	++	□	+	□	126	9,6	8	√	
8.	**Samsung** Omnia W I8350	€280	**6,8**	+	+	+	□	−	□	+	+	+	□	□	116	9,2	8	√	
Basistelefoons met qwerty-toetsenbord				26%		16%	11%		5%	11%	11%	15%		5%					
1.	**Nokia** Asha 302	€110	**6,0**	□	□	+	□	++	□	□	□	□		□	113	6		√	√
2.	**Nokia** Asha 303	€140	**6,0**	+	+	+	−	++	□	□	□	□		□	98	6,5		√	√
Basistelefoons met camera en mp3-speler				39%		23%	15%		8%	15%									
1.	**Nokia** C3-01	€140	**6,2**	+	+	+	□	+	−	+					100	6,1		√	√
2.	**Nokia** Asha 300	€100	**5,9**	+	+	+	□	+	−−	+					87	6,1		√	√
Basistelefoons				62%		38%													
1.	**LG** A250	€60	**6,2**	□	+	+									94	5,5			√
2.	**Samsung** E1190	€30	**4,6**	−	+	+									72	3,7			

++ Zeer goed + Goed □ Redelijk – Matig –– Slecht ■ Beste uit de test

- Leeg vakje = niet van toepassing.
- De weging voor het Testoordeel kan per categorie verschillen; zie de percentages in de grijze regel.
- Alle smartphones werken op Android, maar de iPhone 4S op iOS, Nokia Lumia en Samsung Omnia op Windows Phone, Samsung Wave op Bada en BlackBerry op BlackBerry OS.
- De iPhone 4S en Samsung Galaxy S III zijn er ook met 32 en 64 GB geheugen.
- AMR-breedband (HD-Voice) kan voor een betere gesprekskwaliteit zorgen bij KPN en dochterbedrijven.
- Het vrije geheugen kan worden gebruikt voor foto's, muziek en apps. Foto's en muziek kunnen ook op een SD-kaart worden opgeslagen, maar dit kan niet bij alle apps. De Sony Ericsson Xperia Ray en de HTC One V hebben beperkte mogelijkheden voor het opslaan van apps.
- Alle toestellen doorliepen dezelfde tests, maar toestellen met weinig geheugen, camera's van minder dan 2 megapixel, met een klein beeldscherm en/of lage verbindingssnelheid worden niet op die onderdelen getest.

Basistelefoons

Telefoons met alleen de basisfuncties bellen en sms'en worden niet meer gemaakt. Zelfs op de goedkoopste modellen zitten wel extra's, zoals een zaklamp of FM-radio. Duurdere modellen hebben ook een camera, maar verwacht hier niet veel van. Als de beeldsensor al genoeg pixels heeft (2 megapixel of meer), ontbreekt de autofocus, zodat de foto's lang niet altijd scherp zijn.
De meest luxe multimediatelefoons proberen te lijken op smartphones: ze hebben een aanraakscherm en er zijn internetfuncties. Maar vergeleken met echte smartphones zijn de mogelijkheden beperkt, terwijl de prijs toch boven de €100 ligt. Dan is een eenvoudiger model met een echt toetsenbord voor makkelijk sms'en handiger.

Smartphones

De opmars van smartphones met aanraakschermen is in 2008 begonnen. Eerst waren alleen de duurdere toestellen van goede kwaliteit, maar inmiddels zijn er ook goedkopere telefoons die een soepele bediening, goede toesteleigenschappen en bijvoorbeeld een goede camera combineren. Er zijn al smartphones vanaf zo'n €100. Uit de testen blijkt dat ze het altijd op een of meer aspecten flink laten afweten. Er is dan te veel bezuinigd op onderdelen, zoals het scherm (waardoor letters onscherp zijn), de camera (waardoor de fotokwaliteit slecht is) of het geheugen (waardoor sommige apps vastlopen of niet werken).

We selecteerden acht goed verkrijgbare smartphones die op de hoofdaspecten toestelkwaliteit, bellen en sms'en, camera, video, muziekspeler, e-mailen, internetten en synchronisatie niet onvoldoende scoren. Als Testoordeel krijgen ze minimaal 6,8. Al voor €170 is er zo'n toestel: de Samsung Galaxy mini 2 GT-S6500.
Voor topsmartphones halen de fabrikanten alles uit de kast. De kleinste verbeteringen, zoals een snellere camera en een scherper scherm, worden gebracht alsof het uitvindingen van de eeuw zijn. Je zou daardoor bijna voorbijgaan aan andere belangrijke eigenschappen, zoals de ontvangstkwaliteit. Die is niet alleen van belang bij bellen, maar ook bij internetten onderweg. Bij Apples iPhone 4 is de ontvangst ondermaats. De kwaliteit hangt sterk af van de manier waarop je het toestel vasthoudt. Bij de iPhone 4S uit 2012 is dat verbeterd, maar nog altijd niet heel goed. Weinig topsmartphones blinken hierin uit, de ontvangstkwaliteit van de Motorola Razr XT910 is relatief het best.
Met iedere introductie van een nieuwe topsmartphone is het beeldscherm weer iets groter. Met een groter scherm is het prettiger typen en internetten, maar het toestel past wel minder makkelijk in de broekzak. De Samsung Galaxy Note spant de kroon met een schermdiagonaal van 13,4 cm. Dit is bijna het formaat van een tablet. Grote schermen gebruiken veel energie. Dit soort telefoons zul je dus over het algemeen dagelijks moeten opladen.

Zie ook het dossier *Mobiele telefoons* op www.consumentenbond.nl.

Modemrouters

Digitaalgids november 2011

Grote kans dat u surft en mailt met de apparatuur van uw internetprovider. Steeds vaker levert hij één kastje waarin zowel een modem zit als een router voor draadloos internet. Handig, nietwaar? Het scheelt weer een kastje. En als u alleen maar surft en e-mailt, zult u waarschijnlijk tevreden zijn met de 'gratis' apparatuur van de provider.
Wil je meer, dan blijkt dat sommige modemrouters van de providers tekortschieten. Ze zijn niet geschikt om op de slaapkamer of zolder draadloos video in HD-kwaliteit te kijken, zeker als je dat met twee of meer computers

Routerpraat

802.11n De nieuwste standaard voor draadloos internet. Kan zo'n viermaal sneller zijn dan de vorige draadloze standaard, 802.11.

Access point Een draadloos toegangspunt waarmee draadloze apparaten verbinding kunnen maken. Bij een draadloze router is een toegangspunt ingebouwd.

IP-adres Een uniek nummer waarmee je computer door andere computers wordt geïdentificeerd.

IPv4 en IPv6 Standaarden voor het toekennen van IP-adressen. IPv4 is de oude standaard waarop alle computers op internet werken.

Het aantal apparaten dat op iPv4 kan worden aangesloten, is beperkt. Daarom is er een nieuwe standaard: IPv6.

Router Een netwerkschakelkast die computers aan elkaar koppelt en aan iedere computer een IP-adres toekent.

Switch Een verdeelkast voor een bekabeld netwerk. In elke router is een switch ingebouwd met vier aansluitingen.

Usb-printerdeling Een routeroptie. Hiermee kun je een printer op een router aansluiten en zo printen vanaf alle computers op het netwerk.

Usb-bestandsdeling Een routeroptie. Hiermee kun je een usb-stick of harde schijf koppelen aan je router en via het netwerk benaderen.

WEP Sterk verouderde, onveilige methode om een draadloos netwerk te versleutelen. Vervang apparatuur die met WEP moet werken.

WPA Redelijk veilig alternatief voor WEP.

WPA2 Veiliger opvolger van WPA door sterkere versleuteling. Er zijn twee manieren om data te versleutelen, met AES en TKIP. Hiervan is AES het sterkst.

WDS Wireless Distribution System. Een systeem om het draadloze bereik eenvoudig uit te breiden met meerdere routers.

WPS Wifi Protected Setup is te herkennen aan het WPS-knopje voor het maken van een beveiligde verbinding tussen twee apparaten.

tegelijk doet. Bovendien bepaalt de provider welk apparaat je krijgt. Een snellere modemrouter kiezen is er niet bij.

Wij hebben modemrouters getest die de providers hun klanten in bruikleen geven. Om te beginnen: deze kastjes halen nooit de snelheid van 300 Mbit/s die hun fabrikanten claimen, maar dat geldt voor alle routers.

De snelste modemrouter in onze test, de Zyxel van Telfort, haalt op 10 meter 79 Mbit/s en op 20 meter 76 Mbit/s. Aan de andere kant zien we de Fritz!Box

(Modem)routers

		Merk & Type	Provider	Richtprijs (b = bruikleen)	Installateur	Rapportcijfer	Gebruiksgemak	Beveiliging	Veelzijdigheid	Snelheid op 10 m afstand	Snelheid op 20 m afstand	Energiegebruik	Gigabit-switch	Dualband-ondersteuning	Usb-bestandsdeling	Usb-printerdeling	WPS
		(Modem)routers van providers					20%	17,5%	17,5%	20%	20%	5%					
■	1	**Zyxel** P2812HNU-F1	Telfort	b	€50	**7,7**	□	++	+	++	++	+	✓		✓	✓	✓
■	2	**Sitecom** WLR4000 *	Caiway	€80	€90	**7,1**	+	++	□	+	+	++	✓				✓
	3	**Cisco** EPC3925	Ziggo	b	€90	**6,9**	+	+	□	+	++	□	✓	✓			✓
	4	**D-Link** DR655 *	Zeelandnet	€90	Inbegrepen	**6,7**	+	–	+	++	+	–	✓		✓	✓	✓
	5	**ZTE** ZXV10 H220N	KPN	b	1 uur gratis	**6,6**	+	+	–	+	+	□			✓	✓	✓
	6	**Huawei** HG655D	Online	b	€90	**6,6**	++	+	□	+	□	□			✓		✓
	7	**Ubee** EVW3200	Ziggo	b	€90	**6,2**	+	+	□	□	□	□	✓	✓			✓
	8	**Thomson** TG789 VN	Solcon	b	€90	**6,1**	+	+	– –	+	++	□					✓
	9	**Thomson** TWG870U	UPC	b	Gratis	**6,0**	□	+	–	+	+	–	✓				✓
	10	**Fritz!Box** 7340	XS4All	b	Inbegrepen	**5,6**	□	++	++	– –	–	□	✓	✓	✓	✓	✓
	11	**Eminent** EM4542 *	Caiway	€33	€90	**5,4**	□	–	–	□	+	++					✓
	12	**Comtrend** CT-6373	Tele2	b	€70	**4,9**	□	++	– –	□	□	□					
	13	**Davolink** dv2051	Tele2	b	€70	**3,3**	–	–	– –	–	–	□				✓	
		Losse routers															
▶	1	**Linksys** E2000		€60		**8,0**	+	++	++	++	□	□	✓	✓			✓
	2	**Sitecom** WL-350		€100		**7,9**	□	+	++	+	++	□	✓	✓	✓		✓
	3	**Netgear** WNDR3700		€80		**7,5**	□	++	++	+	□	–	✓	✓	✓		✓
	4	**Linksys** E1000		€35		**6,8**	++	++	– –	++	□	+					✓
	5	**D-Link** DIR-825		€80		**6,4**	□	□	++	□	□	+	✓	✓	✓	✓	✓
	6	**Belkin** Surf+		€30		**5,7**	+	+	– –	□	□	□					✓

++ Zeer goed + Goed □ Redelijk – Matig – – Slecht ■ Beste uit de test ▶ Beste koop

Prijspeiling
Oktober 2011.

Selectie
Modemrouters: de apparatuur die providers leveren bij de meest gekozen abonnementen. Losse routers: een selectie van goed verkrijgbare tot €150. Deze zijn getest in 2010.

Methode
Alle (modem)routers zijn getest op bedrade en draadloze snelheid, gemeten op 10 en 20 meter afstand zonder obstakels. Ook onderzochten we gebruiksgemak, mogelijkheden, veiligheid en energiegebruik.

Energiegebruik
Modemrouters verbruiken meer stroom dan routers. Daar hielden we bij de beoordeling rekening mee.

Linksys E1000
Van deze Linksys bestaat een opvolger.

Meer modellen
Ziggo bepaalt welke van de twee modellen je krijgt; Tele2 en Caiway leveren bij de snellere abonnementen een ander model (de Comtrend respectievelijk de Sitecom) dan de langzamere.

* Caiway en Zeelandnet leveren geen modemrouters maar modems en verkopen daar losse routers bij. Die routers hebben we getest.

van XS4All, waarmee we over 10 meter niet meer dan 20 Mbit/s haalden. Het is de vraag wat er van deze snelheid overblijft op zolder.
Providers leveren ook nog wel eens erg goedkope en verouderde apparatuur. Zoals de Davolink, die Tele2 bij de langzamere abonnementen levert. Die gebruikt de verouderde, tragere 802.11g-standaard. En dat zie je terug in de snelheidstest: 20 Mbit/s over zowel 10 als 20 meter. Bij Ziggo krijg je ofwel een modemrouter van Cisco of eentje van Ubee. Krijg je de Cisco, dan heb je geluk, want die scoort in onze test een stuk beter dan middenmoter Ubee.

Gigabit

De modemrouters hebben behalve draadloos internet ook poorten voor een bedraad netwerk. De helft moet het nog doen met langzamere 100 Mbit-poorten. Snel genoeg voor gewoon internet, dat wel. De andere helft heeft tienmaal zo snelle gigabitpoorten (1000 Mbit/s), wat tijdwinst oplevert bij

het versturen van grote bestanden tussen computers binnen het netwerk. Ter vergelijking: routers die je in de winkel koopt, hebben bijna allemaal gigabitpoorten. De Fritz!Box van XS4All heeft maar één bruikbare poort. Wil je veel apparaten via een kabel aansluiten op de modemrouter, dan zul je een losse *switch* moeten kopen: een verdeelkastje waar meer poorten op zitten.
De meeste draadloze routers die door providers worden geleverd, zijn 2,4GHz-routers. Alleen de Fritz!Box van XS4All en de twee routers van Ziggo zijn dualbandrouters: zij kunnen uitzenden op zowel de 2,4GHz- als de 5GHz-band.
Op de 5 GHz is meer ruimte en dus minder kans op storing door andere routers in de buurt. Het nadeel van 5 GHz is dat het signaal wat minder ver draagt en dat de ontvangende computer of *tablet* hiervoor geschikt moet zijn.

Losse router

Natuurlijk is het een goede service dat de provider een modemrouter toestuurt. Dat scheelt klanten uitzoekwerk en geld. Omdat die apparatuur veroudert, wordt die eens in de zoveel jaar vervangen. Zo verving Ziggo afgelopen zomer 400.000 oude modems (zonder router) door nieuwe modemrouters.
Toch is een modemrouter geen ideale oplossing. Het voordeel van twee kastjes in één gaat ten koste van het bereik. Een modem (en dus ook de router) moet namelijk meestal dicht bij het hoofdaansluitpunt staan, dus bijvoorbeeld in de meterkast. Dat is niet gunstig, want een draadloze router hoort voor het beste zendbereik op een centrale plaats te staan.
Caiway en Zeelandnet zijn de enige providers in de test die hun klanten geen modemrouter, maar een modem in bruikleen geven. Ze verkopen er desgewenst een losse router bij (die hebben we getest), maar je kunt er ook zelf een aanschaffen.
Maar zit je bij de andere providers dan vast aan de modemrouter van de provider? Een eigen losse modem aansluiten is niet verstandig. De providers staan dit niet toe of geven geen ondersteuning als er verbindingsproblemen zijn. Een eigen router aansluiten op de modemrouter is toegestaan en het kan de snelheid en het bereik een stuk vergroten. Alleen het uitschakelen van de routerfunctie is soms lastig, maar de helpdesks van de providers kunnen je daarbij helpen. Losse routers zijn vaak ook nog een stuk sneller, zowel draadloos als via een netwerkkabel.

Wil je snel draadloos internetten, dan is de Linksys E1000 (€35) een voordelige en goede optie. De Linksys E2000 is €25 duurder, daarvoor krijg je gigabitpoorten en dualband. Wil je nog meer mogelijkheden, dan is de Netgear WNDR3700 een interessante optie. Op deze router kun je ook een externe harde schijf aansluiten en die benaderbaar maken via het netwerk. Bij de andere modellen heb je daarvoor een duurdere netwerkschijf nodig.

Veilig uit de doos

De veiligheid is de laatste jaren flink verbeterd; alle geteste routers zijn nu veilig in te stellen. De meeste (modem)routers zijn 'veilig uit de doos'. Ze zijn standaard al beveiligd met een uniek wachtwoord dat op een sticker op het apparaat staat.
Drie providers doen het nog niet goed genoeg. De installateur van Zeelandnet gebruikt de achternaam van de klant als naam voor het netwerk (SSID) en ook het wachtwoord is niet willekeurig. Dat moet de klant dus zelf veranderen. Bij de Davolink van Tele2 en de Eminent van Caiway moet je de beveiliging zelf nog aanzetten. Bij Tele2 valt dat niet mee: de uitleg is onder de maat.
Een draadloos netwerk opzetten is nog steeds een lastige klus. Om een apparaat aan een draadloos netwerk te koppelen, moet je je wachtwoord intypen. Bij routers met een WPS-knop (Wifi Protected Setup) is dit niet nodig: met één druk op die knop heb je een veilige verbinding. Dat is een groot voordeel.
Bij apparaten die geen WPS-knop hebben maar WPS wel ondersteunen, volstaat het kiezen van een menuoptie. Helaas werkt WPS niet met computers die nog draaien op Windows XP. Van de geteste (modem)routers hebben alleen die van Tele2 geen WPS.
Kom je er niet uit, dan kun je de providers bellen. Ze bieden allemaal telefonische ondersteuning. Zeelandnet stuurt altijd een installatiemonteur langs. Ook bij XS4All is een monteur bij de installatie inbegrepen, maar je mag het ook zelf proberen. Bij de meeste andere providers kost een monteur €50 tot €90.

Conclusie

De modemrouter die providers hun klanten leveren, voldoen voor surfen en mailen. Wil je meer, zoals sneller internetten en een beter bereik, dan kun je zelf een router kopen en die aan de modemrouter koppelen.

Zie ook het dossier *Draadloze routers* op www.consumentenbond.nl.

Printers

Consumentengids maart 2012

Op zoek naar een printer zal menigeen in een elektronicawinkel al snel het oog laten vallen op de spotgoedkope printers die ook kunnen scannen en kopiëren. Op het eerste gezicht koopjes, maar die zijn misschien niet de beste keuze. Bij de aanschaf van een printer is het van belang eerst na te denken over het eigen printgedrag. Gaat het vooral om tekst of om foto's? In kleur of alleen in zwart? En om hoeveel afdrukken gaat het ongeveer? De antwoorden op deze vragen maken de keuze een stuk overzichtelijker.

Inkjet versus laser

Er zijn twee soorten printtechnieken: inkjet en laser. Inkjetprinters gebruiken vloeibare inkt, die door kleine gaatjes op het papier wordt gespoten. Laserprinters gebruiken toner, een soort poeder. De toner wordt door de *drum*, een elektrostatisch geladen rol, aangetrokken. Die geeft de toner af aan het papier. Inkjetprinters kunnen allemaal in kleur printen, maar de meeste laserprinters alleen in zwart. Kleurenlaserprinters zijn in de minderheid en ook duurder.
Omdat de lasertechniek preciezer is, is de kwaliteit van tekstafdrukken bij laserprinters beter dan bij inkjetprinters. De meeste inkjetprinters krijgen een ruime voldoende voor de afgedrukte zwarte tekst, maar enkele halen net geen voldoende. Bij een laserprinter weet je zeker dat de tekstafdrukken scherp zijn; alle geteste modellen krijgen hiervoor een zeer goed oordeel.

Checklist

Kijk welke handelingen u het vaakst uitvoert om het geschiktste printertype te vinden.

Inkjetprinter:
- foto's printen
- printen in zwart en kleur
- scannen en kopiëren
- kiezen uit veel goedkope modellen
- vaak keuze uit klooncartridges

Laserprinter:
- vooral tekst printen
- printen in zwart
- niet scannen en kopiëren
- grote aantallen printen
- niet vaak de tonercartridge vervangen

Printers

		Merk & Type	Richtprijs	Testoordeel	Jaarlijkse inktkosten	Inkt zwarte tekstpagina	Inkt pagina met tekst en kleurenfoto's	Inkt A4-foto	Printen	Printkwaliteit zwarte tekstpagina's	Printkwaliteit foto's	Printen 5 zwarte tekstpagina's (seconden)	Printen foto (seconden)	Gebruiksgemak printen	Scannen	Kopiëren	Energiegebruik	Wifi
		Inkjetprinters																
■	1.	**HP** 7510e-AIO	€180	**7,6**	€58	€0,06	€0,23	€0,81	+	++	+	38	114	□	+	+	+	√
■	2.	**Canon** MG8150	€250	**7,5**	€69	€0,10	€0,26	€0,74	+	+	++	33	109	+	++	+	++	√
■	3.	**Canon** MG6150	€130	**7,4**	€68	€0,10	€0,25	€0,72	+	□	++	33	102	+	++	+	++	√
■	4.	**HP** 6510e-AIO	€140	**7,4**	€55	€0,06	€0,21	€0,76	+	++	+	45	161	+	+	+	++	√
■	5.	**Epson** PX730WD	€150	**7,4**	€41	€0,04	€0,15	€0,67	+	□	++	42	121	+	+	+	+	√
		Laserprinters kleur																
	1.	**Dell** 1250c	€150	**7,0**	€55	€0,08	€0,21	€0,60	+	+	+	41	35	□	nvt	nvt	+	
	2.	**HP** CP1025nw	€200	**6,9**	€49	€0,03	€0,24	€0,67	+	++	–	31	37	+	nvt	nvt	+	√
	3.	**Lexmark** C540n	€220	**6,9**	€34	€0,03	€0,14	€0,53	+	++	□	29	68	□	nvt	nvt	□	
	4.	**Brother** HL-3040CN	€130	**6,4**	€57	€0,04	€0,28	€0,78	□	++	–	27	36	□	nvt	nvt	□	
	5.	**Samsung** CLP-325W	€135	**6,0**	€62	€0,04	€0,26	€1,06	□	++	––	26	54	+	nvt	nvt	□	√
		Laserprinters zwart																
■	1.	**HP** 1102W	€80	**7,8**	€26	€0,06	€0,12	nvt	+	++	nvt	22	nvt	□	nvt	nvt	++	√
■	2.	**HP** P1606dn	€150	**7,6**	€19	€0,04	€0,09	nvt	+	++	nvt	17	nvt	+	nvt	nvt	++	
■	3.	**HP** M1217nfw	€215	**7,6**	€27	€0,06	€0,12	nvt	+	++	nvt	24	nvt	□	+	+	++	√
	4.	**Lexmark** E260DN	€225	**7,4**	€19	€0,03	€0,11	nvt	+	++	nvt	16	nvt	□	nvt	nvt	□	
▶	5.	**Canon** LBP6000	€70	**7,3**	€18	€0,04	€0,08	nvt	+	++	nvt	24	nvt	□	nvt	nvt	++	

++ Zeer goed + Goed □ Redelijk – Matig –– Slecht ■ Beste uit de test ▶ Beste koop

- De prijzen zijn van januari 2012.
- In de tabel staan per categorie alleen de 5 beste van alle (zo'n 100) geteste printers.
- De jaarlijkse inktkosten gelden voor 250 zwarte tekstpagina's, 100 pagina's met zwarte tekst en kleurenafbeeldingen, en 25 A4-foto's. Bij de groep 'zwartprinters' zijn de 100 kleurenpagina's alleen zwart afgedrukt en zijn geen A4-foto's geprint.
- Het Testoordeel is opgebouwd uit suboordelen: printer 85%, energiegebruik 5%, netwerkmogelijkheden (niet in de tabel) 5% en direct foto's printen (niet in de tabel) 5%. Het oordeel voor de printers die kunnen scannen en kopiëren bestaat uit: printen 70% en scannen en kopiëren elk 15%.

Ook zijn laserprinters sneller dan inkjetprinters. Gemiddeld heeft een laserprinter – bij normale instellingen – vijf seconden per zwarte tekstpagina nodig. Een inkjetprinter doet er twee keer zo lang over.
Toch zijn de kwaliteitsverschillen tussen inkjet- en laserprinters niet meer zo groot als een paar jaar geleden. De beste inkjetprinter geeft inmiddels betere tekstpagina's dan de minste laserprinter.
Voor het printen van foto's is een inkjetprinter het geschiktst. Vooral op fotopapier krijg je daarmee mooie afdrukken. Gemiddeld is de fotokwaliteit van de inkjetprinters goed, maar het printen van een foto op A4-formaat duurt gemiddeld meer dan drie minuten. Kleurenlaserprinters zijn niet geschikt voor het afdrukken van foto's; die worden dof en vaal. Wel zijn deze printers handig om bijvoorbeeld presentaties met tekst en grafieken in kleur af te drukken.
De prijzen van printers zijn de afgelopen jaren gedaald. Vooral laserprinters zijn een stuk goedkoper geworden. Bedenk wel dat de aanschaf van een printer slechts een deel van de kosten omvat. Het meeste geld kost de inkt: wie veel print, is op termijn duurder uit met een goedkope printer en hoge inktkosten dan met een duurder model met lagere inktkosten.

Dure cartridges

Inkt- en tonercartridges zijn duur. Voor inkjetprinters met losse kleurencartridges ben je veelal tussen de €50 en €100 kwijt voor vier cartridges. Tonercartridges voor laserprinters zijn nog duurder – meestal tussen de €50 en €100 per cartridge – maar maken wel meer afdrukken. Met één tonercartridge kun je 1250 tot 2500 pagina's met zwarte tekst printen. Ter vergelijking: met een zwarte cartridge kan een inkjetprinter tussen de 300 en 1000 tekstafdrukken maken. Met een set kleurencartridges printen de inkjetprinters tussen de 20 en 80 foto's op A4-formaat. Kleurenlaserprinters drukken ongeveer tien keer zoveel af met hun kleurentonercartridges, maar het vervangen van de drie stuks is een flinke investering.
De inktkosten zijn het best te vergelijken bij een berekening per pagina. Hiervoor worden de cartridges in de test helemaal leeggeprint. De inktkosten van een zwarte tekstpagina lopen uiteen van €0,02 tot €0,10 per pagina. Gemiddeld kost een door de laserprinter afgedrukte zwarte tekst €0,04, iets goedkoper dan de €0,05 van een inkjetprinter. Een pagina met tekst en afbeeldingen in kleur kost gemiddeld net zoveel bij een inkjet- en een kleurenlaserprinter: ruim €0,20. Een A4-foto op fotopapier kost met een inkjetprinter tussen de €0,50 en €1,50.

IN DETAIL

Inkjetprinter: HP 7510 e-AIO (Beste uit de test)

Prijs: €180

Testoordeel: 7,6

Tekstpagina's worden snel afgedrukt en zien er zeer goed uit. De kwaliteit van een foto op fotopapier is goed, maar de foto is niet vochtbestendig. Ook stopt deze veelzijdige printer met het afdrukken in kleur als de zwarte inkt op is.

Laserprinter kleur: Dell 1250c

Prijs: €150

Testoordeel: 7,0

Hij drukt goedkoop goede foto's af, zeker voor een laserprinter. Een tekstpagina, ook met grafieken, ziet er prima uit, maar de inktkosten per tekstpagina zijn hoog. Nadeel: hij stopt met zwart afdrukken als de kleurentoner op is en andersom.

Laserprinter zwart: HP 1102W (Beste uit de test)

Prijs: €80

Testoordeel: 7,8

Dit gebruiksvriendelijke apparaat drukt zwarte tekstpagina's uitstekend af. De inktkosten per pagina zijn wel wat aan de hoge kant. De enige extra functie van deze printer is dat hij via wifi draadloos aan te sluiten is op het thuisnetwerk.

Uit een enquête onder consumenten bleek onlangs dat de meeste wel klooninkt gebruiken en daar tevreden over zijn. Een klooninktcartridge is circa €5 tot €10 goedkoper dan een originele cartridge. Dit prijsverschil kan bij laserprinters oplopen tot enkele tientjes.

All-in-one

Veruit de meeste inkjetprinters kunnen scannen en kopiëren, ook de goedkoopste modellen. De meeste laserprinters kunnen alleen printen. All-in-onelaserprinters zijn behoorlijk prijzig. Over het algemeen gaat scannen en kopiëren met de geteste all-in-oneprinters snel en eenvoudig en de kwaliteit van de scan en kopie is prima.

Zie ook het dossier *Printers* op www.consumentenbond.nl.

Processoren

Digitaalgids januari 2012

De prestaties van een computer worden voor het grootste deel bepaald door de processor die erin zit. Welke moet u hebben?

Stap 1 Wat gaat u doen met uw pc?

De processor is de belangrijkste factor die bepaalt hoe snel de computer is. Daarna pas komt de hoeveelheid werkgeheugen, de gebruikte harde schijf en de videokaart. De processor bepaalt ook voor een groot deel de prijs van een systeem – meestal tussen de €50 en €200. Het is dus goed om te weten welke processor je in je nieuwe computer wilt. Maar daarvoor moet je eerst weten wat je met je computer gaat doen. Welk soort gebruiker bent u?

Type 1: lichte gebruiker

Wie alleen een beetje gaat internetten, e-mailen, muziek luisteren, online-bankieren en tekstverwerken heeft geen razendsnelle computer nodig. Toch raden wij machines met de allertraagste processoren (in de tabel 'Hoe snel is de processor?' met prestatiescore 0,5) niet aan. De Intel Atom of AMD C- en E-processoren zijn ontworpen voor de kleine 10-inchnetbooks, maar we zien ze ook weleens in goedkope desktops en 15-inchlaptops.
Ze zijn weliswaar energiezuinig, maar ook dusdanig langzaam dat zelfs normale taken vaak vertraging oplopen. Kies liever voor een laptop of desktop met een prestatiescore van minimaal 1, zoals de Intel Pentium, Intel Core of AMD A. Die zijn wel altijd snel genoeg voor eenvoudig gebruik. Overigens: laptops kleiner dan 15 inch met die iets snellere processoren zijn wel flink duurder.

Type 2: actieve gebruiker

Gebruik je de computer actiever, bijvoorbeeld voor het bewerken van foto's, het maken van presentaties of het bezoeken van complexere, dynamische websites? Dan voorkomt een snellere processor veel wachttijd. Dat zijn de processoren in de tabel met een prestatiescore van minimaal 2. Met een processor met een score van 3 kun je soepel foto's bewerken en complexere software gebruiken.

Type 3: zware gebruiker

Wie zeer intensief gebruikmaakt van zijn computer, doet er goed aan om te investeren in een systeem met een supersnelle processor. HD-videobe-

Hoe snel is de processor?

Merk & Type	Prestatiescore	Prestatiescore videochip	Prijs
Desktopprocessoren	**0 – 10**	**0 – 7**	**processor los**
Intel Core i7 3xxx	10	–	€550 – €1000
Intel Core i7 2xxx	7	3 – 5	€250 – €300
AMD FX	5 – 6	–	€140 – €240
Intel Core i5 2xxx	4 – 5	3 – 4	€150 – €200
AMD A8	4	7	€110 – €130
Intel Core i3 2xxx	3	3	€100 – €130
AMD A6	3	5	€90 – €120
Intel Pentium G8xx	2	3	€75 – €85
AMD A4	2	4	€60 – €70
Intel Celeron E3xxx	1	3	€40 – €50
Intel Atom	0,5	1	–
AMD E	0,5	2	–
Laptopprocessoren			**15"-laptop**
Intel Core i7 2xxxx	3 – 6	5	€750 – €4000
AMD A8	3	7	€650 – €750
Intel Core i5 2xxxx	2 – 3	5	€500 – €2000
AMD A6	2	5	€500 – €700
Intel Core i3 2xxxx	1 – 2	5	€450 – €900
Intel Pentium B9xxx	1	3	€350 – €700
AMD A4	1	4	€400 – €600
Intel Celeron B8xx	0,5 – 1	3	€350 – €450
Intel Atom	0,5	1	nvt
AMD E	0,5	2	€350 – €450
AMD C	0,5	2	€300 – €350

Prijspeiling
November 2011. Bij desktopprocessoren hebben we de prijs van de losse processoren vermeld. Bij laptops de prijs van 15"-laptops met de betreffende processoren.

Selectie
Alle gangbare processorfamilies voor desktops en laptopcomputers.

Prestatiescore
De uitkomsten van verschillende benchmarktests (standaardmethoden voor het testen van hardware) hebben we omgezet in een schaal van 0 tot 10. De prestaties van de geïntegreerde videochip hebben we omgezet in een schaal van 0 tot 7.

Intel Core i7 3xxx
Computers met de nieuwe processorreeks in de 3000-serie zijn inmiddels al op de markt.

werking gaat pas echt vlotjes vanaf score 4 à 5 in de tabel, maar eigenlijk geldt: hoe sneller, des te minder wachttijd. Een Intel Core i7 is bijvoorbeeld bij het coderen van HD-video tweemaal zo snel als een i3 (dit komt ook doordat de taken worden verdeeld over vier kernen bij de i7 in plaats van twee bij de i3).
Voor het spelen van de nieuwste 3D-games op de hoogste resolutie is een topmodel processor van belang, maar de videokaart speelt daarin een nog veel grotere rol.

Stap 2 AMD of Intel?

De processormarkt voor pc's en laptops kent maar twee leveranciers: Intel en AMD. Een Intelprocessor is niet per definitie beter of slechter dan een AMD-processor. Een indicatie voor de te verwachten prestaties van de verschillende genoemde processorseries vindt u in de tabel.
Toch zijn er wel vuistregels. De prestaties van de traagste processorseries van Intel (Atom) en AMD (C en E) zijn vergelijkbaar. In het topsegment blijkt Intel anno 2011 wat betreft prestaties onverslaanbaar.
Voor de meeste consumenten is de groep daartussen, voor het actieve gebruik, het interessantst. AMD's A4, A6 en A8 zijn ruwweg even snel als Intels Pentium, Core i3 en Core i5. AMD's A6- en A8-processoren zijn qua rekenkracht in de regel wat langzamer dan Intels i3 en i5, maar de ingebouwde videochip is wel sneller in het genereren van 3D-beelden. Dat is iets om rekening mee te houden als je af en toe een 3D-spel speelt. AMD biedt in dit segment een net wat betere prijs/prestatieverhouding, maar daar staat, zeker bij laptops, wel veel minder keuze uit modellen tegenover.
De snellere AMD FX-processor (alleen voor desktop-pc's) is de tegenhanger van Intels Core i5. De FX is in theorie sneller, maar alleen bij moderne software die alles uit de processor weet te halen. Bij oudere software – vaak ouder dan een à twee jaar – is de i5 juist de rapste.

Stap 3 Losse videokaart?

Bijna alle laptops en desktops hebben tegenwoordig een processor met een geïntegreerde videochip. Die volstaat vrijwel altijd, tenzij je van plan bent de nieuwste 3D-games te gaan spelen. Die losse videokaart zien we alleen nog bij de snelste en duurste desktopcomputers. Er is één uitzondering: de geïntegreerde videokaart in de trage Intel Atom-processoren is niet snel genoeg om HD-video vloeiend af te spelen.

Kopen of wachten?
De snelste computer koop je altijd morgen. De beroemde 'Wet van Moore' stelt dat de prestaties van processoren ruwweg ieder anderhalf jaar verdubbelen. Over anderhalf jaar koop je voor hetzelfde geld dus een processor die twee keer zo snel is.

Stap 4 Upgraden?

Bij laptops is het upgraden van de processor vrijwel nooit mogelijk, bij desktops wel. Upgraden betekent bij Intel meestal altijd een nieuw moederbord en eventueel nieuw geheugen. Bij AMD is een upgrade minder ingrijpend. Toch raden we het upgraden van de processor af. Het plaatsen van meer geheugen of het vervangen van de harde schijf door sneller (maar duurder) SSD-hardeschijfgeheugen is eenvoudiger en meestal effectiever.

Schoonmaaksoftware

Digitaalgids januari 2012

Een bekend probleem voor wie vaak achter de computer zit: het systeem is lang niet zo snel meer als vlak na de aanschaf. Naarmate een computer langer meegaat, installeren we er meer software op. Dat betekent dat er meer programma's op de achtergrond draaien en dat er meer onderdelen aan Windows zijn toegevoegd die allemaal (een beetje) aandacht van het systeem vragen. Windows heeft eenvoudige gereedschappen om de pc op te ruimen, maar er is ook speciale software voor. Die neemt het vervelende opruimklusje over en neemt ook meteen het register onder handen, met als resultaat een snellere pc met meer hardeschijfruimte. Tenminste, dat claimen de makers.

Tegenvallers

We hebben voor deze test vijf ernstig vervuilde computers gebruikt en hier tien gratis schoonmaakpakketten op losgelaten. Vijf van die pakketten hebben bovendien een betaalde 'pro'-versie die we ook hebben getest – allemaal met de standaardinstellingen. Wat blijkt? De pakketten maken 100 MB tot 1 GB aan schijfruimte vrij op een totaal van gemiddeld 95 GB aan data. Dat is 0,1 tot 1%, niet bepaald wereldschokkend.

Schoonmaaksoftware

	Product	Prijs ca.	Rapportcijfer	Oordelen: Sneller tijdens gebruik	Sneller opstarten	Vrijmaken schijfruimte	Gebruiksgemak	Mogelijkheden	Bijzonderheden: Anti-malware	Defragmentatie	Periodiek onderhoud	Privacybescherming	Nederlandstalig	Website
				25%	12,5%	12,5%	30%	20%						
1	**IOBit** Advanced SystemCare Pro 5	€15	**5,8**	□	□	–	+	+	✓	✓	✓	✓	✓	www.iobit.com
2	**Macecraft** Powertools	€22	**5,6**	□	++	–	□	+	✓		✓	✓	✓	www.macecraft.com
3	**AVG** PC Tuneup 2011 Full	€25	**5,5**	–	–	□	+	□		✓		✓	✓	www.avg.nl
4	**Glarysoft** Glary Utilities Pro	€20	**5,5**	□	□	– –	+	□	✓		✓	✓	✓	www.glarysoft.com
5	**IOBit** Advanced SystemCare Free 5	gratis	**5,3**	– –	–	–	+	+	✓	✓		✓	✓	www.iobit.com
6	**YL Software** Winutilities Pro	€30	**5,1**	□	– –	–	+	□		✓	✓	✓	✓	www.ylcomputing.com
7	**AVG** PC Tuneup 2011 probeerversie	gratis	**5,1**	–	– –	□	+	□		✓			✓	www.avg.nl
8	**Macecraft** Powertools Lite	gratis	**5,0**	□	+	–	□	□				✓	✓	www.macecraft.com
9	**Piriform** CCleaner	gratis	**5,0**	□	–	–	□	□				✓	✓	www.ccleaner.com
10	**Glarysoft** Glary Utilities	gratis	**4,7**	□	– –	– –	+	□				✓	✓	www.glarysoft.com
11	**YL Software** Winutilities Free	gratis	**4,7**	–	– –	–	+	□		✓		✓	✓	www.ylcomputing.com
12	**Comodo** System Cleaner	gratis	**4,2**	□	□	– –	□	□			✓	✓		www.comodo.com
13	**Slimware Utilities** SlimCleaner	gratis	**4,1**	□	– –	□	–	□			✓	✓		www.slimcleaner.com
14	**ZhiQing** Soft Wise Disk Cleaner Free	gratis	**4,0**	□	– –	□	–	–						www.wisecleaner.com
15	**Disk Cleaner**	gratis	**3,6**	□	–	–	–	–				✓	✓	www.diskcleaner.nl

++ Zeer goed + Goed □ Redelijk – Matig – – Slecht

- Prijspeiling: november 2011.
- Selectie: we kozen schoonmaakpakketten die we veel op internet aantroffen, maar er zijn er veel meer.
- Methode: we hebben voor deze test vijf ernstig vervuilde computers gebruikt zonder malware. Alle pakketten zijn getest met de standaardinstellingen, bij voorkeur met de 'alles schoonmaken'-knop.

- Versnellen: het snelheidsverschil voor en na de schoonmaak is gemeten, bij het opstarten en tijdens gebruik. Snelheid bij gebruik is gemeten met software die alledaags computergebruik simuleert en van een snelheidsscore voorziet.

Die winst boeken ze door onder andere tijdelijke bestanden op te ruimen die na een installatie achterblijven. Daarnaast zijn er tijdelijke internetbestanden (vooral plaatjes) die webpagina's achterlaten om bij een volgend bezoek sneller te laden. Die hebben we niet meegeteld, omdat die bestanden gewoon terugkomen als je dezelfde webpagina weer bezoekt.
Dan de snelheidsverbetering. Geen van de testmachines werkte merkbaar sneller dan voor de schoonmaak, in het beste geval 3%. Grote kans dat je daar niets van merkt. Bij het opstarten van Windows zagen we meer verschillen. Een pakket, Macecraft Powertools, wist op twee machines de opstarttijd behoorlijk te verlagen, in een geval zelfs met 26 seconden.
Dat is helaas geen uitzondering. 10 van de 15 schoonmakers laten Windows zelfs trager opstarten dan voor de schoonmaak! In een paar gevallen is dat te verklaren. Vijf gratis pakketten installeren een browsertoolbar mee als je niet oplet tijdens de installatie. Dit soort toolbars valt juist in de categorie rommel die we liever opgeruimd zouden zien door schoonmaaksoftware.

Register

Waar deze pakketten nog toegevoegde waarde zouden bieden, is het schoonhouden van het register, de 'kaartenbak' van Windows met alle instellingen. Een groot, vervuild register kan het systeem behoorlijk vertragen.
Als je deze ingewikkelde klus zelf uitvoert, loop je het risico dat je de verkeerde regels weghaalt of de verkeerde bestanden verwijdert. Schoonmaaksoftware belooft dit makkelijk en veilig te kunnen doen. Op onze testmachines stonden behoorlijk vervuilde registerbestanden die vier tot zes keer groter waren dan die op een nieuwe computer. Daardoor was bijna 10% van het werkgeheugen continu bezet en dat was te merken aan de reactiesnelheid. Helaas is na het poetsen de geheugenbelasting op geen van de testcomputers teruggedrongen. Dat verklaart ook waarom we geen snelheidswinst maten.

Gebruiksongemak

Heb je dan wel iets aan een schoonmaakpakket? Dat is de vraag. De meeste schoonmaaktaken kunnen Windows Vista en 7 al automatisch uitvoeren.

Schoonmaken doe je zo

Wilt u zelf uw computer opschonen, dan kunt u de volgende stappen nemen. Maak vooraf wel eerst een back-up van uw belangrijkste bestanden.

1 *Verwijder ongebruikte programma's*

Schoonmaaksoftware doet dit niet automatisch, want die weet niet welke software u nog nodig heeft. In het *Configuratiescherm* bij *Software* ziet u een overzicht van geïnstalleerde programma's. Kies de programma's die u niet meer gebruikt en klik op *Verwijderen*. Let ook op programma's die bij het opstarten van Windows al direct actief zijn. Ze zorgen ervoor dat Windows minder snel opstart en afsluit. Bovendien nemen ze werkgeheugen en processorkracht in.

2 *Leeg de Prullenbak*

Mappen of bestanden die u verwijdert, zijn niet gelijk weg. Ze blijven eerst nog even in de *Prullenbak* hangen. Als u die niet periodiek leegt, kan u dat veel gigabytes opslagruimte kosten. Klik met de rechtermuisknop op de *Prullenbak* en kies voor het legen ervan.

3 *Verwijderen duplicaten*

Bestanden en mappen kunnen dubbel op de harde schijf staan. Tenzij dat de bedoeling is, is het zonde van de opslagruimte. U kunt zelf op zoek gaan naar dubbele bestanden of dit laten doen door een programmaatje. Zoek in Google op 'verwijder dubbele bestanden' en u komt allerlei software tegen die u hiermee kan helpen, zoals Duplicate Cleaner (Nederlands) en Easy Duplicate Finder (Engels).

4 *Defragmenteren*

Zelf defragmenteren is alleen nog nodig voor computers met Windows XP, want Windows 7 en Vista defragmenteren automatisch. Het is goed om de harde schijf netjes en geordend te houden, want dan is die korter bezig met zoeken naar de juiste bestanden. Open de *Verkenner*, selecteer de schijf die u wilt defragmenteren, klik op de rechtermuisknop en kies *Eigenschappen*. Selecteer het tabblad *Extra* en kies *Nu defragmenteren*.

5 *Schijfopruiming*

Windows heeft ook een schoonmaakpakketje aan boord dat in een klap de meeste vervuilingsplekken kan aanpakken. Open de *Verkenner*, selecteer de schijf die u wilt opruimen, klik op de rechtermuisknop en kies *Eigenschappen*. Klik in het eerste tabblad (Algemeen) op *Schijfopruiming*. Windows analyseert vervolgens de harde schijf en toont u waar de vervuiling zit. Kies voor *Systeembestanden opschonen*.

6 Herstelpunten verwijderen

Windows Vista en 7 maken herstelpunten aan waar je bij problemen op kunt terugvallen. Die nemen alleen behoorlijk wat plek in. Als uw computer goed werkt, kunt u oude herstelpunten weggooien, op het meeste recente herstelpunt na. Dat doet u zo:

- Open *Schijfopruiming* door te klikken op de knop *Start*. Typ 'schijfopruiming' in het zoekvak en klik vervolgens in de lijst op *Schijfopruiming*.
- Selecteer het station dat u wilt opruimen als dit wordt gevraagd en klik vervolgens op *OK*.
- Klik in het dialoogvenster *Schijfopruiming* (voor stationsletter) op *Systeembestanden opschonen*. Beheerdersmachtiging vereist.
- Selecteer het station dat u wilt opruimen als dit wordt gevraagd en klik vervolgens op *OK*.
- Klik op het tabblad *Meer opties* en vervolgens onder *Systeemherstel en schaduwkopieën* op *Opruimen*.
- Klik in het dialoogvenster *Schijfopruiming* op *Verwijderen*.
- Klik op *Bestanden verwijderen* en vervolgens op *OK*.

De paar extra handelingen die overblijven, zijn het eenvoudigste uit te voeren met de pakketten van AVG, IObit, Glarysoft en YL Software. Deze programma's laten zich eenvoudig installeren en bieden overzichtelijke menu's. Pas alleen op bij de gratis versies van Glarysoft en YL Software dat je niet per ongeluk een toolbar mee installeert.
Drie van de tien schoonmaakprogramma's schieten tekort op gebruiksgemak. Comodo System Cleaner heeft een onduidelijke bediening. Het stuurt ons bij de eerste schoonmaakopdracht naar het configuratiemenu waar geen duidelijke startknop staat. Pas als we zelf vertwijfeld op het tabblad Poetsen klikken, gaat de software ineens aan de slag.
Slimware Utilities installeert bij wie niet scherp oplet een toolbar en verandert ook de zoekmachine en startpagina van de browser. Het programma Disk Cleaner biedt niet veel meer dan een snelle toegang om overbodige installatiebestanden te verwijderen. Bovendien moet je zelf aangeven waar

Nepschoonmaaksoftware

Er circuleert op internet ook schoonmaaksoftware, zoals Registry Booster en System Tuner, met heel andere bedoelingen dan het opruimen van uw pc. Het begint als je een dubieuze website bezoekt, die een valse melding geeft dat je systeem is vervuild. Je wordt aangemoedigd om gratis software te installeren om het 'probleem' op te lossen. Als je dat doet, wordt malware geïnstalleerd, die zich moeilijk laat verwijderen.
Soms blijkt dat de problemen alleen tegen betaling kunnen worden opgelost. Er zijn gevallen bekend waarbij een duur 0900-nummer moest worden gebeld of een creditcardbetaling moest worden gedaan. Pas daarna kon de nepschoonmaaksoftware worden verwijderd. Wees dus op je hoede wanneer je tijdens het internetten een venster voorgeschoteld krijgt dat je waarschuwt voor een vervuild systeem.

je wilt dat het programma zoekt naar vervuiling. De andere pakketten weten zelf waar ze de meeste rommel kunnen vinden.

Extra's

Disk Cleaner en ZhiQing Soft Wise Disk Cleaner Free bieden alleen basale functies om overbodige bestanden te verwijderen. Disk Cleaner pakt bovendien niet alle mogelijke stofnesten aan. Zowel de gratis als betaalde versies van Advanced SystemCare, Glarysoft Glary Utilities en de betaalde Macecraft Powertools doen juist iets extra's. Ze scannen de computer bijvoorbeeld ook op aanwezige malware of ontbrekende Windows-updates. In veel betaalde versies zien we de mogelijkheid een terugkerend onderhoudsschema op te stellen.

Schone Mac

Ook Apple-computers hebben last van softwarevervuiling en dus zijn er ook voor de Mac schoonmaakpakketten. Bekende voorbeelden hiervan zijn MacKeeper (mackeeperapp.zeobit.com), Clean My Mac (www.macpaw.com/cleanmymac) en Speedup Mac (www.macintosh-software.net). Net zoals bij Windows zijn er betaalde en gratis varianten waarbij de betaalde versies meer mogelijkheden bieden. De werking van deze Mac-software verschilt niet veel van de Windows-varianten. Ook hij kijkt op de bekende plekken naar nutteloze bestanden en onnodige vervuiling.

Conclusie

In de tijd van Windows XP en kleine harde schijven kon je veel profijt hebben van een grote schoonmaak. Maar de harde schijven zijn zo groot dat deze pakketten weinig potten kunnen breken, te meer omdat Windows 7 en Vista zichzelf al redelijk schoonhouden.
De geteste pakketten maken de computer hooguit een klein beetje sneller en schoner, maar met onze tips in het kader 'Schoonmaken doe je zo' bereik je meer.

Zie voor nog meer informatie onze uitgave *Langer plezier van je pc* (2012).

Tablets

Consumentengids juni 2012

Een *tablet* is het best te vergelijken met een kleine notebook, maar dan zonder toetsenbord. Ook is de harde schijf vervangen door geheugenchips. Er zijn bovendien geen ventilatoren nodig om de warmte af te voeren. Hierdoor zijn tablets licht, dun, compact en stil, en dus makkelijk mee te nemen. Ook het beeldscherm wijkt af van dat van een notebook. Tabletschermen zijn kleiner (maximaal 25,7 cm, 10 inch) dan die van een gemiddelde notebook en bovendien aanraakgevoelig. Een tablet bedien je daarom met de vingers in plaats van met een muis of *touchpad*.

Tablet of notebook?

- Een tablet weegt gemiddeld 550 gram; een notebook met een scherm van 13 inch weegt minimaal 1000 gram.
- Een tablet is gemiddeld circa 10 mm dik; een notebook 30 mm.
- Een tablet gaat zo'n acht uur mee op een volle accu; een notebook vier à vijf uur.
- Een tablet is helemaal stil; een notebook niet.
- Een tablet heeft een aanraakscherm; een notebook bedien je met een muis of touchpad.
- Een notebook heeft een echt toetsenbord en dat tikt fijner.
- Een tablet is valbestendiger dan een notebook, want de geheugenchips kunnen beter tegen schokken.

Belangrijke accessoires

- Beschermhoes om achter- en zijkant te behoeden voor krassen.
- Beschermfolie om te voorkomen dat het scherm krassen krijgt en om reflectie te verminderen.
- Los toetsenbord om sneller en prettiger tekst in te voeren.
- Standaard om de tablet rechtop te plaatsen.
- Autolader om de tablet in de auto van stroom te voorzien.

Alleskunner

Ondanks de bovengenoemde verschillen kun je met moderne tablets alles doen wat je met de pc ook kunt, zoals mailen, internetten, muziek luisteren en maken, films kijken en skypen. Door de compacte afmetingen en de nieuwe technieken kun je met een tablet zelfs meer dan met een gewone pc. Bijvoorbeeld lekker op de bank elektronische boeken, folders en tijdschriften lezen. Bovendien kun je spellen besturen door de tablet te bewegen. Tablets hebben ook een paar belangrijke nadelen. Het toetsenbord op het scherm, ook wel virtueel toetsenbord genoemd, is niet geschikt om snel, lang en blind op te typen. Bovendien is bij het typen de helft van het scherm in gebruik genomen door dit virtuele toetsenbord. Er is dan maar weinig schermruimte over om te zien wat je tikt. Dat is op te lossen door een los, draadloos toetsenbordje te gebruiken. Verder hebben tablets weinig opslagruimte in vergelijking met de pc. Die zijn nu vaak voorzien van een harde schijf met meer dan 500 GB capaciteit. De tablet moet het nog doen met maximaal 64 GB. Dit komt doordat de gebruikte geheugenchips voor opslag per gigabyte veel duurder zijn dan bij een harde schijf.

iPad of Android

Tablets zijn grofweg op te delen in twee kampen. Het eerste bestaat uit alle Apple iPad-tablets. In maart 2012 presenteerde Apple de derde generatie. Alle andere tablets vormen kamp twee en zijn voorzien van het besturingssysteem Google Android. Verschillen tussen de iPad- en Androidtablets zitten vooral in de eenvoud, het gebruiksgemak en de soepelheid. Apples iPad heeft nog een duidelijke voorsprong op Googles Android. Een ander belangrijk verschil tussen de twee is de mate waarin je de tablet aan je eigen wensen kunt aanpassen. De iPad geeft een stuk minder vrijheid dan de Androidtablets. Eind 2012 komt er een derde kamp bij: Microsoft lanceert dan het besturingssysteem Windows 8, dat ook op nieuwe tablets zal werken.

IN DETAIL

Apple iPad 3 (Beste koop)
Prijs: vanaf €480 (met 16 GB)
Opslagruimte: 16, 32 of 64 GB (niet uit te breiden)
Schermdiagonaal: 24,6 cm (9,7 inch)
Gewicht: 652 gram
Dikte: 9,4 mm
Testoordeel: 8,3
Deze iPad 3 heeft het beste scherm van de geteste tablets. Het gebruik is eenvoudig, overzichtelijk en soepel. Hij heeft twee camera's en een stevige behuizing. Met volle accu is de werktijd circa 12 uur. De goedkoopste versie mist gps en 3G; een usb-poort en geheugenkaartlezer ontbreken bij alle versies.

Apple iPad 2 (Beste koop én Beste uit de test)
Prijs: vanaf €400 (met 16 GB)
Opslagruimte: 16, 32 of 64 GB (niet uit te breiden)
Schermdiagonaal: 24,6 cm (9,7 inch)
Gewicht: 605 gram
Dikte: 8,8 mm
Testoordeel: 8,0
Stevige en uitstekende tablet die uitblinkt in gebruiksgemak, maar het fraaie scherm van de iPad 3 mist. Hij heeft twee camera's. De achtercamera is veel minder goed dan die van de iPad 3. De werktijd met een volle accu is circa tien uur. Een usb-poort en een geheugenkaartlezer ontbreken. De duurdere versie heeft gps en 3G.

Toshiba AT200-100
Prijs: €480
Opslagruimte: 32 GB (uit te breiden)
Schermdiagonaal: 25,7 cm (10,1 inch)
Gewicht: 507 gram
Dikte: 8 mm
Testoordeel: 7,5
Deze dunne, lichte tablet ligt lekker in de hand en gaat zo'n zes uur mee op een volle accu. Hij heeft legio aansluitmogelijkheden, maar een verouderde Androidversie. Met een camera voor en achter. Is makkelijk aan te sluiten op een moderne tv, kan SD-geheugenkaartjes aan en heeft standaard gps.

Asus Transformer Prime TF201

Prijs: €600

Opslagruimte: 32 GB (uit te breiden)

Schermdiagonaal: 25,7 cm (10,1 inch)

Gewicht: 593 gram

Dikte: 9 mm

Testoordeel: 7,5

Deze Asus heeft de krachtigste processor, al merken we daar weinig van. Wordt geleverd met los toetsenbord, waarin een extra accu zit. Heeft voor en achter een camera en werkt bijna zes uur op een volle accu. Voelt degelijk aan en oogt fraai. De enige tablet met de nieuwste Android. Heeft veel aansluitingen, gps en 3G.

Samsung Galaxy Tab 10.1

Prijs: €380

Opslagruimte: 32 GB (niet uit te breiden)

Schermdiagonaal: 25,7 cm (10,1 inch)

Gewicht: 560 gram

Dikte: 9,4 mm

Testoordeel: 7,4

Een goede tablet. Ligt goed in de hand, is licht en solide, en gemakkelijk in het gebruik. Gaat bijna 8,5 uur mee op een volle accu en wordt geleverd met een verouderde Androidversie. Hij heeft voor en achter een camera. Mist een usb-poort en een kaartlezer, maar heeft wel gps en 3G.

Samsung Galaxy Tab 8.9

Prijs: €380 (met 16 GB)

Opslagruimte: 16 of 32 GB (uit te breiden)

Schermdiagonaal: 22,6 cm (8,9 inch)

Gewicht: 440 gram

Dikte: 8 mm

Testoordeel: 7,1

Hij ligt prima in de hand, is licht en dun, voelt degelijk aan en het gebruiksgemak is goed. Heeft voor en achter een camera en werkt bijna tien uur op een volle accu. Wordt geleverd met een verouderde Androidversie. Mist een tv-aansluiting en een usb-poort, maar heeft wel een geheugenkaartlezer en gps.

Blackberry Playbook

Prijs: €200 (met 16 GB)
Opslagruimte: 16, 32 of 64 GB (niet uit te breiden)
Schermdiagonaal: 17,8 cm (7 inch)
Gewicht: 430 gram
Dikte: 11 cm
Testoordeel: 6,6
De behuizing maakt een robuuste indruk. Gaat rond de 7,5 uur mee op een volle accu en heeft voor en achter een camera. Hij is vrij licht, maar wel aan de dikke kant. Deze tablet kan standaard worden aangesloten op een televisie, heeft gps en een usb-poort, maar geen geheugenkaartlezer.

Sony Tablet S

Prijs: vanaf €400 (met 16 GB)
Opslagruimte: 16 of 32 GB (uit te breiden)
Schermdiagonaal: 23,9 cm (9,4 inch)
Gewicht: 624 gram
Dikte: 20 mm
Testoordeel: 6,4
Voelt plastic aan en is dik. Het gebruiksgemak en de prestaties vallen tegen. Heeft voor en achter een camera en kan werken als universele afstandsbediening. Gaat negen uur mee op een volle accu. Heeft een verouderde Androidversie en geen tv-aansluiting, wel een usb-poort, geheugenkaartlezer en gps. De duurdere versie heeft 3G.

Lenovo Thinkpad

Prijs: €550 (met 16 GB)
Opslagruimte: 16, 32 of 64 GB (uit te breiden)
Schermdiagonaal: 25,7 cm (10,1 inch)
Gewicht: 766 gram
Dikte: 15 mm
Testoordeel: 6,2
Deze zakelijke tablet stelt qua prestaties, beeldkwaliteit en veelzijdigheid teleur. Gaat ongeveer 6,5 uur mee op een volle accu. Hij bevat een verouderde Androidversie. Heeft voor en achter een camera. Hij is erg zwaar en best dik. Hij mist alleen een usb-poort. Kan aangesloten worden op een tv en heeft een geheugenkaartlezer, gps en 3G.

Sony Tablet P
Prijs: €540
Opslagruimte: 4 GB (uit te breiden)
Schermdiagonaal: 2 x 14 cm (2 x 5,5 inch)
Gewicht: 372 gram
Dikte: 24 mm
Testoordeel: 5,9
Gebruiksgemak en kwaliteit van het beeld stellen teleur. De behuizing is in orde en de accuduur is bijna 7,5 uur. Hij heeft voor en achter een camera, is heel licht, maar is dichtgeklapt erg dik en heeft een verouderde Androidversie. Geen tv-aansluiting, wel usb-poort, geheugenkaartlezer, gps en 3G.

Archos 80 G9
Prijs: €250
Opslagruimte: 8 GB (uit te breiden)
Schermdiagonaal: 20,3 cm (8 inch)
Gewicht: 485 gram
Dikte: 13 mm
Testoordeel: 5,8
Deze Archos scoort op gebruiksgemak, prestaties, veelzijdigheid, beeldkwaliteit en behuizing niet goed. Heeft alleen aan de voorkant een camera. De behuizing voelt niet solide aan. De accuduur is 6,5 uur en er staat een verouderde versie van Android op. Hij kan op een tv worden aangesloten en heeft een usb-poort, een geheugenkaartlezer en gps.

Archos 101 G9
Prijs: €285
Opslagruimte: 8 GB (uit te breiden)
Schermdiagonaal: 25,7 cm (10,1 inch)
Gewicht: 698 gram
Dikte: 13 mm
Testoordeel: 5,6
Ook deze Archos scoort niet goed op gebruiksgemak, prestaties, beeldkwaliteit, veelzijdigheid en behuizing. Heeft alleen een camera aan de voorkant. Gaat iets langer dan vijf uur mee op een volle accu. Wordt geleverd met een verouderde Androidversie. Is vrij zwaar en best dik. Kan aangesloten worden op een tv, heeft een usb-poort, geheugenkaartlezer en gps.

Alle tablets werken met *apps*, die vergelijkbaar zijn met programma's voor de pc. Deze apps zijn te vinden in *app stores*, die ingebouwd zijn in alle tablets. In een app store kun je zoeken naar gratis en betaalde apps. Veel betaalde versies kun je eerst gratis proberen. Het handige van app stores is dat je geen gedoe hebt met installeren. Nadat de keuze is gemaakt, wordt de app automatisch binnengehaald en geïnstalleerd. Via de app store kun je apps ook eenvoudig en snel bijwerken tot de nieuwste versie.

Kwaliteitsverschil

De Consumentenbond heeft 12 tablets van €200 tot €600 op de testbank gelegd. Omdat het scherm een groot deel van de tablet beslaat, heeft de schermkwaliteit een flinke invloed op het gebruik. Het scherm van de nieuwe iPad is het best. Het heeft een hoge resolutie, fraaie kleuren en een ruime kijkhoek. Andere tablets hebben een wat minder goed, maar meestal prima scherm. Over het algemeen geldt dat naarmate een tablet goedkoper is, de kans op een slecht scherm groter wordt. Ook de kwaliteit van de behuizing en de accu laten bij goedkopere tablets nog weleens te wensen over.

Zie ook het dossier *Tablets* op www.consumentenbond.nl.

Tablets tot €200

Digitaalgids september 2012

Er komen steeds meer goedkope *tablets* op de markt. We testten acht Androidtablets van maximaal €200. De schermen variëren in omvang van 7 tot en met 9,7 inch. We kozen voor de goedkoopste uitvoering van elke tablet;

Om op te letten

HDMI Om het beeld van de tablet op de televisie te laten zien.

Opslagruimte Tablets in deze prijsklasse hebben weinig opslagruimte (4 of 8 GB). In veel tablets kun je dan een SD-geheugenkaartje stoppen voor extra capaciteit (circa €20 voor 32 GB).

3G Voor mobiel internet buiten de deur – niet op tablets in deze prijsklasse. Wifi is wel altijd standaard.

1 Google Nexus 7 (Beste koop)

€200 (nog niet in Nederland te koop, wel in Duitsland)

Verreweg de beste budgettablet uit deze test. Hij kan zich meten met de dure modellen. Sterker nog: hij wordt zelfs de Beste koop. De Nexus 7 heeft als enige van de acht de laatste Androidversie (4.1). De tablet is compact en licht (340 gram), ligt lekker in de hand, heeft gps en usb, werkt snel en soepel, heeft een uitstekende accu (acht uur) en dito scherm. Grootste nadeel: een SD-kaartlezer ontbreekt. Ook zoeken we vergeefs naar HDMI en een tweede camera.

2 Yarvik GoTab Zetta TAB466EUK

€195

Deze 9,7-inchtablet heeft slechts 4 GB opslagcapaciteit, maar dat is met een SD-kaartje uit te breiden. Hij is vrij zwaar: 630 gram. De schermkwaliteit en prestaties zijn redelijk. De accuduur van zes uur is goed. De tablet heeft een HMDI- en usb-poort en twee camera's; gps ontbreekt.

3 Tomtec Ultimate 10

€190

Met 722 gram is het de zwaarste tablet uit de test. Van deze 9,7-inchtablet met 8 GB opslag zijn de constructie en het gebruiksgemak in orde. De snelheid en de schermkwaliteit vallen tegen. De accu gaat circa 5 uur mee. De tablet heeft wel veel aansluitingen: gps, HDMI- en usb-poort en twee camera's.

4 Tomtec Excellent 8

€150

De kleinere 8-inchvariant van de Tomtec Ultimate 10 heeft slechts 4 GB aan boord, maar dat is uitbreidbaar. De testresultaten zijn vergelijkbaar met de Ultimate 10. In tegenstelling tot zijn grote broer ontbreken gps, HDMI en een tweede camera.

5 Point of View ProTab 2 IPS

€200

Een complete tablet (9,7 inch) met gps, HDMI, usb, een camera voor en achter en 8 GB interne opslag. Scoort op de meeste punten hetzelfde als de Tomtec Ultimate 10, alleen de accu is iets eerder leeg (vier uur).

6 Point of View 7" ProTab 25

€110

De goedkope versie van de ProTab 2 met een kleiner scherm (7 inch) en minder interne opslagruimte (4 GB). De accu en het scherm zijn ronduit slecht. Ook bij deze tablet vallen de prestaties tegen. HDMI ontbreekt.

7 Archos 80 G9

€200

Dit model van Archos is al langer op de markt. Het heeft een 8-inchscherm en 8 GB opslagcapaciteit die uit te breiden is. Het is best een aardige tablet, die redelijk scoort op accuduur, scherm, gebruiksgemak en prestaties. Maar omdat de tablet niet degelijk aanvoelt, staat hij op nummer zeven.

8 Tomtec Excellent 7

€95

De kleinste Excellent uit de test (7 inch) doet zijn naam geen eer aan. Voor €95 krijg je niet veel. De accu houdt het met geluk drie uur vol en de kleuren op het scherm ogen flets. Ook de constructie voelt plastic aan.

van enkele tablets zijn er duurdere modellen met meer opslagcapaciteit. De tablets zijn beoordeeld op onder andere accuduur, schermkwaliteit, constructie, gebruiksgemak en prestaties.

Zie ook het dossier *Tablets* op www.consumentenbond.nl.

Ultrabooks

Digitaalgids juli 2012

Onweerstaanbaar zijn ze, de pronkstukken van de laptopfabrikanten. Ineens waren daar de super-de-luxe *ultrabooks*. De superdunne, prachtig afgewerkte laptops zijn een slimme marketingactie van processorfabrikant Intel, die de naam heeft laten registreren. Een laptop mag van Intel pas een ultrabook heten als hij maximaal 18 tot 21 mm dik is (afhankelijk van de schermgrootte), niet meer dan 1,5 kilo weegt, minimaal 5 uur kan

Ultrabooks

		Samsung NP530U3B-A01NL ▶ ■	ASUS Zenbook UX31E-RY009V ■	Toshiba Satellite Z830-10J
Testoordeel		7,2	7,0	6,9
Prijs		€900	€1150	€1000
		Zwaarste ultrabook uit de test. Heeft veel opslagcapaciteit, maar slechts een klein deel daarvan zit in snelle chips. Start wel snel op.	Goede specificaties en een fraaie afwerking. Weinig aansluitingen, maar wel een beeldscherm met hoge resolutie.	Valt op door veel aansluitingen, die zonder speciale adapters bruikbaar zijn. Afwerking van scherm en behuizing is redelijk.
Gebruiksgemak	25%	+	+	□
Hardware	20%	+	+	□
Prestaties	15%	+	++	++
Accuduur (u:mm)	10%	++ (4:00)	++ (4:15)	++ (4:00)
Software	10%	+	□	□
Veelzijdigheid	5%	+	□	+
Behuizing & scherm	5%	+	+	□
Garantie	5%	□	□	+
Geluidsarm	3%	+	+	+
Energiegebruik	2%	+	++	++
Opslag SSD/Harde schijf	GB	16/500	128/0	128/0
Werkgeheugen	GB	4	4	4
Processor		i5 2467M	i5 2557M	i5 2467M
Gewicht met accu	kg	1,44	1,4	1,09
Scherm	inch	13,3	13,3	13,3
Accuduur	uur	4	4,25	4
Garantie laptop/accu	mnd	24/12	24/12	24/24

++ Zeer goed + Goed □ Redelijk – Matig – – Slecht ■ Beste uit de test ▶ Beste koop

Prijspeiling: juni 2012.

Selectie: 11- en 13-inch-ultrabooks die in juli 2012 nog verkrijgbaar waren.

Testmethode: naast een inventarisatie van meegeleverde software zijn alle systemen beoordeeld op onder andere prestaties, accuduur en gebruiksgemak.

werken op een acculading, binnen 7 seconden uit slaapstand ontwaakt en een zuinige processor heeft, uiteraard van Intel. Mooie cijfers waar de meeste gewone laptops niet aan kunnen tippen (zie de tabel 'Ultrabooks tegen de rest').

Het initiatief van Intel lijkt een succes, ondanks de hoge prijs. De acht ultrabooks die we hebben getest, kosten tussen de €800 en €1150. Wil je een ultrabook, dan is dit een goed moment om er een aan te schaffen. De toestellen in deze test gaan voor lagere prijzen weg, omdat er inmiddels al een nieuwe generatie ultrabooks in de winkels ligt.

Voor deze test kozen we zeven ultrabooks met een 11,6- of 13,3-inchscherm. Minder populair zijn de grotere ultrabooks met een scherm van 15 inch.

ASUS Zenbook UX21E-KX008V	Dell XPS 13 (Core i5)	Acer Aspire S3-951-2464G25iss	Acer Aspire S3-951-2464G34iss
6,9	6,9	6,7	6,4
€1075	€1150	€1050	€790
Kleinere uitvoering van de UX31E, maar met snellere processor. Goede specificaties en mooie afwerking. Weinig aansluitingen.	Zeer luxe ultrabook met mooi scherm en goede prestaties. Weinig aansluitingen. Werkt lang op een acculading. Er is ook een krachtiger uitvoering met Core i7-processor.	Luxe broertje van de andere Acer met aluminium behuizing en grote SSD. De accu is snel leeg.	Goedkope ultrabook en dat zie je. Grote harde schijf met kleine SSD. Helaas geen usb 3. Werkt slechts 3 uur en 15 minuten op een volle accu.
+	□	□	□
□	□	+	+
++	++	++	+
++ (4:00)	++ (4:45)	+ (3:30)	+ (3:15)
□	□	□	□
–	□	□	+
+	+	+	+
□	+	–	–
+	□	+	+
++	□	++	++
128/0	128/0	256/0	20/320
4	4	4	4
i7 2677M	i5 2467M	i5 2467M	i5 2467M
1,15	1,3	1,35	1,36
11,6	13,3	13,3	13,3
4	4,25	3,5	3,25
24/12	24/24	12/12	12/12

Accuduur: gemeten met 75% processorbelasting.

Besturingssysteem: alle ultrabooks hebben Windows 7 Home Premium 64 bits NL. Acer Aspire S3-951-2464G25iss is ook te koop als S3-951-2464G25nss en S3-951-2464G24iss.

Dun heeft een prijs

Hoe krijg je een laptop zo dun? In de eerste plaats door de harde schijf te vervangen door een SSD: een opslagmedium dat bestaat uit de snelle chips die ook in usb-sticks zitten. Uit de test blijkt duidelijk dat ultrabooks hierdoor sneller zijn dan gewone laptops. Ze starten inderdaad binnen 7 seconden op uit slaapstand.

De keerzijde is dat SSD-opslag nog heel duur is. Sommige ultrabooks hebben daardoor slechts 64 of 128 GB aan opslag. Dat is genoeg voor Windows 7 en programma's, maar voor muziek- en videocollecties heb je een externe schijf nodig. Twee apparaten blijven wat prestaties betreft iets achter: de Samsung en de goedkoopste Acer. Bij deze twee modellen is slechts

Ultrabooks tegen de rest

	Ultrabook	Gewone laptop	iPad 3
Accuduur (75% belast)	3 tot 4 uur	3 tot 5 uur	10 uur
Gewicht	1 tot 1,5 kilo	gem. 2 kilo	650 gram
Ontwaaktijd	maximaal 7 sec.	30 tot 60 sec.	halve seconde

een klein deel van de opslagcapaciteit beschikbaar als SSD, voldoende voor een snelle opstart. Met 16 en 20 GB aan SSD-opslag voldoen ze toch aan de eisen van Intel.

Voor een cd/dvd-station en veel aansluitingen is geen plek. Een ethernet-aansluiting (om bekabeld te kunnen netwerken) ontbreekt op veel ultrabooks. Soms zit er nog wel HDMI op om de computer op een moderne tv aan te kunnen sluiten. Alleen Toshiba heeft bij de geteste ultrabook zowel een ethernetaansluiting als een grote HDMI-aansluiting ingebouwd.

In de behuizing is slechts ruimte voor een kleine accu. Om toch de door Intel geëiste vijf uur te halen, moeten de componenten zo zuinig mogelijk zijn. De processoren schieten naar de zuinigste stand zodra ze even niets te doen hebben. In onze test halen de apparaten die vijf uur alleen als we ze lichte taken (zoals internetten) geven. Bij zwaarder gebruik gaat de accu korter dan vijf uur mee. De Acers halen ook de vier uur niet. Veel gewone laptops doen het beter: bij dezelfde zware belasting is meer dan vijf uur geen uitzondering.

Slap of robuust

Alle ultrabooks zien er op het eerste gezicht 'lekker' uit, maar de verschillen zijn groot. De goedkoopste Acer S3 in de test maakt een slappe en kwetsbare indruk. De Zenbooks van Asus zijn de positieve uitschieters: ze zijn stijlvol en solide. Asus heeft zich duidelijk laten inspireren door het aluminium-ontwerp van de Apple MacBook Air, 'de moeder aller ultrabooks'.

Concurrentie

De naam 'ultrabook' is eigendom van Intel, dus concurrerende fabrikanten moeten iets anders bedenken. Intels aartsrivaal AMD probeert een graantje mee te pikken van het succes met de *Sleekbook*. De eerste, de HP Sleekbook, is minder slank en zwaarder dan de ultrabooks uit deze test. Apple maakt zich intussen niet druk. De MacBook Air is al sinds 2008 te koop en daarmee een ultrabook avant la lettre. In juni 2012 verscheen een nieuw model, te laat om in de test te worden meegenomen.

Gewone laptop of ultrabook?

Een gewone laptop biedt meer opslagruimte dan een ultrabook. Ook heeft hij veel aansluitingen en meestal een dvd-station; dat heeft een ultrabook niet. Een ultrabook heeft een fraaie afwerking. Hij is niet dikker dan 21 mm en weegt niet meer dan 1,5 kilo. Ook is hij snel: een ultrabook moet in hooguit 7 seconden zijn opgestart.

1 Samsung NP530U3B-A01NL (Beste uit de test én Beste koop)

€900

Testoordeel: 7,2

Zwaarste ultrabook uit de test. Veel opslagcapaciteit, maar slechts een klein deel daarvan zit in snelle chips. Start wel snel op.

2 ASUS Zenbook UX31E-RY009V (Beste koop)

€1150

Testoordeel: 7,0

Goede specificaties en een fraaie afwerking. Weinig aansluitingen, maar wel een beeldscherm met hoge resolutie.

3 Toshiba Satellite Z830-10J

€1000

Testoordeel: 6,9

Valt op door veel aansluitingen, die zonder speciale adapters bruikbaar zijn. Afwerking van scherm en behuizing is redelijk.

4 ASUS Zenbook UX21E-KX008V

€1075

Testoordeel: 6,9

Kleinere uitvoering van de UX31E, maar met snellere processor. Goede specificaties en mooie afwerking. Weinig aansluitingen.

5 Dell XPS 13 (Core i5)

€1150

Testoordeel: 6,9

Zeer luxe met mooi scherm en goede prestaties. Weinig aansluitingen. Werkt lang op acculading. Er is ook een krachtiger uitvoering met Core i7-processor.

6 Acer Aspire S3-951-2464G25iss

€1050

Testoordeel: 6,7

Luxe broertje van de andere Acer met aluminium behuizing en grote SSD. De accu is snel leeg.

7 Acer Aspire S3-951-2464G34iss

€790

Testoordeel: 6,4

Goedkoop en dat zie je. Grote harde schijf met kleine SSD. Helaas geen usb 3. Werkt slechts 3 uur en 15 minuten op een volle accu.

Alle ultrabooks in deze test zijn uitgerust met Windows 7. De opvolger, Windows 8, wordt pas eind 2012 verwacht. Met 8 wil Microsoft vooral een voet tussen de deur krijgen op de tabletmarkt. Hoeveel verbeteringen dit voor gewone computers met zich meebrengt, is nog vaag.

In de aanbieding?

De ultrabooks in onze test hebben een processor van het type Sandy Bridge. Inmiddels verschijnen de eerste ultrabooks met een Ivy Bridge, een processor die zowel 20% sneller als 20% energiezuiniger zou zijn dan zijn voorganger. Het verschil tussen Ivy en Sandy is te zien aan het typenummer van de processor. De viercijfercode van een nieuwe Ivy Bridge begint met een 3 in plaats van een 2. Bijvoorbeeld: een Intel Core i7 3770 heeft een nieuwe processor, een i7 2637M heeft nog een Sandy Bridge. De komst van de nieuwe processor is goed nieuws voor wie het allerbeste wil, maar ook voor wie op zoek is naar een ultrabook voor een zacht prijsje. We verwachten dat de geteste modellen snel in prijs gaan zakken, misschien wel een paar honderd euro.

Conclusie

De stijlvolle ultrabooks zijn veel sneller, maar niet energiezuiniger dan gewone laptops. Beste koop is de Samsung NP530U3B-A01NL.

Zie ook het dossier *Laptops* op www.consumentenbond.nl.

GEZONDHEID & VERZORGING

Audicienketens

Consumentengids oktober 2012

Tv-presentatrice Loretta Schrijver nodigt iedereen uit gerust langs te komen bij Schoonenberg Hoorcomfort. Als bekende Nederlanders er al geen probleem mee hebben hun gehoor te laten testen, hoeft niemand dat, lijkt de boodschap van het reclamespotje.
Maar hoe weet je of je een goed advies krijgt? Verkoopt de audicien niet gewoon het duurste toestel? De Consumentenbond liet dertien slechthorende proefpersonen langsgaan bij honderd hoorwinkels. Hun wensen en mogelijkheden zijn vooraf in kaart gebracht door een onafhankelijk deskundige (een audioloog).

Onvoldoende doorvragen

Het meten van het gehoorverlies is de basis voor een deskundig en objectief advies. De mate van slechthorendheid is af te lezen uit het audiogram dat de proefpersonen hebben meegekregen van de audioloog.
Alle audiciens van de bezochte winkels nemen goed nota van dit document.

Hoe is er getest?

Begeleid door een ervaren *mysteryshopper* gingen 13 slechthorenden naar 100 hoorwinkels voor een nieuw of vervangend hoorapparaat. Elk koppel bezocht van de vijf audicienketens minimaal één filiaal: Beter Horen, Hans Anders, Hoorprofs (organisatie van zelfstandig audiciens), Schoonenberg Hoorcomfort en Specsavers. Vooraf zijn de wensen en mogelijkheden beoordeeld door een onafhankelijk audioloog (een technisch hoorspecialist die aan de hand van metingen onderzoekt welk hulpmiddel geschikt is). De kwaliteit van het advies van de audiciens bij het intakegesprek is beoordeeld.
Bij de keuze van een audicien zijn naast het intakegesprek de afstelling en de service achteraf van belang.

Maar daarna laten velen steken vallen. Audiciens moeten nagaan of er ook andere gehoorproblemen zijn, zoals oorsuizen en draaierigheid. Ook een allergie voor de oorstukjes kan bij de keuze van een gehoorapparaat van belang zijn. Eén proefpersoon draagt al jaren alleen in haar beste oor een hoorapparaat, omdat zij geen goede ervaring heeft met een toestel aan beide kanten. Twee van de bezochte audiciens vragen niet waarom zij in haar slechtste oor geen toestel wil. Alleen een Beter Horen-filiaal onderzoekt of ze wegens gehoorverbetering en nieuwe technieken van mening wil veranderen. De anderen nemen haar keuze als gegeven. De conclusie na alle bezoeken: de ketens vragen onvoldoende door.

Interesse tonen

Winkels met een gediplomeerd audicien kunnen geregistreerd zijn in het openbare StAr-register (www.audicienregister.nl). Ze hebben dan meestal het keurmerk 'De audicien'. Van de honderd bezochte winkels konden we er vijf niet vinden in het register. Het keurmerk garandeert helaas niet dat je door een gediplomeerd medewerker wordt geholpen; 21 van de gesprekspartners in onze test zijn assistent, audicien-in-opleiding of hoorspecialist. Alleen bij Specsavers kregen de proefpersonen in alle gevallen een StAr-geregistreerd audicien te spreken.

De proefpersonen geven de winkels een goed oordeel als de audicien voldoende tijd neemt, interesse toont, doorvraagt en verstand van zaken lijkt te hebben. Ook mogen meebeslissen is belangrijk: 'Niets vervelender dan een audicien die zonder uitleg een apparaat voorstelt', aldus een proefpersoon. Ook vervelend: een onrustig pratende audicien die zich tijdens het gesprek

Audiciens

	Hoorwinkel	Testoordeel	Service en klantoordeel	Vaststellen gehoorprobleem	Luistersituaties bepalen	Wensen en ervaringen inventariseren	Informatie geven over vergoedingen
Weging voor Testoordeel			20%	20%	30%	15%	15%
1.	Hoorprofs	6,8	++	–	+	□	+
2.	Schoonenberg Hoorcomfort	6,7	+	–	++	□	+
3.	Specsavers	6,1	+	–	+	□	+
4.	Beter Horen	5,6	+	–	□	□	+
5.	Hans Anders	5,1	+	–	–	–	□

++ Zeer goed + Goed □ Redelijk – Matig – – Slecht

Aanschaftips

- Raadpleeg de intakechecklist op www.hoorwijzer.nl. Ook staan hier 15.000 ervaringen met audiciens, apparaten en verzekeraars.
- Aarzel niet om diverse audicienwinkels te bezoeken en verschillende toestellen te proberen.
- De beste keuze maak je door te proberen.
- Check in de polisvoorwaarden van de zorgverzekeraar welke kosten worden vergoed. In 2013 veranderen de vergoedingen.
- Maak maximaal gebruik van de toegestane testperiode (minimaal acht weken). Aanpassingen en een ander apparaat proberen horen bij de service.
- Twijfel over het geadviseerde apparaat? Vraag een second opinion bij een audiologisch centrum.

meer richt op de goedhorende partner en al pratende wegloopt, waardoor de slechthorende niet meer kan liplezen.
Een goede audicien vraagt door. Alleen dan kan hij de verschillende luistersituaties en wensen van de klant inventariseren. Een gepensioneerde heeft andere wensen dan een 30-jarige projectmanager van een bank die veel sport en uitgaat. De bankmedewerker heeft voor vergaderingen een 'directionele' microfoon nodig die geluiden uit een gewenste hoek versterkt en een bluetoothverbinding om handsfree telefoongesprekken te voeren. Maar ervan uitgaan dat een gepensioneerde een rustig leven heeft en dus weinig eisen aan het hoortoestel stelt, is niet terecht. Alleen door de juiste vragen te stellen komt een audicien achter de luistersituaties van de klant. In het onderzoek heeft dit aspect zwaar meegewogen. Schoonenberg scoort hierop het best, Hans Anders het slechtst.

Verwijzing

Hoorwinkels hebben voor iedereen een passend hoortoestel, zo verzekeren reclamespotjes en websites. Toch blijken drie van onze mysteryshoppers niet terecht te kunnen bij Specsavers. Het gehoorverlies is te groot en er wordt verwezen naar een concurrent. Ook Hans Anders heeft voor een van de proefpersonen maar weinig keuze. In het ene filiaal adviseert de verkoper het enige eigen hoortoestel, het andere Hans Anders-filiaal verwijst naar een concurrent.
Bij te weinig keuze is een verwijzing naar een concurrent een goed advies. Ook bij twijfel of een hoorapparaat het beste hulpmiddel is, hoort de audi-

Verwijzing en vergoeding

Wiens gehoor achteruitgaat, kan het best naar de huisarts gaan. Deze bekijkt of er een simpele oorzaak is – zoals oorsmeer – en verwijst zo nodig naar een KNO-arts of audiologisch centrum. Daar wordt een recept (nodig voor vergoeding) geschreven waar de audicien mee verder kan.

De basisverzekering vergoedt een hoortoestel wanneer het beste oor minimaal 35 decibel (dB) heeft verloren. Bij een eerste aanschaf of vervanging na vijf jaar wordt maximaal €509 vergoed. Bij vervanging na zeven jaar loopt de vergoeding op tot €691. Wie een duurder toestel nodig heeft of niet voldoet aan de voorwaarden moet (bij)betalen. Per 1 januari 2013 wordt de maximale vergoeding vervangen door een eigen bijdrage van 25%. Iedereen die een hoortoestel nodig heeft (bij gehoorverlies van minimaal 35 dB aan het slechtste oor), heeft recht op het best passende model.

Is het slim om te wachten tot 2013 of kun je beter dit jaar een nieuw toestel aanschaffen? Grof gezegd lijkt het vooral voor mensen die geen basisvergoeding krijgen of een duurder hoortoestel (vanaf €700 bij eerste aanschaf) nodig hebben aantrekkelijk om tot volgend jaar te wachten. Maar ook dan hangt veel af van het recht op een aanvulling van het UWV (die vervalt in 2013), in hoeverre het eigen risico voor de zorgverzekering al opgesoupeerd is en de vergoeding van de aanvullende verzekering.

Hoe de vergoedingsvoorwaarden in 2013 zullen zijn, is nu nog niet bekend. Dat het eigen risico volgend jaar zal stijgen, is zeker. Op www.hoorwijzer.nl staan rekenvoorbeelden die helpen bij de afweging (zoek op '2013').

cien dit te melden. Een proefpersoon die al 42 jaar met geringe gehoorbeschadiging rondloopt en nooit heeft overwogen een hoortoestel te dragen, heeft misschien meer aan een 'luisterhulp', die gesprekken onder vier ogen en de televisie versterkt. Dat is een stuk goedkoper (al vanaf €100), maar geen van de vijf bezochte audiciens oppert deze mogelijkheid. Drie offreren deze proefpersoon een hoortoestel tussen de €1600 en €3000.

Ondoorzichtige prijzen

'Er bestaan geen toestellen die niks kosten', zegt directeur Joop Beelen van de Nederlandse Vereniging van Slechthorenden (NVVS). 'Zo'n nul-eurotoestel valt volledig onder de basisvergoeding van €509. In de prijs is ook de tijd verrekend die de audicien er insteekt en de service die hij na de aanschaf biedt.' Maar die service kan flink verschillen. Beelen: 'Eenzelfde toestel kan daardoor bij verschillende aanbieders een ander prijskaartje hebben. Omdat er geen consumentenprijslijsten zijn, is het lastig om te vergelijken wat het ene en het andere bedrijf biedt. Maak dan maar eens een evenwichtige vergelijking.'

Onze mysteryshoppers kregen zeer uiteenlopende offertes mee; de prijsspreiding is per persoon gemiddeld €1700. Concluderen dat de ene keten duurder is dan de andere, kunnen we niet. Daarvoor is de aanpak van de audiciens te verschillend. Zo adviseert de ene audicien te starten met een simpel model, de ander juist met het meest geavanceerde. Een aantal audiciens geeft eerlijk aan dat een duur toestel voor de betreffende klant wel erg ver gaat. Maar sommige proefpersonen wordt direct de duurdere categorie geadviseerd. Een audicien geeft als argument: 'Alleen op het excellente toestel zit de flinke korting.'

De kosten zijn een belangrijk onderdeel van het keuzeproces. De audiciens vragen waar de proefpersonen zijn verzekerd en checken de vergoeding. Hoeveel de klant maximaal wil bijbetalen, vergeten velen te vragen.

In 2013 gaat het vergoedingenstelsel op de helling (zie het kader 'Verwijzing en vergoeding'). Slechts een kwart van de audiciens heeft het hierover. Vraagt de proefpersoon hier zelf naar, dan blijken de meeste audiciens slecht op de hoogte: 'Het is onduidelijk, maar duurder wordt het in ieder geval'. Een iets te snelle conclusie, zeker voor één proefpersoon die volgens een Hoorprofsaudicien een ingenieus toestel nodig heeft. Dit jaar moet de klant €700 bijbetalen, volgend jaar €400 minder. Gelukkig wordt hij daar door deze audicien nog wel op gewezen.

Basispakket, het nieuwe

Gezondgids december 2011

Wat & hoe

Voor drie veelvoorkomende chronische aandoeningen stelden we aan de hand van de richtlijnen van het Centraal Begeleidingsorgaan (CBO) en de zorgstandaarden vast welke zorg wel noodzakelijk is, maar niet wordt vergoed vanuit de basisverzekering. Ook vroegen we experts en patiënten naar hun ervaringen.

Alle Nederlanders zijn verplicht een basisverzekering bij een zorgverzekeraar af te sluiten. Die dekt een groot deel van de veelvoorkomende medische kosten. Maar dit basispakket verandert elk jaar. Vooral om de stijgende kosten van de gezondheidszorg in de hand te houden, wordt het elk jaar kritisch bekeken: wat moet erin en wat kan eruit? Dit doet het College voor Zorgverzekeringen (CvZ). De minister hakt vervolgens de knoop door.
Neem bijvoorbeeld maagzuurremmers. Die worden sinds 2012 alleen nog vergoed als je ze langer dan zes maanden achter elkaar nodig hebt; alleen het eerste recept voor vijftien dagen moet dan zelf worden betaald. Op jaarbasis kosten maagzuurremmers gemiddeld €40 en dat kan volgens de minister best voor eigen rekening.
Voor het merendeel van de gebruikers zal dat zo zijn, maar betalen voor zorg is wennen. Ongeveer vijf jaar geleden werd nog bijna alles vergoed. Ook was de premie toen een stuk lager en bestond er alleen een vrijwillig eigen risico. Enkele mensen die op onze oproep reageerden, zijn verrast dat ze hun medicijnen zelf moeten betalen. 'Mijn man slikt op recept van de dokter Cinnarizine tegen zijn duizelingen. Deze medicijnen kosten €1,55 per maand. Dit is niet zo'n hoog bedrag, maar ik vind het wel belachelijk dat wij dit moeten betalen', aldus Els Renes-Hensbroek uit Barneveld.

Medicijn niet vergoed, en wel hierom:

Toelating Alleen als behandelingen of medicijnen volgens de Nederlandse regels zijn getest, kunnen die in het pakket worden opgenomen.

Werkzaamheid Middelen kunnen wel worden voorgeschreven, maar volgens de richtlijnen niet in de behandeling passen.

Kosten Medicijnen met, volgens de wetenschap, dezelfde werkzaamheid zijn ingedeeld in groepen. Uit elke groep wordt alleen het goedkoopste middel vergoed. Heb je meer baat bij een ander middel uit de groep, dan moet je het verschil bijbetalen.

Selectie Voor fysiotherapie, vervoer en bepaalde medicijnen kom je als patiënt alleen in aanmerking als je aan strenge voorwaarden voldoet.

Verkrijgbaarheid Sommige geneesmiddelen kun je zelf kopen. Ook al zijn ze noodzakelijk, je moet ze zelf betalen. Dit geldt bijvoorbeeld voor paracetamol, het middel Metamucil tegen verstopping en bepaalde crèmes, bijvoorbeeld tegen schimmelinfecties en eczeem.

Contracten Veel zorgverzekeraars contracteren zorgaanbieders. Wil je naar een andere zorgaanbieder, dan moet je dit (deels) zelf betalen.

Voor een aantal mensen is het meer dan alleen een kwestie van wennen: zij worden behoorlijk in hun portemonnee getroffen.
Het basispakket van 2012 is voor de Consumentenbond aanleiding om voor drie chronische aandoeningen (reuma, suikerziekte en de chronische longziekte COPD) de behandelrichtlijnen van het Centraal Begeleidingsorgaan (CBO) erbij te pakken. De grote vraag die we daarbij stellen: is de zorg die daarin staat genoemd ook opgenomen in het basispakket?
De vergelijking tussen de richtlijn voor de behandeling van diabetes en het basispakket laat zien dat dieetadvies, teststrips om bij diabetes type II het suikergehalte in het bloed te meten en fysiotherapie wel worden aanbevolen, maar niet vergoed. Aandacht voor voeding, bewegen en zelfcontrole zijn belangrijk om ernstigere gezondheidsproblemen te voorkomen.
Een bloedsuikermeter helpt bijvoorbeeld bij zelfcontrole. Voor de meter zijn teststrips nodig, maar die worden lang niet voor alle diabeten vergoed.
Net als diabetespatiënten krijgen ook COPD-patiënten fysiotherapie nauwelijks vergoed. Terwijl de richtlijn zegt dat bewegen bij COPD belangrijk is en verergering van de ziekte kan voorkomen. Door de aandoening is het niet altijd mogelijk om dit zelfstandig te doen en is hulp van een (long)-fysiotherapeut noodzakelijk. Ook moeten COPD-patiënten stoppen met roken. In 2011 werd hulp hierbij vergoed, sinds 2012 moeten patiënten de geneesmiddelen hiervoor weer zelf betalen. Ten slotte hebben veel mensen met COPD geregeld last van sombere en angstige gevoelens. Een psycholoog kan helpen, maar het aantal sessies dat wordt vergoed, daalt van acht naar vijf, terwijl de eigen bijdrage stijgt van €10 naar €20 per sessie.
Van de drie patiëntengroepen worden reumapatiënten het hardst geraakt. Ook zij hebben vaak psychologische hulp nodig. Verder is fysiotherapie voor zes reumatische aandoeningen uit het basispakket gehaald, omdat langdurige fysiotherapie niet bewezen werkzaam zou zijn. Kortdurende fysiotherapie is dat wel, maar kan volgens het CvZ zelf worden betaald of uit een aanvullende verzekering worden vergoed, ook al wordt er herhaaldelijk gebruik van gemaakt. Met een gemiddelde kostenpost van €30 per behandeling kan ook kortdurende fysiotherapie aardig in de papieren lopen. Om de symptomen van reuma te onderdrukken, gebruiken veel patiënten ontstekingsremmende pijnstillers (ook wel NSAID's genoemd). Het nadeel van deze middelen is dat ze schade aan de maag veroorzaken. Hiertegen moeten patiënten maagbeschermers slikken. Omdat reuma niet altijd continu klachten geeft, zijn maagzuurremmers niet chronisch noodzakelijk. Juist deze worden in 2012 ook niet meer vergoed.

Basispakket wordt uitgekleed

Minder vergoeding is voor iedereen vervelend, maar de bezuinigingen op zorg werpen voor sommigen een financiële drempel op die te hoog zal zijn. 'Mogelijke verwaarlozing van kwalen zal uiteindelijk alleen maar leiden tot veel kostbaardere zorg. Als een patiënt door bijvoorbeeld geen maagzuurremmers te gebruiken een maagbloeding krijgt, zal deze toch geholpen moeten worden', zegt Winny Toersen, senior beleidsmedewerker bij de Nederlandse Patiënten en Consumenten Federatie.
Volgens de Chronisch zieken en Gehandicapten Raad is het uitkleden van het basispakket niet het enige dat chronisch zieken in de financiële problemen kan brengen. 'Elk jaar worden de premie, de eigen bijdragen en het eigen risico verhoogd', zegt Marijke Hempenius, beleidsmedewerker inkomen bij de raad. 'In 2012 stijgt het eigen risico naar €220. Dit bedrag zijn chronisch zieken in ieder geval kwijt, maar de compensatie ervoor stijgt minder hard.'
Tot slot zijn er naast bezuinigingen op het terrein van de zorgverzekering ook bezuinigingen op andere gebieden, zoals de zorgtoeslag, het persoonsgebonden budget, de compensatieregeling Wtcg en de AWBZ. Hierdoor worden mensen met een chronische aandoening financieel harder geraakt dan mensen die het beter hebben getroffen met hun gezondheid.

Zie ook het dossier *Zorgverzekering* op www.consumentenbond.nl.

Behandeling bij prostaatvergroting

Gezondgids april 2012

Wat & hoe

De Consumentenbond verzamelde de gegevens over de zorg rond een vergrote prostaat in Nederlandse ziekenhuizen die beschikbaar zijn via Zichtbare Zorg, een programma om de kwaliteit van zorg inzichtelijk te maken.

Een zwakkere straal of een plas die moeilijk op gang komt. Veel mannen krijgen er op latere leeftijd mee te maken. Een paar keer per nacht het bed uit om te plassen en daarna nog het gevoel hebben dat je blaas niet goed leeg is. Hoe vervelend ook, het hoort bij het ouder worden. De oorzaak is meestal

een vergrote prostaat, met een medische term 'benigne prostaat hyperplasie' (BPH) genoemd. Reden tot ongerustheid is er niet: een prostaatvergroting is goedaardig (benigne) en heeft dus niets met kanker te maken.
De prostaat is een klier die onder de blaas huist en zo groot is als een kastanje. Door de prostaat loopt de plasbuis, op weg van de blaas naar de penis. De prostaat produceert het vocht waarin de zaadcellen zwemmen. Bij een zaadlozing komt dit vocht mee. Onder invloed van het mannelijk geslachtshormoon testosteron groeit de prostaat vanaf het 20e levensjaar heel langzaam. Boven de 50 jaar heeft bijna elke man een vergrote prostaat, maar dat hoeft geen problemen op te leveren.
'De grootte van de prostaat zegt niets over of een man klachten krijgt en de mate waarin', legt uroloog Bert de Ruiter van het UMC Groningen uit. 'Van de mannen boven de 60 heeft ongeveer eenderde klachten, boven de 80 jaar is dat de helft.'
Behandeling is niet altijd nodig. Soms komen de klachten met tussenpozen, soms verdwijnen ze vanzelf, maar soms worden ze ook erger. De huisarts kan met een inwendig onderzoek via de anus voelen of de prostaat vergroot is en of er mogelijk sprake is van kanker. Ook kan hij een officiële vragenlijst nalopen die helpt bij het kiezen van de juiste behandeling. Daarnaast zal de huisarts inventariseren in hoeverre de klachten de kwaliteit van leven van de patiënt aantasten. Op basis daarvan kan worden besloten het nog een tijdje aan te zien of medicijnen voor te schrijven. De Ruiter: 'Medicijnen werken goed, maar hebben altijd bijwerkingen. Je moet je dus afvragen wat de winst is.' Bij milde klachten kan de geruststelling dat er niets ernstigs aan de hand is voor een patiënt vaak al voldoende zijn.
Van alternatieve supplementen 'voor een gezonde prostaat' hoeven we volgens De Ruiter niet veel te verwachten. 'Er is weinig bewijs dat die helpen. Er is ook onderzoek gedaan naar fysiotherapie van de bekkenbodem, maar ook dat bleek nauwelijks effect te hebben.' Ook leefstijltips, zoals het plassen niet uitstellen als je aandrang voelt en de tijd nemen om te plassen, hebben niet altijd zin. 'Je kunt wel tegen iemand zeggen dat hij zijn blaas helemaal moet leegplassen, maar voor iemand die echt last heeft van zijn prostaat is zo'n advies lastig op te volgen.'

Medicijnen

Bij een vergrote prostaat kan de (huis)arts twee soorten medicijnen voorschrijven. De eerste zijn alfablokkers, zoals alfuzosine (Xatral), tamsulosine (Omnic) en doxazosine (Cardura). Deze medicijnen ontspannen de spie-

Beter plassen

- Stel het plassen niet uit bij aandrang.
- Neem de tijd om te plassen.
- Plas bij voorkeur zittend.
- Zorg dat je blaas en plasbuis zo goed mogelijk leegplast.
- Probeer tijdens het plassen te ontspannen en niet te persen.
- Drink niet zo veel koffie en alcohol; die kunnen de blaas prikkelen.

ren van de prostaat, plasbuis en blaashals, waardoor de vernauwing in de urinebuis kan verminderen en plassen makkelijker wordt. De belangrijkste bijwerking is plotselinge bloedddrukdaling, wat kan leiden tot duizeligheid. Ook hoofdpijn en maag-darmklachten komen voor.
Alfablokkers worden vooral voorgeschreven bij een lichtvergrote prostaat. Ze hebben geen effect op de grootte ervan, in tegenstelling tot de tweede groep medicijnen: de 5-alfareductaseremmers, zoals finasteride (Proscar) en dutasteride (Avodart). Die remmen de omzetting van het mannelijk hormoon testosteron, waardoor de omvang van de prostaat afneemt. Omdat na beëindiging van de therapie de prostaat weer groter wordt, moet de behandeling levenslang worden voortgezet. Bij prostaatverkleiners is de voornaamste bijwerking dat ze een negatief effect op het libido kunnen hebben. 'Maar dat wordt op die leeftijd vaak niet meer als een heel groot probleem ervaren', is de ervaring van De Ruiter.
Wanneer medicijnen onvoldoende helpen, kan een operatie uitkomst bieden. Dan wordt overtollig klierweefsel in de prostaat verwijderd, zodat de urine niet meer wordt tegengehouden. De gangbaarste methode is TURP, wat staat voor transurethrale resectie van de prostaat. Daarbij brengt de uroloog een elektrisch verwarmde draad in de urinebuis, waarmee de prostaat voor een deel wordt leeggeschraapt. Er ontstaat dan voldoende ruimte om weer normaal te kunnen plassen.
TURP heeft inmiddels de klassieke ingreep – via een snee in de buik – vrijwel helemaal vervangen. De Ruiter: 'Een buikoperatie doen we eigenlijk alleen nog maar als de prostaat heel erg groot is. In het Universitair Medisch Centrum Groningen komt dat zo'n twee keer per jaar voor.'
Het uithollen van de prostaat kan ook worden gedaan met behulp van een laser of met een warmtebehandeling. Deze behandelingen gaan ook via de urinebuis en hebben als voordeel dat er minder kans is op bloedingen. In alle gevallen geldt dat de eerste dagen na de operatie het plassen pijnlijk

kan zijn en dat er door de sterke aandrang ongewild urineverlies kan optreden. Dit gaat vanzelf over. Complicaties als blijvende impotentie en incontinentie komen met respectievelijk 4% en 1,5% niet vaak voor.
Wat wel definitief verandert, is dat bij een orgasme de zaadlozing voortaan in de blaas terechtkomt. Het afsluitmechanisme dat dit normaal gesproken verhindert, is bij de ingreep weggehaald. Er is dan sprake van een 'droge' zaadlozing: het sperma wordt met de urine uitgeplast. 'Dat kan voor de gezondheid geen kwaad', aldus De Ruiter.
Nieuwe behandeltechnieken zijn op korte termijn niet te verwachten. Regelmatig duiken er berichten op over nieuwe technieken, maar die moeten zich volgens De Ruiter eerst maar eens bewijzen. 'Ik heb er veel zien komen en gaan. Aanvankelijk lijkt het allemaal fantastisch, maar uiteindelijk valt men toch weer terug op de klassieke methoden.'

Kies een ziekenhuis

De Consumentenbond heeft op basis van de kwaliteitsgegevens die ziekenhuizen zelf aanleveren bij het landelijke programma Zichtbare Zorg een indeling gemaakt in koplopers, middenmoters en achterblijvers.
In totaal hebben 51 ziekenhuizen voldoende gegevens aangeleverd om te kunnen worden beoordeeld op zes criteria (indicatoren). De eerste drie hebben te maken met het stellen van de diagnose: gebruikt het ziekenhuis bij meer dan driekwart van de patiënten de internationale vragenlijst voor klachten (IPSS), meten ze de kracht van de urinestraal met een uroflowmetrie en controleren ze met een echo of er urine in de blaas is achtergebleven?
Daarnaast is gekeken naar drie punten die patiënten belangrijk vinden, namelijk of de patiënt een vaste uroloog als aanspreekpunt heeft, of er een gespecialiseerde verpleegkundige bij de behandeling betrokken is en of alle benodigde diagnostische onderzoeken op één dag plaatsvinden. Ziekenhuizen die op alle zes criteria goed scoren, behoren tot de koplopers. De ziekenhuizen die op vier of vijf punten goed scoren, behoren tot de middenmoters, de rest behoort tot de achterblijvers. Dat wil niet zeggen dat de kwaliteit van de zorg in de laatste groep onder de maat is; het betekent wel dat er slechts enkele verbeteringen nodig zijn om de zorg nog beter op orde te krijgen. De gegevens gaan over 2010. Enkele ziekenhuizen hebben al aangegeven dat ze inmiddels alle diagnostische onderzoeken op één dag doen. Een aantal ziekenhuizen heeft geen beoordeling gekregen. Deze ziekenhuizen hebben te weinig of geen gegevens aangeleverd, wilden niet dat ze openbaar werden of behandelen geen patiënten voor prostaatvergroting.

Koplopers (scoren op alle zes indicatoren goed)

- Amsterdam, Slotervaart-ziekenhuis
- Den Haag, Bronovo Ziekenhuis
- Den Helder, Gemini Ziekenhuis
- Eindhoven, Catharina Ziekenhuis
- Enschede, Medisch Spectrum Twente
- Geldrop, St. Anna Ziekenhuis
- Groningen, Universitair Medisch Centrum Groningen
- Leiden, Diaconessenhuis
- Nijmegen, Universitair Medisch Centrum St. Radboud
- Roermond, Laurentius Ziekenhuis
- Rotterdam, Maasstad Ziekenhuis
- Tilburg, St. Elisabeth Ziekenhuis

Middenmoters (vier of vijf van de zes indicatoren goed)

- Almelo, Ziekenhuisgroep Twente
- Amersfoort, Meander Medisch Centrum
- Amsterdam, Academisch Medisch Centrum
- Amsterdam, BovenIJ Ziekenhuis
- Apeldoorn, Gelre Ziekenhuizen
- Bergen op Zoom, Stichting Lievensberg Ziekenhuis
- Beverwijk, Rode Kruis Ziekenhuis
- Breda, Amphia Ziekenhuis
- Den Haag, Medisch Centrum Haaglanden
- Doetinchem, Slingeland Ziekenhuis
- Gouda, Groene Hart Ziekenhuis
- Hengelo, Ziekenhuisgroep Twente
- Hilversum, Tergooiziekenhuizen
- Hoogeveen, Bethesda Ziekenhuis
- Leeuwarden, Medisch Centrum Leeuwarden
- Nieuwegein, St. Antonius Ziekenhuis
- Nijmegen, Canisius-Wilhelmina Ziekenhuis
- Purmerend, Waterlandziekenhuis
- Rotterdam, Ikazia Ziekenhuis
- Rotterdam, Sint Franciscus Gasthuis
- Sittard-Geleen, Orbis Medisch Centrum
- Tilburg, TweeSteden Ziekenhuis
- Veldhoven, Maxima Medisch Centrum
- Venlo, VieCuri Medisch Centrum
- Zaandam, Zaans Medisch Centrum
- Zwolle, Isala Klinieken

Achterblijvers (maximaal 3 indicatoren goed)

- Almere, Flevoziekenhuis
- Delfzijl, Ommelander Ziekenhuis Groep
- Dokkum, Ziekenhuis De Sionsberg
- Dordrecht, Albert Schweitzer Ziekenhuis
- Gorinchem, Beatrix Ziekenhuis
- Hardenberg, Röpcke-Zweers Ziekenhuis
- Harderwijk, Ziekenhuis St. Jansdal
- Hoofddorp, Spaarne Ziekenhuis
- Helmond, Elkerliek Ziekenhuis

- Lelystad, MC|Groep
- Rotterdam, Havenziekenhuis
- Winschoten, Ommelander Ziekenhuis Groep

Geen beoordeling

- Alkmaar, Medisch Centrum Alkmaar
- Amstelveen, Ziekenhuis Amstelland
- Amsterdam, Onze Lieve Vrouwe Gasthuis
- Amsterdam, Sint Lucas Andreas Ziekenhuis
- Amsterdam, Vrije Universiteit Amsterdam
- Arnhem, Rijnstate Ziekenhuis
- Assen, Wilhelmina Ziekenhuis
- Beugen, Maasziekenhuis Pantein
- Delft, Reinier De Graaf Groep
- Capelle aan den IJssel, IJsselland Ziekenhuis
- Den Bosch, Jeroen Bosch Ziekenhuis
- Den Haag, Haga Ziekenhuis
- Deventer, Deventer Ziekenhuis
- Dirksland, Het Van Weel-Bethesda Ziekenhuis
- Drachten, Nij Smellinghe Ziekenhuis
- Ede, Ziekenhuis Gelderse Vallei
- Emmen, Scheper Ziekenhuis
- Groningen, Martini Ziekenhuis
- Haarlem, Kennemer Gasthuis
- Heerenveen, Ziekenhuis de Tjongerschans
- Heerlen, Atrium Medisch Centrum Parkstad
- Hoorn, Westfries Gasthuis
- Leiden, Leids Universitair Medisch Centrum
- Leiderdorp, Rijnland Ziekenhuis
- Maastricht, Academisch Ziekenhuis Maastricht
- Meppel, Diaconessenhuis Meppel
- Oss, Ziekenhuis Bernhoven
- Roosendaal, Franciscus Ziekenhuis
- Rotterdam, Erasmus MC
- Schiedam, Vlietland Ziekenhuis
- Sneek, Antonius Ziekenhuis Sneek
- Spijkenisse, Ruwaard van Putten Ziekenhuis
- Stadskanaal, Refaja Ziekenhuis
- Terneuzen, Zorgsaam Zeeuws-Vlaanderen
- Tiel, Ziekenhuis Rivierenland
- Utrecht, Diakonessenhuis Utrecht
- Utrecht, Universitair Medisch Centrum Utrecht
- Vlissingen, Admiraal De Ruyter Ziekenhuis Walcheren
- Weert, St. Jans Gasthuis
- Winterswijk, Streekziekenhuis Koningin Beatrix
- Woerden, Zuwe Hofpoort Ziekenhuis
- Zoetermeer, 't Lange Land Ziekenhuis
- Zutphen, Gelre Ziekenhuizen

Zie ook het dossier *Vergrote prostaat* op www.consumentenbond.nl.

Bloeddrukmeters

Gezondgids april 2012

Wat & hoe

Wij selecteerden vijftien goedverkochte en verkrijgbare bloeddrukmeters die zijn getest op nauwkeurigheid en beoordeelden ze met behulp van een testpanel op gebruiksgemak. Meters met een lange garantie of de mogelijkheid om van drie metingen achter elkaar het gemiddelde te bepalen, kregen extra punten.

De dokter heeft allang niet meer het alleenrecht op een goede bloeddrukmeting; met een goede thuismeter kan iedereen uit de voeten. Zelfs voor de dokter heeft zo'n moderne meter voordelen: resultaten worden niet beïnvloed door de vaardigheden van de arts en ze zijn minder gevoelig dan de ruim honderd jaar geleden ontwikkelde veermanometer met stethoscoop. Internist Gert van Montfrans van het Academisch Medisch Centrum Amsterdam is voorstander van de doe-het-zelfmetingen voor mensen met een hoge bloeddruk: 'Omdat ze zich niet ziek voelen, vergeten ze vaak hun medicijnen in te nemen en zich te houden aan de dieetvoorschriften. Door regelmatig zelf te meten, nemen het bewustzijn en de motivatie om goed voor jezelf te zorgen toe. Zelf meten kan ook nuttig zijn om het effect van een behandeling te controleren.'
Voor een nauwkeurig beeld van de bloeddruk is meermaals meten op verschillende dagen onvermijdelijk. Dat is thuis makkelijker te doen, het scheelt een consult bij de dokter en er treedt bovendien geen 'wittejasseneffect' op: de spanning in de behandelkamer die bij zo'n 20% van de patiënten de bloeddruk opjaagt.

Linker- of rechterarm?

De leveranciers van de geteste bloeddrukmeters zijn het niet eens over de beste kant om de bloeddruk te meten. In de praktijk blijkt dat de bloeddruk in de rechterarm iets hoger is, maar dat verschil is meestal te verwaarlozen. Huisartsen wordt wel aangeraden om de eerste keer de bloeddruk in beide armen te meten. Een verschil van 15 mm kwikdruk of meer in de bovendruk wijst op een vernauwing in de slagaders.

Polsbloeddrukmeters

Er bestaan ook goedgekeurde polsbloeddrukmeters. Ze zijn erg eenvoudig in het gebruik, maar toch worden ze voor thuisgebruik niet aangeraden. Het belangrijkste nadeel is dat de meters erg gevoelig zijn en vaak niet op harthoogte worden gehouden. Hierdoor zijn de resultaten minder betrouwbaar.

Goed meten

Volg voor een goede meting de volgende adviezen op.

- Neem vijf minuten rust voor de meting.
- Drink vlak voor de meting geen cafeïnehoudende drank en rook niet.
- Ga op een rustige plek zitten.
- Zit met de benen naast elkaar en zorg dat de arm ergens op kan rusten.
- Meet op een ontblote bovenarm en zorg dat kleding niet knelt.
- Zorg dat de manchet goed zit.
- Beweeg en praat niet tijdens de meting.

Voor een goede indruk van de bloeddruk wordt aangeraden om gedurende zeven dagen, zowel 's ochtends als 's avonds, twee metingen te doen. Deze cyclus moet vervolgens één keer in de drie maanden worden herhaald of op verzoek van de dokter.

Goede meters, slechte handleidingen

Wie een thuismeter wil aanschaffen om zijn hoge bloeddruk te monitoren, heeft natuurlijk wel een nauwkeurige nodig. De vijftien meters uit deze test zijn allemaal door speciale keurinstituten getest op betrouwbaarheid. Zo zorgvuldig als de geteste meters mogen zijn, zo onzorgvuldig is te werk gegaan bij het opstellen van de handleidingen. Niet een blinkt uit in helderheid en eenvoud. Slechte vertalingen, onlogische indelingen en onduidelijke plaatjes maken het de gebruiker niet gemakkelijk. Een heel groot probleem is dat niet, omdat de meters eenvoudig te bedienen zijn: de leden van het testpanel zijn erg te spreken over de eenvoud en simpele bediening.

Vier keer zo duur

Afhankelijk van de mogelijkheden verschillen de prijzen tussen de meters sterk. De Cresta kost €30 en is daarmee het goedkoopst. Wel komt deze op gebruiksgemak als slechtste uit de bus en ook valt de veelzijdigheid tegen. Vier keer zoveel kost de Microlife WatchBP Home: met €120 is het de duurste meter uit de test.

Een doorslaggevend onderdeel van de meters is de manchet. Is de manchet te groot, dan meet hij te lage waarden. Is hij te klein, dan wordt de bloeddruk overschat. Over het algemeen zijn de meegeleverde manchetten geschikt voor een armomtrek tussen de 22 en 32 cm. Alleen bij de Braun en Beurer BM65 is een extra manchet voor forse bovenarmen meegeleverd. Bij de andere meters kan een groter of kleiner manchet worden besteld voor een bedrag tussen de €15 en €30.

De meters meten niet alleen de bloeddruk, maar ook de hartslag en sommige zelfs of er haperingen zijn in het hartritme. Volgens huisarts Mark Brueren, verbonden aan de Universiteit Maastricht, is zo'n hartritmestoornisindicator onzin. 'Mijn advies: gebruik een bloeddrukmeter alleen voor het meten van bloeddruk.' Wel zinnig is de mogelijkheid om van drie metingen achter elkaar het gemiddelde te bepalen; hoe meer metingen, hoe nauwkeuriger het resultaat.

1 Microlife BP A100 PLUS

Prijs: €90

Geheugen: 200 plaatsen voor 1 persoon

Testoordeel: 8,0

- tabel met interpretatie van het resultaat op de meter;
- automatisch drie metingen na elkaar mogelijk;
- wasbaar manchet;
- vijf jaar garantie;
- glad manchet.

2 Omron M7

Prijs: €105

Geheugen: 90 plaatsen voor 1 persoon

Testoordeel: 8,0

- aparte aan-uitknop;
- stil in gebruik;
- manchet geschikt tot armomtrek van 42 cm;
- oppompdruk zelf te bepalen.

3 Beuer BM44

Prijs: €60

Geheugen: geen

Testoordeel: 7,8

- eenvoudige eenknopsbediening;
- bloeddrukmeterpas om resultaten bij te houden;
- groot klittenband, daardoor lastig los te maken;
- geen geheugen, dus minder geschikt om lange tijd bloeddruk bij te houden;
- lawaaiig.

4 Microlife BP 3AC1-1

Prijs: €70

Geheugen: 30 plaatsen voor 2 personen

Testoordeel: 7,8

- scoort hoog op afleesbaarheid en gebruik van de toetsen;
- automatisch drie metingen na elkaar mogelijk;
- geen interpretatie van de resultaten op het scherm.

5 Omron M6 comfort

Prijs: €90

Geheugen: 90 plaatsen voor 1 persoon

Testoordeel: 7,7

- stil in het gebruik;
- manchet geschikt tot armomtrek van 42 cm;
- oppompdruk zelf te bepalen;
- onoverzichtelijke gebruiksaanwijzing.

6 Medisana MTX

Prijs: €80

Geheugen: 99 plaatsen voor 2 personen

Testoordeel: 7,5

- aan te sluiten op computer;
- aparte aan-uitknop;
- automatisch drie metingen na elkaar mogelijk;
- oppompdruk zelf te bepalen;
- ingewikkeld door veel mogelijkheden en weinig toetsen;
- kabel en cd-rom niet meegeleverd.

7 Microlife WatchBP Home

Prijs: €120

Geheugen: 250 plaatsen voor 1 persoon

Testoordeel: 7,5

- modus om volgens de richtlijn de bloeddruk te meten;
- aan te sluiten op computer;
- wasbaar manchet;
- vijf jaar garantie;
- door veelzijdigheid minder eenvoudig in het gebruik;
- geen interpretatie van de resultaten in het scherm.

8 Medisana MTS

Prijs: €40

Geheugen: 60 plaatsen voor 2 personen

Testoordeel: 7,4

- bloeddrukmeterpas om resultaten bij te houden;
- scoort hoog op afleesbaarheid en gebruik van de toetsen;
- glad manchet.

9 Medisana MTP

Prijs: €50

Geheugen: 99 plaatsen voor 2 personen

Testoordeel: 7,3

- origineel ontwerp;
- luchtslang lastig in apparaat te bevestigen;
- glad manchet;
- geen interpretatie van de resultaten op het scherm.

10 Omron M3 Intellisense

Prijs: €80

Geheugen: 60 plaatsen voor 1 persoon

Testoordeel: 7,3

- indicatie of de meting goed is gegaan;
- stil in het gebruik;
- oppompdruk zelf te bepalen;
- onoverzichtelijke gebruiksaanwijzing.

11 Beuer BM65

Prijs: €80
Geheugen: 30 plaatsen voor 10 personen
Testoordeel: 7,2

- aan te sluiten op de computer;
- origineel model;
- twee manchetten;
- groot klittenband, waardoor lastig los te maken;
- lawaaiig;
- kabel en cd-rom niet meegeleverd.

12 Omron MX3 PLUS

Prijs: €60
Geheugen: 14 plaatsen voor 1 persoon
Testoordeel: 7,2

- aparte aan-uitknop;
- oppompdruk zelf te bepalen;
- klein scherm;
- geen tasje of doos;
- lawaaiig;
- geen interpretatie van de resultaten in het scherm.

13 Braun BP4600

Prijs: €50
Geheugen: 32 plaatsen voor 1 persoon
Testoordeel: 7,1

- no-nonsensemeter;
- twee manchetten;
- geen interpretatie van de resultaten in het scherm;
- niet aan te sluiten op netstroom.

14 Beuer BM60

Prijs: €75
Geheugen: 60 plaatsen voor 2 personen
Testoordeel: 7,0

- aparte Nederlandse gebruiksaanwijzing;
- bloeddrukmeterpas om resultaten bij te houden;

- toetsen voelen goedkoop aan;
- slap manchet.

15 Cresta BPM610
Prijs: €30
Geheugen: 40 plaatsen voor 3 personen
Testoordeel: 6,6
- overzichtelijke toetsen;
- niet aan te sluiten op netstroom;
- laagste oordeel voor afleesbaarheid van de resultaten.

Zie ook het dossier *Bloeddrukmeters* op www.consumentenbond.nl.

Eigen bijdrage

Gezondgids juni 2012

Wat & hoe
De Consumentenbond belde undercover 135 grote en kleine gemeenten verspreid over Nederland met de vraag of zij voor een scootmobiel, traplift en douchestoel een eigen bijdrage rekenen en hoe hoog die dan is. De resultaten zijn aan de gemeenten voorgelegd met de mogelijkheid daarop te reageren.

Ruim vijf jaar terug is de Wet maatschappelijke ondersteuning (Wmo) ingevoerd. Die moet er bijvoorbeeld voor zorgen dat mensen zo lang mogelijk op zichzelf kunnen blijven wonen en kunnen blijven doen wat ze altijd deden. Gemeenten zijn hiervoor verantwoordelijk. Ze hebben vaak een Wmo-loket om iedereen zo goed mogelijk van dienst te zijn. Denk bijvoorbeeld aan hulp of ondersteuning bij het huishouden, bewegen in en rond het huis of vervoer. Om in te schatten welke hulp precies nodig is, komt iemand van de gemeente thuis langs. Kijk op www.regelhulp.nl om te zien wat er zoal mogelijk is aan zorg en ondersteuning.
De Wmo geeft geen recht op zorg; de gemeente bepaalt welke hulp is te krijgen. Die kijkt daarbij ook naar andere oplossingen, zoals verhuizen,

Wat kost dat?

De eigen bijdragen gelden per vier weken en zijn op basis van een schatting van de kostprijs van het hulpmiddel. Hoe lang de eigen bijdrage moet worden betaald, verschilt per gemeente.
De prijzen van de hulpmiddelen zijn gemiddelden: er zijn duurdere en goedkopere varianten.

een slaapkamer beneden inrichten en hulp die partner of kinderen kunnen bieden. Het kan gebeuren dat wie in de ene gemeente huishoudelijke hulp ontvangt, na verhuizing in een andere gemeente te horen krijgt dat de kinderen maar wat meer moeten doen.
Gemeenten bepalen ook zelf wat ze inwoners in rekening brengen voor hulp. Zo vragen Capelle aan den IJssel, Velsen, Hengelo en Alkmaar alleen een eigen bijdrage voor huishoudelijke hulp, terwijl bijvoorbeeld Purmerend voor bijna alle hulp(middelen) een vergoeding betaalt.
Om die kosten in kaart te krijgen, belde de Consumentenbond undercover een kwart van de Nederlandse gemeenten. De *mystery*-beller heeft een moeder die steeds slechter gaat lopen. Hij denkt dat zij met een scootmobiel, traplift en douchestoel goed geholpen is. Van elk hulpmiddel wil hij graag weten of zijn moeder een eigen bijdrage moet betalen en hoe hoog die is. Een logische vraag die in de praktijk niet zo eenvoudig te beantwoorden blijkt.
Bij ruim een op de tien gemeenten is niet meteen duidelijk of je voor een traplift moet meebetalen. Daar wordt eerst bekeken of een traplift wel de beste oplossing is en dan pas volgt een berekening. In 32 van de 135 benaderde gemeenten betalen inwoners niet mee aan een traplift; in bijna 90 gemeenten moet dat wel. De medewerkers blijken dit niet altijd te weten. Meermaals wordt een telefonisch antwoord later gecorrigeerd.
Hoeveel de traplift gaat kosten, is al helemaal niet duidelijk. Veel medewerkers kunnen of mogen niets zeggen over de eigen bijdrage: 'Die berekening valt niet in mijn takenpakket'. Meestal wordt de mysterybeller doorverwezen naar het Centraal Administratiekantoor (zie het kader 'Wat is het CAK?'). Maar ook het CAK moet het antwoord schuldig blijven. Pas als de onderzoeker van de Consumentenbond zich bekendmaakt, volgt meer uitleg. Om een eigen bijdrage te berekenen, moet het CAK precies weten wat de traplift gaat kosten. Dat hangt bijvoorbeeld af van de plek waar de lift komt, of er bochten in de trap zitten en hoe hoog hij is.

Als gemeenten proberen te helpen door een inschatting te maken, blijken de bedragen vaak niet te kloppen. De gemeente Almelo corrigeert de eerder genoemde bijdrage van €81,58 naar €22,08 per vier weken. Goedkoper dan in de gemeente Ede, die na herberekening op €25,80 per vier weken uitkomt, maar weer duurder dan de eenmalige bijdrage van €45 in Borne. In het nabijgelegen Hengelo hoeven inwoners helemaal niet bij te betalen, terwijl inwoners van de gemeente Dalfsen naar schatting €38,46 per vier weken voor een traplift bijdragen.

Vastgeroest

Ook bij scootmobielen blijkt de eigen bijdrage lastig in te schatten. Bijna zeven van de tien gemeenten vragen een eigen bijdrage, maar ruim driekwart kan niet zeggen hoe hoog die is. De prijzen die ze wel noemen, lopen uiteen van €3,85 tot de maximale eigen bijdrage van onze fictieve persoon van €81,58 per vier weken. In Ede betaal je €46,42 per vier weken voor een luxe kar. In Leidschendam-Voorburg is dat tussen de €18 en €40 en in Rotterdam €37,42. De overige 35 gemeenten, bijvoorbeeld Middelburg, Hilversum, Veenendaal en Den Haag, doen het zonder eigen bijdrage.

Ook vragen sommige gemeenten zich af of de moeder van de mysterybeller wel in aanmerking komt voor een scootmobiel. 'Ouderen moeten blijven bewegen. Als je ze een scootmobiel geeft, zijn ze binnen een week vastgeroest en bewegen ze helemaal niet meer', meent Tilburg.

Welke voorzieningen gratis blijven, is de vraag. Een aantal gemeenten, waaronder Oss en Assen, laat weten door de opgelegde bezuinigingen gedwongen te zijn eigen bijdragen in te voeren. Sommige verkleinen het Wmo-pakket om kosten te besparen. 'Sinds 1 januari 2012 is bijna niets meer gratis', verzucht de gemeente Hoogeveen.

Nijmegen en Vlaardingen vinden dat hun inwoners zelf wel een douchestoel kunnen kopen, die in ruim een kwart van de gemeenten nog helemaal gratis

Wat is het CAK?

Wie hulp of zorg thuis nodig heeft, krijgt vaak te maken met het Centraal Administratiekantoor (CAK). Dat is een orgaan van de overheid dat de eigen bijdrage berekent en incasseert voor de gemeenten. Het CAK gebruikt voor de berekening van de eigen bijdrage de gegevens die zij ontvangt van de Belastingdienst en van de gemeenten.

is. De helft vraagt wel een eigen bijdrage. Voor een eenvoudige douchestoel is dat niet meer dan een paar euro per vier weken.

Beterschap beloofd

Een aantal gemeenten vindt dat onze mysterybeller de Wmo te eenzijdig uitlegt door zelf een verlanglijstje in te dienen. Andere zijn helemaal verbaasd dat we bij het CAK – waar bijna iedereen naar verwijst – niet meer informatie kunnen krijgen. Het blijft in ieder geval vreemd dat we op een voor de hand liggende vraag als 'Wat wordt mijn eigen bijdrage?' niet zomaar een antwoord krijgen. Hiervoor moeten we het traject in van aanvraag, gesprek en keuze van het hulpmiddel. Dat is niet zomaar te veranderen. Maar de informatievoorziening zou alvast een stuk beter kunnen. Dat erkennen gemeenten ook en her en der worden verbeteringen aangekondigd. 'Ik ben niet erg tevreden met de door ons gegeven antwoorden en zal dit bespreken', reageert Purmerend. Ook Nijmegen betreurt dat de informatie in eerste instantie niet goed was.
Het draait bij de uitvoering van de Wmo natuurlijk niet alleen om de prijs en informatievoorziening. Jos Tummers, die reageerde op onze oproep om ervaringen met de Wmo te melden, is zeer te spreken over de vlotte afhandeling van de hulpvraag van haar man. 'De mensen bij het Wmo-loket zijn heel vriendelijk en behulpzaam.'
Ook Cor de Leeuw is tevreden over de medewerking van zijn gemeente Woerden, ook al duurde het lang voordat zijn scootmobiel was geregeld. 'Na mijn aanvraag kwam er snel iemand langs, maar daarna bleef het een tijdje stil.' De Leeuw moest meerdere keren aan de bel trekken. 'Ik ben uiteindelijk wel tevreden, want ik heb gekregen wat ik nodig heb.'

Hoe maak je bezwaar?

Voor hulp vanuit de Wmo bepaalt de gemeente wat je wel en niet krijgt. Niet iedereen zal het zomaar met het besluit eens zijn. Na ontvangst van het besluit kun je binnen zes weken een bezwaarschrift indienen. De gemeente of een bezwaarcommissie bekijkt dit en meestal volgt een hoorzitting, waarna het bezwaar gegrond of ongegrond wordt verklaard. Wie het daarmee niet eens is, kan naar de bestuursrechter stappen, waarna ook nog hoger beroep mogelijk is. Je kunt een klacht over de overheid ook altijd indienen bij de Nationale Ombudsman.

Bruikleen

Niet alle gemeenten geven nieuwe hulpmiddelen. Zo is met een bruikleenregeling bijvoorbeeld een scootmobiel of traplift van de gemeente te lenen. Die gaat terug als hij niet meer nodig is en kan dan weer worden hergebruikt. Dit is vaak goedkoper voor de gemeente en dus ook voor de gebruiker.
Wie geen tweede- of derdehands hulpmiddel wil of niet vast wil zitten aan de leveranciers van de gemeente, kan voor de meeste voorzieningen een persoonsgebonden budget (PGB) aanvragen. De gemeente stelt dan een bedrag beschikbaar om de voorziening zelf aan te schaffen. De hoogte van het PGB is gelijk aan het bedrag waarvoor de gemeente zelf een vergelijkbare voorziening inkoopt. Ook bij een PGB is soms een eigen bijdrage nodig.

Gemeente of Marktplaats

De bijdragen variëren niet alleen tussen de gemeenten, ook binnen een gemeente betaalt niet iedereen voor dezelfde hulp evenveel. Het bedrag onder de streep is, net als de maximale eigen bijdrage, bijvoorbeeld afhankelijk van leeftijd, huishouden en inkomen. Per vier weken hoeft iemand nooit meer te betalen dan die maximale eigen bijdrage, ongeacht de hoeveelheid hulp(middelen).
Wat de daadwerkelijke bijdrage is, is verder afhankelijk van wat de gemeente ervoor betaalt. Voor het houden van het middel, vraagt de gemeente het bedrag in maximaal drie jaar via de eigen bijdrage terug. Gaat het bijvoorbeeld om huishoudelijke hulp of het lenen van een hulpmiddel, dan bepaalt de gemeente hoe lang de eigen bijdrage moet worden betaald (zie het kader 'Bruikleen'). Maar niemand betaalt meer dan de gemeente heeft betaald. Bovendien krijgt iedereen 33% korting op de eigen bijdrage, omdat deze niet meer van de belasting aftrekbaar is.
Het kan soms voordeliger zijn hulp te regelen zonder een beroep te doen op de Wmo. De medewerker van de gemeente Roosendaal tipt: 'Bij de Blokker heb ik laatst douchekrukjes voor €25 gezien, zeker de moeite waard om te bekijken. Voor een scootmobiel zou ik lekker op Marktplaats rondkijken. Daar worden veel goedkope tweedehands scootmobielen aangeboden.'
Is het lastig de hulp zelf te regelen of valt de eigen bijdrage mee? Dan kan de gemeente zeker uitkomst bieden. Als er iemand thuis langskomt, vraag dan goed door over de hoogte van de eigen bijdrage. Op www.hetcak.nl is daarover al veel te vinden.

Eenvoudige douchestoel (gemiddeld €120)

Nijmegen	zelf betalen
Ede	€8,60
Spijkenisse	€7
Woudenberg	€6
Hoogeveen	€5,09
Rijnwaarden	€3,08
Rotterdam	€2,55
Almelo	€1,84
Heemstede	€0
Den Haag	€0

Scootmobiel (gemiddeld €2200)

Ede	€46,42
Spijkenisse	€30-€42,50
Leidschendam-Voorburg	€18-€40
Assen	€11,88
Maasgouw	€18-€24
Hoorn	€3,85
Apeldoorn	€50-€70
Purmerend	€39,31-€49,09
Gilze-Rijen	€0

Traplift (gemiddeld €4000)

Spijkenisse	€70
Hoogeveen	€52,58
Dalfsen	€38,46
Ede	€25,80
Vlaardingen	€23 of €33
Rotterdam	€11,90
Almelo	€22,08
Amsterdam	€0
Capelle aan den IJssel	€0

Zie ook het dossier *Zorgverzekering* op www.consumentenbond.nl.

Elektrische tandenborstels

Consumentengids april 2012

U heeft vast uw tandarts weleens gevraagd of u beter met de hand of elektrisch kunt poetsen. Het antwoord is simpel: met de hand is het gebit heel goed schoon te krijgen, mits je op de juiste manier en zeker twee minuten poetst. Dat doen de meeste mensen echter niet en daarom is de elektrische tandenborstel een beter hulpmiddel. Het grote voordeel van een elektrische tandenborstel is dat hij helpt bij de juiste poetsbeweging.
Poetsen voorkomt problemen aan het gebit en een slechte adem. Een gepoetst gebit geeft bovendien een fris gevoel.
Om goed te poetsen, moet de borstel juist worden geplaatst en de juiste beweging worden gemaakt. Hiervoor is een goede motoriek nodig en het aanleren daarvan is niet eenvoudig. De elektrische tandenborstel maakt zelf al de juiste poetsbeweging. Je hoeft dus alleen de borstelkop goed op de tand of kies te plaatsen en hem daar lang genoeg te laten poetsen. Een handige tip is om het gebit in vier delen (onder en boven, links en rechts) op te splitsen en ieder deel 30 seconden te poetsen. Dankzij de poetsbewegingen is het verwijderen van plak met een elektrische tandenborstel een stuk eenvoudiger.

Twee merken

De markt van elektrische tandenborstels wordt beheerst door twee merken: Oral-B van Braun en Philips Sonicare. We hebben een aantal typen van beide merken getest en één alternatief: het eigen merk van Kruidvat. Elektrische tandenborstels zijn in verschillende prijsklassen te koop. De goedkoopste (€12) in de test is de Kruidvat UltraDent Power. De duurste (€180) is de Philips Sonicare DiamondClean. Die van Kruidvat wordt

Borstelbewegingen

Een elektrische tandenborstel kan op de volgende manieren bewegen.
Sonisch De vorm van de borstelkop lijkt op die van een handtandenborstel en beweegt snel heen en weer en maakt een zijwaartse beweging.
Oscillerend-roterend De borstelkop is rond van vorm, draait rond en beweegt tegelijkertijd heen-en-weer.
Oscillerend-pulserend De borstelkop draait rond en beweegt heen en weer, waarbij hij met hoge snelheid naar de tand toe beweegt.

verkocht met één opzetborstel. Die heeft twee standen: *active* en *sensitive*. De DiamondClean wordt geleverd met een lader in de vorm van een glas, een reisetui met oplaadaansluiting en twee opzetborstels. Hij heeft vijf poetsstanden: *clean*, *white*, *polish*, *gum care* en *sensitive*.

Er zijn meer snufjes op tandenborstels mogelijk, zoals:

- een signaal na 30 seconden om een ander deel van het gebit te poetsen;
- automatisch uitschakelen van de tandenborstel na een aantal minuten;
- een sensor die aangeeft dat je te hard drukt;
- een geheugen dat onthoudt hoelang je nog moet poetsen als je tussendoor even stopt;
- *easy start* om te wennen aan poetsen met een elektrische tandenborstel.

Elektrische tandenborstels

		Merk & Type	Richtprijs	Testoordeel	Plak verwijderen	Gebruiksgemak	Afronding van de borstelhaartjes	Aantal keren poetsen per acculading	Gebruiksaanwijzing	Energiegebruik	Oplaadtijd	Stevigheid	Bijgeleverde opzetborstels	Type beweging
		Weging voor Testoordeel			40%	30%	10%	8%	5%	3%	2%	2%		
■	1.	**Oral-B** Triumph IQ 5000/D345455X	€150	**7,6**	+	+	++	□	++	+	+	++	1	o/p
■	2.	**Philips Sonicare** DiamondClean HX9332	€180	**7,5**	+	+	+	++	+	□	--	++	2	s
	3.	**Oral-B** Professional Care 500 Floss Action	€40	**7,4**	+	+	++	□	+	+	–	++	1	o/p
	4.	**Philips Sonicare** HealthyWhite HX6730/02	€80	**7,4**	+	+	–	++	++	+	+	++	1	s
	5.	**Oral-B** Professional Care 500 Precision Clean	€45	**7,2**	+	+	+	□	+	+	–	++	1	o/p
	6.	**Philips Sonicare** FlexCare+ HX6972/10	€130	**7,2**	+	+	–	++	++	+	+	++	2	s
▶	7.	**Oral-B** Vitality Precision Clean/ D12.513PC	€30	**7,1**	+	+	+	□	+	+	□	++	1	o
▶	8.	**Philips Sonicare** CleanCare HX5350/02	€30	**7,1**	+	□	+	++	++	+	--	++	1	s
	9.	**Oral-B** Pulsonic S26.523	€100	**7,1**	+	+	+	□	++	+	+	++	2	s
	10.	**Kruidvat** UltraDent Power	€12	**6,6**	□	+	+	+	□	□	--	++	1	o

++ Zeer goed + Goed □ Redelijk – Matig -- Slecht ■ Beste uit de test ▶ Beste koop

- De prijzen zijn van januari 2012.
- De voorraad van UltraDent Power bij Kruidvat is beperkt.
- s = sonisch, o = oscillerend-roterend, p = pulserend

De Philips FlexCare+ levert een uv-reinigingssysteem mee, om de opzetborstel schoon te maken. Op de tandenborstels van Philips en Oral-B zijn verschillende soorten opzetborstels te plaatsen. Zie de tabel 'Prijzen opzetborstels'.

Plak verwijderen

In de test hebben 16 mannen en vrouwen die thuis elektrisch poetsen, hun gebit gepoetst met 10 elektrische tandenborstels en daarop de bijgeleverde opzetborstel. Vanaf 24 uur voor de test mochten zij hun gebit niet meer schoonmaken. Voor de test spoelden zij hun mond met een vloeistof die de plak (ook gespeld 'plaque') op de tanden en kiezen zichtbaar maakt. De hoeveelheid plak werd door een tandarts beoordeeld. Ze hebben vervolgens hun gebit twee minuten op de gebruikelijke manier gepoetst. Het gebit werd weer door de tandarts gecontroleerd na het gebruik van een nieuwe plakverklikker.
De Philips Sonicare DiamondClean verwijderde de meeste plak en de Kruidvat UltraDent Power liet het meest zitten.
De testpersonen vinden de Oral-B Vitality Precision Clean het prettigst in het gebruik. De borstelkop heeft een goed formaat en het geluid is aangenaam, maar het 30-, 60- en 90-secondensignaal wordt gemist. De Philips Sonicare CleanCare daarentegen trilt vervelend, maakt het minst prettige geluid, is het minst makkelijk in de mond te draaien en heeft de minst pret-

Tandplak

Om het gebit schoon te houden, adviseert het Ivoren Kruis om twee keer per dag twee minuten te poetsen met een fluoridetandpasta. Dit hoeft niet meer dan de hoeveelheid van een doperwt te zijn.
De beste momenten om de tanden te poetsen, zijn na het ontbijt en voor het slapen. Het is verstandig om het uur voor het tandenpoetsen geen zure producten te eten.
Poetsen verwijdert tandplak, een nagenoeg onzichtbaar wit-geel laagje dat uit bacteriën en producten van bacteriën bestaat. Die producten – zuren – kunnen gaatjes in het gebit veroorzaken. Ook kan tandplak leiden tot ontstoken tandvlees. Plak die niet wordt verwijderd, verandert langzaam in tandsteen.
Het is nodig om naast het poetsen eenmaal per dag te flossen, stoken of ragen om goed tussen de tanden en kiezen schoon te maken, zodat er ook daar geen plak achterblijft.

De prijs van poetsen

Het Ivoren Kruis adviseert om handtandenborstels of opzetborstels elke drie maanden te vervangen, of eerder als de borstelharen uit elkaar staan. Opzetborstels zijn prijzig, zie de tabel 'Prijzen opzetborstels'.
Wat kost drie jaar poetsen?

Met de hand poetsen

12 x €1,50 (goedkope tandenborstel)	€18
12 x €2,80 (middenklasser)	€33,60
12 x €6 (duur model)	€72

Elektrisch poetsen

Aanname: 28 keer poetsen tot de accu leeg is, 16 uur om hem volledig op te laden. Verbruik complete laadcyclus: 16 Wh; herladen na twee minuten gebruik: 1 Wh.

Aanschaf inclusief één opzetborstel	tussen €30 en €150
Opzetborstels 11 stuks à €6	€66
Energiegebruik bij constante oplading	€5,80
Energiegebruik bij alleen volledig opladen	€0,27
In totaal kost elektrisch poetsen	*tussen €96 en €222*

tige greep. Alle sonische tandenborstels trillen meer dan de oscillerende borstels.
De borstels die bij de Philips Sonicare HealthyWhite en FlexCare+ worden geleverd, hebben geen mooi afgeronde borstelharen. Gevoelig tandvlees kan daardoor beschadigd worden.

Opladen in 8,5 uur

Waar de ene tandenborstel een etmaal nodig heeft om de accu volledig op te laden, lukt het de andere in 8,5 uur. Met de volledig opgeladen Philips-tandenborstels kun je vaker poetsen dan met die van Oral-B en Kruidvat. Dit kan handig zijn als je een paar dagen van huis bent en de oplader niet mee wilt nemen.
Het is niet nodig om de tandenborstel op een oplader te plaatsen die dag in dag uit met een stekker in het stopcontact zit. Zonder stroom kan de oplader ook prima als opberghouder dienen. Het bespaart wat geld en energie.

Prijzen opzetborstels

Type borstel	Aantal per verpakking	Richtprijs	Prijs per borstel
Kruidvat UltraDent Power			
Ultradent opzetborstel	2	€4,70	€2,35
Oral-B Professional Care 500 Floss Action, Professional Care 500 Precision Clean, Triumph IQ 5000/D345455X, Vitality Precision Clean/D12.513PC			
Simply Clean EB17B	2	€9	€4,50
Kids EB10	2	€10	€5,00
Precision Clean EB17	2	€11	€5,50
Precision Clean EB17	4	€15	€3,75
Precision Clean EB20	2	€11	€5,50
Precision Clean EB20	4	€15	€3,75
Precision Clean EB20	10	€30	€3,00
Sensitive Clean EBS17	2	€11	€5,50
Sensitive Clean EBS17	4	€15	€3,75
Floss Action EB25	2	€13	€6,50
Floss Action EB25	4	€18	€4,50
3D White EB18	2	€13	€6,50
Dual Clean EB417	2	€13	€6,50
Oral-B Pulsonic S26.523			
Pulsonic SR32	2	€13	€6,50
Philips Sonicare CleanCare HX5350/02			
HX7001/05 Elite	1	€15	€15,00
HX7002/05 Elite	2	€25	€12,50
HX7004/05 Elite	4	€30	€7,50
HX7012/05 Elite	2	€20	€10,00
Philips Sonicare HealthyWhite HX6730/02, FlexCare+ HX6972/10, DiamondClean HX9332/04			
HX6011/02 ProResults	1	€10	€10,00
HX6012/05 ProResults	2	€16	€8,00
HX6014/35 ProResults	4	€25	€6,25
HX6018/05 ProResults	8	€40	€5,00
HX6021/02 ProResults	1	€10	€10,00
HX6022/05 ProResults	2	€16	€8,00
HX6024/05 ProResults	4	€25	€6,25
HX6062/05 DiamondClean	2	€18	€9,00
HX6064/05 DiamondClean	4	€25	€6,25
HX6072/05 DiamondClean	2	€18	€9,00
HX6074/05 DiamondClean	4	€25	€6,25
HX6052/05 Sensitive	2	€18	€9,00

De prijzen zijn van januari 2012.

IN DETAIL

Oral-B Triumph IQ 5000/D345455X (Beste uit de test)

Prijs: €150

Testoordeel: 7,6

Een oscillerende-roterende/pulserende (zie het kader 'Borstelbewegingen') tandenborstel met veel extra's. Vijf poetsstanden. Diverse aantallen signalen om de poetsduur aan te geven en een melding bij te hard drukken.

Philips Sonicare HX5350/02 (Beste koop)

Prijs: €30

Testoordeel: 7,1

Een sonische tandenborstel. De zwaarste uit de test. Hij heeft een dure opzetborstel die vastzit aan een kap, die op de greep vastgedraaid wordt. Slechts één poetsstand en geen extra's.

Oral-B Vitality D12.513PC (Beste koop)

Prijs: €30

Testoordeel: 7,1

Een oscillerende-roterende tandenborstel. De lichtste in de test. Heeft slechts één poetsstand en geen extra's. Werd door de panelleden het best gewaardeerd.

Zie ook het dossier *Elektrische tandenborstels* op www.consumentenbond.nl.

Ingrepen tegen urineverlies

Gezondgids december 2011

Wat & hoe

De Consumentenbond beoordeelde de zorg rond stressincontinentie van Nederlandse ziekenhuizen op basis van gegevens die zijn verzameld door bureau Zichtbare Zorg.

De schaamte rond urineverlies is groot, merkt gynaecoloog Jeroen van Bavel, werkzaam in het Bekkenbodem Centrum van het Amphia Ziekenhuis in Breda. Hij schat dat de vrouwen die bij hem op het spreekuur komen vaak al enkele jaren met urineverlies rondlopen. 'En dan zien wij nog maar het topje van de ijsberg. Er zitten nog heel veel vrouwen thuis die er niet met hun huisarts over durven praten of die niet weten dat er iets aan te doen is.'

Het Bredase bekkenbodemcentrum behandelde in 2010 enkele honderden vrouwen met stressincontinentie, de meest voorkomende vorm van urineverlies. Ongeveer een op de vier vrouwen boven de 35 jaar heeft last van deze vorm van urineverlies, die ontstaat bij inspanning, zoals hoesten, niezen, tillen, bukken, lachen, traplopen en rennen.

De naam 'stressincontinentie' duidt niet op emotionele stress, maar op de druk die ontstaat op buik en blaas. Het wordt daarom ook wel inspanningsincontinentie genoemd. Deze vorm komt vooral bij vrouwen voor.

Aandrangsincontinentie kenmerkt zich door een plotselinge aandrang om te plassen. Die aandrang is zo hevig dat de plas vaak niet kan worden opgehouden tot op het toilet. Ook een combinatie van beide vormen komt voor.

Elastische hangmat

Stressincontinentie ontstaat als de afsluiting van de blaas niet goed werkt. De blaas wordt – samen met de rest van de buikinhoud – ondersteund door de bekkenbodem. De bekkenbodemspieren vormen een soort elastische hangmat waar de blaas op steunt. Die spieren zijn altijd een beetje aangespannen. Ze zorgen ervoor – zonder dat je daar iets voor hoeft te doen – dat de urinebuis en de anus goed worden afgesloten. Wanneer de bekkenbodemspieren opgerekt of verzwakt zijn en de druk in de blaas oploopt door de opgeslagen urine, is de sluitspier soms niet sterk genoeg om de urine tegen te houden. Veelvoorkomende oorzaken zijn zwangerschap of bevalling, maar ook ouderdom, aanleg en overgewicht kunnen urineverlies veroorzaken.

Van Bavel: 'Bij een *body mass index* (verhouding tussen lengte en gewicht, red.) boven de 25 zien we al meer stressincontinentie. Bij een BMI van 30 helemaal. Een paar kilo afvallen kan vaak al helpen.'

Stressincontinentie kan uiteenlopen van het af en toe verliezen van enkele druppeltjes urine, die met speciaal verband goed op te vangen zijn, tot ernstig urineverlies dat je hele leven op zijn kop zet. Een bezoek aan de huisarts is niet altijd noodzakelijk. Stressincontinentie, zeker de lichte gevallen, kan verholpen worden met het trainen van de bekkenbodemspieren. 'Dat kan heel goed thuis', legt Van Bavel uit. 'Ik zou wel naar een bekkenbodem-

fysiotherapeut gaan als de klachten na enkele maanden niet verminderen of als je het idee hebt dat je de oefening niet goed doet.'
Urineverlies tijdens het sporten kan goed opgevangen worden met een speciale tampon of ring (pessarium). Vrouwen die bij Van Bavel op het spreekuur komen en nog geen fysiotherapie hebben gehad, adviseert hij bijna altijd om dat eerst te doen. 'Tot een kwart van de vrouwen komt zo van haar klachten af. Een groot deel is uiteindelijk tevreden met het resultaat en vindt een operatie niet nodig. Van de vrouwen met ernstige stressincontinentie wordt bijna de helft alsnog geopereerd.'

Operatieve ingreep

Tot de operatieve mogelijkheden behoort een TVT-bandje, de meest uitgevoerde en succesvolste operatie bij stressincontinentie. TVT staat voor *tension-free vaginal tape*, ofwel een spanningsvrije vaginale band. Het bandje wordt onder de urinebuis geplaatst en biedt ondersteuning bij belastingen als lachen, hoesten en springen. Na een aantal maanden vergroeit het bandje met het huidweefsel, waardoor er een nieuw ondersteunend vlak ontstaat.
De ingreep vindt in dagbehandeling plaats en is weinig belastend voor de patiënt. Er zijn twee technieken die van elkaar verschillen in de wijze waarop de bandjes worden vastgemaakt. Beide bandjes worden via een klein sneetje in de vagina ingebracht; de uitgang is bij de ene methode net boven het schaambot in de buik, bij de andere methode in de lies. Deze laatste methode wordt tegenwoordig het meest toegepast, omdat het minder kans op schade geeft aan bijvoorbeeld de blaas. De techniek kan echter wel enkele weken spierpijn opleveren, omdat de chirurg door de beenspieren moet prikken.
De nieuwste ontwikkeling op dit gebied is het minibandje. Dit is een heel klein bandje dat in het bekken wordt vastgezet. Daardoor zijn aan de buitenkant van het lichaam geen kleine wondjes te zien. Van Bavel: 'Dit zorgt waarschijnlijk voor minder pijn achteraf, maar het is mogelijk dat de bandjes minder goed werken.'
Met een TVT-bandje is tussen 75 en 95% van de vrouwen van urineverlies bevrijd. Geen 100% garantie dus en dat is jammer, vindt Van Bavel. 'Het lastige is dat we niet precies weten bij wie het TVT-bandje werkt en bij wie niet. Dat is voor vrouwen belangrijk om voor ogen te houden als ze voor de ingreep kiezen.' Overigens worden ook hier studies naar gedaan.

Test stressincontinentie

De criteria waarop ziekenhuizen zijn beoordeeld:

- aanwezigheid centrum voor bekkenbodemproblematiek, waar zorgverleners van verschillende disciplines samenwerken;
- meer dan 500 vrouwen voor stressincontinentie behandeld. Een groter aantal behandelde vrouwen duidt op meer ervaring bij de behandelaars;
- meer dan 25 vrouwen geopereerd aan stressincontinentie. De operatie-ervaring van de arts is van invloed op het resultaat;
- verpleegkundig spreekuur met een speciaal voor incontinentie opgeleide verpleegkundige, die beschikt over specifieke kennis over stressincontinentie en de daarbij komende psychosociale problemen.

De achterblijvers in de test voldeden aan geen of een van de criteria, de middenmoters aan drie of vier van de criteria. De koplopers voldeden aan alle vier de criteria en scoorden bovendien bovengemiddeld op onderstaande criteria die iets zeggen over de kwaliteit van de zorg:

- percentage vrouwen dat voor een operatie gedurende minimaal twee dagen een mictiedagboek (plasdagboek) heeft bijgehouden;
- percentage vrouwen dat voorafgaand aan de operatie bekkenfysiotherapie heeft ondergaan;
- percentage vrouwen dat voor en na de operatie een vragenlijst over haar klachten heeft ingevuld;
- percentage vrouwen bij wie de klachten zes weken na de operatie niet zijn verholpen.

Koplopers

- Almere, Flevoziekenhuis
- Amsterdam, Onze Lieve Vrouwe Gasthuis
- Amsterdam, Sint Lucas Andreas Ziekenhuis
- Assen, Wilhelmina Ziekenhuis
- Bilthoven, Alant Vrouw
- Breda, Amphia Ziekenhuis
- Delft, Reinier De Graaf Groep
- Den Bosch, Jeroen Bosch Ziekenhuis
- Den Haag, Haga Ziekenhuis
- Den Haag, Medisch Centrum Haaglanden
- Dordrecht, Albert Schweitzer Ziekenhuis
- Emmen, Scheper Ziekenhuis
- Haarlem, Kennemer Gasthuis
- Helmond, Elkerliek Ziekenhuis
- Hoofddorp, Spaarne Ziekenhuis
- Leeuwarden, Medisch Centrum Leeuwarden
- Nieuwegein, St. Antonius Ziekenhuis

- Nijmegen, Canisius-Wilhelmina Ziekenhuis
- Oss, Ziekenhuis Bernhoven
- Sittard-Geleen, Orbis Medisch Centrum
- Tilburg, St. Elisabeth Ziekenhuis

Middenmoters

- Alkmaar, Medisch Centrum Alkmaar
- Almelo, Ziekenhuisgroep Twente
- Amstelveen, Ziekenhuis Amstelland
- Amsterdam, Academisch Medisch Centrum
- Amsterdam, BovenIJ Ziekenhuis
- Amsterdam, Slotervaartziekenhuis
- Amsterdam, Vrije Universiteit Amsterdam
- Apeldoorn, Gelre Ziekenhuizen
- Arnhem, Rijnstate Ziekenhuis
- Baarn, Meander Medisch Centrum
- Bergen op Zoom, Lievensberg Ziekenhuis
- Beugen, Maasziekenhuis Pantein
- Beverwijk, Rode Kruis Ziekenhuis
- Capelle aan den IJssel, IJsselland Ziekenhuis
- Delfzijl, Ommelander Ziekenhuis Groep
- Den Haag, Bronovo Ziekenhuis
- Den Helder, Gemini Ziekenhuis
- Deventer, Deventer Ziekenhuis
- Dirksland, Het Van Weel-Bethesda Ziekenhuis
- Doetinchem, Slingeland Ziekenhuis
- Drachten, Nij Smellinghe Ziekenhuis
- Ede, Ziekenhuis Gelderse Vallei
- Eindhoven, Catharina Ziekenhuis
- Enschede, Medisch Spectrum Twente
- Geldrop, St. Anna Ziekenhuis
- Gorinchem, Beatrix Ziekenhuis
- Gouda, Groene Hart Ziekenhuis
- Groningen, Martini Ziekenhuis
- Groningen, Universitair Medisch Centrum Groningen
- Hardenberg, Röpcke-Zweers Ziekenhuis
- Harderwijk, Ziekenhuis St. Jansdal
- Heereveen, Ziekenhuis De Tjongerschans
- Heerlen, Atrium Medisch Centrum Parkstad
- Hengelo, Ziekenhuisgroep Twente
- Hilversum, Tergooiziekenhuizen
- Hoorn, Westfries Gasthuis
- Leiden, Diaconessenhuis Leiden
- Leiderdorp, Rijnland Ziekenhuis
- Maastricht, Academisch Ziekenhuis Maastricht
- Meppel, Diaconessenhuis Meppel
- Nijmegen, Universitair Medisch Centrum St. Radboud
- Purmerend, Waterlandziekenhuis
- Roermond, Laurentius Ziekenhuis
- Roosendaal, Franciscus Ziekenhuis
- Rotterdam, Erasmus MC
- Rotterdam, Havenziekenhuis
- Rotterdam, Maasstadziekenhuis
- Rotterdam, Sint Franciscus Gasthuis

- Schiedam, Vlietland Ziekenhuis
- Sneek, Antonius Ziekenhuis Sneek
- Stadskanaal, Refaja Ziekenhuis
- Terneuzen, Zorgsaam Zeeuws-Vlaanderen
- Tilburg, TweeSteden ziekenhuis
- Utrecht, Diakonessenhuis Utrecht
- Utrecht, Universitair Medisch Centrum Utrecht
- Veldhoven, Maxima Medisch Centrum
- Venlo, VieCuri Medisch Centrum
- Vlissingen, Admiraal De Ruyter Ziekenhuis
- Weert, St. Jans Gasthuis
- Winschoten, Ommelander Ziekenhuis Groep
- Winterswijk, Streekziekenhuis Koningin Beatrix
- Woerden, Zuwe Hofpoort Ziekenhuis
- Zoetermeer, 't Lange Land Ziekenhuis
- Zutphen, Gelre Ziekenhuizen
- Zwolle, Isala Klinieken

Achterblijvers

- Amsterdam, DC Lairesse
- Dokkum, Ziekenhuis De Sionsberg
- Hoogeveen, Bethesda Ziekenhuis
- Lelystad, MC|Groep
- Rotterdam, Ikazia Ziekenhuis
- Spijkenisse, Ruwaard van Putten Ziekenhuis
- Tiel, Ziekenhuis Rivierenland Tiel
- Zaandam, Zaans Medisch Centrum

De gegevens zijn uit 2010. Ziekenhuis De Sionsberg in Dokkum stuurt patiënten voor bekkentherapie door naar Medisch Centrum Leeuwarden.

Ranglijst

In de meeste ziekenhuizen kun je terecht voor een behandeling voor stressincontinentie, maar ze hebben niet allemaal een eigen centrum voor bekkenbodemproblematiek. De Consumentenbond heeft aan de hand van kwaliteitsgegevens over 2010, die ziekenhuizen zelf aanleveren bij het bureau Zichtbare Zorg, de ziekenhuizen ingedeeld in koplopers, middenmoters en achterblijvers.
Over het algemeen leveren alle 93 ziekenhuizen goede kwaliteit als het gaat om de behandeling van stressincontinentie. Wel kan worden gezegd dat de ziekenhuizen bovenaan de lijst beter presteren dan die onderaan staan. Dat geldt zeker voor operaties. Daarom is het bij een operatie verstandig een ziekenhuis te kiezen dat de ingreep vaker uitvoert.

Zie ook het dossier *Incontinentie* op www.consumentenbond.nl.

Lichttherapielampen

Gezondgids september 2012

Een groot deel van de honderdduizenden mensen met een winterdepressie heeft baat bij lichttherapie. De Consumentenbond testte acht bekende lichttherapielampen en zocht uit aan welke eisen deze moeten voldoen. Artsen spreken van winterdepressie als een klinische depressie seizoensgebonden optreedt. Bij een klinische depressie gaan de klachten verder dan overmatige slaperigheid en gebrek aan energie. Seizoensgebonden wil zeggen: tijdens najaar, winter en het vroege voorjaar. Als de dagen langer worden, verdwijnen de symptomen om meestal het volgende donkere seizoen terug te komen. De richtlijnwerkgroep GGZ, een commissie van deskundigen uit de geestelijke gezondheidszorg, beveelt lichttherapie aan voor mensen met winterdepressie.

Gevaarlijk

Ybe Meesters is hoofd van de polikliniek Winterdepressie van het Universitair Medisch Centrum Groningen (UMCG). Volgens hem kan lichttherapie tegen winterdepressie prima thuis plaatsvinden, maar niet zonder een voorafgaand bezoek aan de huisarts. Deze verwijst bij een vermoeden van winterdepressie eerst door naar een klinisch psycholoog, psychotherapeut of psychiater. Meesters legt uit: 'Als de diagnose winterdepressie is en het voorschrift is lichttherapie, dan moet de therapie de eerste en/of tweede keer onder begeleiding plaatsvinden. Dat kan in een kliniek, maar dat hoeft niet. Die begeleiding is nodig om te zien of de patiënt de lamp op de juiste manier gebruikt, maar vooral vanwege de kans op bijwerkingen.'
Hoofdpijn of oogklachten door het felle licht verdwijnen meestal na een korte gewenningsperiode, maar de combinatie met bepaalde medicijnen kan ern-

Vijf tips

1. Ga met een vermoeden van winterdepressie altijd eerst naar een arts.
2. Gebruik een lichttherapielamp nooit 's avonds, want het activerende effect kan het slaapritme verstoren.
3. Begin op tijd als de klachten zich voordoen, maar onderbreek de therapie regelmatig.
4. Kies voor een krachtige lamp, zodat je tijdens de therapie wat anders kan doen.
5. Zet de lamp schuin voor je. Het is niet nodig recht in het licht te kijken.

stigere klachten veroorzaken. Zo waarschuwt Philips in de handleiding van de EnergyLight voor mogelijke oogschade bij lichttherapie in combinatie met antidepressiva. Ook voor mensen met een bipolaire stoornis kan lichttherapie gevaarlijk zijn. Meesters legt uit: 'Bij een hypomane of manische stemming voel je je heel goed en wil je niet stoppen. Maar als je langer voor de lamp blijft zitten, kan het verkeerd gaan. De patiënt kan dan "opgefokt" raken en een zeer korte slaapbehoefte krijgen. Als dat in de kliniek gebeurt, wordt de behandeling aangepast of gestaakt.' Als er geen contra-indicaties zijn, is het na deze eerste (twee) keer onder begeleiding prima om thuis aan de slag te gaan. Soms vergoedt de zorgverzekeraar de aanschaf van de daarvoor benodigde lamp uit een aanvullende verzekering (zie het kader 'Vergoeding zorgverzekering').
Dat winterdepressie meestal gedurende meerdere maanden optreedt, wil niet zeggen dat lichttherapie maandenlang volgehouden moet worden. Integendeel. Meesters: 'Het beste is te beginnen met de therapie als je duidelijke klachten krijgt. Langer wachten is niet verstandig, want dan is de werking minder goed. Maar je moet niet de hele winter doorgaan met de therapie.' Hij beveelt het volgende schema aan: bij het begin van de klachten vijf da-

Lichttherapielampen

Merk & Type	Richtprijs	Wit of blauw licht	Type lamp: cfl of led	Elektriciteitsverbruik (watt)	Voldoende wit of blauw licht op 50 cm afstand	Voldoende wit of blauw licht op kortst aanbevolen afstand	Lichtopbrengst op meerdere standen instelbaar
Caremaxx Lite Pad 60201	€50	wit	led	6		✓	
Goodlite Litebook Elite	€230	wit	led	2	✓	✓	
Innosol Aurora, dimbaar	€250	wit	cfl	57			✓
Lanaform Genial light	€100	wit	cfl	66		✓	
Medisana LSC	€100	wit	cfl	70		✓	
Philips EnergyLight HF3319	€150	wit	cfl	72	✓	✓	✓
Philips goLITE BLU energielamp HF3320	€120	blauw	led	4	✓	✓	✓
SAD Solutions BLUElight	€150	blauw	led	9		✓	✓

Bij 'Voldoende wit of blauw licht op kortst aanbevolen afstand' hebben we op de kleinste gebruiksafstand gemeten die de fabrikant aanbeveelt. Deze afstand ligt tussen 15 en 30 centimeter. Bij de Philips goLITE BLU en de SAD Solutions BLUElight bevelen de fabrikanten geen afstand kleiner dan 50 centimeter aan; deze lampen hebben we aanvullend op de 50 centimetertest op een afstand van 20 centimeter getest. Het resultaat op die afstand bepaalt het oordeel in bovenstaande tabel.

Seasonal Affective Disorder
Rond de 300.000 mensen in Nederland lijden aan een winterdepressie, *Seasonal Affective Disorder* (SAD) genoemd. De bewezen werking van lichttherapie is als volgt te verklaren. De klachten ontstaan mede als gevolg van de kortere dagen en een gebrek aan daglicht. Een extra dosis kunstlicht kan dit compenseren.

gen achtereen 's ochtends vroeg drie kwartier voor de lamp. Na vijf dagen stoppen. Als het effect een week later niet merkbaar is, opnieuw vijf dagen therapie. 'Als je dan nog geen effect merkt, heeft lichttherapie geen zin.' Het schema is overigens alleen van toepassing nadat de diagnose is gesteld en als therapie onder begeleiding al heeft plaatsgevonden.
Wanneer het gunstige effect wel optreedt na de eerste of tweede week lichttherapie, raadt Meesters aan daarna te stoppen tot de klachten terugkomen. Is het niet lastig om te bepalen wanneer de klachten terugkomen? Volgens Meesters is dit meestal goed te herkennen aan een grotere slaapbehoefte. Ook zal de omgeving van de patiënt de door de depressie veroorzaakte stemmingswisselingen vaak opmerken.
Lichttherapie helpt niet altijd, maar wel vaak. Uiteindelijk heeft tussen 70 en 80% van de patiënten met winterdepressie baat bij lichttherapie, aldus Meesters. Het is verstandig de voortgang en effecten van de therapie regelmatig te bespreken met degene bij wie je in behandeling bent voor je klachten.

Imitatiedaglicht

Uit klinische studies blijkt dat wit licht, eigenlijk 'imitatiedaglicht', goed werkt tegen winterdepressie. De laatste jaren is gebleken dat 'puur' blauw licht dezelfde gunstige werking heeft bij een veel lagere verlichtingssterkte. Dit zou kunnen komen doordat onze biologische klok extra gevoelig is voor blauw licht. De medische wetenschap is hier echter nog niet over uit, omdat de rol van de biologische klok bij winterdepressie nog niet duidelijk is. De Consumentenbond heeft zowel daglichtlampen als blauwe lampen getest. Wit licht bevat alle kleuren, dus ook blauw, al zie je dat niet. Daarom hebben we ook de witte lampen getest op de hoeveelheid blauw licht die ze uitstralen. Sommige wetenschappers zijn overigens wat kritischer over blauw licht vanwege de kans op oogschade. Daarom hebben we alle lampen beoordeeld volgens Europese veiligheidsnormen. Ook de aanwezigheid van voor het oog schadelijke uv-straling hebben we gecontroleerd.
Uit ons onderzoek blijkt dat het licht van alle geteste lampen veilig is. Volgens Meesters is het daarnaast van belang dat het licht stabiel is: 'De lamp

moet een hoogfrequent voorschakelapparaat hebben, anders kan het licht hinderlijk flikkeren.' Dit is alleen voor de vier gasontladingslampen in ons onderzoek van belang. De lamp van Lanaform voldoet hier niet aan en is daardoor minder geschikt voor wie gevoelig is voor onrustig licht.

Afstand van lamp

De lichttherapiesessies in de polikliniek Winterdepressie van het UMCG duren 45 minuten. De patiënt zit op 50 cm afstand van de lamp. Meesters legt uit: 'Die afstand is praktisch. Tijdens de therapie kun je dan iets anders doen, zoals de krant lezen. Therapie thuis is zo ook beter vol te houden. Het uitgangspunt voor een goede werking is een hoeveelheid licht van 10.000 lux – de eenheid voor verlichtingssterkte – op het netvlies. Van puur blauw licht is 100 lux genoeg. Een minder sterke lamp kan ook werken, maar dan is het nodig om langer dan drie kwartier per dag voor de lamp te zitten. Dat verkleint de kans dat de therapie goed wordt volgehouden.'
Van de door ons geteste lampen geven alleen de Goodlite Litebook Elite en de beide modellen van Philips genoeg licht op een halve meter afstand. Deze zijn dus het meest praktisch voor wie tijdens de lichttherapie wil ontbijten of lezen en de lamp niet te dicht bij het gezicht wil zetten. Alle fabrikanten geven verscheidene afstanden aan waarop de lamp te gebruiken is. Wij hebben de lampen ook getest op de kleinste door de fabrikant aangegeven afstand om te zien of de lamp op die afstand voldoende licht geeft voor lichttherapie. Alle modellen slagen hierin, behalve de Innosol Aurora en de SAD Solutions BLUElight. Voor deze laatste lamp beveelt de fabrikant geen afstand kleiner dan 50 cm aan, maar toch hebben we ook deze op 20 cm getest. Op deze afstand was de hoeveelheid licht ook goed.

Vergoeding zorgverzekering

Als lichttherapie is aangeraden door een klinisch psycholoog, psychiater of psychotherapeut, wordt die onder begeleiding vergoed vanuit de basisverzekering. De aanschaf of huur van een lichttherapielamp voor thuisgebruik valt daar niet onder, maar zit bij de volgende zorgverzekeraars in een aanvullende verzekering: OHRA, PNO, Zorg en Zekerheid en AVZV. Pas op: verzekeraars kunnen afspraken met leveranciers hebben, bijvoorbeeld met een thuiszorgwinkel. Alleen hun modellen worden dan vergoed. De maximale vergoeding hangt af van de verzekeraar en de aanvullende polis. Het OHRA Extra Uitgebreid pakket is met €450 het royaalst.

Opvallend

Het is opvallend dat enkele lampen de door de fabrikant opgegeven verlichtingssterkte volstrekt niet waarmaken. Zo haalt de Caremaxx Lite Pad 3200 lux waar 5000 wordt beloofd. Innosol claimt voor de Aurora 10.000 lux op 23 cm afstand, terwijl ons laboratorium slechts 3500 lux meet. De EnergyLight van Philips is de enige lamp die (ruim) 10.000 lux levert.
Een ander punt om op te letten bij lichttherapie is de opstelling van de lamp. Bij de lampen die in de tabel met 'cfl' zijn aangegeven, luistert dit niet nauw. Het gaat hier om compacte fluorescentielampen (kleine tl-buisjes die hun licht rondom afgeven). Bij ledlampen is het echter heel belangrijk dat de lamp niet recht, maar schuin voor je op tafel staat. Leds geven hun licht namelijk zeer gericht af. Als de lamp recht voor je staat en je houdt je hoofd wat opzij, gaat het licht vrijwel volledig langs je heen. Uit onze test blijkt dat als je onder een hoek van 45 °C ten opzichte van de ledlamp zit, er soms zelfs slechts 1% van het licht overblijft. Door de lamp schuin op te stellen, zodat je gezicht van de zijkant wordt belicht, heb je hier geen last van. Recht in de lamp kijken is niet nodig, als het licht maar op het netvlies valt.

Vele jaren

Prijzen rond €200 lijken misschien heel hoog voor een lichttherapielamp, maar voor een doeltreffende behandeling van een serieuze aandoening is het eigenlijk een koopje. De lamp kan een alternatief zijn voor medicijnen, die veel meer bijwerkingen kennen en uiteindelijk ook meer kosten. Bovendien kan de lamp vele jaren dienstdoen. Het is aan te nemen dat de lampen gemiddeld 5000 uur kunnen branden. Dat komt neer op 25 jaar lang elke herfst- en winterdag een uur voor de lamp zitten. Het werkelijke gebruik ligt normaal gesproken veel lager. Philips geeft voor de EnergyLight een levensduur van 'slechts' 1700 uur op. Dit betreft echter niet het aantal uren waarna de lampen kapot kunnen zijn, maar de levensduur totdat de opgegeven verlichtingssterkte onder de opgegeven 10.000 lux kan komen. Bij het door Meesters geadviseerde behandelingsschema zal deze 1700 uur pas na enkele decennia worden gehaald.
Aan het eind van het interview wil Meesters nog iets anders belangrijks kwijt: 'Het is belangrijk te vermelden dat de zonnebank geen alternatief is voor lichttherapie. Die vraag blijft terugkomen. Het gaat bij de zonnebank echt om iets heel anders. Lichttherapie werkt alleen via je netvlies, terwijl je in de zonnestudio juist zo'n verduisterend brilletje moet dragen.'

Middelen bij verstopping

Gezondgids februari 2012

Wat & hoe

De Consumentenbond heeft uitgezocht wat je zelf tegen verstopping kunt doen en welke zelfzorgmiddelen op de markt zijn. Ze staan in de tabel 'Middelen bij verstopping', met daarbij de beoordeling van apothekers van SIR Institute for Pharmacy Practice and Policy.

Dat ongemakkelijke gevoel dat je krijgt als je een paar dagen niet naar de wc kunt... Je zou je vrachtje graag lossen, maar er zit geen beweging in. Hardlijvigheid heet verstopping daarom ook wel. Veel mensen hebben er van tijd tot tijd last van.

Ieder zijn patroon

Wanneer is er eigenlijk sprake van verstopping, hardlijvigheid, constipatie of ook wel obstipatie? Iedereen heeft zo zijn eigen ontlastingspatroon: een keer per dag is voor veel mensen gewoon, maar drie keer per week is zeker niet abnormaal of ongezond, evenmin als drie keer per dag. Je hebt verstopping als je je hevig moet inspannen op de wc-pot en het resultaat de vorm heeft van harde en droge keutels. Het frequent verliezen van kleine hoeveelheden waterige ontlasting kan ook wijzen op verstopping. Dat is 'overloopdiarree' die langs de harde ontlasting naar buiten lekt.
De eerste tip om verstopping tegen te gaan is: drink voldoende. Dat wil zeggen: 1,5 tot 2 liter per dag. Let er verder op dat je voedsel voldoende voedingsvezels bevat. Die houden vocht vast en zwellen daardoor. Zij maken de ontlasting soepel en vergroten het volume, wat het transport door de darmen vergemakkelijkt. Bronnen van voedingsvezels zijn volkoren- en roggebrood, volkorenpasta, zilvervliesrijst, witte en bruine bonen, kapucijners en linzen, groente, fruit en aardappelen. Ook extra zemelen, bijvoorbeeld in yoghurt, stimuleren de stoelgang. Drink er wel veel bij, want anders kunnen de zemelen juist voor verstopping zorgen.
Andere leefregels: eet rustig en kauw goed, ga bij aandrang direct naar de wc en blijf in beweging (te voet of op de fiets).

Luie darm op de loer

Als bovenstaande leefregels niets uithalen, kan het soms nuttig zijn de toevlucht te nemen tot een laxeermiddel. Die zijn niet allemaal even goed. Het

Middelen bij verstopping

Middel	Werkzame stof	Inhoud	Richtprijs
Eerste keuze			
Bisacodyl tabletten*	bisacodyl	30 st	€1,70
Dulcodruppels*	natriumpicosulfaat	15 ml	€5,20
Dulcolax tabletten*	bisacodyl	30 st	€3,60
Dulcopearls capsules*	natriumpicosulfaat	50 ml	€6,95
Duphalac stroop	lactulose	200 ml	€6,75
Lactulose poeder	lactulose	30 st	€20,00
Lactulose stroop	lactulose	300 ml	€3,50
Laxeersiroop	lactulose	300 ml	€3,50
Legendal poeder	lactulose	30 st	€20,00
Nourilax tabletten*	bisacodyl	30 st	€3,25
Tweede keuze			
Colex klysma	natrium(bi)fosfaat	1 st	€1,20
Forlax junior poeder	macrogol	20 st	€16,50
Forlax poeder	macrogol	20 st	€12,00
Klyx klysma	natriumdocusaat/sorbitol	10 st	€11,00
Magnesiumoxide tabletten	magnesiumoxide	30 st	€1,00
Metamucil poeder	psylliumzaad	30 st	€8,50
Microlax klysma	o.a. natriumcitraat, sorbitol	4 st	€5,65
Norgalax klysma	natriumdocusaat, glycerol	6 st	€6,35
Normacol granules	sterculiagom	30 st	€11,85
Psylliumvezels	psylliumzaad	20 st	€5,30
Transipeg poeder	o.a. kaliumchloride	30 st	€9,70
Volcolon granules	psylliumzaad	30 st	€10,50
Niet aan te raden			
Agiolax granules	psylliumzaad, senna	1000 gr	€29,00
Amiqure Colostrum capsules	biest (colostrum van koe)	60 st	€20,00
Bekunis Senna Kruidenthee	senna	80 gr	€4,75
Colon Clean poeder	psylliumzaad, inuline	165 gr	€5,50
Fuca Excellent dragees	cascara, vuilboombast, zeewier, Chinese rabarber	30 st	€4,15
Herbesan thee	o.a. vuilboombast, handjesgras, venkel	80 gr	€3,75
Prunacolon stroop	gezuiverd senna-extract, dexpanthenol	75 ml	€3,95
Prunasine siroop	gezuiverd senna-extract, dexpanthenol	200 ml	€7,00
Reckeweg Colintest Gastreu R29 druppels	o.a. alumina D12, Bryonia cretica D4	50 ml	€14,95
Ricinusolie (Wonderolie of Castor oil)	ricinusolie	110 ml	€2,50
Sennocol tabletten	senna	24 st	€3,75
Stimulance Multi Fibre Mix	voedingsvezels	400 gr	€15,30
VSM Kindicol druppels	glycerol, silicea	10 ml	€8,30
X-Praep siroop	sennosiden	250 ml	€12,36

* Alleen voor kortdurend gebruik

middel bisacodyl bijvoorbeeld prikkelt de darmen om de ontlasting soepel te maken, maar levert wel het gevaar van een 'luie darm' op, die nog trager werkt dan hij al deed. Wil je incidenteel toch een laxeermiddel gebruiken, dan is lactulose de eerste keuze, omdat dat middel de ontlasting altijd helpt zachter te worden en ook geschikt is voor kinderen, zwangeren en ouderen. Verder ligt het aan de situatie wat de beste manier is om verstopping aan te pakken. Bij kortdurende verstopping (bijvoorbeeld iemand die gewend is dagelijks te gaan, maar nu twee dagen niet is geweest) is lactulose de beste keuze of kortdurend bisacodyl. Bij langdurige verstopping (bij dezelfde persoon een week) is een klysma (bijvoorbeeld Microlax) een goede keuze en daaropvolgend lactulose om de ontlasting zacht te houden. Lees voor het gebruik altijd goed de bijsluiter van laxeermiddelen.

Naar de dokter

Blijft de stoelgang een volle week uit, dan is het zaak naar de huisarts te gaan. De verstopping kan een teken zijn van een onderliggende ziekte, zoals suikerziekte, darmkanker of een schildklieraandoening.
Een voortdurende afwisseling van verstopping en diarree, samen met buikkrampen en winderigheid kan wijzen op het prikkelbaredarmsyndroom. Dat is een vervelende, maar onschuldige aandoening. Toch is het verstandig ook deze klachten met de huisarts te bespreken, om andere, ernstiger oorzaken uit te sluiten. Voldoende vezelrijk voedsel, drinken en lichaamsbeweging zijn ook bij deze aandoening het parool.
Andere aanleidingen om de huisarts te bezoeken:

- als je twee tot drie weken moeizaam kunt ontlasten, terwijl je de genoemde adviezen wel hebt opgevolgd;
- als je langer dan twee tot drie weken laxeermiddelen gebruikt;
- als de ontlasting slijmerig of bloederig is;
- als de verstopping gepaard gaat met afnemende eetlust en vermagering;
- als de stoelgang is veranderd;
- als je denkt dat de verstopping wordt veroorzaakt door medicijnen.

Zorg bij migraine

Consumentengids maart 2012

Bij een migraineaanval raakt de samenwerking tussen bloedvaten en zenuwbanen in de hersenen tijdelijk verstoord. De bloedvaten in het hoofd worden eerst gestimuleerd zich te vernauwen, gevolgd door de prikkel om sterk uit te zetten. Waardoor dit proces in gang wordt gezet, is nog steeds niet duidelijk. Soms kan lang of juist kort slapen een aanval oproepen. Aanvallen kunnen volgen op een periode van stress – de eerste dag van de vakantie – of worden uitgelokt door voedingsmiddelen als kaas en wijn. Vrouwen signaleren vaak een samenhang met veranderingen in de hormoonhuishouding. Sommige mensen krijgen een halfuur tot een uur voor de aanval een 'waarschuwing'; ze zien dan schitteringen of lichtflitsen of de omgeving lijkt te golven. Zo'n aankondiging van een aanval kan zelfs een tijdelijke verlamming van een arm of spraakstoornissen met zich meebrengen.

Pijnstillers proberen

Heeft de huisarts de diagnose gesteld, dan begint de behandeling met het proberen van verschillende pijnstillers als je een aanval voelt opkomen. Begonnen wordt met een eenvoudige pijnstiller als paracetamol. Helpt die niet, dan zijn niet-steroïde ontstekingsremmende pijnstillers, NSAID's als naproxen en ibuprofen, de tweede stap.
Wie geen baat heeft bij reguliere pijnstillers, probeert in overleg met de behandelend arts een speciaal middel tegen migraine, de triptanen. Er zijn verschillende triptanen, zoals naratriptan (Naramig) en sumatriptan (Imigran), waarvan niet van tevoren te voorspellen is welke variant zal werken. Triptanen binden zich aan bepaalde plaatsen in de hersenen, zodat de stoffen die zorgen voor het verwijden van de bloedvaten niet meer afgegeven worden. Mocht dit traject onvoldoende resultaat opleveren, dan is een verwijzing naar een in hoofdpijn gespecialiseerde neuroloog verstandig.
Voor wie meer dan twee hoofdpijnaanvallen per maand heeft of bij wie de hoofdpijn de kwaliteit van leven ernstig beïnvloedt, zijn er medicijnen die aanvallen voorkomen. Vaak toegepast worden propranolol (een bètablokker) en medicijnen tegen epilepsie.
Krista Roon, neuroloog van het Reinier de Graaf Gasthuis in Delft: 'Op de poli zie ik vaak mensen die vanwege hun migraineklachten zoveel medicijnen gebruiken dat ze door de bomen het bos niet meer zien. Het vervelende is dat het gebruik van pijnstillers ook hoofdpijn kan veroorzaken. Om een

goed inzicht in de klachten te krijgen, is het noodzakelijk helemaal te stoppen met medicijnen en geen koffie, thee, ijsthee, Red Bull en cola te nemen. Dat is heel zwaar, vooral omdat zo'n afkickperiode wel drie maanden kan duren. In die periode hebben de patiënten regelmatig contact met onze hoofdpijnverpleegkundigen, die ook voor morele steun zorgen. Pas daarna is het mogelijk een adequaat medicijnbeleid vast te stellen.'

Behandelen zonder medicijnen

Migraine wordt ook wel behandeld zonder medicijnen, maar de effectiviteit daarvan is vaak onduidelijk. Biofeedbacktraining bijvoorbeeld, waarbij 'bewakingsapparatuur' waarschuwt voor factoren die kunnen bijdragen aan migraineaanvallen, zoals stijve spieren. Met de spierverlammer botox – ook gebruikt om rimpels te behandelen – zouden in Groot-Brittannië en de Verenigde Staten goede resultaten zijn bereikt.

Redelijk recent is de toepassing van *medical taping*, de op de huid geplakte tape beïnvloedt het onderliggende spier- en bindweefsel. Deze techniek wordt al langer gebruikt bij sportblessures en RSI. Behalve voor beweging zijn spieren ook bepalend voor bloed- en lymfecirculatie en voor de lichaamstemperatuur. Niet goed functionerende spieren zouden migraine kunnen veroorzaken. Tape op nek, hals en schouders zou migraineaanvallen verminderen.

Ten slotte kunnen ontspanningstechnieken en meditatie helpen. Neuroloog Krista Roon: 'Acupunctuur kan migraine verlichten, maar wetenschappelijk

Is het wel migraine?

Hoe weet je of het om migraine of een andere vorm van hoofdpijn gaat? Wie last heeft van ten minste twee van de volgende verschijnselen, kan ervan uitgaan dat er waarschijnlijk sprake is van migraine:

- pijn aan één zijde van het hoofd;
- een bonzende of kloppende pijn;
- ernstige tot heftige klachten;
- de klachten worden erger wanneer je in beweging komt.

Wie daarnaast last heeft van misselijkheid en braken en/of licht en geluid moeilijk kan verdragen, lijkt bijna zeker tot de groep van twee miljoen Nederlanders te horen die last heeft van migraine.

Voorlopers

Verspreid over Nederland zijn er ziekenhuizen met een hoofdpijncentrum of migrainepolikliniek, waarin professionals samenwerken: van neuroloog tot diëtist en van maatschappelijk werker tot verpleegkundige. De Consumentenbond bekeek van alle ziekenhuizen het aanbod aan behandelmogelijkheden voor migraine. Artsen en voormalig patiënten bepaalden wat van belang is bij de beoordeling van de kwaliteit van de behandeling. Bijvoorbeeld of er gebruik wordt gemaakt van een hoofdpijndagboek, of de behandeling verloopt volgens een vast protocol en of je een vaste neuroloog hebt. De 15 ziekenhuizen die als voorlopers zijn aangemerkt, voldoen aan alle gestelde eisen.

Almere	Flevoziekenhuis
Baarn	Meander Medisch Centrum
Delft	Reinier De Graaf Groep
Den Bosch	Jeroen Bosch Ziekenhuis
Dokkum	De Sionsberg
Gorinchem	Beatrix Ziekenhuis
Helmond	Elkerliek Ziekenhuis
Hilversum	Tergooiziekenhuizen
Nijmegen	Canisius-Wilhelmina Ziekenhuis
Roermond	Laurentius Ziekenhuis
Sittard-Geleen	Orbis Medisch Centrum
Sneek	Antonius Ziekenhuis
Venlo	VieCuri Medisch Centrum
Zutphen	Gelre Ziekenhuis
Zwolle	Isala Klinieken

bewijs is daarvoor niet. Biofeedbacktraining heeft nogal wat invloed op het leven van de patiënt en heeft niet veel meerwaarde boven ontspanningsoefeningen. Van medical taping is de werking wetenschappelijk niet aangetoond. Botox zou een oplossing kunnen zijn voor mensen die zonder medicijnen meer dan 15 dagen per maand migraine hebben, maar de experimenten in het buitenland zijn nog niet overtuigend.'

Zie ook het dossier *Migraine* op www.consumentenbond.nl.

Zorg na een beroerte

Consumentengids januari 2012

Elk jaar krijgen 41.000 Nederlanders voor het eerst een beroerte en 7000 mensen treft het opnieuw. Bij mannen en vrouwen staat een beroerte in de top-5 van doodsoorzaken. Ze is de meest voorkomende oorzaak van invaliditeit en ontstaat meestal door zwakke bloedvaten. Dit kan komen door ouderdom, een ongezonde levensstijl, suikerziekte, een te hoge bloeddruk en/of een verhoogd cholesterolgehalte.
Bij een herseninfarct (zie het kader 'Wat is een beroerte?') moeten snel bloedverdunners worden toegediend. Het gaat om een medicijn dat het bloedstolsel in de hersenen oplost: trombolyse. Bij voorkeur start dit binnen een uur. Na 4,5 uur neemt de kans op herstel van de patiënt drastisch af en de kans op ernstige invaliditeit toe.
Gaat het om een hersenbloeding, dan werkt trombolyse averechts. Bij deze patiënten wordt geprobeerd de bloeding te stoppen.

Revalidatie

Een beroerte heeft blijvende gevolgen. De patiënt heeft er veel baat bij als de revalidatie snel begint. Dat vermindert de kans op overlijden en restverschijnselen. De kans is dan groot dat de patiënt uiteindelijk weer veel zelf kan, zoals zich wassen, aankleden en eten. Op de eerste ziekenhuisdag moet ook de fysiotherapie starten, bij voorkeur tweemaal per dag.
De gevolgen van een beroerte hangen af van de plaats in de hersenen die wordt beschadigd. Als de linkerhersenhelft wordt getroffen, treedt er meestal verlamming op in de rechterlichaamshelft. Een aantal mensen krijgt hier-

Wat is een beroerte?

Een beroerte wordt ook wel CVA (cerebrovasculair accident) genoemd. Er zijn twee vormen: een herseninfarct, waarbij een bloedstolsel het bloedvat afsluit, en een hersenbloeding, waarbij een bloedvat is gescheurd en er bloed in of rond de hersenen stroomt.
Een TIA (*transcient ischemic attack*) is een voorbijgaande beroerte. Er ontstaan tijdelijke uitvalverschijnselen die meestal niet langer dan 20 minuten duren. Een TIA kan een voorbode zijn van een echte beroerte.
Beroertes betreffen in 80% van de gevallen een herseninfarct en in 20% een hersenbloeding. Met een CT-scan is het verschil goed te zien.

Zorg na een beroerte

Nummer op kaart	Plaats (alfabetisch)	Ziekenhuis	Trombolyse[1]	Halsslagaders[2]
De koplopers				
1	Almelo	Ziekenhuisgroep Twente	√	√
2	Amersfoort	Meander Medisch Centrum	√	√
3	Amsterdam	Sint Lucas Andreas Ziekenhuis	√	√
4	Amsterdam	Slotervaartziekenhuis	√	√
5	Apeldoorn	Gelre Ziekenhuizen	√	√
6	Beverwijk	Rode Kruis Ziekenhuis	√	√
7	Breda	Amphia Ziekenhuis	√	√
8	Capelle ad IJ.	IJsselland Ziekenhuis	√	√
9	Den Haag	Haga Ziekenhuis	√	√
10	Eindhoven	Catharina Ziekenhuis	√	√
11	Emmen	Scheper Ziekenhuis	√	√
12	Groningen	Martini Ziekenhuis	√	√
13	Groningen	Universitair Med. Centrum	√	√
14	Haarlem	Kennemer Gasthuis	√	√
15	Hoorn	Westfries Gasthuis	√	√
16	Nieuwegein	Sint Antonius Ziekenhuis	√	√
17	Nijmegen	Univ. Med. Centr. St Radboud	√	√
18	Roosendaal	Franciscus Ziekenhuis	√	√
19	Rotterdam	Ikazia Ziekenhuis	√	√
20	Rotterdam	Sint Franciscus Gasthuis	√	√
21	Schiedam	Vlietland Ziekenhuis	√	√
22	Sittard	Orbis Medisch Centrum	√	√
23	Tilburg	Sint Elisabeth Ziekenhuis	√	√
24	Tilburg	TweeSteden ziekenhuis	√	√
25	Venlo	VieCuri Medisch Centrum	√	√
26	Zwolle	Isala Klinieken	√	√
De middengroep				
27	Alkmaar	Medisch Centrum Alkmaar		√
28	Almere	Flevoziekenhuis		√
29	Amsterdam	Academisch Med. Centrum	√	√
30	Amsterdam	Onze Lieve Vrouwe Gasthuis		√
31	Amsterdam	Vrije Universiteit Amsterdam		√
32	Arnhem	Ziekenhuis Rijnstate		√
33	Assen	Wilhelmina Ziekenhuis		
34	Bergen op Zoom	Lievensberg ziekenhuis	√	
35	Boxmeer	Maasziekenhuis Pantein		
36	Delft	Reinier De Graaf Groep		√

Nummer op kaart	Plaats (alfabetisch)	Ziekenhuis	Trombolyse[1]	Halsslagaders[2]
37	Den Bosch	Jeroen Bosch Ziekenhuis		√
38	Den Haag	Het Bronovo Ziekenhuis		√
39	Den Haag	Med. Centrum Haaglanden		√
40	Den Helder	Gemini Ziekenhuis	√	
41	Deventer	Deventer Ziekenhuis		√
42	Doetinchem	Slingeland Ziekenhuis		√
43	Dokkum	Ziekenhuis De Sionsberg	√	
44	Dordrecht	Albert Schweitzer Ziekenhuis		√
45	Drachten	Nij Smellinghe Ziekenhuis	√	
46	Ede	Ziekenhuis Gelderse Vallei		√
47	Enschede	Medisch Spectrum Twente		√
48	Geldrop	St. Anna Ziekenhuis		√
49	Gorinchem	Beatrix Ziekenhuis	√	
50	Gouda	Groene Hart Ziekenhuis		√
51	Hardenberg	Röpcke-Zweers Ziekenhuis		
52	Harderwijk	Ziekenhuis St Jansdal		√
53	Heereveen	Ziekenhuis de Tjongerschans		√
54	Heerlen	Atrium Med. Centr. Parkstad	√	√
55	Helmond	Elkerliek Ziekenhuis		√
56	Hilversum	Tergooiziekenhuizen	√	√
57	Hoofddorp	Spaarne Ziekenhuis		√
58	Hoogeveen	Bethesda Ziekenhuis		√
59	Leeuwarden	Medisch Centr. Leeuwarden		√
60	Leiden	Diaconessenhuis Leiden	√	√
61	Leiden	Leids Univ. Medisch Centrum	√	√
62	Leiderdorp	Rijnland Ziekenhuis	√	√
63	Lelystad	MC|Groep		√
64	Maastricht	Academisch Ziekenhuis		√
65	Meppel	Diaconessenhuis Meppel		
66	Nijmegen	Canisius-Wilhelmina Ziekenh.		√
67	Purmerend	Waterlandziekenhuis		
68	Roermond	Laurentius Ziekenhuis		
69	Rotterdam	Erasmus MC		√
70	Rotterdam	Havenziekenhuis	√	
71	Rotterdam	Maasstadziekenhuis		√
72	Sneek	Antonius Ziekenhuis Sneek		
73	Terneuzen	Zorgsaam Zeeuws-Vlaanderen		√
74	Tiel	Ziekenhuis Rivierenland Tiel	√	

Nummer op kaart	Plaats (alfabetisch)	Ziekenhuis	Trombolyse[1)]	Halsslagaders[2)]
75	Utrecht	Universitair Medisch Centrum		√
76	Veldhoven	Maxima Medisch Centrum		√
77	Weert	St. Jans Gasthuis		
78	Winterswijk	Streekziekenhuis Kon. Beatrix	√	
79	Woerden	Zuwe Hofpoort Ziekenhuis	√	
80	Zaandam	Zaans Medisch Centrum	√	
81	Zutphen	Gelre Ziekenhuizen	√	
De achterblijvers				
82	Dirksland	Van Weel-Bethesda Ziekenh.		
83	Oss	Ziekenhuis Bernhoven		√
84	Spijkenisse	Ruwaard v. Putten Ziekenhuis		
85	Vlissingen	De Ruyter Ziekenh. Walcheren		√
86	Zoetermeer	't Lange Land Ziekenhuis		√

1) Meer dan 85% van de patiënten is in minder dan één uur getrombolyseerd.
2) Operatie aan de halsslagaders mogelijk.

door te maken met afasie: een taalstoornis die praten, lezen, schrijven en begrijpen van taal moeilijk maakt. Een beroerte in de rechterhersenhelft geeft juist een verlamming aan de linkerkant van het lichaam.
Veel van de patiënten hebben geen besef meer van wat er met ze aan de hand is. Ze denken ten onrechte dat het wel meevalt. Vaak krijgen ze te maken met gevolgen als incontinentie, concentratiestoornissen, extreme vermoeidheid en depressies.
Als elke hersencel telt, is het belangrijk te weten in welke ziekenhuizen de behandeling van een beroerte snel start. De Consumentenbond zette de ziekenhuizen op basis van de gegevens van Zichtbare Zorg uit 2010 op een rij.

Is het een beroerte?

Gezicht Trekt het gezicht scheef? Vraag om even te glimlachen.
Arm Laat de armen vooruitsteken, handpalmen naar boven. Zakt een arm?
Spraak Klinkt de spraak vreemd? Vraag om een zin na te zeggen.
Tijd Elke seconde sterven er hersencellen. Bel 112 bij een verschijnsel van beroerte.

Dit bureau van de Inspectie voor de Gezondheidszorg vraagt elk jaar aan alle Nederlandse ziekenhuizen een aantal belangrijke gegevens van veelvoorkomende ziekten als een beroerte. Per ziekte is door artsen en voormalig patiënten bepaald welke gegevens belangrijk zijn voor de behandeling. Om uit te blinken moeten de ziekenhuizen aan een aantal eisen voldoen. Zo moet het ziekenhuis 85% van de patiënten binnen een uur trombolyse toedienen. Er zijn allerlei redenen waarom het soms niet binnen een uur lukt. Patiënten die medicijnen slikken vanwege suikerziekte mogen niet direct aan de trombolyse. Soms moet eerst de bloeddruk dalen. De CT-scan waarmee vast komt te staan of het echt om een herseninfarct gaat, moet binnen dit eerste uur worden gedaan.
Het ziekenhuis moet dus 24 uur per etmaal, 7 dagen per week de scan kunnen uitvoeren. Een andere eis is dat de revalidatie binnen 24 uur start, ongeacht de dag van de week. Revalidatie houdt in dat de patiënt op de eerste dag al uit bed wordt gehaald om bijvoorbeeld te oefenen met lopen.
Patiënten die een TIA hebben gehad, moeten soms een operatie aan de halsslagader ondergaan. Niet alle ziekenhuizen voeren deze operatie uit. Om koploper te worden, moet het ziekenhuis deze operatie kunnen uitvoeren.

Koplopers en achterblijvers

Patiënten vinden het belangrijk dat alle behandelingen op één locatie plaatsvinden en dat er een gespecialiseerde verpleegkundige bij de behandeling betrokken is. Daarnaast willen zij dat alle patiënten besproken worden in een overleg met artsen, fysiotherapeuten en andere betrokkenen. Alleen een ziekenhuis dat aan al deze eisen voldoet, kan koploper worden.
Ziekenhuizen die bij minder dan 40% van de patiënten binnen een uur starten met trombolyse beoordelen wij als achterblijvers. Vaak voldoen ze ook niet aan een aantal andere eisen. Niet alle ziekenhuizen voeren trombolyse uit. Dan zijn er afspraken met andere ziekenhuizen die de behandeling overnemen. Het personeel in de ambulance is van deze afspraken op de hoogte en vervoert de patiënt naar het juiste ziekenhuis.

Zie ook het dossier *Beroerte* op www.consumentenbond.nl.

Zorginkoop

Gezondgids december 2011

Wat & hoe

De Consumentenbond ondervroeg alle zorgverzekeraars over hun beleid op het gebied van concentratie en specialisatie van ziekenhuiszorg. Daarnaast zijn hun websites op 1 november 2011 onderzocht op de duidelijkheid over dit beleid, informatie over de kwaliteit van ziekenhuizen, de gevolgen van de normen en de informatie over bijbetalen.

Om de informatie over de kwaliteit te beoordelen, zijn alle websites bekeken op de behandeling van borstkanker.

Zorgverzekeraars bemoeien zich steeds vaker met welk ziekenhuis hun klanten kiezen, soms tot verbazing van die klanten zelf. In dit artikel bespreken we de meest gestelde vragen.

Ik las in de krant dat ziekenhuizen stoppen met sommige behandelingen. Waarom is dat?

Tot nu toe kon je voor de meeste behandelingen in elk ziekenhuis in Nederland terecht. Maar de zorg wordt opnieuw ingericht. Sommige ziekenhuizen gaan samenwerken, andere stoppen met bepaalde operaties. Dat komt doordat de verenigingen van medisch specialisten richtlijnen hebben opgesteld, waarin staat hoe vaak een ziekenhuis een bepaalde operatie moet doen om voldoende kwaliteit te bieden.

Meer ervaring betekent minder complicaties en minder sterfte. Zo moet een ziekenhuis jaarlijks minimaal 50 borstkankeroperaties uitvoeren en 10 operaties voor blaaskanker. Vooral voor gespecialiseerde zorg moeten patiënten, en dus ook hun bezoek, verder gaan reizen.

Mijn verzekeraar vergoedt de behandeling alleen als ik naar het ziekenhuis 20 km verderop ga. Mag dat?

Ja, dat mag als je een naturapolis hebt. Heb je een restitutiepolis en wil je naar het ziekenhuis in de buurt dat de verzekeraar afraadt, dan kan dat wel. Een restitutiepolis biedt namelijk keuzevrijheid. Je krijgt van je zorgverzekeraar de kosten vergoed, maar vaak betaal je hier wel een hogere premie voor. Heb je een naturapolis, dan krijg je geen vergoeding van je verzekeraar, maar krijg je zorg. De zorgverzekeraar kan daardoor een bepaald aantal zorgaanbieders selecteren en contracteren waar verzekerden uit kunnen kiezen.

Mijn verzekeraar heeft geen contract meer met het ziekenhuis waar ik graag naartoe wil. Moet ik de behandeling nu zelf betalen?
Er kunnen allerlei redenen zijn om toch liever naar een ziekenhuis te gaan waar je goede ervaringen mee hebt, ook al heeft het geen contract met je verzekeraar. Dan is het belangrijk te weten of en zo ja, hoeveel moet worden bijbetaald. De websites van zorgverzekeraars zijn daar niet altijd duidelijk over. Bij de meeste is het uiteindelijk wel ergens te vinden.
Positieve uitzonderingen zijn onder andere Interpolis, De Amersfoortse, VGZ, IZA, IZZ, Univé en Salland. Op hun websites staat duidelijk of je moet bijbetalen en zo ja, hoe je achter deze informatie komt. De Amersfoortse stelt helder dat als zorgaanbieders niet gecontracteerd zijn, er een maximumvergoeding geldt. In een lijst staat van honderden behandelingen dat maximumbedrag. Ook is er een informatienummer.
Agis, Pro Life, TakeCareNow!, Delta Lloyd, Ohra en Blue zijn het minst duidelijk: daar is het alleen in de kleine letters van de polisvoorwaarden te vinden.

Volumenormen

De beroepsverenigingen van chirurgen hebben dit jaar voor een aantal operaties kwaliteitsnormen opgesteld.
Onderdeel van deze normen zijn de volumenormen: hoeveel operaties moet een ziekenhuis uitvoeren om voldoende kwaliteit te leveren? Voor een aantal zeldzame operaties, bijnierkanker en blaasverwijdering, is dit 10. Operaties die vaker voorkomen moeten door ziekenhuizen minimaal 20 keer per jaar worden uitgevoerd. Dit geldt voor operaties bij: slokdarmkanker, alvleesklierkanker, leverkanker, longkanker, (bij)schildklierkanker en aneurysma van de buikaorta. Voor borstkanker en operaties aan de darm ligt de grens op 50 operaties per jaar. Operaties bij ernstig overgewicht moeten ziekenhuizen minimaal 100 keer per jaar uitvoeren.
Behalve aan de volumenormen moeten ziekenhuizen ook aan andere eisen voldoen. In een ziekenhuis moeten bijvoorbeeld minimaal twee chirurgen ervaring hebben met de operatie. Ook moeten alle betrokken specialisten voor en na de operatie overleggen over de diagnose, behandeling en vervolgaanpak. En voor sommige operaties moeten ziekenhuizen bepaalde specialisten in dienst hebben, zoals een stomaverpleegkundige of maag-lever-darmarts.

Check je polis

Zorgverzekeraars sluiten jaarlijks nieuwe contracten met zorgaanbieders. Het kan daarom gebeuren dat je voor de zorgaanbieder waar je altijd naartoe ging ineens moet bijbetalen.
Om bijbetalen te voorkomen is het belangrijk je polis en de contracten die je zorgverzekeraar heeft te controleren. Zelfs al heb je een restitutiepolis. Sommige polissen worden door verzekeraars namelijk gepresenteerd als restitutiepolissen, maar zijn dat niet volledig. Het kan zijn dat voor bepaalde vormen van zorg, bijvoorbeeld fysiotherapie, toch wordt gewerkt met gecontracteerde zorgaanbieders.
Of de zorgverzekeraar een contract heeft met een zorgaanbieder is vaak op de website te vinden. Bij twijfel is het verstandig je zorgverzekeraar te bellen en een schriftelijke bevestiging te vragen. Ook als je van plan bent te wisselen van zorgverzekeraar is het belangrijk na te gaan of je nieuwe verzekeraar wel een contract heeft met je vertrouwde zorgaanbieders.

En vorig jaar was er nog niets aan de hand?
Zorgverzekeraars maken afspraken met ziekenhuizen over welke operaties ze mogen uitvoeren. Tot 2010 deden ze dit met alle ziekenhuizen voor bijna alle behandelingen. Hierdoor konden verzekerden zelf uit de meeste ziekenhuizen kiezen en was er nog niets aan de hand. Maar om de effectiviteit en kwaliteit van de zorg te verhogen, gaan verzekeraars alleen ziekenhuizen contracteren die voldoende kwaliteit bieden.
Volgens de normen moeten ziekenhuizen jaarlijks bijvoorbeeld minimaal tien blaasverwijderingen uitvoeren. Zorgverzekeraar CZ is een van de eerste zorgverzekeraars die de ziekenhuizen hierop contracteert. Als een ziekenhuis de tien operaties per jaar niet haalt, krijgt het geen contract meer. Blijft een ziekenhuis toch de behandeling uitvoeren, dan kan de zorgverzekeraar haar verzekerden adviseren om niet meer naar dat ziekenhuis te gaan. Het kan zijn dat je moet bijbetalen.

Ik wil per se in mijn eigen ziekenhuis worden behandeld. Doen alle zorgverzekeraars mee?
Alle zorgverzekeraars zullen vroeg of laat de nieuwe operatienormen toepassen. Niet met het doel patiënten te verjagen naar andere ziekenhuizen, maar om de zorgkwaliteit te verhogen. Ziekenhuizen zullen uiteindelijk, door gebrek aan patiënten, met bepaalde operaties moeten stoppen. Wil

Koplopers

Zorgverzekeraar, maatschappij

- Agis, Achmea
- Avéro Achmea, Achmea
- CZ, CZ
- CZ Direct, CZ
- DVZ, Achmea
- FBTO, Achmea
- Interpolis, Achmea
- OZF Achmea, Achmea
- Pro Life, Achmea
- Zilveren Kruis Achmea, Achmea

Middenmoters

Zorgverzekeraar, maatschappij

- AZVZ, Zorg en Zekerheid
- De Amersfoortse, ASR
- De Friesland, De Friesland Zorgverzekeraar
- De Goudse, UVIT
- Ditzo, ASR
- Energiek, Eno
- HollandZorg, Eno
- IZA, UVIT
- IZZ, UVIT
- ONVZ, ONVZ
- Salland, Eno
- Univé, UVIT
- VGZ, UVIT
- Zorg en Zekerheid, Zorg en Zekerheid

Achterblijvers

Zorgverzekeraar, maatschappij

- Anderzorg, Menzis
- Azivo, Menzis
- Blue, UVIT
- Delta Lloyd, CZ
- DSW, DSW/Stad Holland
- Kiemer, De Friesland Zorgverzekeraar
- Menzis, Menzis
- OHRA, CZ
- PNO Ziektekosten, ONVZ
- Stad Holland, DSW/Stad Holland
- TakeCareNow!, Achmea
- UMC, UVIT
- VvAA, ONVZ
- ZEKUR, UVIT

je tot die tijd per se naar je eigen ziekenhuis, ook al ontraadt de zorgverzekeraar dat, dan is het verstandig over te stappen naar een restitutiepolis.

Welke zorgverzekeraars lopen voorop?

Niet elke zorgverzekeraar is even snel in het toepassen van de normen. CZ gooide in 2010 de knuppel in het hoenderhok door voor borstkanker het contract met meerdere ziekenhuizen op te zeggen. Na wat gemopper besloten de artsenverenigingen eieren voor hun geld te kiezen en kwamen ze zelf met iets minder ambitieuze operatienormen.

Ook Agis en De Friesland selecteren al langere tijd ziekenhuizen op het aantal behandelingen dat ze uitvoeren.

De meeste verzekeraars zijn in actie gekomen toen de normen door artsen zelf werden vastgesteld. Achmea was daar snel mee. Op websites van de verschillende verzekeraars die onder Achmea vallen, is te zien welke ziekenhuizen wel aan de normen voldoen en welke (nog) niet. Sinds 2012 krijgen ziekenhuizen die niet aan de normen voldoen ook geen contract meer. ONVZ zal zelf geen ziekenhuizen uitsluiten, maar gebruikt de normen bij zijn adviezen aan de verzekerden. Zolang een ziekenhuis de behandeling uitvoert, kunnen verzekerden er dus gewoon naartoe.

Ik moet worden geopereerd. Heb ik nog wat te kiezen?
In Nederland zijn ruim honderd ziekenhuizen. Ook al stopt er een aantal, er zullen nog voldoende ziekenhuizen over blijven. Alleen zal niet alle zorg nog in de directe omgeving mogelijk zijn. Om een keuze te maken, moeten zorgverzekeraars hun verzekerden helpen. Alle verzekeraars hebben daarvoor een zorgzoeker op hun website. Daarmee kun je zoeken naar (gecontracteerde) zorgaanbieders in de buurt. Voor zorgverzekeraars is hun website bij uitstek een plek om meer informatie te geven over de kwaliteit van ziekenhuizen.

Bij welke zorgverzekeraar vind ik op de website informatie over de beste zorg?
Begin november 2011 controleerden we de websites van alle zorgverzekeraars op de informatie over de normen en kwaliteit van ziekenhuizen. We constateerden een duidelijke kopgroep, middengroep en achterblijvers. De koplopers geven informatie over de kwaliteit van ziekenhuizen en voor welke behandelingen welke normen gelden. Ook is te zien welke ziekenhuizen wel en niet aan de normen voldoen.
Enkele middenmoters, waaronder ONVZ, Salland en Zorg en Zekerheid, maken gebruik van dezelfde zorgzoeker. Daarin is in detail te zien hoe ziekenhuizen scoren op verschillende indicatoren; erg veel informatie, maar voor de meeste mensen waarschijnlijk moeilijk op waarde te schatten. Ook ontbreekt bij de middenmoters vaak de behandelervaring.
Bij de achterblijvers is weinig tot geen informatie over kwaliteit te vinden. Dat is bijvoorbeeld bij Menzis vreemd, omdat deze zorgverzekeraar wel afspraken maakt met ziekenhuizen over kwaliteit. Bij DSW en Stad Holland ontbreekt elke informatie over kwaliteit.

Hoe zit het met zorgverzekeraars die onder één maatschappij vallen?
In Nederland zijn ongeveer veertig zorgverzekeraars. Deze zijn verenigd

in tien bedrijven. Zo hoort Ohra bij de CZ-groep. CZ maakt ook afspraken voor Ohra. Het is vreemd dat bij CZ wel te vinden is welke ziekenhuizen aan de norm voldoen en bij OHRA niet. Ook bij Agis en TakeCareNow! is dat verschil te zien. Op de website van Agis staat veel informatie, maar bij TakeCareNow! kom je niet verder dan het soort contract dat de ziekenhuizen met Agis hebben. Erg verwarrend als je verzekerde bij TakeCareNow! bent.

Zie ook het dossier *Zorgverzekering* op www.consumentenbond.nl.

Espressoapparaten

Consumentengids december 2011

Trendy koffieketens schieten als paddenstoelen uit de grond en ook thuis mag een kop koffie best bijzonder zijn. Dat zie je aan de verkoopaantallen van espressoapparaten. In 2011 zijn 6% meer apparaten verkocht ten opzichte van dezelfde periode in 2010. Eenderde van de nu verkochte koffiezetapparaten zijn espressoapparaten. Meestal zijn dit apparaten die met cups werken of volautomaten waarbij bonen worden gemalen in het apparaat.
Bij de volautomaten zijn onetouchapparaten populair. Ze hebben een reservoir voor bonen en melk. Door de melk met lucht te mengen ontstaat melkschuim, dat direct in het kopje belandt. Daardoor gaat het zetten van een cappuccino of een macchiato in een handomdraai. Het melkreservoir bewaar je in de koelkast tot je het weer nodig hebt.
De test van de Consumentenbond omvat populaire one-touchapparaten. De term 'one touch' doet vermoeden dat je elke gewenste koffievariant maakt met één druk op de knop, maar er komt wel wat meer bij kijken. Er zijn verschillende koffievarianten op de apparaten te selecteren. Espresso, cappuccino en macchiato komen veel voor. Soms kun je zelfs een eigen koffie, *my coffee*, programmeren.
Naast de keuze voor het soort koffie hebben de apparaten een instelbare maalgraad voor de bonen. Die is instelbaar van fijn tot grof, soms zelfs traploos. Welke stand de beste is, hangt af van de bonen en je smaak. Verder is vaak de hoeveelheid water in te stellen voor een slap of sterk kopje en de hoeveelheid melk.

Een of twee minuten

Voor onze test zijn de machines door een deskundige zo afgesteld dat de instellingen vergelijkbaar zijn. Omdat espresso de basis is van alle koffievarianten, is met de machines espresso gezet. Zowel een kopje als twee tegelijk

Koffievarianten

Met een volautomatische espressomachine kun je doorgaans heel wat verschillende koffievarianten automatisch maken, alle gebaseerd op espresso. Naast de standaardsoorten hebben sommige apparaten de mogelijkheid om een eigen koffievariant te programmeren.

Zonder melk heb je de keuze uit:

- *Doppio*: een dubbele espresso in één kopje.
- *Ristretto*: een dubbel geconcentreerde espresso.
- *Lungo*: er loopt twee keer zoveel water door de gemalen bonen, waardoor dit wat meer koffiesmaak van de bonen opneemt, maar de koffie wordt wel wat slapper.
- *Caffè americano*: lijkt op een lungo, maar hier is na het zetten heet water aan de espresso toegevoegd. De koffie is minder bitter dan een lungo en lijkt het meest op een gewone kop koffie.

Met melk maak je een:

- *Cappuccino*: gelijke delen melk, melkschuim en espresso.
- *Caffè latte*: in wezen een Italiaanse koffie verkeerd. Het is een lungo die voor de helft uit melk bestaat.
- *Latte macchiato*: deze koffie kenmerkt zich door drie lagen. Er wordt koffie aan de opgeschuimde melk toegevoegd, waardoor zich onderin warme melk bevindt, dan een laag espresso en bovenop melkschuim.
- *Caffè macchiato*: lijkt op een latte, maar wordt met veel minder melk bereid; het is meer een toefje melkschuim.

en ook twee kopjes direct na elkaar. We maten de benodigde opwarm- en zettijd, de temperatuur en het energiegebruik. Ook is beoordeeld hoe goed de machine melk opschuimt.

De De'Longhi 455M en de Philips 8943 hebben meer dan 75 seconden nodig om op te warmen; de Siemens TE 706209RW is al binnen 27 seconden klaar voor gebruik. Bij de Siemens heb je inclusief opwarmen na een minuut een kopje gezet. De De'Longhi 455M doet er twee minuten over.

Als het water te snel doorloopt, heeft de koffie nauwelijks smaak. Maar als het te langzaam doorloopt, smaakt de koffie verbrand en wordt de *crema* (het laagje schuim) te donker.

Alle modellen kunnen direct na het eerste kopje een volgend kopje zetten en dat kost ongeveer evenveel tijd als het eerste. Veel volautomaten hebben een timer, waarmee een kopje espresso klaarstaat op de ingestelde tijd.

Onetouchespressoapparaten

		Merk & Type	Richtprijs	Testoordeel	Opwarm- en bereidingstijd	Temperatuur	Energiegebruik	Melk opschuimen	Gebruiksaanwijzing	Gebruiksgemak	Espressokwaliteit	Afmetingen (cm)
▶ ■	1.	**De'Longhi** ECAM23.450S	€800	**7,9**	□	++	+	+	+	++	+	35x24x44
■	2.	**De'Longhi** ECAM26.455M	€1400	**7,8**	□	++	+	++	+	++	+	34x23x45
	3.	**Jura** ENA 9 One Touch	€860	**7,5**	□	++	+	niet	+	++	□	36x23x44
	4.	**Jura** Impressa J9 One Touch TFT	€1700	**7,6**	+	++	+	+	+	++	□	34x29x44
	5.	**Melitta** Caffeo CI	€950	**7,4**	□	++	+	+	+	+	+	35x26x48
	6.	**Philips Saeco** HD 8839	€570	**7,1**	□	++	+	+	+	++	□	32x26x40
	7.	**Philips Saeco** HD 8943	€1150	**7,1**	□	++	□	□	+	+	+	38x28x38
	8.	**Siemens** TE 506209RW	€800	**7,3**	□	++	++	+	+	+	□	38x28x46
	9.	**Siemens** TE 706209RW	€1150	**7,2**	+	+	+	+	+	++	–	34x29x45

++ Zeer goed + Goed □ Redelijk – Matig –– Slecht ■ Beste uit de test ▶ Beste koop

- Van de modellen van Siemens is een technisch identiek model van Bosch verkrijgbaar. De Bosch TES 50621RW is gelijk aan de TE 506 van Siemens. De Bosch TES 70621RW is gelijk aan de TE 706 van Siemens.
- Bij de Jura ENA 9 is het opschuimen van melk niet beoordeeld, omdat het melkreservoir niet standaard wordt meegeleverd.
- De prijzen zijn van oktober 2011.
- Het Testoordeel is opgebouwd uit suboordelen die voor de volgende percentages meetellen: opwarm- en bereidingstijd 5%, temperatuur 15%, energiegebruik 15%, melk opschuimen 5%, gebruiksaanwijzing 5%, gebruiksgemak 30%, espressokwaliteit 20% en tegelijk twee kopjes zetten (niet in tabel) 5%.

Een espresso hoort ongeveer 67 °C te zijn. De Siemens TE 706209RW levert koffie met de laagste temperatuur, 63 °C; dat is net aan de lage kant. Geen van de machines levert een eerste kopje dat veel te heet of te koud is. Het tweede kopje is wel altijd heter dan het eerste; in de meeste gevallen meer dan 70 °C. Bij de Philips 8839 is het tweede kopje ruim 7 °C warmer dan het eerste; het grootste verschil. De De'Longhi 455M houdt de temperatuur het best op peil.

De modellen van Siemens vallen op door hun lage energiegebruik. De apparaten gebruiken standby weinig stroom, ook als ze geen specifieke standbystand hebben. Sommige machines zijn in te stellen op een energiebespaarstand.

Afhankelijk van het apparaat wordt een espresso van 34 of 58 ml gemaakt. Bij het zetten van twee kopjes tegelijk moeten die even vol zijn. Bij de

De'Longhi 450S, Siemens TE 506209RW en de Philips 8839 zit daar 5 ml of meer verschil tussen.
De Jura ENA 9 One kan geen melk opschuimen zonder ook cappuccino of macchiato te zetten. Bovendien werd het apparaat geleverd zonder melkreservoir, waardoor het opschuimen van melk niet kon worden beoordeeld.

Kwaliteit van de espresso
Een panel van vijf experts heeft de kwaliteit van de espresso uit de machines 'blind' beoordeeld. We maakten hiervoor espresso met bonen van Illy. De machines zijn daartoe zo afgesteld dat de instellingen vergelijkbaar zijn. In Italië slaan consumenten de espresso in één keer achterover en kijken ze er niet eens naar. Nederlanders doen dat wel en hechten daarom doorgaans veel waarde aan de kwaliteit van de crema.
Een goede crema is mooi reebruin, heeft fijne belletjes, heeft een mooie glans en is stabiel. Maar het is ook van belang hoe de espresso ruikt. De geur van een espresso moet open zijn, dat wil zeggen dat je er meerdere geuren in moet kunnen herkennen. Hij moet zeker niet te sterk of te bitter zijn en moet geen valse verwachtingen wekken.
Dan de smaak. Die is natuurlijk subjectief, maar er gelden wel een paar algemene opvattingen over de smaak van een goede espresso. Espresso mag een beetje bitter zijn, iets zuur en een beetje zoet, zonder dat er suiker is toegevoegd. Het is belangrijk dat deze smaken met elkaar in balans zijn.
Een espresso moet ook body hebben. Daarmee bedoelen de experts een vettig of romig mondgevoel met een volle en ronde smaak. Een te waterige espresso is bij hen niet gewenst. Na het drinken van de espresso moet je een prettige nasmaak in de mond hebben die best wat langer mag blijven hangen. Hij moet echter niet zo bitter zijn dat je hem direct met water weg wilt spoelen.
De experts vonden veel verschil tussen de apparaten. De espresso uit de De'Longhi's werden het best beoordeeld. Die heeft wat meer body, is niet zo waterig en komt volgens het panel in de buurt van echte espresso. De crema's zijn mooi compact, maar wel wat egaal van kleur. Ook de geur zou iets meer diepgang mogen hebben.
De Philips HD8943, de Jura J9 en de Caffeo CI ontlopen elkaar niet veel. De Jura krijgt net geen goed oordeel voor espressokwaliteit. De espresso's van deze machines zijn aardig in balans, maar het geheel mag wat sterker en de crema is wat dun en niet zo compact.

Van de andere machines is de melk bij de Jura J9 het meest opgeschuimd; het volume nam toe met meer dan 230%. De modellen van Philips haalden dit bij lange na niet en bleven steken onder de 150%.

Instellen

Ook het gebruiksgemak van de apparaten is natuurlijk belangrijk. Van een volautomatisch espressoapparaat verwacht je dat het makkelijk te gebruiken is. In de praktijk klopt dat ook: geen van de apparaten is onhandig. Wel zijn er enkele opvallende verschillen. Ze zijn allemaal geschikt voor bonen, maar alleen de Melitta Caffeo CI heeft een gedeeld reservoir, zodat je twee verschillende soorten bonen kunt gebruiken. Handig als niet iedereen in huis dezelfde koffiesmaak heeft.

De apparaten kunnen met bonen allemaal twee kopjes tegelijk zetten, maar bij gemalen koffie of een variant met melk kan dat niet altijd. Praktisch aan de Jura Impressa is dat de uitstroomopeningen bij twee kopjes wat verder uit elkaar gezet kunnen worden, zodat beide kopjes er goed onder passen. Wanneer er maar één kopje onder staat, kunnen de uitstroomopeningen dicht tegen elkaar aan, waardoor het minder spettert.

De hoogte van de uitstroomopening is bij alle geteste apparaten aan te passen, zodat bij kleine kopjes en hoge koppen de afstand tussen uitloop en kop zo klein mogelijk gehouden kan worden. Alleen de Jura Impressa heeft de mogelijkheid de uitstroomopening in diepte te verstellen.

Na het aanzetten spoelen alle apparaten voor met een beetje water. Er moet dan een kopje onder staan. Bij de Jura J9 moet je hierbij tussentijds een knop indrukken, bij de andere apparaten hoeft dat niet.

Water en bonen moeten regelmatig worden bijgevuld. Het is daarom handig als je van buitenaf kunt zien wanneer ze bijna op zijn. Sommige apparaten waarschuwen wanneer de reservoirs bijna leeg zijn.

Alle apparaten zijn voorzien van een display, maar de informatie is niet altijd even uitgebreid en duidelijk. Beide Jura's scoren op dit punt wat minder dan de rest. Het instellen van de maalgraad is meestal makkelijk, maar soms is niet goed te zien op welke stand hij is ingesteld.

Fans van koffievarianten met melk kunnen het best in de winkel testen hoe eenvoudig het plaatsen en verwijderen van het melkreservoir is. Bij de Philips 8839 gaat dit niet erg soepel.

Bij zo'n duur apparaat als een volautomaat is het verstandig om in de winkel om een demonstratie te vragen. Bovendien kan de winkelier advies geven over bonensoorten.

IN DETAIL

De'Longhi ECAM 23.450S
(Beste koop én Beste uit de test)

Richtprijs: €800

Testoordeel: 7,6

Hij is vrij compact en het menu is overzichtelijk en makkelijk te bedienen. Je kunt kiezen uit standaardkoffievarianten, zoals lungo, extra lungo, latte macchiato, opgeschuimde melk en warme melk, maar je kunt ook een eigen koffievariant programmeren. Hij is voorzien van een timer.

De'Longhi ECAM 26.455M
(Beste uit de test)

Richtprijs: €1400

Testoordeel: 7,5

Deze is wat uitgebreider dan de 23.450S. Hij heeft een standaardoptie voor café latte en biedt de mogelijkheid de sterkte aan te passen van extra mild tot extra sterk. Het waterreservoir is groter en hij heeft een kopjeswarmer. Verder heeft dit apparaat een energiebespaarknop en een standbystand.

Onderhoud

Om een espressoapparaat lang te kunnen gebruiken, moet het goed worden onderhouden. Reinig en ontkalk de machine dus tijdig. Gebruik geen azijn of andere zuurhoudende producten, maar kies voor speciale onderhoudsmiddelen. Een eerste onderhoudsset wordt vaak bij de machine geleverd.
De prijs van de onderhoudsmiddelen verschilt enorm. Reinigingstabletten kosten soms €3,50 per tien stuks en een flesje ontkalker €6, maar het kan ook het dubbele kosten. Een waterfilter (€6 à €13) beperkt kalkafzetting in gebieden met hard water.
Jura beveelt aan elke twee jaar de zetgroep te laten reinigen door een specialist; dat kost zo'n €150. Veel machines geven aan wanneer een onderhoudsbeurt nodig is en welke; anders staat het in de handleiding.
Bij het niet opvolgen van de instructies voor het onderhoud vervalt in veel gevallen de garantie. Jura en Melitta melden dat de fabrieksgarantie alleen geldt als het apparaat is gekocht bij een door hen gecertificeerde dealer. Die zijn te vinden op de website van de fabrikant.

Zie ook het dossier *Espresso-apparaten* op www.consumentenbond.nl.

Espressocupapparaten

Consumentengids juli/augustus 2012

Zet je met een cupjesapparaat even lekkere koffie als met een espresso-apparaat? Espressofanaten zullen zeggen dat dit niet zo is. Een goede espresso zetten staat of valt met de vijf Italiaanse m's: *miscela* (melange/bonen), *macchina* (apparaat), *macinadosatore* (bonenmaler), *mano dell'operatore* (hand van degene die de espresso maakt) en *manutenzione* (onderhoud).

Bij Nespresso en andere cupsystemen is het koffiezetten teruggebracht tot een druk op de knop. Aan de smaak valt bij de cupsystemen weinig te sleutelen, maar het is de vraag of dat erg is. Een 'echte' espresso kan geweldig smaken, mits hij goed gezet is.

Een punt van overweging is dat een koffiemachine met cupsysteem relatief goedkoop in aanschaf is, maar dat de cups vrij duur zijn. Voor wie veel koffie drinkt, is een – duurdere – machine voor bonen of gemalen koffie op termijn goedkoper. Maar espresso zetten kost dan wel meer tijd en moeite.

Ook vergen de schoonmaak en het onderhoud van een espressoapparaat meer aandacht dan bij een cupapparaat. Bovendien is een cupmachine over het algemeen compacter en dat is handig in een kleine keuken.

Typen en smaken

Wie kiest voor cupjeskoffie denkt al snel aan Nespresso van Nestlé. Nespresso kan worden gezet met apparaten van De'Longhi, Krups en Magimix. Merken die hun eigen 'Nespressocups' op de markt brengen, zijn Douwe Egberts (DE) onder de naam L'or EspressO en Ethical Coffee Company.

Cups die je zelf kunt vullen met koffie zijn er van Coffeeduck en Nexpod. Een hervulbare cup gaat volgens Coffeeduck bij twee kopjes per dag ongeveer een jaar mee. De cups van Nexpod zijn zo'n acht keer te gebruiken.

Een ander type cup is Iperespresso van het Italiaanse koffiemerk Illy. De cups passen in bepaalde machines van het merk FrancisFrancis. Lavazza, ook uit Italië, verkoopt A Modo Mio-cups voor machines van Electrolux en Philips-Saeco. De laatste verdwijnt binnenkort van de markt. Tot slot heeft Nestlé Dolce Gusto voor specifieke machines van Krups.

Alle merken hebben een aantal smaken, variërend van vier tot ruim twintig. De cups voor eenmalig gebruik kosten ongeveer €0,30 tot €0,45 (zie de tabel 'Koffiecups').

Op temperatuur

We testten twaalf cupapparaten voor het zetten van espresso. Ze scoren allemaal voldoende en zijn makkelijk in het gebruik. De modellen Pixie van Magimix en Krups zijn nagenoeg identiek. Ook de Krups Essenza XN 2003 en de Magimix 11310 zijn bijna gelijk.

Geen van de apparaten verspilt veel energie, waarbij de Krups Essenza XN 2120/2125 en de beide Pixiemodellen het zuinigst zijn. De apparaten schakelen na een tijdje vanzelf uit, behalve de Krups XN 2003 en de Magimix 11310, die een standbystand hebben. Deze apparaten handmatig uitzetten scheelt stroom. Datzelfde geldt voor apparaten die pas na 30 minuten zelf uitschakelen.

Het valt op dat de FrancisFrancis een lange opwarm- en zettijd heeft voor het eerste kopje. De Electrolux heeft juist wat meer tijd nodig voor het tweede kopje. De kopjes koffie zijn goed op temperatuur, hoewel ze bij FrancisFrancis aan de warme kant zijn.

Voor wie van opgeschuimde melk op de koffie houdt, zijn de apparaten van De'Longhi, FrancisFrancis en Electrolux interessant. Ze hebben een stoompijpje om melk op te schuimen. De Electrolux leverde niet helemaal het gewenste resultaat. Hoewel we aanvankelijk veel schuim op de melk kregen, was daar na vijf minuten niet veel meer van over. Bij de twee apparaten van De'Longhi wordt een melkkan meegeleverd.

Als het om de kwaliteit van de espresso gaat, telt niet alleen het apparaat, maar natuurlijk ook het gebruikte cupje. Wij gebruikten per systeem de gangbaarste variant en lieten de koffie testen door een panel van espressokenners.

Koffiecups

Merk & Type	Aantal koffievarianten	Prijs per stuk	Bijzonderheden
Coffeeduck Espressocup	nvt	€3,74	zelf vullen; ca. 600 keer gebruiken
DE L'or Espresso	10	€0,30 à €0,31	
Nescafé Dolce Gusto	22	€0,29 à €0,31	ook cups voor andere dranken
Ethical Coffee Company Espresso	5	€0,28	binnenkort 2 nieuwe varianten
Illy Iperespresso	4	€0,40 à €0,45	
Lavazza A Modo Mio	8	€0,31 à €0,38	
Nestlé Nespresso	16	€0,35 à €0,39	
Nexpod	nvt	€0,28	zelf vullen; ca. 8 keer gebruiken

De prijzen zijn, waar van toepassing, inclusief verzendkosten.

De kracht van Clooney
Nespresso bestaat al zo'n 20 jaar. Maar sinds George Clooney zijn gezicht eraan verbond is het een lifestyleproduct met een zweem van exclusiviteit. De cups zijn – behalve via internet – slechts in tien winkels in Nederland te koop. Nespresso noemt ze 'boutiques' en er winkelen een 'unieke beleving'.
De exclusiviteit is wel afgenomen sinds Douwe Egberts, Ethical Coffee Company, Nexpod en Coffeeduck ook cups verkopen die in Nespressoapparaten passen. Fabrikant Nestlé is hier niet blij mee en voert al jaren strijd over het patent op de cups. Nestlé heeft de rechtszaak onlangs gewonnen, maar de concurrenten kunnen nog in hoger beroep gaan. Het is dus de vraag of de 'klonen' te koop zullen blijven.

Ervaren proevers

De Electrolux Lavazza zet volgens onze experts de beste espresso en de Krups KP 5000 Dolce Gusto de minst goede. Bij die laatste is de *crema* (het laagje schuim) te licht van kleur met grote bellen. De koffie is bovendien waterig, heeft weinig body en smaakt te bitter.
Opvallend is dat fabrikanten hun keuze voor de materialen waarvan ze de cups maken soms onderbouwen met bijna dezelfde argumenten. Zo kiest Nespresso vanwege de versheid en de smaak voor aluminium, terwijl DE voor kunststof kiest vanwege het behoud van het aroma.
Een lezer vroeg ons of je met Nespresso veel aluminium binnenkrijgt. Bij het koffiezetten wordt het aluminiumfolie geperforeerd en worden er water en koffie doorheen geperst. Bij onze laboratoriumtest werden geen sporen van aluminium in de koffie aangetroffen.

Recyclen

Ook duurzaamheid wordt als argument genoemd voor de keuze voor een bepaald materiaal. Volgens Milieu Centraal zijn de hervulbare cups het duurzaamst. De bioplastic cups van de Ethical Coffee Company scoren daarna het best. Ze veroorzaken minder CO_2-uitstoot dan kunststof uit aardolie. Wel is voor bioplastic landbouwgrond nodig, want het wordt onder meer van mais gemaakt. De cups van bioplastic kunnen met koffie en al bij het gft-afval. De cups van Coffeeduck, Illy en DE kunnen naar de plasticinzameling, maar dan moet je wel eerst de koffie eruit peuteren…
De cups van DE zijn per stuk verpakt in niet-recyclebaar folie. Dolce Gusto-cups zijn niet recyclebaar en moeten dus bij het restafval.

Cupsystemen

		Merk & Type	Richtprijs	Testoordeel	Opwarm- en bereidingstijd	Temperatuur	Energiegebruik	Melk opschuimen	Gebruiksaanwijzing	Gebruiksgemak	Espressokwaliteit	Cupsysteem
	Weging voor Testoordeel				5%	15%	15%	5%	5%	30%	20%	
■	1.	**Electrolux** Lavazza A Modo Mio Favola Plus ELM 5200	€180	8,1	□	++	+	□	+	++	+	Lavazza
■	2.	**Krups** XN 2120 Essenza Piano Black/ XN 2125 Grey	€100	8,0	+	++	++	nvt	+	++	□	Nespresso
	3.	**De'Longhi** Latissima+ EN 520.S (Silver)	€280	7,9	+	++	+	+	++	++	□	Nespresso
	4.	**Krups** XN 3005 Pixie	€120	7,8	+	++	++	nvt	+	++	+	Nespresso
	5.	**Magimix** 11322 Pixie	€130	7,8	+	++	++	nvt	+	+	+	Nespresso
	6.	**Krups** KP 1509 Dolce Gusto Genio	€115	7,6	+	++	+	nvt	+	++	□	Dolce Gusto
	7.	**FrancisFrancis** X7 RED - Metodo iperespresso	€150	7,6	□	+	+	+	+	++	+	Illy
	8.	**De'Longhi** Latissima EN 720 M	€380	7,6	+	++	+	+	+	++	□	Nespresso
▶	9.	**Krups** KP 1000 Piccolo Black	€70	7,5	+	++	+	nvt	+	++	□	Dolce Gusto
	10.	**Krups** Essenza XN 2003	€80	7,4	+	++	+	nvt	□	++	□	Nespresso
	11.	**Magimix** 11310 M100 Eco	€80	7,4	+	++	+	nvt	□	++	□	Nespresso
	12.	**Krups** KP 5000 Dolce Gusto Circolo	€110	7,2	+	++	+	nvt	+	+	–	Dolce Gusto

++ Zeer goed + Goed □ Redelijk – Matig –– Slecht ■ Beste uit de test ▶ Beste koop

- De prijzen zijn van maart 2012.
- De wegingspercentages tellen niet op tot 100. Dat komt doordat we bij andere espressoapparaten ook het aspect 'tegelijk twee kopjes zetten' onderzoeken. Dit aspect is nu niet van toepassing; het wegingspercentage hiervoor is verdeeld over de andere aspecten.
- Bij de apparaten die geen melk opschuimen, is het wegingspercentage voor dit aspect verdeeld over de overige aspecten.
- Het oordeel voor de kwaliteit van de espresso is berekend aan de hand van de sub-oordelen, waaronder een eindoordeel van de experts.
- De Krups XN 2125 Essenza Grey kost €95.
- De Krups KP 5000 is in andere kleuren verkrijgbaar. Het typenummer eindigt dan met een ander cijfer.
- De De'Longhi Latissima+ EN 520.S is in andere kleuren verkrijgbaar. Na het typenummer volgt in plaats van de S dan de beginletter van de betreffende kleur.
- De Electrolux Lavazza Favola is ook in een andere kleur verkrijgbaar. Na het typenummer volgen dan de letters CB.

Nespresso gebruikt aluminium. Het produceren van aluminium kost veel energie en brengt schade toe aan het milieu. Als alle Nespressodrinkers hun gebruikte cups zouden inleveren, zou het materiaal kunnen worden hergebruikt. Maar zolang het merendeel de cups bij het restafval gooit, is

Keurmerken voor koffie

Max Havelaar Garandeert een eerlijk inkomen voor de boeren. Ze moeten voldoen aan (inter)nationale wetgeving op het gebied van milieubescherming.

Rainforest Alliance Gericht op milieuzaken als energiegebruik, gebruik van gewasbeschermingsmiddelen, voorkoming van erosie en waterbeheer. Daarnaast kijkt het keurmerk naar arbeidsomstandigheden.

UTZ Certified Stelt eisen aan arbeidsomstandigheden als een rechtvaardig loon en scholing, en milieuzaken als behoud van biodiversiteit. Het keurmerk geeft boeren geen inkomensgarantie.

Eko-keurmerk Voor biologische landbouw, verbiedt kunstmest en synthetische gewasbescherming.

Zie ook www.milieucentraal.nl/themas/keurmerken-labels-en-logos.

aluminium het minst duurzame materiaal. Van de ingeleverde cups worden overigens andere aluminiumartikelen gemaakt, geen nieuwe cups.
Nespresso heeft een inleversysteem opgezet voor gebruikte cups. Je kunt ze bewaren in een speciale zak die €0,05 kost, in een container (€20) of een eigen zak of bakje gebruiken. Uit onze enquête onder 340 Nespressodrinkers blijkt dat nog geen derde de lege cups inlevert bij Nespresso; 81% van hen is tevreden over het systeem. De meesten geven de cups mee aan de bezorger die de nieuwe bestelling aflevert, maar zelf naar een inleverpunt brengen gebeurt ook. Over de ophaalservice zijn ze behoorlijk tevreden. Maar als de bestelling bij de buren wordt afgeleverd, werkt het niet. Want om nou de gebruikte cups bij de buren neer te leggen… Het aantal inleverpunten kan beter, 29% is hier ontevreden over. Nespresso heeft het aantal inleverpunten onlangs flink uitgebreid.
Belangrijke aspecten bij de teelt van koffie zijn de arbeidsomstandigheden en de invloed op het milieu. Koffieproducenten laten graag weten dat ze hier verantwoord mee omgaan. Er zijn nogal wat certificeringen en keurmerken; zie het kader 'Keurmerken voor koffie'.

Zuivere koffie?

We vroegen de fabrikanten naar de herkomst van hun koffie. Lavazza wilde onze vragenlijst niet invullen. Het bedrijf zegt wel bezig te zijn met zaken als materiaalvermindering en recycling, maar gaf geen concrete informatie. Nestlé heeft voor Nespresso een eigen certificering waarvoor het bedrijf samenwerkt met de Rainforest Alliance. De certificering richt zich op een

Espressokwaliteit

	Merk & Type	Rapportcijfer espressokwaliteit	Kleur van de crema	Structuur van de crema	Geur	Bitterheid	Zuurheid	Zoetheid	Balans van de smaken	Body	Nasmaak	Eindoordeel experts
Weging voor oordeel espressokwaliteit			10%	10%	10%	5%	5%	5%	15%	10%	10%	20%
1.	**Electrolux** Lavazza A Modo Mio Favola Plus ELM 5200	**7,6**	++	++	++	+	++	++	+	++	+	++
2.	**Krups** XN 2120 Essenza Piano Black/ XN 2125 Grey	**6,2**	+	+	+	+	+	+	+	+	□	+
3.	**De'Longhi** Latissima+ EN 520.S (Silver)	**5,8**	+	+	+	□	+	+	□	+	□	+
4.	**Krups** XN 3005 Pixie	**6,5**	+	++	+	+	+	+	+	+	+	+
5.	**Magimix** 11322 Pixie	**6,5**	+	++	+	+	+	+	+	+	+	+
6.	**Krups** KP 1509 Dolce Gusto Genio	**5,6**	□	□	+	+	+	+	+	□	□	+
7.	**FrancisFrancis** X7 RED – Metodo iperespresso	**7,1**	++	+	+	+	++	+	++	++	+	+
8.	**De'Longhi** Latissima EN 720 M	**6,2**	+	□	+	+	+	+	+	+	+	+
9.	**Krups** KP 1000 Piccolo Black	**5,2**	□	□	□	□	+	□	□	□	□	□
10.	**Krups** Essenza XN 2003	**5,2**	+	□	+	□	+	□	□	□	□	□
11.	**Magimix** 11310 M100 Eco	**5,2**	+	□	+	□	+	□	□	□	□	□
12.	**Krups** KP 5000 Dolce Gusto Circolo	**3,9**	–	–	□	□	□	–	□	–	□	□

++ Zeer goed + Goed □ Redelijk – Matig –– Slecht

'milieuvriendelijker en sociaal verantwoorde manier van werken'. Op dit moment heeft 60% van de Nespressokoffie het certificaat.
Douwe Egberts' L'or EspressO is 100% UTZ Certified. Van Ethical Coffee Company komen binnenkort twee biologische varianten die het Max Havelaarkeurmerk dragen. Illy heeft geen van de in Nederland bekende keurmerken, maar wel een aantal andere certificaten op sociaal en milieugebied. Dolce Gustokoffie is niet gecertificeerd; fabrikant Nestlé streeft naar certificering van deze koffie in 2015.

IN DETAIL

Electrolux Lavazza A Modo Mio Favola Plus ELM 5200 (Beste uit de test)

Prijs: €180

Testoordeel: 8,1

De Electrolux van Lavazza kan melk opschuimen en water verwarmen. De espressokwaliteit is goed, maar toont wel wat 'overextractie' (veel cafeïne, bittere smaak en donkere crema). Rond het stoompijpje voor melk of water is vrij weinig ruimte.

Krups XN 2120 Essenza Piano Black/XN 2125 Grey (Beste uit de test)

Prijs: €100

Testoordeel: 8,0

De Essenza van Nespresso is compact, maar de bedieningsknoppen zijn aan de kleine kant. De watertoevoer stopt automatisch en hij is energiezuinig. De espresso heeft vrij weinig body (is waterig) en heeft weinig geur.

Krups KP 1000 Piccolo Black (Beste koop)

Prijs: €70

Testoordeel: 7,5

De Piccolo van Dolce Gusto is smal en neemt niet veel plaats in op het aanrecht. Hij heeft een in hoogte verstelbare kophouder. Het waterreservoir is wat klein en er is geen automatische waterstop. De crema is licht en dun en de koffie smaakt wat bitter en waterig. De nasmaak blijft lang hangen.

Zie ook het dossier *Espresso-apparaten* op www.consumentenbond.nl.

Friteuses

Consumentengids december 2011

Fabrikanten proberen het voor consumenten makkelijker te maken om hun friteuse te reinigen en schoon te houden. Bij een aantal friteuses zijn die pogingen goed zichtbaar. Zo zit er in de Tefal Pro Fry Oléoclean en de De'Longhi een afvoersysteem voor gebruikte olie en in de Tefal Filtra een makkelijk uitneembare filter die kruimels opvangt. Bij veel friteuses mogen er onderdelen in de vaatwasser.

Maar zelfs dit soort handigheidjes kan niet voorkomen dat er in en op de friteuse vetsporen achterblijven die niet meer zijn weg te poetsen. Wie op zoek is naar een friteuse die niet na verloop van tijd een vetboel wordt, moeten we dus teleurstellen. Alleen bij de twee geteste apparaten van Philips en vooral de Tefal Pro Fry Oléoclean gaat schoonmaken net iets makkelijker dan bij de andere friteuses.

Het is handig voor het schoonhouden als er zo veel mogelijk onderdelen in de vaatwasser mogen. Vooral voor de pan en de behuizing is dit praktisch. In de tabel 'Gebruiksgemak friteuses' staat of de pan en de behuizing volgens de gebruiksaanwijzing vaatwasserbestendig zijn. Ook op andere punten is het gebruiksgemak van de friteuses beoordeeld (zie de tabel).

Handigheidjes

Een uitneembare binnenpan maakt het uitschenken van gebruikte olie een stuk makkelijker – als hij maar geen dikke rand heeft. De Princess Royal Deep Fryer en de Moulinex zijn de enige twee in deze test waarbij de binnenpan niet uitneembaar is.
Alle friteuses hebben een vrij kort snoer: het langste is slechts 105 cm, het kortste komt niet verder dan 85 cm. Op de friteuses, behalve op de Tefal SuperClean en de Moulinex, zit een vakje of haakje om het snoer op te bergen.

Zonder olie: Actifry en Airfryer

Friteuses werken al jarenlang volgens hetzelfde principe. Vetarm frituren lukt met conventionele friteuses niet. Daarom gooiden Tefal en Philips het over een andere boeg met de Tefal Actifry en de Philips Airfryer. Dit zijn geen friteuses die in olie bakken, maar 'multicookers' die bakken in hete lucht in plaats van vet. De Consumentenbond testte zowel de Actifry als de Airfryer. Geen van beide was in staat om frietjes net zo lekker te maken als de conventionele friteuse. Wel waren de frieten een stuk minder vet.
De slechte smaak bleek niet het enige euvel van de patat uit de Philips Airfryer. Het acrylamidegehalte (zie ook het kader 'Gezond frituren') van de verse frieten uit de Airfryer bleek vier keer zo hoog als aanvaardbaar (500 microgram per kilo). Een heel enkele keer zo'n hoeveelheid binnenkrijgen kan niet direct kwaad, maar fervente frieteters kunnen beter voor een andere bereiding of ander merk diepvriesfrieten kiezen.
Volgens Philips is het acrylamidegehalte van verse frieten uit de Airfryer veel lager als je de frietjes voor het bakken 30 minuten in koud water onderdompelt en ze niet heter bakt dan 180 °C. Uitsluitend diepvriesfrieten gebruiken in de Airfryer is een minder omslachtige methode om een (te) hoog acrylamidegehalte te vermijden. Ook conventioneel gefrituurde verse frieten blijken veel acrylamide te bevatten.
Overigens waren de Airfryer en vooral de Actifry wel veel makkelijker schoon te maken dan de conventionele friteuses. In de tabel 'Snackbereiders' worden vetgehalte, acrylamidegehalte, uiterlijk en smaak van frieten uit de verschillende soorten apparaten vergeleken.

Snackbereiders

Merk & Type, soort friet	Vetgehalte	Acrylamidegehalte (microgram/kilo)	Uiterlijk/smaak
Tefal Actifry, verse friet	3%	195	ziet er goed uit, niet krokant, niet lekker
Tefal Actifry, diepvriesfriet	5%	198	zien er oké uit, beetje krokant, niet lekker
Philips Airfryer, verse friet	3%	2025	zien er afschuwelijk uit, smaken rauw, kartonachtig en taai
Philips Airfryer, diepvriesfriet	5%	55	niet mooi, niet lekker
Gewone friteuse, verse friet	8%	806	mooi gebakken, krokant, lekker
Gewone friteuse, diepvriesfriet	11%	170	mooi gebakken, krokant, lekker

De onmiskenbare frituurlucht kennen we allemaal. Er is geen enkele friteuse waarbij je totaal geen frituurluchtjes ruikt. Maar er zijn wel grote verschillen tussen hoeveel je ruikt. Wie zo weinig mogelijk bakluchtjes wil, moet zeker niet kiezen voor de twee Inventums of de Princess Royal Black Fryer of Classic Double, want bij alle vier wordt er zonder deksel gefrituurd. De Bestron DF402B frituurt wel met het deksel erop, maar verspreidt desondanks bijna net zoveel baklucht als de dekselloze apparaten.
De Philips HD6158 verspreidt de minste luchtjes. Ook de Tefal SuperClean houdt bakluchtjes goed binnen. Frituurluchtjes zijn wat te verminderen door de friteuse onder de afzuigkap te zetten, maar in de gebruiksaanwijzing van diverse apparaten wordt afgeraden om de friteuse op de kookplaat te plaatsen als daar tegelijkertijd op wordt gekookt.

Opwarmtijd

Dan het frituren zelf. Bij de frituurtest kijken de onderzoekers vooral naar de opwarm- en frituurtijd, de temperatuur van de olie op verschillende momenten en plaatsen in de friteuse, de temperatuur van de buitenkant, hoe mooi de frieten eruitzien na het frituren en het vetgehalte van de patat. De grootste verschillen zitten in de capaciteit van de friteuse (dus hoeveel frieten er in één keer in kunnen), hoelang het duurt tot de olie op temperatuur is, de totale frituurtijd en de temperatuur van de olie.
De Princess Royal Deep Fryer heeft met 300 gram de minste capaciteit. In de grootste friteuse, de Bestron DF402B, past vijf keer zoveel. Mede daardoor verschillen ook de opwarmtijd van de olie en de baktijd enorm. Zo loopt de opwarmtijd van de maximale hoeveelheid olie uiteen van ongeveer 6 (De'Longhi en Tefal Oléoclean) tot 15 minuten (Princess Royal

Friteuses

		Merk & Type	Richtprijs	Testoordeel	Frituren	Tegengaan van verbrande restjes	Energiegebruik	Geurverspreiding	Gebruiksaanwijzing	Gebruiksgemak	Oppervlaktetemperaturen	Maximale portiegrootte (gram)
■	1.	**Tefal** EasyPro FR1015	€55	**6,8**	□	++	++	□	++	□	+	900
■	2.	**Tefal** Filtra Pro Inox & Design 4L FR4048	€80	**6,8**	+	++	+	□	+	□	+	900
■	3.	**Tefal** Pro Fry Oléoclean Inox & Design	€99	**6,8**	+	+	+	□	++	□	+	900
	4.	**De'Longhi** F34512CZ	€79	**6,6**	+	++	+	□	++	□	+	900
▶	5.	**Bestron** AF350	€29	**6,5**	□	++	□	□	++	□	□	350
	6.	**Fritel** Turbo SF4371	€99	**6,4**	+	+	+	□	+	□	+	900
	7.	**Moulinex** Uno AF1019	€40	**6,3**	□	□	+	□	++	□	+	750
	8.	**Princess** Classic double castel 182123	€60	**6,3**	+	++	+	−−	+	□	□	2x600
	9.	**Tefal** SuperClean FR1001	€75	**6,3**	□	□	+	+	++	□	+	1000
	10.	**Inventum** GF535	€45	**6,2**	+	+	+	−−	+	□	+	500
	11.	**Bestron** DF402B	€50	**6,2**	□	++	++	−−	+	□	+	1500
	12.	**Inventum** GF555	€55	**6,1**	+	++	□	−−	+	□	□	650
	13.	**Philips** HD6158/55	€70	**6,1**	□	−	+	++	++	+	+	1150
	14.	**Princess** Royal Black Fryer 3L	€25	**6,0**	+	++	+	−−	+	□	□	600
	15.	**Philips** HD6118/55	€60	**5,9**	□	−	+	+	++	+	+	1150
▼	16.	**Princess** Royal deep fryer 182657	€30	**onvoldoende veilig**	□	++	□	+	+	□	−−	300

++ Zeer goed + Goed □ Redelijk − Matig −− Slecht ■ Beste uit de test ▶ Beste koop ▼ Afrader

- De prijzen zijn van september 2011.
- De Tefal Filtra Pro Inox & Design 4L FR4048 is vanaf het laatste kwartaal van 2011 opgevolgd door de Filtra Pro Inox & Design 4L FR4068. Deze is technisch gelijk aan zijn voorganger, maar heeft een digitale timer in plaats van een mechanische. De adviesprijs is €90.
- Het testoordeel is opgebouwd uit suboordelen die voor de volgende percentages meetellen: frituren 30%, tegengaan van verbrande restjes 15%, energiegebruik 10%, geurverspreiding 10%, gebruiksaanwijzing 5%, gebruiksgemak 20% en oppervlaktetemperaturen 10%.

Deep Fryer) en de totale baktijd van drie porties van de maximale hoeveelheid frieten van 24 minuten (Inventum GF535) tot bijna een uur (Bestron DF402B).

In die tijd heeft de Inventum maar 1500 gram friet gebakken en de Bestron drie keer zoveel. Per 100 gram patat is de Princess Royal Deep Fryer het

Snacksymboliek

Friet- en snackfabrikanten maken het de consument steeds makkelijker. De meeste zorgen ervoor dat je in één oogopslag door een symbooltje op de verpakking kunt zien op welke manieren je de snack kunt klaarmaken.
Een frituurmandje geeft aan dat de snack kan worden gefrituurd. Snacks met een symbool van een oven kunnen worden bereid in de conventionele en heteluchtoven en in de combimagnetron op de ovenstand. Als een snack ook in de pan kan worden klaargemaakt, wordt dat aangegeven met een plaatje van een koekenpan. Snacks met de afbeelding van een barbecue kunnen ook op de barbecue. Eén snackfabrikant heeft zelfs een symbooltje voor snacks die in de Philips Airfryer kunnen worden klaargemaakt. Ze kunnen niet in de Tefal Actifry.

Gezond frituren

Gezond frituren: spreekt dat elkaar niet tegen? Dat hoeft niet, zolang je een paar vuistregels aanhoudt.

- Olie en vloeibaar frituurvet bevatten veel minder verzadigde vetten en zijn daardoor gezonder dan vast frituurvet. Steeds meer friteuses zijn ongeschikt voor vast vet.
- Ververs het vet regelmatig, in elk geval na vijf tot zeven keer frituren of wanneer er een sterke lucht vanaf komt, het vet donker of stroperig wordt of gaat walmen. Vul gebruikte olie niet aan met nieuwe olie; dat geldt ook voor vet. Frituurvet blijft langer goed en lekker als na elk gebruik de kruimels eruit worden gezeefd. In de Tefal Filtra zit een filter waarmee dat heel makkelijk gaat.
- Op verpakkingen van diepvriesfrieten en in de gebruiksaanwijzingen van friteuses wordt aanbevolen om te frituren in vet van 150 tot 180 °C. Bij een te hoge temperatuur verbrandt de buitenkant voordat de binnenkant goed gaar is en bij een te lage temperatuur zouden de producten te veel vet opnemen. Dat laatste bleek overigens niet toen het vetpercentage van de frieten werd gemeten.
- Bij zetmeelrijke producten (zoals aardappelen), graanproducten (zoals brood) en gepaneerde snacks en snacks 'in een jasje' (zoals loempia's) ontstaat bij het bruin worden de stof acrylamide. Deze stof is kankerverwekkend bij dieren en waarschijnlijk ook bij mensen. Daarom adviseren voedingsdeskundigen matig te zijn met gebakken en gefrituurde aardappelen en graanproducten. Laat frieten en snacks niet te bruin worden en verhit het frituurvet niet tot boven 180 °C.

Gebruiksgemak friteuses

	Merk & Type	Totaal gebruiksgemak	Schoonmaken	Gebruik mandje	Bedieningsknoppen	Gebruik deksel	Controle tijdens frituren	Vullen met olie	Handleiding op apparaat	Onderhoud geur/vetfilter	Opbergen	Gebruik voor linkshandigen	Pan mag in vaatwasser	Behuizing mag in vaatwasser	Benodigde gebruiksruimte (hxbxd, cm)	Snoerlengte (cm)
Wegingspercentages voor Totaal gebruiksgemak			20%	20%	15%	10%	10%	7,5%	5%	5%	5%	2,5%				
1.	**Tefal** EasyPro FR1015	5,2	––	+	□	+	□	+	+	□	–	++	√		29x26x56	105
2.	**Tefal** Filtra Pro Inox & Design 4L FR4048	5,4	––	+	□	+	+	+	–	++	□	++	√		38x27x53	95
3.	**Tefal** Pro Fry Oléoclean Inox & Design	5,8	□	+	–	□	+	+	–	++	□	++	√	√	44x28x60	100
4.	**De'Longhi** F34512CZ	4,9	––	+	□	□	+	+	–	□	–	+			32x28x61	100
5.	**Bestron** AF350	5,8	––	+	□	+	+	□	+	++	+	++	√	√	27x22x56	100
6.	**Fritel** Turbo SF4371	5,1	––	+	□	+	□	+	+	□	□	++			37x24x54	90
7.	**Moulinex** Uno AF1019	5,1	––	□	–	++	+	++	+	□	+	++			46x29x43	90
8.	**Princess** Classic double castel 182123	5,2	––	+	□	nvt	++	+	–	nvt	–	++			28x40x57	85
9.	**Tefal** SuperClean FR1001	5,7	––	++	–	++	+	–	+	++	□	++			52x28x56	90
10.	**Inventum** GF535	5,5	––	+	□	nvt	++	□	–	nvt	+	++	√		32x26x50	100
11.	**Bestron** DF402B	5,2	––	+	□	□	□	□	–	++	□	++	√	√	28x39x56	110
12.	**Inventum** GF555	5,6	––	+	□	+	++	□	–	++	+	++	√		33x26x52	105
13.	**Philips** HD6158/55	6,4	–	++	□	++	+	+	□	++	+	++	√		55x30x52	95
14.	**Princess** Royal Black Fryer 3L	5,3	––	++	□	nvt	++	□	–	nvt	+	++			27x21x55	100
15.	**Philips** HD6118/55	6,5	–	++	□	++	+	+	□	++	+	++	√		55x30x52	105
16.	**Princess** Royal deep fryer 182657	5,6	––	++	–	++	□	+	––	++	++	++			44x32x42	100

++ Zeer goed + Goed □ Redelijk – Matig –– Slecht nvt = niet van toepassing

traagst (3,7 minuten) en zijn de De'Longhi en Princess Classic het snelst (ongeveer 1 minuut).

In de friteuses schommelt de temperatuur van de olie als er drie porties patat direct achter elkaar worden bereid. Die schommeling is het grootst bij de Bestron DF402B, de twee apparaten van Philips en Tefals SuperClean, EasyPro en Pro Fry Oléoclean, en het kleinst bij de Bestron AF350.

Er waren ook friteuses waarbij het verschil tussen de ingestelde en gemeten

IN DETAIL

Tefal Easy Pro FR1015 (Beste uit de test)
Prijs: €55
Testoordeel: 6,8
Dit is de goedkoopste van de drie met het predicaat Beste uit de test. De koudezone gaat verbrande restjes uitstekend tegen. Deze Tefal behoort tot de energiezuinigste apparaten uit de test. De olie koelt flink af tijdens het frituren, vandaar dat hij iets lager scoort voor frituren dan de andere Beste uit de test-apparaten.

Bestron AF350 (Beste koop)
Prijs: €29
Testoordeel: 6,5
De op een na goedkoopste friteuse uit de test scoort maar net iets lager dan de Beste uit de test en is de Beste koop. De koudezone werkt uitstekend: er kwamen zo goed als geen verbrande restjes op de frieten. Ze is alleen niet zo energiezuinig en is een van de langzamere friteuses.

Princess Royal Deep Fryer 182657 (Afrader)
Prijs: €30
Testoordeel: onvoldoende veilig
Dit apparaat is een afrader wegens een veiligheidsprobleem: zie het kader 'Hete Princess'.

temperatuur heel fors was. Bij de apparaten van Philips en Tefal was dat verschil het grootst en bij de Inventum GF555 en Princess Classic het kleinst. In tegenstelling tot informatie van bijvoorbeeld het Voedingscentrum had in onze test een lage temperatuur van de olie weinig invloed op het vetgehalte van de frieten. Hoewel de verschillen in olietemperatuur groot waren, varieerde het vetgehalte nauwelijks. Het gemiddelde vetgehalte was 10 tot 11%, het hoogst gemeten vetgehalte was 13,4% (Bestron DF402B).

Afrader

De geteste friteuses kunnen flink heet worden tijdens het frituren. Bij de apparaten met een 'koude wand' lopen de oppervlaktetemperaturen van de behuizing niet te ver op, maar wees altijd voorzichtig met grepen, deksels en de rand van de pan. Bij de friteuses met een redelijke beoordeling voor

Hete Princess

De Princess Royal Deep Fryer blijkt een verrassing in petto te hebben voor wie het handvat van het mandje beetpakt. Tijdens het frituren klap je het handvat naar beneden, tegen de behuizing. Daardoor worden de greep en de behuizing achter de greep – waar je tegenaan komt met je knokkels – 85 respectievelijk 87 °C. Dit levert deze Princess het testoordeel 'onvoldoende veilig' op en daardoor het predicaat Afrader.
Princess laat weten dat het ontwerp van dit model inmiddels is aangepast. De nieuwe modellen kwamen in de loop van 2012 in de winkel. Over de oude modellen zegt Princess: 'We hebben de afgelopen vier jaar al duizenden apparaten van dit model verkocht, maar nog nooit een klacht ontvangen. Mede daarom roepen we de al verkochte modellen niet terug. Kopers van het oude model kunnen te zijner tijd het mandje omwisselen voor een van het nieuwe model.'

oppervlaktetemperaturen liep de temperatuur van sommige onderdelen toch behoorlijk op.
Bij de Princess Royal Deep Fryer kwam een probleem naar voren met de oppervlaktetemperatuur: zie het kader 'Hete Princess'.

Zie ook het dossier *Friteuses* op www.consumentenbond.nl.

Hogedrukreinigers

Consumentengids april 2012

Met een hogedrukreiniger zijn oppervlakken en voorwerpen buitenshuis eenvoudig schoon te maken. Denk hierbij aan terras, kliko, auto, boot, caravan, schutting, tuinmeubelen, tuingereedschap en dakgoot. Met het juiste toebehoren zijn ook afvoerbuizen te ontstoppen.
De prijs van een hogedrukreiniger wordt bepaald door de druk, de wateropbrengst en de accessoires. Maar meer en duurder is niet altijd beter. De grote jongens uit de test presteren niet allemaal beter dan de kleintjes. Naast de druk en de wateropbrengst spelen voor de schoonmaakresultaten de constructie van de spuitmond en die van andere opzetstukken mee.

Hogedrukreinigers

	Merk & Type	Richtprijs	Testoordeel	Snelheid	Waterverbruik	Kwaliteit	Gebruiksgemak	Geluid	Gebruiksaanwijzing	Veelzijdigheid	Constructie	Slangdruk maximaal (bar)	Gewicht (kg)	Spuitlans	Vuilfrees	Patioreiniger	Handborstel	Haspel
Weging voor Testoordeel				25%	10%	25%	20%	10%	5%	5%								
▶ 1.	**Kärcher** K 2.190	€60	**7,9**	++	++	++	+	□	++	–	++	110	3,5		√			
▶ 2.	**Kärcher** K 2.100	€70	**7,9**	++	++	++	+	□	++	–	++	110	3,5		√			
3.	**Nilfisk** E 130.2-9 Pad-Xtra	€250	**7,8**	++	+	+	++	□	+	+	++	150	18	√	√	√		√
4.	**Kärcher** K 2.490 MD T50	€160	**7,7**	+	+	++	+	+	++	□	++	140	5,1	√	√	√		
5.	**Kärcher** K 2.410 MD T50	€160	**7,6**	+	+	++	+	+	++	□	++	140	5,1	√	√	√		
6.	**Nilfisk** C 100.5-5 PC	€80	**7,6**	++	+	+	+	+	+	□	++	120	4,8	√	√	√		
7.	**Kärcher** K 2.410 MD	€130	**7,5**	+	□	++	+	+	++	□	++	140	5,1	√	√			
8.	**Kärcher** K 4.600 MD	€210	**7,3**	++	+	++	+	+	++	□	+	140	12	√	√			
9.	**Kärcher** K 4.600 MD T200	€270	**7,3**	++	+	++	+	+	++	□	+	140	12	√	√	√		
10.	**Kärcher** K 5.700 MD	€300	**7,3**	++	+	++	+	+	++	□	+	140	14	√	√			√
11.	**Eurom** H 120	€80	**6,8**	+	□	+	+	+	+	□	+	160	6,7	√	√	√		
12.	**Bosch** Aquatak 1200 Plus	€220	**6,6**	□	□	+	+	+	+	□	++	155	11,9	√	√		√	

++ Zeer goed + Goed □ Redelijk – Matig –– Slecht ▶ Beste koop

- De prijzen zijn van eind januari 2012.
- De Kärcher K 2.490 en Kärcher K 2.190 zijn alleen bij Gamma verkrijgbaar.
- De Kärcher K 2.490 en Kärcher K 2.410 MD T50 zijn identiek. De Kärcher K 2.410 MD is technisch gelijk aan deze modellen, maar heeft geen patioreiniger T50.
- De Kärcher K 4.600 is verkrijgbaar zonder en met patioreiniger T 200.

Twee experts reinigden met elk van de hogedrukreinigers een vierkante meter van een vervuild terras en deden dit met verschillende mondstukken. Ze beoordeelden de kwaliteit van de reiniging en noteerden de benodigde tijd en het waterverbruik. Het resultaat van de modellen van Bosch met de standaardspuitlans was streperig, terwijl dit bij Kärcher en Nilfisk egaler was. De Kärcher K4.600 MD had met de gewone spuitlans maar 9 liter water nodig, terwijl de Bosch 17 liter gebruikte. Met de vuilfrees was

het waterverbruik bij alle apparaten maar zo'n 10 liter. Maar de vuilfrees van Nilfisk bleek best agressief; gebruik die dus niet op kwetsbare ondergronden. Op een terras geeft een speciale patioreiniger het mooiste resultaat, maar ook hier is het verschil in waterverbruik groot. De Kärcher K 2.410 MD T50 en K 2.490 MD T50 gebruikten minder dan 10 liter, de patioreiniger van Eurom 17 liter. Reken op 1,5 à 3 minuten per vierkante meter.
Om de breedte van het effectieve reinigingsoppervlak te bepalen, moesten de hogedrukreinigers in een testopstelling ook verf verwijderen. Daarbij werd bekeken op welke afstand de hogedrukreiniger moet worden gehouden voor het beste resultaat. Het effect van de straal blijkt meestal af te nemen naar de zijkanten. Dat viel vooral op bij de Bosch en Nilfisk C 100.5-5 PC. De Kärcher K 4.600 MD T200 doet het in dit opzicht het best: daar is de straal over de hele breedte even krachtig. Bij een gemiddelde druk is een afstand van 10 cm het best. Wanneer je werkt met de hoogste druk is een afstand van 20 tot 30 cm optimaal.

Oren dicht

Hoewel onze experts de geluidsproductie van de reinigers geen probleem vonden, gebruik je zo'n apparaat liever niet op een mooie zondag als de buren in de tuin zitten. De geluidsproductie ligt namelijk tussen de 80 en 86 dBA. Dat is meer dan van een stofzuiger (60 tot 80 dBA).
Verder is het verstandig om kaplaarzen en een regenbroek aan te trekken. Denk ook aan een veiligheidsbril, want er kunnen steentjes opspatten.
Of de apparaten lang meegaan, hebben we niet getest, maar in de constructie van de apparaten vielen wel een paar dingen op. Omdat de apparaten

Veilig aan de slag

De combinatie van water en elektriciteit vraagt om oplettendheid, zeker bij water onder hoge druk. Daarom enkele tips voor het veilig gebruiken van de hogedrukreiniger.

- Laat een hogedrukreiniger nooit door kinderen gebruiken.
- Let erop dat er geen water in de buurt van elektriciteit komt.
- Houd de spuitmond met beide handen vast.
- Schoonmaken onder hoge druk kan tot beschadigingen leiden. Ga daarom voorzichtig te werk en pas de druk waar nodig aan.
- Draag een veiligheidsbril en beschermende kleding.
- Draag dichte schoenen, bij voorkeur regenlaarzen, en een regenbroek.

Hoe de hogedrukreiniger werkt

Een hogedrukreiniger werkt heel eenvoudig. Je sluit een tuinslang aan op een kraan en daaraan koppel je de hogedrukreiniger. Eenmaal aangesloten zet je de waterkraan open en de hogedrukreiniger aan. Als je nu de hendel op het apparaat aantrekt, wordt water met een pomp door een kleine opening in de kop van de spuitlans geperst. Hierdoor ontstaat een krachtige waterstraal. Zodra je de hendel loslaat, stopt de waterstraal. Hoeveel druk er kan worden opgebouwd hangt af van de kracht van de pomp en de grootte van de opening. Die laatste is meestal aan te passen, zodat je afhankelijk van de reinigingsklus de juiste sterkte van de waterstraal kunt selecteren.
Voor zware klussen is er een opzetstuk: de vuilfrees. Die maakt een heel dunne, krachtige, roterende straal. Gebruik de vuilfrees niet op kwetsbare oppervlakken.
Voor het reinigen van het terras is er de patioreiniger. Die heeft een roterende borstel en is voorzien van een beschermkap, zodat je minder last hebt van opspattend water.
Daarnaast is er vaak een handborstel te koop, geschikt voor bijvoorbeeld het schoonmaken van de auto, en soms ook een speciale rioolreinigingsset.
Overigens wordt bij de apparaten zelf doorgaans geen slang geleverd om het apparaat aan de waterleiding te koppelen.

een snoer hebben van 5 meter is het prettig als je dat ergens kwijt kunt bij het opbergen van het apparaat. De Eucom en Kärcher K 5700 hebben haken waaraan zowel snoer als spuitlans kunnen worden vastgezet, maar die haken zitten niet goed vast.
Wie grote oppervlakken moet schoonmaken, heeft baat bij een handgreep. De Kärchers 4600 hebben die, maar hij blokkeert niet goed en schuift te makkelijk weer in. Tot slot hebben sommige een opbergmogelijkheid voor de spuitmonden. Helaas zijn de houders van de spuitmonden van de Nilfisk C 100.5 zwak.

Ook voor de auto?

Omdat veel mensen hun auto wassen met een hogedrukspuit, hebben we dat ook gedaan met het beste, slechtste en een gemiddeld apparaat. De resultaten vergeleken we met het wassen van de auto met een emmer sop. In tijd duurt het veel langer met een spons, maar in waterverbruik ontlopen beide manieren elkaar niet veel. Het voordeel van de hogedrukreiniger ten

opzichte van een spons is dat er geen steentjes of zand in kunnen zitten, waarmee je mogelijk krassen in de lak maakt.
Toch is het oppassen met de hogedrukreiniger. Gebruik de standaardspuitlans of de speciale borstel (niet altijd meegeleverd) en houd minstens 30 cm afstand. De vuilfrees is te agressief voor de auto. Kijk uit bij de ventielen en banden. Als een autoband gaat verkleuren, is dat een teken dat hij is beschadigd. Je loopt dan gevaar op een klapband. Het ventiel kan met de hogedrukstraal worden gebogen, met een lekke band als gevolg.
Wees verder voorzichtig met deur- en raamrubbers. Deze zijn kwetsbaar, er kan makkelijk een stukje loskomen. Voor het beste resultaat gebruik je een speciale borstel en autoreiniger. Overigens is autowassen op straat niet overal toegestaan. Dit is afhankelijk van de gemeente. Of het wel of niet mag, staat in de Algemene Plaatselijke Verordening (APV).

IN DETAIL

Kärcher K 2.190 en K 2.100 (Beste koop)
Testoordeel: 7,9
Prijzen: €60 (Gamma) en €70 (Kärcher)
De machines zijn technisch gelijk, op de snoerlengtes na. Ze zijn klein, met alleen een roterend mondstuk. Minpuntje: bij de hoofdschakelaar is moeilijk te zien of hij aan of uit staat.

Zie ook het dossier *Hogedrukreinigers* op www.consumentenbond.nl.

Koelvrieskasten

Consumentengids oktober 2012

Weinig elektrische huishoudelijke apparaten bestaan al zo lang als de koelkast. Toch is er in de loop der tijd niet zo gek veel aan veranderd. De zichtbaarste verandering is dat de koelkast van een apparaat met alleen een koelruimte en vriesvakje is uitgegroeid tot een kloeke koelkast en viersterrenvrieskast in één. De grootste ontwikkelingen springen minder in het oog, zoals het enorm verminderde energiegebruik.
De efficiëntste koelvrieskasten die nu in onze Vergelijker op www.consumentenbond.nl/koelkasten staan, verbruiken jaarlijks 150 kWh, oftewel 0,64

kWh per liter inhoud. In 2000 verbruikte de efficiëntste koelvrieskast uit de test jaarlijks zo'n 1,14 kWh per liter. In 1992 was dat nog 1,71 kWh per liter. Dat is maar liefst 60% meer dan nu. Maar: de minst efficiënte koelvrieskast uit de Vergelijker verbruikt jaarlijks 1,38 kWh per liter inhoud. Daarmee zit die ver boven het niveau van de efficiëntste koelkast van 12 jaar geleden. Zo'n 30 jaar geleden konden we nog geen combinaties met viersterrenvriezer testen, maar wel koelvrieskasten met een tweesterrenvriesvak van zo'n 40 liter. Het energiegebruik hiervan vergelijken met de huidige apparaten heeft weinig zin.

Inbouw of vrijstaand

Het energiegebruik per liter inhoud is dus een belangrijk aandachtspunt bij het uitzoeken van een nieuwe koelvrieskast. De allereerste keuze is echter die tussen inbouw en vrijstaand. In een bestaande keuken zul je meestal hetzelfde soort apparaat kiezen dat er al staat, maar bij een nieuwe keuken is nog alles mogelijk.

De meeste Nederlanders kopen een vrijstaande koelkast; slechts 30% van de verkochte modellen is inbouw. Bij inbouwkoelkasten is de keuze beperkter dan bij vrijstaande modellen, omdat bij inbouw vaak voor hetzelfde merk wordt gekozen als de rest van de keukenapparatuur. Keukenzaken bieden vaak maar een beperkt aantal merken aan en sommige merken, zoals LG en Samsung, maken überhaupt geen inbouwkoelkasten. In de tabel 'Koelvrieskasten' staan de inbouwkoelkasten dan ook apart. Wie overigens een inbouwkoelkast tegelijk met andere inbouwapparatuur koopt, kan vaak flinke kortingen bedingen.

Bij vrijstaande apparaten kun je kiezen tussen het koel- en vriesdeel boven elkaar (boven-ondermodel) en naast elkaar (side-by-sidemodel). Over

Afvoeren graag!

Jarenlang kwam er bij het afrekenen van een nieuw huishoudelijk apparaat nog een onaangename verrassing in de vorm van een verwijderingsbijdrage van enkele tientjes. Een verwijderingsbijdrage betaal je nog steeds als je een nieuwe koelkast koopt, maar nu bedraagt die maar €17, voor alle soorten en maten koelvriesapparatuur.

De winkel waar je een nieuwe koelvriezer koopt, is verplicht de oude kosteloos in te nemen. Je kunt afgedankte apparaten ook inleveren bij de gemeente. Hoe en waar verschilt per gemeente. Kijk ook op www.wecycle.nl.

Koelvrieskasten

		Merk & Type	Prijs	Testoordeel	Koelvermogen	Invriescapaciteit	Energiegebruik	Energiegebruik per jaar (kWh)	Aanbevolen thermostaatstand	Gebruiksgemak	Bewaartijd bij storing	Temperatuurstabiliteit koeldeel	Temperatuurstabiliteit vriesdeel	Inhoud koeldeel/vriesdeel **** (liter)	Aantal thermostaten	No frost in koel/vriesdeel
		Weging voor Testoordeel			20%	18,5%	17,5%		15%	10%	5%	2%	2%			
		Vrijstaand														
■	1.	**LG** GB7138PVXZ	€800	**8,5**	++	++	++	237	++	+	–	++	++	175/91	2	ja/ja
▶	2.	**Samsung** RL55VJBIH	€740	**8,4**	+	++	+	230	++	+	+	++	++	207/78	2	ja/ja
	3.	**Samsung** RL40 UGSW	€450	**7,9**	++	+	+	307	++	+	□	++	++	178/74	2	ja/ja
	4.	**Indesit** BIAA 33 F X H D	€470	**7,8**	+	++	□	296	++	+	□	++	++	172/77	2	ja/ja
	5.	**Whirlpool** WBE3321	€400	**7,1**	+	+	□	328	++	□	□	++	++	188/76	1	nee/ja
	6.	**AEG** S73200CNW0	€470	**7,1**	+	–	□	306	++	□	+	++	++	179/66	1	nee/ja
	7.	**Samsung** RL62 VCPN	€800	**6,8**	+	+	+	402	–	+	+	++	+	278/117	2	ja/ja
	8.	**AEG** S53600CSS0	€500	**6,7**	+	–	+	235	++	□	++	++	++	194/75	1	nee/nee
	9.	**Bosch** KGV33VW30	€400	**6,5**	□	–	+	219	++	□	++	++	++	158/71	1	nee/nee
	10.	**Siemens** KG33VVW30	€480	**6,5**	□	–	+	219	++	□	++	++	++	158/71	1	nee/nee
	11.	**AEG** S53400CSW0	€480	**6,4**	□	–	+	229	+	□	++	++	++	177/76	1	nee/nee
	12.	**Exquisit** KGC–270/70 A+	€240	**6,2**	+	–	+	226	++	□	□	++	++	122/45	1	nee/nee
	13.	**Zanussi** ZRB929PW	€300	**5,8**	+	––	+	272	++	□	++	+	□	166/53	1	nee/nee
	14.	**Liebherr** CUP 2901	€500	**5,4**	+	––	++	197	––	□	+	++	++	166/42	1	nee/nee
	15.	**Exquisit** KGC320/85A++	€300	**4,4**	–	––	++	212	––	□	+	++	++	192/66	1	nee/nee
▼	16.	**Indesit** CAA 55	€300	**2,9**	□	––	+	268	––	□	□	–	++	126/72	1	nee/nee
▼	17.	**Beko** CS 234020	€440	**2,8**	–	––	+	267	++	□	++	+	––	173/76	1	nee/nee
		Inbouw														
	1.	**Siemens** KI34VA50IE	€790	**6,6**	++	□	□	293	++	□	+	++	++	161/59	1	nee/ja
	2.	**Liebherr** IC3013	€1250	**5,9**	+	+	□	318	++	□	+	++	□	164/61	2	nee/nee
	3.	**Ikea** Frostig BCF 201/65	€460	**5,5**	+	––	□	285	+	–	□	++	++	160/52	1	nee/nee
	4.	**Beko** CBI7771	€440	**3,6**	––	–	–	277	+	–	–	++	++	143/45	1	nee/nee

++ Zeer goed + Goed □ Redelijk – Matig –– Slecht ■ Beste uit de test ▶ Beste koop ▼ Afrader

- De prijzen zijn van juli 2012.
- In het testoordeel tellen ook mee: geluid (5%) en gemak van ontdooien (5%).
- Hoe lager het oordeel voor de temperatuurstabiliteit, des te lager het Testoordeel.
- Het volledige typenummer van de Whirlpool is WBE3321 A+NFW.
- De LG GB7138AVXZ is technisch gelijk aan de GB7138PVXZ, de Samsung RL40UGVG aan de RL40UGSW, de Whirlpool WBE3321 A+NFS aan de WBE3321 A+NFW en de Liebherr ICS3013 aan de IC3013.

het algemeen zijn de side-by-sides wat minder zuinig dan onder-bovenmodellen; voor de rest zitten de verschillen vooral in het uiterlijk.

De vuistregel

Dan komt de vraag hoe groot de koelkast moet zijn. Een vuistregel is zo'n 50 liter koelruimte en 30 tot 40 liter vriesruimte per persoon. Koelkastfabrikanten zijn vaak iets te positief bij de opgave van de inhoud van hun koelkasten. Als er niet expliciet in de specificaties staat dat het om de netto-inhoud gaat, ga er dan vanuit dat de niet-bruikbare ruimte in de koelkast, zoals die achter de laden, is meegerekend bij de opgegeven inhoud. In de tabel staat de bruikbare inhoud die de Consumentenbond zelf heeft gemeten. Als die wordt afgezet tegen het volume dat op het energielabel staat, is het verschil tussen het opgegeven en het gemeten volume van het koeldeel in enkele gevallen ruim 50 liter, oftewel meer dan 20% van het opgegeven volume.
Denk ook na over waar de koelvrieskast komt te staan. Op www.consumen tenbond.nl/koelkasten staat voor welke omgevingstemperatuur de koelvrieskast geschikt is, aangegeven met de klimaatklassen SN, N, ST en T. Koelkasten die geen klimaatklasse SN hebben, zijn ongeschikt voor een ruimte kouder dan 16 °C. Staat de koelkast in een onverwarmde, slecht geïsoleerde ruimte, dan kan de koelkast in de winter minder goed functioneren.
In de winkel kun je koelkasten vergelijken met de informatie op het energielabel. Voor compressiekoelkasten, het type dat veruit het meest in Nederland wordt verkocht, zijn er zeven energie-efficiëntieklassen: klasse A+++ (donkergroen) is de energiezuinigste en klasse D (rood) is de minst zuinige. De energie-efficiëntieklasse is gebaseerd op onder andere het jaarlijks energiegebruik, de inhoud en de temperatuurzones. Het label vermeldt ook het absolute energiegebruik per jaar, de inhoud, het aantal sterren van de vriezer en hoeveel geluid het apparaat maakt. Kanttekeningen bij deze gegevens: de inhoud is niet gemeten, maar opgegeven door de fabrikant. Ook zegt het aantal decibel (dB) niet alles over het geluid. Tevens speelt de toonhoogte een rol. In onze test meten we niet het aantal dB's, maar beoordelen we het geluid subjectief. Dat geeft een realistischer beeld.

Hoeveel thermostaten?

Sommige eigenschappen kunnen helpen bij energiezuiniger koelen. Zo staat in de tabel hoeveel thermostaten de koelvrieskast heeft. Bij een koelvrieskast met twee thermostaten zijn het koel- en vriesdeel los van elkaar te bedie-

nen. Zo kun je bijvoorbeeld de vriezer ontdooien zonder dat de koelkast uit hoeft. Koelvrieskasten met twee thermostaten zijn doorgaans ook wat zuiniger en doen het wat beter dan die met één thermostaat.
No frost is een techniek waardoor het binnenklimaat van de koelvrieskast droger is. Er ontstaat dan geen condens en dus ook geen rijp of ijs. Vriezers met no frost hoef je daardoor niet te ontdooien en in een koeldeel met no frost blijft de verdamper altijd ijsvrij. De koelvrieskasten met de hoogste oordelen hebben no frost in zowel koel- als vriesdeel. De meeste no-frost-modellen zijn ook wat zuiniger, vooral die met no frost in het koeldeel.
Als je net boodschappen hebt gedaan en in één keer een flinke hoeveelheid ongekoelde spullen in de koelkast of vriezer legt, moet het apparaat een flinke tijd extra hard werken om die producten op de ingestelde temperatuur te krijgen. In een slechte koelkast wordt de inhoud dan tijdelijk te warm of de koelkast gaat een flinke stoot extra energie gebruiken. Een snelkoel- en snelvriesfunctie voorkomt met minder energie dat de temperatuur te ver oploopt. Koelkastfabrikanten hebben hun eigen benamingen voor deze functie, in de trant van 'supercool' of 'fast freeze'. De meeste apparaten met een snelkoelfunctie behoren tot de energiezuiniger apparaten en hebben een beter koelvermogen. Bij een snelvriesfunctie zijn de voordelen minder zichtbaar in energiegebruik en invriescapaciteit.

Extra's

Dan zijn er nog wat functies die handig kunnen zijn, maar die niet voor iedereen het extra geld waard zijn, zoals de 0-gradenzone. Dit is een apart compartiment in de koelruimte waar de temperatuur altijd 0 °C is. Daarin zijn verse producten langer houdbaar dan in het gewone koeldeel, ook

Wat kost dat nou?

Een koelvrieskast staat 24 uur per dag, 365 dagen per jaar te snorren. Wat kost dat aan stroom? Voor de geteste koelkasten is dat makkelijk te berekenen door het jaarlijks energiegebruik in de tabel te vermenigvuldigen met €0,218, de huidige gemiddelde stroomprijs.
Het energiegebruik van koelvrieskasten kan enorm uiteenlopen: de Zanussi ZRB329W, de koelvrieskast met de laagst mogelijke score voor energiegebruik, verbruikt jaarlijks voor €66,93 aan stroom. De in 2011 geteste Bosch KGE-36AW40 en Siemens KG36EAW40 krijgen juist het hoogst mogelijke oordeel en kosten ondanks een iets grotere inhoud maar €32,70 aan stroom per jaar.

IN DETAIL

Samsung RL55VJBIH (Beste koop)

Prijs: €740

Testoordeel: 8,4

Mede dankzij zijn snelvriesfunctie krijgt deze koelvrieskast een zeer goede beoordeling voor invriezen. Verder behaalt het apparaat het hoogst mogelijke oordeel voor de temperatuurstabiliteit in het koel- en vriesdeel. Hij is ook erg stil en schoonmaken gaat uitstekend. Zowel het koel- als het vriesdeel hebben no frost.

Beko CS 234020 (Afrader)

Prijs: €440

Testoordeel: 2,8

Het is vooral de vriezer die deze koelvrieskast het laagste testoordeel uit de test bezorgt: de invriescapaciteit is bedroevend en voor de temperatuurstabiliteit in het vriesdeel krijgt hij het laagst mogelijke oordeel. Ook ontdooien is een nachtmerrie. Hij geeft geen signaal als er iets mis is.

producten die niet in de vriezer kunnen, zoals zuivel. Andere extra's zijn een digitale temperatuurindicator, waarschuwingssignalen als de binnen- of omgevingstemperatuur te hoog is, een flessenrek en extra flexibiliteit in de koel- en vriesruimte door in hoogte verstelbare en deelbare plateaus of laden.

Zie ook het dossier *Koelkasten* op www.consumentenbond.nl.

Lampen

Consumentengids mei 2012

Om na te gaan welke lampen energiezuinig zuinig zijn, moet je niet naar het wattage van de lamp kijken, maar naar het aantal lumen (zie de tabel 'Vergelijking lichtopbrengst').

De gloeilamp is definitief ingehaald door de spaarlamp en de ledlamp. Deze gaan lang mee, maar met garantie op de levensduur zijn fabrikanten niet scheutig.

Zuinige lampen

		Merk & Type	Richtprijs	Testoordeel	Levensduur en schakel-bestendigheid	Rendement en lichtopbrengst	Lichtopbrengst na 3 seconden	Werking bij koude	Kleurweergave	Informatie op verpakking	Lichtopbrengst volgens verpakking (lumen)	Gemeten lichtopbrengst (lumen)	Rendement (lm/W)	Dimbaar	Lampvorm
	Weging voor Testoordeel				32,5%	27,5%	25%	5%	5%	5%					
	Spaarlampen														
■	1.	**Osram** Dulux Superstar 22 W	€10,00	**7,6**	+	++	+	+	□	+	1440	1487	67		staaf
■	2.	**Osram** Dulux Superstar 30 W	€10,00	**7,6**	+	++	+	+	□	+	1940	1969	67		staaf
▶	3.	**Calex** Ultraslim Mini 575364 11 W	€2,95	**7,4**	++	+	+	+	□	□	550	605	60		staaf
	4.	**Osram** Duluxstar 8 W	€10,50	**7,3**	++	□	+	+	□	+	400	447	55		staaf
	5.	**Philips** Genie Longlife 11 W	€11,50	**7,3**	+	+	+	+	□	+	600	587	57		staaf
	6.	**Calex** Mini Spiraal 571172 11 W	€6,95	**7,1**	+	+	+	+	□	□	550	569	57		spiraal
	7.	**Osram** Dulux Longlife 825 11 W	€14,50	**7,1**	+	+	+	++	□	+	620	638	57		staaf
	8.	**Osram** Duled 12 W + 0,3 W	€8,10	**7,0**	+	+	+	+	□	+	620	630	52		staaf
	9.	**Hema** T2 Spiraal Spaarlamp 12 W	€4,00	**6,8**	□	+	+	+	□	+	700	728	63		spiraal
	10.	**Osram** Dulux S. Micro Twist 11 W	€11,50	**6,7**	+	+	□	+	□	+	650	686	64		spiraal
	11.	**Osram** Duluxstar 11 W	€10,50	**6,5**	□	+	+	+	□	+	600	618	59		staaf
	12.	**Megaman** Zen. Cl. MM01082 11 W	€4,50	**6,1**	+	+	–	+	□	–	570	558	52		peer
	13.	**Hema** T60 soft white Sfeer 11 W	€6,00	**6,1**	++	+	––	+	□	+	570	598	56		peer
	14.	**Hema** T2 Mini Spiraal 8 W	€4,00	**5,6**	––	+	+	++	□	+	500	514	64		spiraal
	15.	**Ikea** Sparsam 7 W	€2,00	**5,3**	+	–	––	+	□	+	290	327	42		peer
	16.	**Philips** Genie 11 W	€5,00	**5,1**	––	+	+	+	□	+	600	608	56		staaf
	17.	**GP** Mini Classic 11 W	€8,50	**4,2**	––	+	–	+	□	+	540	561	52		peer
	18.	**Ikea** Sparsam 11 W	€2,00	**3,8**	––	□	––	□	□	+	600	557	48		peer
	Ledlampen														
■	1.	**Philips** MyAmbiance 12-60 W	€60,00	**8,8**	++	++	++	++	□	+	806	802	65	√	peer
▶ ■	2.	**Philips** MyVision 5-25 W	€10,00	**8,2**	++	□	++	+	+	+	250	238	49		peer
■	3.	**Osram** Par. Classic A60 12 W	€44,00	**8,1**	++	+	++	++	–	+	650	699	54	√	peer
■	4.	**Philips** MyAmbiance 9-40 W	€30,00	**8,0**	++	+	++	+	+	–	470	474	50	√	peer
	5.	**Toshiba** E-core led warm-wit 9 W	€46,00	**6,8**	––	++	++	++	□	–	600	640	77		peer
	Halogeenlampen														
▶ ■	1.	**Ikea** Halogen 28 W	€0,95	**7,5**	++	□	++	++	++	––	345	332	11	√	peer
	2.	**Calex** Halogeenlamp 507512 42 W	€2,70	**7,3**	+	□	++	++	++	□	630	581	14	√	peer
	3.	**Hema** S 1500 uur helder 28 W	€2,00	**7,0**	+	–	++	++	++	–	340	303	11	√	peer
	4.	**Albert Heijn** Ecohalogeen S 42 W	€1,50	**5,0**	––	–	++	++	++	–	702	592	13	√	peer

++ Zeer goed + Goed □ Redelijk – Matig –– Slecht ■ Beste uit de test ▶ Beste koop

- De Ikealampen worden verkocht per twee. De tabel vermeldt de prijs per stuk.
- De scores van halogeenlampen kunnen niet met die van led- en spaarlampen worden vergeleken. Led- en spaarlampen onderling wel.

- Alle lampen hebben een E27-fitting (grote schroefdraad).
- Alle spaarlampen van Osram, behalve de Duled, hebben een warmere lichtkleur (2500 K) dan gebruikelijk (2700 K).
- Lampen van Calex zijn doorgaans verkrijgbaar bij Kwantum, Leen Bakker en Hornbach. De ledlamp van Toshiba is te koop bij Conrad.nl.
- Sommige oudere modellen zijn nog steeds verkrijgbaar, maar niet in de tabel opgenomen omdat door wijzigingen in het testprogramma het Testoordeel niet meer een op een te vergelijken is met dat van nieuwere lampen. Deze lampen zijn nog wel op onze website te vinden.
- De beoordeling voor informatie op de verpakking is gebaseerd op de verpakking van de gekochte lampen. Sommige lampen hebben inmiddels een nieuwe verpakking. Ikea bijvoorbeeld heeft inmiddels alle vereiste informatie op zijn verpakkingen gezet.

Levensduur

Als je voor €60 een goede ledlamp koopt, wil je er wel zeker van zijn dat hij echt zo lang meegaat als de fabrikant opgeeft. De Consumentenbond kan lampen niet 30.000 uur testen. Tegen de tijd dat de test is voltooid, zijn ze niet meer te koop.
Als je een lamp koopt, heb je wettelijk zes maanden garantie, maar daar heb je niet veel aan als dure (led)lampen binnen een paar jaar stukgaan, lang voordat de opgegeven levensduur is bereikt. Bij een product dat gepromoot wordt met zijn levensduur betekent dit dat het niet deugdelijk is. Lang niet elke winkelier neemt deze regel serieus. Hier zou de fabrieksgarantie op het aantal opgegeven branduren uitkomst kunnen bieden.

Garantie tot de voordeur?

Megaman biedt voor een groot deel van zijn spaar- en ledlampen de mogelijkheid ze direct na aankoop op zijn website te registreren. Je krijgt dan een garantiecode. Wanneer de lamp het begeeft voor het eind van de opgegeven levensduur kun je hem naar Megaman sturen en krijg je een nieuwe.
Wij hebben de andere grote lampenfabrikanten, Philips en Osram, gevraagd naar hun beleid bij lampen die na de wettelijke garantieperiode stukgaan. Philips laat weten 'geen commerciële garantie' te verstrekken op lampen die het niet aan consumenten verkoopt via de eigen webshop. Het vermelden van de levensduur op de verpakking is wettelijk verplicht, maar wordt door Philips niet opgevat als garantie. Wie er over een kapotte lamp met de winkelier niet uitkomt, kan contact opnemen met de

klantenservice van Philips (00800-744 547 75). Dat moet een 'gepaste oplossing' geven.

Record voor ledlamp

Ledlampen zuiniger dan spaarlampen? Voorheen bleek dat nooit uit onze testresultaten. We testen het lichtrendement (de verhouding tussen lichtopbrengst en verbruikte stroom). Voor het eerst hebben we nu een ledlamp getest die alle spaarlampen klopt op lichtrendement. De Toshiba E-core zet elke watt om in 77 lumen licht. Daarmee is het de efficiëntste lamp die we ooit hebben getest. Helaas geeft hij na 2000 branduren al 30% minder licht en daardoor krijgt hij geen hoog Testoordeel.

Vergelijking lichtopbrengst

	Overeenkomstig gloeilampvermogen (watt)					
Opgegeven lichtopbrengst (uren)	**15**	**25**	**40**	**60**	**75**	**100**
Led	160	275	480	810	1070	1475
Spaarlamp	150	245	450	760	975	1400
Halogeen	145	230	400	700	930	1325

Osram zegt dat de verpakking van zijn spaar- en ledlampen een garantietermijn van drie of vier jaar vermeldt, afhankelijk van de soort lamp. Gaat de lamp binnen die termijn stuk, dan kun je hem – met aankoopbewijs – naar Osram sturen en krijg je een nieuwe. De lamp mag niet 'op een verkeerde manier' gebruikt zijn (bijvoorbeeld buiten in een niet afgesloten armatuur). Gaat de lamp na de garantietermijn kapot terwijl hij nog lang niet aan z'n opgegeven branduren zit, dan kun je hem ook opsturen, maar hangt het van de coulance van Osram af of je een nieuwe krijgt.

Schadelijke stoffen

Spaarlampen hebben kwik nodig om licht te geven. Weliswaar steeds minder kwik, maar het zit er wel in. Bij gebruik komt het kwik niet vrij, maar pas wel op bij lampbreuken, al is er geen reden voor paniek. Hoe te handelen staat op www.consumentenbond.nl/kwikinspaarlampen.
Milieu Centraal berekende dat de hoeveelheid kwik die in het milieu komt bij een spaarlamp vergelijkbaar is met die van de andere lamptypen. De gloeilamp zorgt zelfs voor het meeste kwik en wel door de uitstoot van de kolencentrales die een deel van onze elektriciteit opwekken.

Hoe zit het met de schadelijke gassen die spaarlampen zouden uitstoten? Spaarlampen zijn in een gemiddeld huishouden zeker niet de belangrijkste bron van ongezonde gassen en na een tijd neemt de uitstoot af. Wie goed ventileert, hoeft zich geen zorgen te maken.

Lampen inleveren

Vanwege het kwik en de recyclebare elektronica moet je spaar- en ledlampen bij de gemeentelijke milieustraat inleveren of bij de lampenwinkel. Winkels zijn verplicht ze bij de koop van een nieuwe lamp kosteloos aan te nemen en apart te laten afvoeren. Het kwik uit de spaarlampen komt dan niet in het milieu terecht, maar wordt hergebruikt, vooral in de farmaceutische industrie.

IN DETAIL

Osram Dulux Superstar (Beste uit de test)

22 W/30 W

Prijs: €10

Testoordeel: 7,6

Deze spaarlampen zijn goede allrounders voor plaatsen waar veel licht nodig is. De lichtopbrengst van het 22 W-model is bijna 1500 lumen, wat ruim voldoende is om een gloeilamp van 100 W te vervangen.

Philips my-Ambiance (Beste uit de test)

12-60 W

Prijs: €60

Testoordeel: 8,8

De beste lamp die we ooit hebben getest. Het design is opvallend. Mooi is dat Philips' claim dat deze ledlamp een 60 W-gloeilamp vervangt precies klopt. Maar Philips, mag het wat goedkoper?

Nog niet alle winkels houden zich aan deze verplichting. Winkelpersoneel blijkt vaak slecht op de hoogte van de inzamelplicht en het nut van recycling. Daarom zit de Inspectie Leefomgeving en Transport de winkels inmiddels achter de broek.

Fikse prijzen

De prijzen van ledlampen van de grote merken zijn de afgelopen jaren nog nauwelijks gezakt. Wel komen er meer ledlampen van huismerken. Voor-

heen hadden die vaak een erg lage lichtopbrengst, maar nu claimen verschillende huismerklampen dat ze een gloeilamp van 60 W kunnen vervangen. Ze kosten rond de €10. We zijn bezig deze lampen te testen.
Tot slot nog een interessante lamp, de Osram Duled. Na het aanzetten is het een blauwig ledlampje om struikelen in het donker te voorkomen. Zo geeft hij weinig licht en verbruikt hij maar 0,3 W. Schakel je vervolgens de lamp uit en binnen een seconde weer aan, dan is het een gewone spaarlamp. Er is geen speciale schakelaar nodig. Wij hebben hem als spaarlamp getest.

Zie ook het dossier *Spaarlampen* op www.consumentenbond.nl.

Snoeischaren

Consumentengids maart 2012

Een goede snoeischaar maakt een mooie, scherpe snede, want daarmee blijft de tak gezond. Er zijn grofweg twee typen snoeischaren: aambeeld- en schaarmodellen. Bij aambeeldmodellen stuit de snijdende helft van de bek op de stompe helft; bij schaarmodellen (vaak papegaaienbek genoemd) glijdt de snijdende helft langs de minder scherpe helft die de tak vasthoudt. Tuinexperts gebruiken vaak het liefst een schaarmodel, omdat ze menen dat bij aambeeldmodellen het risico groter is dat ze het laatste stukje van de tak fijnknijpen en afscheuren in plaats van afknippen.
Voor deze test gingen leden van groenvereniging Groei & Bloei aan de slag met 16 snoeischaren, waarvan 4 aambeeldmodellen. Twee ervan zijn bedoeld voor linkshandigen. Bij een aantal andere staat dat ze zowel voor links- als rechtshandigen geschikt zijn, maar bij het gros wordt niets aangegeven.
De meningen van de panelleden over de scharen zijn zeer gevarieerd. De scharen die in het kader onder 'positief' staan, kregen geen enkele negatieve opmerking. Over de snoeischaren die onder 'verdeeld' staan, waren de meningen verschillend: een schaar die de een 'heerlijk' vond, 'zou ik niet kopen', stelde de ander. Over de scharen die onder 'negatief' staan, is niemand echt enthousiast.
Na een zoutbadje – voor de roesttest – vertonen een paar scharen wat roestplekjes, maar die zijn, zolang de schaar nog nat is, makkelijk weg te vegen met een doek.

Gezien de uiteenlopende meningen over de snoeischaren nemen winkeliers hopelijk de tip over van een van de panelleden: hang van elke snoeischaar een probeerexemplaar op in de winkel. Dan kan iedereen zelf voelen welke snoeischaar het lekkerst in de hand ligt.
Er is niet getest hoelang de scharen scherp blijven.

Positief

1 TalenTools VBS D309 (linkshandig)
€9,20 (Groenrijk)
De topper voor de linkshandigen van het panel. Hij knipt uitstekend, ook takken dikker dan 10 mm. Maakt een mooie, scherpe snede.

2 TalenTools F188
€11,50 (Groenrijk)
Prettig, ligt lekker in de hand en maakt een scherpe snede, ook bij takken dikker dan 10 mm. Is moeilijk te zien als hij tussen de planten ligt.

3 Wolf Garten RR-E
€12 (Welkoop)
Goede grip, ligt lekker in de hand, knipt lekker weg en maakt een mooie snede. Dikke takken gaan goed met twee handen. De sluiting is een beetje stroef.

4 Gardena Classic 8757
€13 (Overvecht)
Prettige grip, knipt makkelijk, goede vergrendeling en scherpe snede. Knipt ook goed met het puntje. Knipt takken dikker dan 10 mm netjes en goed.

5 Wolf Garten RS 19
€14 (Overvecht)
Ligt goed in de hand. Knipt erg makkelijk: je hebt weinig kracht nodig. Mooie, scherpe snede. Achter in de bek knipt hij wat minder goed.

6 Gardena Comfort 8790
€29 (Overvecht)
Ligt lekker in de hand, hoewel de grip nog fijner was geweest als het antisliprubber aan beide kanten had gezeten. Mooie snede.

7 Fiskars Powerstep P83
€35 (Intratuin)
Aambeeldschaar. Knipt dikke takken trapsgewijs. Dat is wennen, maar prettig als je weinig kracht in de handen hebt. Mooie snede.

8 Central Park Aambeeld (vrouw)
€10 (Praxis)
Prettige, zachte grip voor kleine (vrouwen)handen. Vooral voor dunnere takjes. Soms blijft er troep in de bek zitten. Lekker handzaam.

Verdeeld

9 Wolf Garten RR-L (linkshandig)
€25 (Gamma)
Aambeeldschaar. Houdt wat minder prettig vast, want heeft maar aan één kant een rubbergrip. Knipt lekker, maar geen dikkere takken.

10 Gardena Premium BP30 8701
€43 (Overvecht)
Na een tijdje knippen en vooral na de roesttest blijft de schaar dicht zitten. Mooie snede. Ook geschikt voor kleinere handen.

11 Felco 2
€53 (Welkoop)
Dit is een 'mannenschaar', want hij is te groot voor kleine handen. Knipt soepel, maar is lastig te hanteren. Mooie snede. Dit profmerk is lastig te vinden in gewone winkels. Onderdelen zijn los te koop.

Negatief

12 Optima
€3 (Gamma)
De grip is te glad. De veer is waardeloos: daar komen vingers tussen. De veiligheidspal is gammel en oogt niet veilig. Geen mooie snede bij het fijne werk.

13 Gamma Type 290
€6,40 (Gamma)
Maakt best een mooie snede, maar de werking van de veiligheidspal is voor veel mensen onduidelijk, waardoor hij steeds in de beveiligde stand schiet.

14 Central Park Aambeeld (man)
€11 (Praxis)
Grotere tegenhanger van het vrouwenmodel, maar deze werkt veel minder prettig. Drukt de tak fijn in plaats van deze te knippen.

15 Intratuin Professioneel
€15 (Intratuin)
Knipt goed, maar ligt niet lekker in de hand. Glijdt weg tijdens het knippen. Geschikt voor het kleinere werk. Na de roesttest werkt de veiligheidspal niet meer.

16 Fiskars Single Step SP27
€15 (Intratuin)
Enige met twee snijdende helften. Waardeloos: ligt niet goed in de hand, knipt niet goed en voelt stug. Knijpt dunne takjes fijn in plaats van ze te knippen.

Zie ook het dossier *Heggenscharen* op www.consumentenbond.nl.

Stofzuigers

Consumentengids juni 2012

'Stofzuigers blijven ondingen. Helaas zijn ze onmisbaar, maar het liefst had ik er geen nodig gehad', reageert een geënquêteerde van het internetpanel van de Consumentenbond.
Het gevoel dat een stofzuiger een noodzakelijk kwaad is, wordt door velen gedeeld, zo blijkt uit de bijna 450 reacties op de vraag of de geënquêteerden nog overige opmerkingen over het gebruiksgemak hadden. Stofzuigers die overal achter blijven haken, omtuimelen, niet over hun eigen snoer kunnen rijden of te korte snoeren, vervelende snoeroprolsystemen of te korte zuigbuizen hebben: het zijn ergernissen die iedereen weleens heeft bij het stofzuigen.
Omdat onze enquête zoveel reacties losmaakte, richt deze test zich op de gebruiksaspecten van stofzuigers. In de tabel 'Stofzuigers' staan de exemplaren die het hoogst scoren op gebruiksgemak. In de tabel 'Gebruiksgemak' is dit testonderdeel uitgebreid belicht.

Wat kost die zak?

Merk & Type	Aantal per verpakking	Richtprijs	Prijs per zak
AEG [1]			
AEG eigen merk	5	€10	€2,00
Albert Heijn	4	€5	€1,25
Blokker (Handy)	4	€6	€1,50
Handyman (Scan Part)	4	€9	€2,25
Marskramer (Kleenair)	4	€6	€1,50
Bosch [2]			
Bosch eigen merk (type G)	4	€13	€3,25
Blokker (Handy)	4	€6	€1,50
Handyman (Scan Part)	4	€9	€2,25
Marskramer (Kleen Air)	4	€6	€1,50
Electrolux UltraOne Z8820			
Electrolux eigen merk (S-bag)	5	€9	€1,80
Blokker (Handy)	4	€6	€1,50
Handyman (Scan Part)	4	€8	€2,00
Miele [3]			
Miele eigen merk (type F,G,J,M,N)	4	€12	€3,00
Albert Heijn	4	€5	€1,25
Blokker (Handy)	4	€6	€1,50
Handyman (Scan Part)	4	€9	€2,25
Marskramer (Kleenair) [4]	4	€6	€1,50
Philips [5]			
Philips eigen merk	4	€10	€2,50
Albert Heijn	4	€5	€1,25
Blokker (Handy)	4	€6	€1,50
Handyman (Scan Part)	4	€8	€2,00
Marskramer (Kleenair)	4	€6	€1,50
Siemens VS07G1666			
Siemens eigen merk	4	€14	€3,50
Blokker (Handy)	4	€6	€1,50
Handyman (Scan Part)	4	€10	€2,50
Marskramer (Kleenair)	4	€6	€1,50

1) AAM6103 N Airmax, AJM 6820 JET MAXX, AJM 6840 JET MAXX, ASC 6925 Super Cyclone, ASC 6935 Super Cyclone.

2) BGS62232 Roxx'x, BSGL 5 PRO 1, BSGL52232 Free'e.

3) Hybrid, S 5210 Black Pearl 5000, S 5260 Parkett & CO 5000, S 5261 Cat & Dog 5000, S381, S5 EcoLine Green, S6210 Sprintblauw, S6230, S6240 Ecoline, S6290 Silence (red velvet).

4) Voor de S 5261 Cat & Dog 5000 zitten er vijf stuks in een verpakking, dus €1,20 per zak.

5) FC 8144/01, FC 8732 Easy Clean, FC 9171, FC 9173 (Performer), FC 9302, FC8130/01 parquet care, FC9150.

Rekensommetje

De tabel 'Wat kost die zak?' laat zien dat de prijzen voor stofzuigerzakken behoorlijk kunnen oplopen. Een rekenvoorbeeld: wie zeven jaar lang elke twee maanden de stofzuigerzak vervangt, betaalt daarvoor met de goedkoopste merkloze zakken zo'n €60.
Met speciale zakken van het stofzuigermerk worden de kosten hoger en de verschillen groter. Zo kosten 42 merkzakken voor de Siemens VS07G1666 bijna €150. Met AEG AJM 6820-merkzakken ben je voor €84 klaar. Zelfs als je rekening houdt met de grotere inhoud van de Siemenszakken, ben je met die van AEG aanzienlijk goedkoper uit.

De sledestofzuiger wordt veruit het meest verkocht. Ruim 90% van de deelnemers heeft zo'n type. In de test zitten dan ook vrijwel alleen sledestofzuigers. Onder de geënquêteerden kozen er 14 voor een robotstofzuiger. Hun mening over het gebruiksgemak wisselt nogal. Nog eens 17 mensen werken met een centraal stofzuigsysteem. Je sleept dan geen apparaat met je mee, maar prikt de stofzuigslang direct in een aansluitpunt in de wand. Geen gedoe met volle stofzakken en vieze filters dus. Bijna alle mensen met zo'n systeem roemen het gebruiksgemak ervan.

Top-2

Miele en Philips zijn veruit de populairste merken: ruim 35% heeft een Miele en ruim 20% een Philips. Op grote afstand volgen Bosch/Siemens en AEG/Electrolux, en daarna Dyson en Nilfisk.
De meeste geënquêteerden zijn behoorlijk netjes: meer dan 90% stofzuigt minstens één keer per week. Een enkeling stofzuigt nooit. Die laat het doen door de hulp in de huishouding of 'mijn vrouw'; niemand vulde in dat het stofzuigwerk doorgaans door 'mijn man' wordt gedaan.

Zak of bak

In de stofzuigertest zitten voornamelijk apparaten die het stof opvangen in een zak die je moet vervangen als hij vol is. Dat komt aardig overeen met de verdeling bij het panel: maar liefst 2293 geënquêteerden (dat is bijna 90%) hebben een stofzuiger met een verwisselbare stofzak, de rest heeft een stofzuiger met bak, ofwel een zakloos apparaat.
De meesten vervangen de zak ongeveer één keer per twee à drie maanden of 'zodra hij vol is'. Een enkeling haalt een volle stofzak leeg en hergebruikt

Stofzuigers

	Merk & Type	Richtprijs	Testoordeel	Tapijt zuigen	Harde vloeren zuigen	Kieren zuigen	Huisdierharen opzuigen	Zuigen naarmate bak/zak voller wordt	Zuigen langs plinten	Stofuitstoot	Energiegebruik	Geluid	Gebruiksgemak	Bak of zak	Gewicht (kg)	Werkbereik (m)
	Weging voor Testoordeel			12,5%	10%	7,5%	7,5%	7,5%	2,5%	10%	4%	6%	25%			
▶ ■ 1.	**Siemens** VS07G1666	€110	**8,0**	+	++	+	++	++	+	++	□	+	+	zak	7	10,1
2.	**AEG** AJM 6820 Jet Maxx	€120	**7,7**	+	++	++	++	++	+	++	–	–	□	zak	6,8	8,9
3.	**Philips** FC 9302	€170	**7,7**	+	++	□	++	++	++	++	+	+	+	zak	9	11,2
4.	**Bosch** BSGL 5 PRO 1	€175	**7,6**	+	++	+	++	++	++	+	□	□	□	zak	7,6	14,8
5.	**Bosch** BSGL 52232 Free'e	€180	**7,5**	+	++	+	++	++	++	+	–	–	+	zak	7,2	14,8
6.	**Miele** S6210 Sprintblauw	€180	**7,4**	+	++	+	++	++	++	+	–	□	□	zak	6,3	9,7
7.	**Miele** S6240 Ecoline	€190	**7,4**	+	++	+	++	++	++	□	+	+	□	zak	6,6	9,8
8.	**Miele** S6230	€200	**7,3**	+	++	□	++	++	+	+	–	□	□	zak	6,4	9,8
9.	**Dyson** DC37 Animal turbine	€530	**7,3**	+	++	++	++	++	+	+	□	–	□	bak	7,7	9,7
10.	**AEG** ASC 6925 Super Cyclone	€115	**7,2**	□	++	++	++	+	+	++	–	––	□	bak	7,3	8,8
11.	**Dyson** DC37 Allergy parquet	€500	**7,1**	+	++	+	++	++	+	+	+	–	□	bak	7,7	9,7
12.	**Dyson** DC37 Origin extra	€440	**7,0**	+	++	+	+	++	+	+	□	–	□	bak	7,7	9,7
13.	**Philips** FC8130/01 parquet care	€90	**6,8**	□	++	–	++	++	+	++	–	□	□	zak	7,4	9,9
14.	**Siemens** VSQ 4 G 2122	€140	**6,8**	+	++	□	□	++	□	+	□	+	□	zak	6,3	9,9
15.	**Numatic** Henry HVR200A	€180	**6,2**	□	++	–	++	++	□	□	++	□	□	zak	8,5	13,1

++ Zeer goed + Goed □ Redelijk – Matig –– Slecht ■ Beste uit de test ▶ Beste koop

De levensduur en de effectieve breedte van het mondstuk staan niet in de tabel en wegen voor 5% respectievelijk 2,5% mee.

de zak. Dat klinkt misschien overdreven, maar wie vaak stofzuigt kan zo een aardige duit aan nieuwe stofzakken besparen. Afhankelijk van het merk en type stofzuiger en stofzak kan de prijs oplopen tot €3,50 per zak!
In de tabel 'Wat kost die zak?' staat voor een aantal populaire stofzuigers hoeveel de stofzakken kosten. Dure zakken kunnen in de loop der jaren

een ogenschijnlijk goedkope stofzuiger een stuk prijziger maken. Zie het kader 'Rekensommetje' voor een rekenvoorbeeld. Neem bij twijfel tussen een stofzuiger met of zonder zak zeker de kosten voor de zakken mee in uw overweging.
Uit de tientallen opmerkingen over stofzakken en filters blijkt dat veel mensen worstelen met het verwisselen en schoonmaken ervan. Sommigen merken expliciet op dat ze het verwisselen van vooral de stofzakken zo lang mogelijk uitstellen, omdat ze nieuwe zakken behoorlijk prijzig vinden. 'Dat moet veel goedkoper kunnen', merkt iemand op. En: 'Soms is het moeilijk de juiste zak te vinden. Al die namen! Kunnen ze het niet wat uniformer maken, zodat elke zak in elke stofzuiger past?'
Helaas doen de zakloze stofzuigers in de test het gemiddeld minder goed dan stofzuigers met zak. Het grootste euvel is dat de zakloze apparaten doorgaans meer herrie maken. De zuigprestaties worden niet bepaald door het zak- of baksysteem: bij beide systemen zijn er modellen die beter en minder goed zuigen.

Filter vervangen

Ook stofzuigerfilters kunnen een onvoorziene kostenpost zijn. In de meeste stofzuigers zitten er twee. Een motorfilter voorkomt dat er stof in de motor komt en een uitblaasfilter zorgt ervoor dat stofdeeltjes zo veel mogelijk in

Siemensperikelen

De Siemens VS07G1666 is Beste uit de test én Beste koop en krijgt een 6,7 voor gebruiksgemak. Toch worden er op onze website vrij veel negatieve opmerkingen over gemaakt. Hoe kan dat?
De Siemens krijgt zijn hoge Testoordeel ten eerste omdat hij prima zuigt. Op de ruim 60 geteste gebruiksaspecten scoort de Siemens soms goed en soms minder. Na negatieve opmerkingen over de wielen zijn die apart getest, maar er werden geen problemen geconstateerd. Sommigen vinden het snoeroprolsysteem onprettig, maar dat leidt niet tot puntenverlies. Op de overige gebruiksaspecten doet de Siemens het niet opvallend slecht en is hij dus niet extra afgewaardeerd.
Siemens heeft naar aanleiding van de klachten op onze website onderzocht of er structurele problemen waren bij dit model, maar die zijn niet gevonden. Overigens krijgt de bijna identieke Bosch BSG71266, die wegens de slechte verkrijgbaarheid geen Beste uit de test is, nergens vergelijkbare negatieve reacties.

IN DETAIL

Siemens VS07G1666 (Beste koop én Beste uit de test)

Prijs: €110

Testoordeel: 8,0

Zuigt goed tot zeer goed en is relatief stil. Het snoer rolt automatisch op zodra het strak komt te staan. Nadelen: het openen van de deksel voor de stofzak en de bediening van de zuigkracht met de voet gaan zeer lastig.

Electrolux UltraOne Z8820 (Beste uit de test)

Prijs: €280

Testoordeel: 8,0

Zuigt goed tot zeer goed, is stil en stoot zeer weinig stof uit, maar ontbreekt in de tabel wegens een lager oordeel voor gebruiksgemak (6,0). Nadelen: is vrij zwaar, beweegt moeilijk over tapijt en heeft een onhandige toegang tot het snoer.

de stofzuiger blijven en niet worden uitgeblazen. Niet bij alle stofzuigers hoef je de filters periodiek te vervangen. Bij sommige volstaat uitspoelen of -kloppen. In de gebruiksaanwijzing van de stofzuiger staat welke filters erin zitten en hoe vaak ze schoongemaakt of vervangen moeten worden. Uit de enquête blijkt dat meer dan 20% geen idee heeft welke filters in de eigen stofzuiger zitten. De geënquêteerden die dat wel weten, vervangen meestal een of twee keer per jaar het motorfilter en een tot vier keer per jaar het uitblaasfilter. Bijna 15% geeft aan het motorfilter nooit te vervangen en ruim 10% vernieuwt het uitblaasfilter nooit. Bijna 60% van degenen die de filters nooit vervangen, wist niet dat het nodig was.

Belangrijk bij gebruik

Op de vraag wat ze het belangrijkst vinden aan een stofzuiger, antwoordt het gros dat het apparaat gewoon goed moet zuigen. Direct daarna telt het gebruiksgemak het zwaarst. Ook willen ze graag een stofzuiger die lang meegaat. Deze drie aspecten zijn meegenomen in de test.
Hoe goed de stofzuiger zuigt, wordt op verschillende manieren gemeten: op harde vloeren en tapijt, bij kieren en plinten en met huisdierharen. Bij elkaar tellen de oordelen voor het zuigen voor de helft mee in het Testoordeel. Het gebruiksgemak telt voor een kwart mee. De score voor het gebruiksgemak is gebaseerd op meer dan 60 testaspecten, zoals hoe soepel de stofzuiger

Gebruiksgemak stofzuigers

	Merk & Type	Rapportcijfer	Gebruiksaanwijzing	Uitrollen snoer	Verwijderen zak of bak	Plaatsen zak of bak	Plaatsen, schoonmaken en terugplaatsen motorfilter	Plaatsen, schoonmaken en terugplaatsen uitblaasfilter	Opbergen	Inrollen snoer	Over drempels rijden	Trappen zuigen	Onder lage meubels zuigen	Maximale hoogte zuigbuis (cm)
1.	**Siemens** VS07G1666	**6,7**	+	□	+	□	□	□	□	+	+	–	+	110
2.	**AEG** AJM 6820 Jet Maxx	**6,1**	+	+	□	□	+	□	□	+	++	–	–	114
3.	**Philips** FC 9302	**6,4**	+	+	++	+	□	+	+	+	□	––	–	120
4.	**Bosch** BSGL 5 PRO 1	**6,2**	+	□	+	+	□	□	+	++	+	–	□	109
5.	**Bosch** BSGL 52232 Free'e	**6,6**	+	++	□	□	□	□	+	+	+	–	□	114
6.	**Miele** S6210 Sprintblauw	**6,1**	++	+	□	□	□	+	□	+	□	–	□	115
7.	**Miele** S6240 Ecoline	**5,7**	+	□	+	+	□	□	□	++	–	–	□	125
8.	**Miele** S6230	**6,3**	++	+	□	□	□	□	□	+	–	–	□	123
9.	**Dyson** DC37 Animal turbine	**5,6**	□	□	+	□	+	–	□	□	–	–	–	101
10.	**AEG** ASC 6925 Super Cyclone	**5,9**	–	□	+	□	□	□	+	+	++	–	□	111
11.	**Dyson** DC37 Allergy parquet	**5,4**	□	□	+	□	+	–	□	□	–	–	–	105
12.	**Dyson** DC37 Origin extra	**5,4**	□	□	+	□	+	–	□	□	–	–	–	104
13.	**Philips** FC8130/01 parquet care	**5,8**	□	+	+	□	□	+	□	□	□	––	–	106
14.	**Siemens** VSQ 4 G 2122	**5,9**	□	+	+	□	+	□	+	+	+	–	–	109
15.	**Numatic** Henry HVR200A	**5,6**	–	+	□	–	+	nvt	□	–	––	––	□	112

++ Zeer goed + Goed □ Redelijk – Matig –– Slecht nvt = niet van toepassing

rijdt, of de onderdelen goed te verwisselen en op te bergen zijn, hoe makkelijk je de stofzuiger kunt opbergen, of het snoer zich eenvoudig oprolt, hoe het zit met het onderhoud en het verwisselen van filters en stofzakken enzovoort. Omdat er zoveel onderdelen meetellen, vallen uitschieters niet meer op in het totaaloordeel voor gebruiksgemak. Elke stofzuiger scoort op enkele onderdelen wel een paar keer beter en slechter dan gemiddeld en dat heft elkaar weer op. Daarom zijn de gebruiksaspecten waarover in de enquête de meeste opmerkingen werden gemaakt apart uitgelicht in de tabel 'Gebruiksgemak'. In de Vergelijker op onze website zijn de belangrijkste gebruiksaspecten apart genoemd en staan per stofzuiger de opvallendste plus- en minpunten.

De oordelen voor de levensduur van de motor en het snoeroprolsysteem staan niet in de tabel, maar wegen voor in totaal 5% mee in het Testoordeel. Ze staan wel op onze website.

De geënquêteerden vinden dat stofzuigerfabrikanten wel wat beter over het ontwerp mogen nadenken. Meer dan 100 reacties gaan over hoe goed of slecht het apparaat 'volgt' bij het stofzuigen. Er zijn tientallen klachten over stofzuigers die omtuimelen bij de minste of geringste oneffenheid, achter meubels en deuropeningen blijven haken en zelfs beschadigingen aanrichten, en domweg weigeren in een rechte lijn te rijden.
In onze test wordt het rijden over verschillende ondergronden en drempels bij het gebruiksgemak beoordeeld.

Snoeren en buizen

Meer dan 50 opmerkingen gaan over de lengte van het snoer en/of het gemak van het snoeroprolsysteem. Het is duidelijk: het snoer kan de meeste mensen niet lang genoeg zijn. Het werkbereik – grofweg de lengte van het snoer plus de lengte van de slang en de buis – staat in de tabel 'Stofzuigers'. Het kleinste werkbereik heeft de Bestron A 2010 E met 7,5 meter. Ter vergelijking: met de Bosch BSGL 5 PRO 1 en BSGL52232 Free'e kom je tot bijna 15 meter! De meeste stofzuigers hebben een bereik van ongeveer 10 meter. Ook zijn er opvallend veel opmerkingen over te korte zuigbuizen. In de tabel 'Gebruiksgemak' staat de lengte van de zuigbuis, gemeten in de maximaal uitgeschoven stand, vanaf de onderkant van de voet tot aan de 'knik' tussen de buis en de slang. Het verschil tussen de langste en kortste buis is maar liefst 58 centimeter, dus voor lange mensen is het zeker de moeite waard hierop te letten.

Oren dicht

De herrie die de stofzuiger maakt, wordt ook enkele tientallen keren genoemd. 'De mijne klinkt als een bommenwerper', verzucht iemand. Maar niet iedereen vindt herrie erg: 'Als een stofzuiger geen lawaai maakt, denkt mijn vrouw dat hij niet goed zuigt.' Hoe hoger het oordeel voor geluid in de hoofdtabel, des te minder herrie de stofzuiger maakt.
De enquête laat overigens niet alleen maar kommer en kwel zien. Enkele tientallen mensen zijn zeer te spreken over hun stofzuiger. Soms noemen ze daar ook een merk bij en bijna altijd is dat Miele of Dyson. Dat zegt niet alles, want over de stofzuigers van Dyson wordt er ook nogal wat geklaagd. Een enkeling verklaart dat zijn stofzuiger al tientallen jaren trouwe dienst doet en spreekt de innige wens uit dat het ouwe beestje nog net zo lang mee zal gaan.

Zie ook het dossier *Stofzuigers* op www.consumentenbond.nl.

Vaatwasmiddelen

Consumentengids mei 2012

Er is een enorme keuze aan vaatwasmiddelen in de supermarkt. Welke moet je nemen om de vaat niet alleen schoon te krijgen, maar ook droog zonder strepen, vlekken en druppels? Ook mag de vaat niet beschadigd raken. En dit alles het liefst met zo min mogelijk milieuschade en een zo laag mogelijke prijs. De goedkope middelen doen het net zo goed als de duurdere, zo blijkt uit onze test.
Er zijn twee soorten vaatwasmiddelen: enkelvoudige en alles-in-éénproducten. Bij enkelvoudige middelen moet je zout toevoegen om kalkaanslag te voorkomen en glansspoelmiddel voor het streeploos opdrogen. Aan alles-in-éénproducten – de naam zegt het al – hoef je niets toe te voegen. Ook hoef je ze niet nauwkeurig te doseren zoals bij poeder.
Deze test laat zien dat de twee soorten nauwelijks voor elkaar onderdoen. Wel droogt de vaat vaak beter streeploos op bij tabletten of poeder in combinatie met los glansspoelmiddel. De machine kan dit toevoegen op het juiste moment: in de laatste spoelgang. Bij alles-in-ééntabletten is dit moeilijker. Het tablet wordt voor het begin van de afwas toegevoegd en er moet aan het eind genoeg glansspoelmiddel overblijven om de vaat streeploos te laten opdrogen.

Zo blijft servies mooi

- Was glas op een lage temperatuur.
- Een hardheid lager dan 4 °DH kan meer glascorrosie of beschadiging van decoraties veroorzaken. Voeg dan geen zout toe.
- Mors niet met zout bijvullen.
- Doseer niet te veel poeder.
- Zet plastic bovenin; dichter bij het verwarmingselement vervormt het eerder.
- Wanneer de vaat in de machine vrij schoon is, zal zilver eerder verkleuren.
- Te veel vuil op zilver, vooral ei, kan verkleuring geven. Verwijder dit vooraf.
- Laat verschillende metalen niet tegen elkaar staan.
- Haal zilveren en metalen voorwerpen direct na de afwas uit de machine of zet de machine meteen open.
- Was voorwerpen van hout, been, ivoor, kristal, niet-hittebestendig plastic, verzilverde en antieke of handgemaakte voorwerpen liever met de hand af.

Vaatwasmiddelen

		Merk & Type	Richtprijs	Testoordeel	Prijs per tien beurten	Schoonmaken	Materiaalaantasting	Kalkaanslag	Streeploos opdrogen	Drogen	Inhoud
		Weging voor Testoordeel				50%	20%	10%	10%	10%	
		Alles-in-ééntabletten									
▶ ■	1.	**Una** Alles in 1	€3,20	**7,3**	€0,80	+	++	+	+	++	40 tabletten
▶ ■	2.	**W5** All in 1	€3,20	**7,1**	€0,80	□	++	+	+	++	40 tabletten
	3.	**Sun** All in 1 extra power	€7,00	**6,6**	€2,50	+	+	+	–	+	28 tabletten
	4.	**Finish** Powerball Quantum	€5,70	**6,5**	€2,85	□	+	+	□	+	20 tabletten
	5.	**Dreft** Platinum citroen	€6,30	**6,5**	€3,00	+	++	□	–	+	21 tabletten
	6.	**Dreft** All in One	€6,00	**6,1**	€2,61	□	+	+	–	+	23 tabletten
		Tabletten (zelf glansspoelmiddel en zout toevoegen)									
	1.	**Finish** Powerball Classic en glansspoelmiddel	€5,70	**6,9**	€1,91	□	++	□	+	++	36 tabletten
	2.	**Sun** poeder en spoelglans	€9,00	**6,8**	€1,12	□	+	□	++	++	3 kg (90 wasbeurten)
	3.	**Euroshopper** tabletten en AH spoelglans	€3,35	**6,5**	€0,76	□	+	□	++	++	50 tabletten
	4.	**Ecover** tabletten en spoelmiddel	€6,00	**6,1**	€2,64	□	++	□	□	□	25 tabletten

++ Zeer goed + Goed □ Redelijk – Matig –– Slecht ■ Beste uit de test ▶ Beste koop

- Een aantal producten kon niet in de test worden opgenomen, omdat de samenstelling werd gewijzigd, zoals AH alles-in-1, C1000, Klok, Markant (Golff), Sun all-in-one en Perfekt (Hoogvliet).
- Wanneer een middel vaat met een van de soorten vuil minder dan redelijk schoon kreeg, is er een punt van het oordeel voor schoonmaken afgetrokken.
- De prijzen zijn van februari 2012.
- In de kolom 'Prijs per tien beurten' zijn indien van toepassing de kosten voor glansspoelmiddel meegerekend. De kosten voor zout zijn verwaarloosbaar en zijn daarom niet meegerekend.

Veel functies

Er zijn poeders, tabletten waarbij je de plasticverpakking zelf verwijdert en tabletten in oplosbaar folie. Bij de laatste is er minder risico op inslikken van vaatwasmiddel of contact met de ogen.
Alles-in-ééntabletten vervullen 3 tot wel 14 functies. De drie belangrijkste zijn reiniging, antikalkaanslag en streeploos opdrogen. Daarnaast zijn er functies als sterkere reiniging, extra glans, glas- en zilverbescherming en geurneutralisator. Deze helpen overigens niet altijd, zo blijkt uit de test.

Milieuschade

Vaatwasmiddelen bevatten stoffen die schadelijk zijn voor het milieu. Het grootste deel ervan wordt afgebroken door waterzuiveringsinstallaties, maar reststoffen kunnen effect hebben op het milieu. Fosfaten bijvoorbeeld ontharden het water in de machine en verbeteren de waswerking. Wanneer ze in het oppervlaktewater terechtkomen, ontstaat algengroei. Hierdoor bereikt minder licht de bodem, wat ten koste gaat van andere groei. Als de algen uiteindelijk doodgaan, kan het water zuurstofloos worden, waardoor ook vissen sterven. Fosfaat, dat onmisbaar is voor de voedselvoorziening, wordt steeds schaarser en het is zonde om het met het waswater weg te spoelen. Vanaf 2013 worden fosfaten in wasmiddelen verboden. Voor vaatwasmiddelen wordt er nog onderzoek gedaan naar goedwerkende vervangers en hun invloed op het milieu. Verder speelt mee dat veel waterzuiveringsinstallaties fosfaten voor een groot deel kunnen verwijderen uit afvalwater. Dit is nog de vraag voor fosfaatvervangers. Toch zeggen fabrikanten over te zullen stappen op fosfaatloze technieken. In onze test zijn AH

Schoonmaken & materiaalaantasting

	Merk & Type	Totaal schoonmaken	Thee	Melk	Eigeel	Zetmeel	Totaal materiaalaantasting	Glas	Kunststof	Rvs, aluminium	Antiaanbaklaag	Decoratie	Emaille	Zilver
All-in-onetabletten														
1.	**Una** Alles in 1	6,4 (+)	+	–	++	++	8,5 (++)	++	++	+	+	++	++	–
2.	**W5** All in 1	6,1 (□)	+	–	+	++	8,5 (++)	++	++	+	+	++	++	–
3.	**Sun** All in 1 extra power	6,8 (+)	++	–	+	++	7,2 (+)	++	+	+	+	+	□	–
4.	**Finish** Powerball Quantum	6,1 (□)	+	–	+	++	8,1 (+)	++	++	+	+	++	++	–
5.	**Dreft** Platinum citroen	6,5 (+)	+	–	+	++	8,3 (++)	++	++	+	+	++	++	□
6.	**Dreft** All in One	5,4 (□)	+	□	–	++	8,1 (+)	++	++	+	+	++	++	––
Tabletten; zelf glansspoelmiddel en zout toevoegen														
1.	**Finish** Powerball Classic en glansspoelmiddel	6,3 (□)	+	+	–	++	8,3 (++)	++	++	+	□	++	++	–
2.	**Sun** poeder en spoelglans	6,1 (□)	++	+	––	++	7,7 (+)	++	++	□	+	++	□	–
3.	**Euroshopper** tabletten en AH spoelglans	5,5 (□)	++	□	––	++	7,5 (+)	++	++	+	+	++	□	––
4.	**Ecover** tabletten en spoelmiddel	5,7 (□)	++	□	–	++	8,2 (++)	++	++	+	++	++	□	□

++ Zeer goed + Goed □ Redelijk – Matig –– Slecht

Tips voor een schone vaat

- Zet kopjes, glazen, schalen en dergelijke ondersteboven.
- Zet voorwerpen met randen schuin, zodat er geen water in blijft staan.
- Zorg dat glazen elkaar niet raken.
- Voorkom contactcorrosie door roestvast staal bij elkaar te zetten en zilver bij zilver.
- Zet pannen in het onderrek; daar hebben de waterstralen de meeste kracht.
- Zorg dat vuile delen goed bereikbaar zijn voor de waterstralen uit de sproeiarmen.
- Zorg ervoor dat de sproeiarmen vrij kunnen draaien.
- Controleer twee tot drie keer per jaar of de sproeiarmen zijn verstopt.
- Reinig het filter van de machine na elke afwasbeurt.
- Gebruik eventueel een voorbehandelingsmiddel wanneer de erg vuile vaat niet schoon wordt.

puur&eerlijk, Ecover, Euroshopper (van AH) en Sun all-in-one fosfaatvrij. Een aantal merken richt zich specifiek op minder milieubelasting. Wasactieve stoffen, het belangrijkste bestanddeel van schoonmaakmiddelen, moeten tegenwoordig biologisch afbreekbaar zijn. Ecover claimt volledig en snel afbreekbaar te zijn. AH puur&eerlijk heeft het ecolabel Nordic. Dit stelt eisen aan de invloed op het milieu, aan grondstoffen en de verpakking. Verder is er het EU Ecolabel met vergelijkbare eisen. In deze test heeft Euroshopper dat label.
Veel vaatwasmiddelen bevatten parfum. Dit is niet nodig voor het schoonmaken van de vaat en kan tot gezondheidsklachten leiden bij mensen met allergieën en overgevoeligheid. De blokjes van AH puur&eerlijk, en bijvoorbeeld de niet door ons geteste Klok Eco, claimen parfumvrij te zijn.

Spoelen hoeft niet

Het is niet nodig de vaat te spoelen voordat deze de machine ingaat. Wel is het verstandig het ergste vuil van de borden te halen. Een programma dat wast op 50 of 55 °C gebruikt minder energie dan een programma op 65 °C. Maar bij veel aangekoekte resten kan een hogere temperatuur nodig zijn. Een enkele fabrikant adviseert een ecoprogramma op 45 °C.
Veel fabrikanten van vaatwassers raden aan los reinigings-, glansspoelmiddel en zout te gebruiken, omdat de vaat vaak minder goed en mooi droogt met alles-in-ééntabletten.

Sommige afwasmachines hebben een speciaal multitabprogramma dat wat langer duurt. Omdat ook hiermee het resultaat niet altijd goed is, wordt aangeraden bij alles-in-ééntabletten toch los glansspoelmiddel te gebruiken. Bij een kleine afwasmachine of wanneer de machine niet helemaal vol is, kun je minder vaatwasmiddel gebruiken. Bij een halfvolle machine is de helft doseren te weinig. De machine verbruikt namelijk meestal meer dan de helft van het water. Aangezien minder doseren moeilijk gaat bij een tablet is het aan te raden dan poeder te gebruiken.
In de schoonmaaktest draaiden de machines een kort programma (70 minuten) van 50 °C. Vooral het verwijderen van aangebrande melk en eigeel bleek voor een aantal middelen niet gemakkelijk. Naast alles-in-ééntabletten zijn er ook producten getest waar je zout en glansspoelmiddel aan moet toevoegen. Bij de laatste groep is de machine gevuld met glansspoelmiddel van hetzelfde merk als het tablet.
Om kalkaanslag te voorkomen, moet je bij sommige middelen zout toevoegen. Stel de machine daarbij in op de juiste hardheid van het water. In een alles-in-ééntablet zit al een waterontharder. In Nederland is het meestal niet nodig extra zout aan alles-in-ééntabletten toe te voegen. Als dat wel zo is, staat het op de verpakking. De kalkaanslag is beoordeeld na 30 keer wassen. Vooral op glas is kalkaanslag goed te zien, in de vorm van een witte waas. Dreft all-in-one, Una en W5 voorkomen kalkaanslag het best. Als de resultaten tegenvallen, kan het helpen de machine te vullen met zout of, als je dat al doet, de hardheid hoger in te stellen.

Zonder strepen

Glansspoelmiddel zorgt voor streeploos opdrogen. De test laat grote verschillen zien tussen de middelen. Euroshopper, met los toegevoegd glansspoelmiddel, geeft het beste resultaat met slechts een klein aantal lichte druppels of strepen. Bij Dreft all-in-one, de slechtste, is een ruime hoeveelheid druppels of strepen te zien.
De resultaten hangen ook af van het materiaal. Wanneer porselein streeploos opdroogt, kan dit bij kunststof heel anders zijn. Bij tegenvallende resultaten met alles-in-ééntabletten kun je extra glansspoelmiddel gebruiken. Verder kun je experimenteren met de instelling van de machine, waardoor deze meer of minder glansspoelmiddel doseert.
De geteste middelen hebben geen moeite met het drogen van glas, porselein en roestvast staal. Plastic droogt moeilijker. Una van Aldi en W5 van Lidl zijn de beste drogers van de alles-in-ééntabletten.

IN DETAIL

Una Alles in 1 (Beste koop én Beste uit de test)

Prijs: €3,20 (40 tabletten)

Testoordeel: 7,3

Deze tabletten zijn verpakt in folie dat oplost in water en maken de meeste vaat goed schoon. Aangebrande melkvlekken blijven wel achter. Het servies droogt mooi op, met weinig strepen en witte vlekken. Het servies is na 100 keer wassen weinig beschadigd.

W5 All in 1 (Beste koop én Beste uit de test)

Prijs: €3,20 (40 tabletten)

Testoordeel: 7,1

De W5-tabletten krijgen de meeste vlekken weg, iets minder goed dan Una. Hardnekkige melkvlekken zijn het moeilijkst. Drogen gaat probleemloos en het materiaal wordt weinig aangetast. De folie rond het tablet moet je eerst verwijderen.

Glas beschermen

Servies moet mooi blijven. Als je met de hand afwast, lukt dat wel. Maar in de vaatwasser met hoge temperaturen en agressieve stoffen uit vaatwasmiddelen is het oppassen geblazen. Op de lange duur kan er bijvoorbeeld glascorrosie optreden. Door aantasting van het glas wordt licht op een andere manier teruggekaatst, waardoor er gekleurde, regenboogachtige vlekken of melkachtige strepen te zien zijn. Deze vlekken zijn niet te verwijderen. Kristal is nog gevoeliger voor aantasting dan glas. Een vaatwasmiddel kan aantasting van glas tegengaan doordat zinkzouten oneffenheden opvullen en blijven hechten aan het glas. Alle tabletten, behalve Ecover, Euroshopper, Finish Powerball Classic en Quantum, claimen glas te beschermen. In de test is er na 100 keer wassen niet veel glascorrosie te zien. Alleen glas dat met Euroshopper is gewassen, is licht aangetast.

Vaatwasmiddelen kunnen ook verkleuring van zilver tegengaan. Verkleuring kan ontstaan wanneer zilver reageert met bleekmiddel, ei en/of zout. In de test is het zilver flink verkleurd. De verkleuring was weg te halen met zilverpoets, maar daarvan slijt zilver. W5, Dreft Platinum en Una alles-in-1 zeggen zilver te beschermen. Met Dreft Platinum en Ecover verkleurt zilver het minst. Verder kunnen verkleuring en aantasting ontstaan op plaatsen waar metalen elkaar raken. Houd verschillende metalen dus altijd uit elkaar. Aluminium is kwetsbaar in de vaatwasmachine doordat het beschermende laagje oplost door vaatwasmiddel. Ook decoraties kunnen kwetsbaar zijn. Decoraties op glas zijn gevoeliger dan die op porselein en aardewerk. Ook email bleek tijdens de test kwetsbaar voor verkleuring. Plastics kunnen vervormen, verkleuren doordat ze kleurstoffen kunnen opnemen of scheurtjes krijgen.

Zie ook het dossier *Vaatwassers* op www.consumentenbond.nl.

Vaatwassers

Consumentengids oktober 2012

De Consumentenbond testte vaatwassers voor het eerst in 1967. We noteerden toen voor het waterverbruik tot wel 60 liter per wasbeurt. Eenzelfde hoeveelheid vaat afwassen met de hand kostte 40 liter water. Daarnaast kostte met de hand afwassen destijds aanzienlijk minder energie: eenvijfde van wat het met de machine kostte.
Met een nieuwe afwasmachine kost een wasbeurt met het standaardprogramma nu zo'n €0,25 aan water en energie; met een ecoprogramma €0,20. Een goed all-in-onetablet is al te koop vanaf €0,08 (zie eerder in dit hoofdstuk de test 'Vaatwasmiddelen'). Bij acht jaar lang zes keer per week de Beste koop vaatwasser (aanschafprijs €400) gebruiken, kost de machine aan afschrijving per keer €0,16. Zo zijn de totale kosten per afwasbeurt €0,44 tot €0,49.
Een handafwas kost aan water – uitgaande van 20 liter – en energie ongeveer €0,10. Aan afwasmiddel komt daar €0,03 tot €0,05 bij, plus de te verwaarlozen afschrijvingskosten van een teiltje en een afwasborstel. Een handafwasbeurt kost dus maar eenderde van machinaal afwassen.
Fabrikanten hebben niet stilgezeten bij het ontwikkelen van zuinige vaatwassers. Tegenwoordig wordt water hergebruikt, zijn filters verbeterd en zijn sproeiarmen effectiever. Ook wordt warmte uit het waswater hergebruikt voor het drogen van de vaat.

Goedkoper afwassen

In 2012 werd er voor het eerst een machine op de markt gebracht die minder dan 10 liter water nodig heeft om de vaat schoon te krijgen. Meer dan 15 liter is tegenwoordig echt niet nodig. Met iets meer dan 1 kWh aan stroom kan het automatische programma van een moderne vaatwasser prima uit

de voeten, waar een vaatwasser vroeger nog het dubbele nodig had. Het hoogste verbruik dat we gemeten hebben in al die jaren is 2,7 kWh.
Wie denkt dat de machines niet nog zuiniger kunnen, heeft het mis. Bij de nieuwste generatie vaatwassers heeft het automatische programma van de Bosch SBV65U20EU een stroomgebruik van slechts 0,84 kWh. De grootste verbruiker in deze test, de Whirlpool ADG 130, gebruikt 0,5 kWh meer. Voor alle machines geldt dat het ecoprogramma minder verbruikt. Ook daar laat de Bosch SBV 65U20EU met 0,65 kWh het laagste verbruik zien. Het mooie is dat deze zuinigheid niet ten koste gaat van de was- en droogkwaliteit.

Langer bezig

Een gevolg van alle energiebesparende maatregelen is wel dat de programma's aanzienlijk langer duren. In 1974 was de vaatwasser in een uur en een kwartier klaar, maar een automatisch programma duurt nu doorgaans twee uur. Een ecoprogramma duurt zelfs tweeënhalf tot drie uur. Wie haast heeft, kan wel vaak kiezen voor een kort programma van 30 minuten, maar dan wordt de vaat niet gedroogd.
Veel machines beschikken over een intensief programma voor de extra vieze vaat, waarbij op hogere temperatuur wordt gewassen. Ook zijn er andere extra's die je bij een programma kunt selecteren als de vaat erg vies is of snel klaar moet zijn, maar deze kosten altijd meer water en/of stroom.

Druppels op de vaat

Ondanks alle ontwikkelingen blijven vaatwassers moeite houden met het drogen van kunststoffen, zoals broodtrommeltjes. Daarom hebben we de

Inbouw of vrijstaand

Wie een afwasmachine koopt, kiest een vrijstaand model of een inbouwtoestel. Een vrijstaande afwasmachine heeft een afgewerkte deur met een bedieningspaneel aan de buitenkant. Na verwijdering van het bovenblad is hij onder een aanrechtblad te plaatsen.
Er zijn ook speciale onderbouwmodellen te koop. Die lijken op vrijstaande afwasmachines, maar moeten onder een aanrechtblad worden geplaatst.
Een inbouwtoestel kan geheel of gedeeltelijk achter een keukendeur schuilgaan. De volledig geïntegreerde machine heeft het bedieningspaneel aan de binnenkant van de deur. Dat zie je dus niet als de deur dicht is. De geïntegreerde vaatwasser heeft het bedieningspaneel aan de voorkant en dat blijft zichtbaar.

Vaatwassers

		Merk & Type	Richtprijs	Testoordeel	Prijs per wasbeurt hoofdprogramma	Afwassen hoofdprogramma	Afwassen ecoprogramma	Drogen hoofdprogramma	Drogen ecoprogramma	Duur hoofdprogramma	Duur ecoprogramma	Energiegebruik hoofdprogramma	Energiegebruik ecoprogramma	Waterverbruik hoofdprogramma	Waterverbruik ecoprogramma	Herrie	Aantal couverts
		Weging voor Testoordeel				21,5%	14%	7%	5%	1,5%	1%	7%	5%	5%	3%	10%	
		Inbouw															
■	1.	**Bosch** SMV65U20EU	€925	**7,3**	€0,20	□	□	++	++	□	––	++	++	+	+	+	13
■	2.	**Bosch** SBV65U20EU	€1000	**7,2**	€0,19	□	□	++	++	□	––	++	++	+	+	□	13
■	3.	**Bosch** SMV69M50EU	€800	**7,1**	€0,24	□	□	++	++	–	––	+	++	□	+	□	14
■	4.	**Miele** G 5670 SC Vi	€1400	**7,1**	€0,24	□	□	++	++	–	–	+	++	□	□	+	14
	5.	**Neff** S51N69X2EU	€1225	**6,9**	€0,19	□	□	++	++	–	––	++	++	+	+	□	14
	6.	**Atag** VA6711RT	€1160	**6,5**	€0,28	□	□	+	+	–	––	□	+	□	□	□	13
▶	7.	**Indesit** DIFP 48	€400	**6,3**	€0,24	□	□	++	+	□	––	+	+	□	□	□	12
	8.	**Zanussi** ZDT13001FA	€470	**6,2**	€0,29	□	–	++	++	□	–	□	+	–	–	□	12
	9.	**Whirlpool** ADG6240FD	€830	**6,1**	€0,32	□	–	++	+	––	––	–	+	□	+	□	13
	10.	**Indesit** DIF 14 A	€300	**5,9**	€0,25	□	–	+	++	□	––	+	++	□	+	–	12
	11.	**Etna** TFI8018RVS	€650	**4,5**	€0,26	□	–	+	□	–	□	+	++	+	□	+	12
	12.	**Whirlpool** ADG 130	€600	**4,4**	€0,30	□	–	++	++	□	––	□	+	□	□	□	13
	13.	**Etna** TFI8028ZT	€675	**4,2**	€0,25	–	–	+	+	––	––	+	+	□	+	+	14
	14.	**Atag** VA9711RT	€1190	**4,1**	€0,30	–	–	+	+	––	–	□	+	□	□	□	13
		Vrijstaand															
■	1.	**Bosch** SMS69U38EU	€900	**7,1**	€0,18	□	□	++	++	□	––	++	++	+	++	+	13
	2.	**Siemens** SN26M256EU	€600	**6,8**	€0,23	□	□	++	++	–	––	+	++	+	++	+	13
	3.	**Bosch** SMS65M52EU	€640	**6,8**	€0,23	□	□	++	++	–	––	+	++	+	++	+	13
▶	4.	**Aeg** F45000W0	€350	**6,1**	€0,28	□	–	++	++	□	––	□	+	□	+	–	12
	5.	**Hotpoint-A.** LFF 8314E EU	€410	**4,1**	€0,28	–	–	++	+	–	––	□	+	□	+	□	14
	6.	**Hotpoint-A.** LFF8314EXEU	€410	**4,1**	€0,28	–	–	++	+	–	––	□	+	□	+	□	14

++ Zeer goed + Goed □ Redelijk – Matig –– Slecht ■ Beste uit de test ▶ Beste koop

- De prijzen zijn van augustus 2012.
- De Hotpoint-Ariston is in twee kleurvariaties leverbaar. De E X EU is zilverkleurig, de E EU is wit.
- Het gebruiksgemak, de gebruiksaanwijzing en de constructie staan niet in de tabel. Ze tellen voor respectievelijk 16%, 2% en 2% mee voor het Testoordeel.
- De Neff is niet algemeen verkrijgbaar.

- Voor het bepalen van de Beste koop is behalve met de aanschafprijs ook rekening gehouden met de kosten per wasbeurt. Bij het berekenen van de prijs-kwaliteit-verhouding nemen we de gebruikskosten voor acht jaar mee. Hierbij gaan we uit van een gebruik van 6 keer per week gedurende 52 weken per jaar.
- De kosten per wasbeurt betreffen alleen de stroom- en waterkosten, met een gemiddelde waterprijs van €1,09/m3 en elektriciteitsprijs van €0,217/kWh.
- De machines in de tabel zijn allemaal getest in 2012. Eerder geteste machines zijn soms nog verkrijgbaar, maar door wijzigingen in het testprogramma zijn de resultaten niet helemaal vergelijkbaar. Resultaten van oudere machines staan op www.consumentenbond.nl/vaatwassers.

laatste jaren kunststof bakjes aan ons testprogramma toegevoegd. Dit jaar kwam daar een kampeerservies van de kunststof melamine bij.
Om beter te drogen openen sommige machines – waaronder de geteste Miele – na afloop van het programma automatisch de deur. Dan kan de stoom ontsnappen. In eerdere testen zagen we dat dit werkt. De Bosch SMV-69M50EU laat nu echter zien dat zo'n systeem niet noodzakelijk is voor een goed resultaat: hij droogt al bijna perfect.
In de test krijgen de vaatwassers een vergelijkbare hoeveelheid servies, bestek en pannen. Het servies wordt op dezelfde manier vuil gemaakt. Er wordt een afgepaste hoeveelheid etensresten aangebracht. Op een dinerbord gaat bijvoorbeeld 2 gram eigeel, 3 gram gehakt of 1 gram eigeel op de ene helft en 1,5 gram spinazie op de andere helft. Verder gebruiken we boter, havermout, tomatensap, thee en warme melk. De etensresten worden aan de lucht of in een oven gedroogd en uitgehard. Thuis duurt het immers soms ook even voordat de vaat wordt gewassen. De gedroogde serviesdelen worden door elkaar in de machines geplaatst. Er gaan ook enkele schone voorwerpen in, zodat we kunnen zien of vuil op andere voorwerpen neerslaat.

Tegenvallers

Vuil dat vroeger duidelijk een kwaliteitsverschil tussen de machines aantoonde, wordt nu door vrijwel alle modellen zonder moeite verwijderd. Daarom gebruiken we nu lastiger vuil, zoals een mengsel van boter, eigeel, suiker, ketchup en koffiedrab. Dit lijkt een wat vreemde combinatie, maar samen openbaren ze de kwaliteitsverschillen tussen de vaatwassers.
Van een automatisch programma verwacht je altijd optimale instellingen voor een schone vaat. Maar dat kan tegenvallen. Bij sommige machines valt het resultaat altijd tegen, bij andere lijkt het automatische programma een

IN DETAIL

Bosch SMV65U20EU (Beste uit de test)

Prijs: €925

Testoordeel: 7,3

Deze vaatwasser is 82 cm hoog. De SBV65U20EU lijkt daar technisch veel op, maar is 85 cm hoog. Dat kleine hoogteverschil levert een iets ander testresultaat op, maar beide scoren prima. Ze vallen allebei op door hun lage energiegebruik.

Indesit DIFP 48 (Beste koop)

Prijs: €400

Testoordeel: 6,3

In combinatie met een gunstige prijs per wasbeurt is deze vaatwasser na acht jaar gebruik bijvoorbeeld goedkoper dan de ook voordelige, vrijstaande AEG F45000W0. Die kost €50 minder, maar is per wasbeurt iets duurder.

willekeurig systeem toe te passen. De test wees uit dat soms exact dezelfde vaat bij de ene wasbeurt wel schoon wordt en bij de volgende wasbeurt niet. Naast de automatische programma's onderzochten we ecoprogramma's. Die geven doorgaans een constanter resultaat, maar wel vaak minder dan het automatische programma. Voor niet al te aangekoekt vuil is het ecoprogramma een prima milieusparende keuze.
Het gebruiksgemak is door de jaren heen verbeterd. Indicatoren geven nu aan wanneer zout en glansspoelmiddel op zijn. In de jaren 70 moest je hiervoor bij sommige machines nog met een peilstokje in de weer. Zout en/of glansspoelmiddel toevoegen hoeft overigens alleen nog als je los poeder gebruikt of de resultaten van vaatwastabletten tegenvallen. Het is vervelend wanneer de indicatorlampjes blijven branden als je alles-in-ééntabletten gebruikt. Gelukkig kun je veel vaatwassers zo instellen dat de zout- en glansspoelmelding dan niet meer verschijnt.

Flexibiliteit

Het sleutelwoord vandaag de dag is 'flexibiliteit'. Rekken zijn in hoogte te verstellen, houders in te klappen of op verschillende hoogten vast te zetten, bestekmandjes hebben geen vaste plek meer en machines hebben vaak zowel een mandje als een rekje of lade waarin bestek plat kan liggen. Dat laatste is handig voor lange messen en lepels.

Zie ook het dossier *Vaatwassers* op www.consumentenbond.nl.

Wasdrogers

Consumentengids september 2012

Wie toe is aan een nieuwe wasdroger zal staan te kijken van de ontwikkelingen van de afgelopen jaren. Een belangrijke noviteit is de warmtepompdroger. Die verbruikt ongeveer de helft van de energie van een condens- of afvoerdroger. Daarnaast hebben alle drogers opvallend meer capaciteit gekregen. In 2004 waren er vooral drogers voor 5 en 6 kilo was, nu kan er meestal 7, 8 of zelfs 9 kilo in. De hoogte en breedte van de apparaten is hetzelfde gebleven, maar ze zijn een paar centimeter dieper.
Met die grotere drogers kost een droogbeurt meer energie, maar als ze vol zitten, is het energieverbruik per kilo was bij condens- en afvoerdrogers iets minder dan tien jaar geleden. Verder blijft de ruimte waarin ze staan tegenwoordig beter droog en hebben drogers allerlei extra's, zoals startuitstel, kinderbeveiliging en weergave van de resterende droogtijd.
Condensdrogers worden veruit het meest verkocht, daarna (lucht)afvoerdrogers en warmtepompdrogers. Gaswasdrogers worden niet vaak verkocht.

Goed ventileren

Een afvoerdroger blaast de warme, vochtige lucht uit de trommel vaak naar buiten via een pijp door de muur of een flexibele slang door een raamopening. Bij de condensdroger en de warmtepompdroger is zo'n afvoerkanaal niet nodig. Die halen het water uit de lucht waarmee de was gedroogd is en vangen dit op in een bak. Na elke droogbeurt moet de waterbak worden geleegd, tenzij de droger is aangesloten op een afvoer. De meeste drogers hebben die optie; bij een aantal wordt daarvoor een slang bijgeleverd. Een klein deel van de vochtige lucht uit de was komt vrij in de omgeving. Daarom is het belangrijk de ruimte waarin de droger staat goed te ventileren.

Weinig energie

Een warmtepompdroger gebruikt weinig energie en dat spaart het milieu en de portemonnee. Wie drie keer per week droogt, is jaarlijks zo'n €77 aan stroom kwijt met een condensdroger en €37 met een warmtepompdroger. Wie een warmtepompdroger van €800 verkiest boven een condensdroger van €500, heeft de meerprijs na zo'n acht jaar terugverdiend. Wie maar één keer per week een volle trommel katoen droogt, verdient de aankoop pas na 16 jaar terug en dat haalt de droger waarschijnlijk niet. Uit eerder onderzoek van de Consumentenbond blijkt dat een wasdroger gemiddeld

tien jaar meegaat. Het loont niet om een oude, nog goed werkende droger te vervangen door een warmtepompdroger.
Een schatting van de jaarlijkse energiekosten staat in de tabel 'Wasdrogers'. Deze informatie is ook te vinden op het energielabel van drogers. Daarop staan extra energieklassen en het energiegebruik per jaar. Dat is gebaseerd op zeven keer drogen per week met het programma 'droog katoen'; drie van de zeven keer met een volle trommel en vier keer halfvol. Verder telt het sluipverbruik in de uitstand en in de sluimerstand mee.
Alle soorten drogers worden volgens dezelfde schaal ingedeeld in een efficiëntieklasse. Bij condensdrogers is informatie toegevoegd over de condensatie-efficiëntie (hoe goed de omgeving droog blijft).

Droogsystemen

Afvoerdroger

+ Goedkoop (€200 tot €700).
+ Snel.
+ Vochtige lucht wordt naar buiten afgevoerd.
+ Waterbak legen is niet nodig.
+ Iets zuiniger dan een condensdroger.
– Veel minder zuinig dan een warmtepompdroger.
– Luchtafvoer naar buiten nodig.

Condensdroger

+ Veel sneller dan warmtepompdroger, iets langzamer dan afvoerdroger.
– Er komt wat vochtige lucht in de ruimte.
– Iets minder zuinig dan een afvoerdroger, veel minder zuinig dan een warmtepompdroger.
– Condensor moet regelmatig worden schoongemaakt.
– Waterbak moet na elke droogbeurt worden geleegd.

Warmtepompdroger

+ Zuinig.
– Duur (€500 tot €1400).
– Langzamer dan een afvoer- en condensdroger.
– Er komt wat vochtige lucht in de ruimte.
– Condensor moet regelmatig worden schoongemaakt.
– Waterbak moet na elke droogbeurt worden geleegd.

Wasdrogers

		Merk & Type	Richtprijs	Testoordeel	Snelheid	Energiegebruik	Energiekosten per jaar	Gebruiksgemak	Droog blijven omgeving	Gelijkmatig drogen	Kreuk	Lawaai	Nauwkeurigheid programma's	Vulcapaciteit (kg)	Met warmtepomp
		Weging voor Testoordeel			22,5%	22,5%		17,5%	15%	10%	5%	5%	2,5%		
		Condensdrogers													
■	1.	**Miele** T7950 WP EcoComfort	€1300	**7,3**	+	+	€37	+	++	□	–	□	+	7	√
■	2.	**Miele** T8937 WP EcoComfort	€1400	**7,2**	+	+	€43	+	++	+	–	+	+	7	√
■	3.	**Miele** T8827 WP	€1200	**7,1**	+	+	€41	+	++	+	–	+	+	7	√
	4.	**AEG** T65280AC	€500	**6,8**	+	□	€78	+	++	+	–	□	+	8	
	5.	**AEG** T65270AC	€500	**6,7**	+	□	€79	+	++	+	–	□	+	7	
▶	6.	**Zanussi** ZTH485	€640	**6,7**	□	+	€37	+	+	++	–	–	+	7	√
▶	7.	**Bosch** WTW84360NL	€680	**6,7**	□	+	€34	+	+	++	–	–	+	6	√
▶	8.	**Siemens** WT44W361NL	€730	**6,7**	□	+	€34	+	+	++	–	–	+	6	√
	9.	**Bosch** WTW84361NL	€800	**6,7**	□	+	€34	+	+	++	–	–	+	6	√
	10.	**AEG** T76485AH	€870	**6,7**	□	+	€34	+	+	+	–	□	+	8	√
	11.	**Whirlpool** AWZ7777	€380	**6,6**	+	□	€76	+	+	++	–	––	+	7	
	12.	**Bosch** WTE84103NL	€400	**6,6**	+	□	€75	+	+	+	––	□	+	7	
	13.	**Bauknecht** TRKD 370	€500	**6,6**	+	□	€75	+	+	++	□	––	+	7	
	14.	**Miele** T8803 C	€900	**6,6**	+	□	€76	+	++	+	––	+	□	7	
	15.	**Miele** T8823 C	€980	**6,6**	+	□	€74	+	++	+	––	+	+	7	
	16.	**Zanussi** ZTE273	€400	**6,5**	+	□	€78	+	++	+	–	+	+	7	
	17.	**AEG** 75280AC	€570	**6,5**	+	□	€81	+	++	+	–	□	+	8	
	18.	**Whirlpool** Green 50	€750	**6,5**	□	+	€33	+	+	+	–	––	□	8	√
	19.	**AEG** T86585IH	€980	**6,5**	□	+	€35	+	+	+	––	+	+	8	√
	20.	**Beko** DCU 7230 X	€300	**6,4**	+	□	€79	+	+	+	–	□	+	7	
	21.	**Beko** DPU 8340 X	€450	**6,4**	□	+	€42	+	+	+	––	–	+	8	√
	22.	**Bosch** WTC84101NL	€350	**6,4**	+	□	€79	+	+	+	□	–	++	7	
	23.	**Whirlpool** AWZ7556	€370	**6,3**	+	□	€79	+	+	+	□	––	+	6	
	24.	**Samsung** SDC14709	€370	**6,0**	+	□	€78	+	□	+	––	□	+	7	
	25.	**Indesit** IDCE G45B	€300	**5,8**	□	□	€81	+.	+	+	□	–	+	8	
	26.	**Hotpoint Ariston** TCD 93B 6H	€500	**5,8**	□	–	€86	+	+	+	□	–	+	9	
	27.	**Indesit** IDC 73 (EU)	€250	**4,9**	□	–	€94	+	–	+	–	––	++	7	
	28.	**Hotpoint** Ariston TCD 93B 6H	€350	**5,8**	□	–	€86	+	+	+	□	–	+	9	
	29.	**Indesit** IDC 73 (EU)	€250	**4,9**	□	–	94	+	–	+	–	––	++	7	
		Afvoerdrogers													
	1.	**Miele** T8703	€700	**6,9**	++	□	€72	++	nvt	+	–	+	+	7	
	2.	**Indesit** IDV 75	€190	**6,3**	+	□	€73	+	nvt	+	□	–	+	7	
	3.	**Whirlpool** Atlanta A	€280	**6,2**	+	□	€78	+	nvt	+	□	––	+	7	
	4.	**Zanussi** ZTB261	€250	**6,0**	+	□	€78	+	nvt	+	+	–	□	7	

++ Zeer goed + Goed □ Redelijk – Matig –– Slecht ■ Beste uit de test ▶ Beste koop

- De prijzen zijn van mei 2012.
- Nvt = niet van toepassing.
- Voor het predicaat Beste koop telt het energiegebruik vrij zwaar mee.
- De energiekosten per jaar zijn gebaseerd op drie keer drogen per week, met een katoen kastdroogprogramma met 5 en 3 kilo was, katoen strijkdroog met 5 kilo en 3 kilo synthetische was.
- De afvoerdrogers zijn niet getest op het droogblijven van de omgeving, omdat de vochtige lucht naar buiten wordt afgevoerd. De weging van 15% van dit testonderdeel is proportioneel verdeeld over de andere testonderdelen en daarbij opgeteld.
- Bij de afvoerdrogers zijn er geen predicaten, omdat er te weinig merken zijn getest om een goede afspiegeling van de markt te geven.
- De nummers 2, 17, 27, 28 en 29 zijn niet algemeen verkrijgbaar.

Zie www.consumentenbond.nl/wasdrogers voor meer informatie.

Trommel vol?

Een droger is het zuinigst als hij vol zit, maar doe je hem propvol, dan kreukt de was. Koop geen droger met een grotere capaciteit dan doorgaans nodig is. Een groot gezin zal een grote droger snel vol hebben. Een droger met een grotere capaciteit dan de wasmachine heeft geen zin.

Bedenk dat niet alle was in de droger mag. Sommige stoffen slijten dan snel, raken uit vorm of krimpen. Katoen dat op 60 °C gewassen mag worden, zoals handdoeken, onderbroeken en beddengoed, kan meestal in de droger. De was op 40 °C mag meestal maar voor een deel in de droger. De was op 30 °C met wol, zijde en synthetische stoffen mag dat vaak helemaal niet. Op het wasetiket staat altijd een droogadvies. Sommige was moet op een lage temperatuur drogen. Die was zul je dan apart moeten drogen. Een warmtepompdroger droogt altijd op een lage temperatuur, dus daarin kan alle was bij elkaar.

De resultaten

Om ruimte te besparen kun je de droger bovenop de wasmachine zetten. Bij de meeste drogers kan dat met een speciaal tussenstuk. Bij condens- en warmtepompdrogers moet de waterbak dan aan de onderkant van de machine zitten om er goed bij te kunnen.

Wasdrogers kunnen flink lawaai maken. De beoordelingen variëren van matig (ongeveer het geluid van een stofzuiger in een aangrenzende kamer) tot goed (vergelijkbaar met het geluid van een stationair draaiende auto). De beste droogresultaten geven de drie drogers met warmtepomp van

Hoe we testen

Er worden vier wassen gedroogd. Kastdroog: een volgeladen machine katoen, een machine met 3 kilo katoen en een lading synthetische was. Strijkdroog: een volgeladen machine katoen.
Gemeten worden programmaduur, energiegebruik en droogtegraad. Na het drogen wordt bepaald of alle was even droog is, hoe gekreukt de synthetische was is en hoeveel vocht er in de lucht terechtkomt. Tot slot worden de mogelijkheden en het gebruiksgemak van de droger beoordeeld.

Miele. Dit type droger heeft doorgaans meer tijd nodig, omdat de was op een lage temperatuur wordt gedroogd, maar de apparaten van Miele kunnen zich wat dat betreft meten met condensdrogers. Ze kosten dan ook €1200 tot €1400. De warmtepompdrogers Zanussi ZTH485, Bosch WTW84360NL en Siemens WT44W361NL kosten de helft en hebben een Testoordeel van 6,7. Ze bieden de beste prijs-kwaliteitverhouding bij drie keer drogen per week.
Bij minder frequent gebruik hebben de condensdrogers Bosch WTE84103NL en Whirlpool AWZ7777 de beste prijs-kwaliteitverhouding.
De beste afvoerdroger is de Miele T8703. Hij krijgt als enige een zeer goed oordeel voor de droogsnelheid: 7 kilo was in 100 minuten. Gemiddeld heeft een afvoerdroger daar 110 minuten voor nodig, een condensdroger 2 uur en een warmtepompdroger 2 uur en 25 minuten. Ook krijgt de Miele T8703 een zeer goed oordeel voor gebruiksgemak. De Zanussi ZTB261 is de enige droger waar de synthetische was niet erg gekreukt uit komt.

Automatisch of tijdgestuurd

Bij bijna alle drogers stel je in hoe droog de was moet worden. Vervolgens bepaalt de droger de droogtijd door de vochtigheid van de was te meten.
Naast deze automatische drogers zijn er tijdgestuurde. In deze test zijn dat de Indesit IDV 75 en IDC 73 (EU). Hierbij stel je zelf de droogtijd in, maar dit vergt oefening. In de gebruiksaanwijzing staat advies over de droogtijden.
De Hotpoint Ariston TCD93B6HZ1 (EU) heeft de grootste capaciteit van de geteste drogers, namelijk 9 kilo, maar bleek die hoeveelheid wasgoed in de praktijk niet aan te kunnen. Bij het drogen van een volle trommel katoenwas met het kastdroogprogramma ging het mis. Nog voordat de was droog was, stopte de machine al. De waterbak bleek vol. Er kan maximaal 7,9 kilo in, anders blijf je zitten met een natte was.

IN DETAIL

Miele T7950 WP Eco Comfort (Beste uit de test)

Prijs: €1300

Testoordeel: 7,3

Heeft veel opties, bijvoorbeeld extra programma's voor impregneren, wol, jeans en overhemden. Is op een waterafvoer aan te sluiten. Ook zonder gebruiksaanwijzing makkelijk te gebruiken.

Zanussi ZTH485 (Beste koop)

Prijs: €640

Testoordeel: 6,7

Kan op een wasmachine staan, ingebouwd worden en is op een waterafvoer aan te sluiten. Hij heeft programma's voor jeans, het snel drogen van babywas en het opfrissen van wol.

Zie ook het dossier *Wasdrogers* op www.consumentenbond.nl.

Wasmachines

Consumentengids maart 2012

De prijzen van wasmachines lopen uiteen van nog geen €300 tot meer dan €2000. De verschillen tussen de wasresultaten zijn niet zo groot als de prijsverschillen. Duurdere machines zijn wel stiller en het lukt ze vaker om niet alleen snel, maar ook zuinig te wassen. Een duurdere machine kan voorzien zijn van betere techniek en materialen die een langere levensduur opleveren. Soms betaal je ook voor de merknaam.
Bij een duurder apparaat krijg je vaak snufjes die het gemak vergroten of een beter resultaat bij bepaalde vlekken of soorten wasgoed geven, zoals de doseerhulp voor wasmiddel. De geteste Whirlpool Newport 1400 geeft een doseeradvies aan de hand van de gemeten hoeveelheid wasgoed en een aantal andere variabelen, zoals de ingegeven vuilheidsgraad en de soort textiel. Je moet zelf de geadviseerde hoeveelheid wasmiddel toevoegen.
Het iDos-systeem van Bosch in de WAS28840NL werkt iets geavanceerder. De machine bepaalt de hoeveelheid was in de trommel en nadat je de vervuilingsgraad daarvan hebt aangegeven, voegt hij zelf de benodigde hoe-

In het laboratorium
Bij een wasmachinetest komt heel wat kijken. Eerst kopen we de wasmachines in de winkel om zeker te weten dat we een doorsneeapparaat testen. Tijdens de test, die we in internationaal verband uitvoeren, worden continu de omgevingstemperatuur en de luchtvochtigheid in het laboratorium gecontroleerd en gestuurd. In het Testoordeel zijn de oordelen voor 25 aspecten verwerkt. Zo worden bijvoorbeeld lapjes stof met verschillende soorten vuil aan het wasgoed vastgemaakt. Na de test wordt de hoeveelheid achtergebleven vuil gemeten. Voor deze wasmachinetest zijn honderden wasjes gedraaid en is ruim 1000 kilo wasgoed gewassen.

veelheid vloeibaar wasmiddel toe. Het geïntegreerde reservoir kan wasmiddel voor zo'n 20 wasbeurten bevatten. Mieles systeem met het optionele externe AutoDos-reservoir is het geavanceerdst. Het is geschikt voor zowel poeder als vloeibaar wasmiddel en kan bij zo'n 100 wasbeurten automatisch doseren. Niet alle winkels leveren de AutoDos-uitbreiding bij de Miele W5967WPS. De fabrikanten geven aan dat automatisch doseren tot 30% wasmiddel kan besparen.
In onze tests werkten de systemen niet altijd vlekkeloos. Af en toe signaleren de wasmachines niet de juiste lading en wordt er te veel wasmiddel aangeraden of toegevoegd.

De juiste kiezen

Voor wie toe is aan een nieuwe wasmachine zijn niet alleen de laatste technische vernieuwingen interessant. Ook de algemene specificaties zeggen niet alles. Voor een klein huishouden lijkt het misschien logisch de keuze te beperken tot de machines met een capaciteit van 5 kilo. Uit onze tests blijkt dat machines met een wat grotere trommel het vaak beter doen. Die met een capaciteit van 6 kilo kosten nauwelijks meer en die voor 7 kilo zijn al verkrijgbaar vanaf een dikke €400. Een kanttekening is dat wasmachines bij een volle trommel per kilo wasgoed iets zuiniger zijn met energie en water. Een niet-volle trommel zorgt dus voor hogere verbruikskosten.
Een ander selectiecriterium is het maximale toerental van de centrifuge. Ook hier geven de testresultaten aan dat dit getal niet alles zegt. Een hoger toerental leidt niet altijd tot droger wasgoed. Er zijn machines van 1400 toeren die evenveel vocht achterlaten als duurdere met een maximum van 1600 toeren.

Zeven nieuwe

Een handige hulp om de geschiktste wasmachine te vinden, biedt de Vergelijker op www.consumentenbond.nl. De Miele W5967WPS EcoComfort is de duurste wasmachine die we tot nu toe hebben getest. Met een prijs van €2300 kost hij ruim vijfmaal zoveel als de Beste koop. Deze machine scoort op sommige punten net wat minder dan eerder geteste Mieles. Hij beschikt over allerlei snufjes, zoals een automatisch wasmiddeldoseersysteem en een stoomfunctie voor snel opfrissen en kreukvermindering. Ook biedt hij een zeer uitgebreide vlekkenkeuze, waardoor handmatig voorbehandelen van vlekken overbodig zou zijn. Tot slot is er een ruime keuze aan programma's die tot een beter wasresultaat zouden moeten leiden bij bepaalde soorten was, zoals knuffels, sportschoenen en vitrage.
Aan de andere kant van het prijzenspectrum vinden we Ikea Renlig FWM5 van €300. De prestaties zijn redelijk: hij wast minder schoon dan de meeste machines. De tweemaal zo veel kostende Ikea Renlig FWM7 doet het maar iets beter. Ook de andere recentelijk geteste machines van onder de €500 overtuigen niet echt. Schoonwassen gaat meestal prima, maar de machines hebben hun nadelen. Zo is de Whirlpool Newport 1400 behoorlijk luidruchtig, zeker tijdens het centrifugeren. Ook de Zanussi ZWG 6140P behoort niet tot de stilste en hij scoort matig op energiegebruik.
De iets duurdere AEG Lavamat 75475FL heeft een beter Testoordeel. Hij wast vooral katoen zeer goed schoon en heeft geen heel grote minpunten. De Bosch WAS28840NL heeft een even hoog Testoordeel als de twee keer duurdere Miele W5967WPS. Ook de Bosch heeft geen uitgesproken minpunten en scoort op nagenoeg alle testaspecten beter dan gemiddeld.Beste koop is de eerder geteste Whirlpool Nevada 1400 en Beste uit de test blijven de Mieles W5929WPS, W5821 en W5723 die in 2009 en 2010 werden getest. Bij de berekening van de Beste koop telt de aanschafprijs van de machine mee en ook de jaarlijkse kosten. Hierbij is uitgegaan van vier wasbeurten

De eerste keer

Voor het eerst testten we ook wasmachines van Ikea. In de vaatwasser- en matrassentest had Ikea een Beste koop, maar bij de wasmachines kan hij nog geen potten breken. Opvallend is onder andere dat de machine met 1600 toeren minder goed centrifugeert dan die met 1200 toeren. Beide machines zijn niet erg zuinig met energie. Voor de €300 die de goedkoopste machine kost, zijn er betere alternatieven. Zeker met de extra verbruikskosten meegerekend.

Wasmachines

	Merk & Type	Richtprijs (januari 2012)	Testoordeel	Schoonwassen katoen op 40 °C	Schoonwassen synthetica	Spoelen	Centrifugeren	Energiegebruik	Waterverbruik	Jaarkosten energie en water	Tijdsduur	Duur katoenprogramma op 40 °C (uren:minuten)	Lawaai	Gebruiksgemak	Capaciteit (kg)	Centrifuge-toerental
	Weging voor Testoordeel			22%	15%	11%	11%	15%	5%		6%		5%	10%		
■ 1.	**Miele** W5929WPS	€1700	**7,2**	++	+	□	+	+	+	€35	+	2:06	+	+	7	1600
■ 2.	**Miele** W5821	€1150	**7,1**	++	+	□	+	+	++	€36	+	2:08	□	+	7	1400
■ 3.	**Miele** W5723	€1000	**7,0**	++	+	□	+	+	++	€36	+	2:07	□	+	7	1200
4.	**Bosch** WAS28443NL	€700	**6,8**	+	+	□	+	□	+	€37	+	2:15	□	+	8	1400
5.	**Siemens** WM14S443NL	€750	**6,8**	+	+	□	+	□	+	€37	+	2:15	□	+	8	1400
6.	**Miele** W5933	€1500	**6,7**	++	+	–	□	□	+	€40	+	2:07	□	+	7	1600
▶ 7.	**Whirlpool** Nevada 1400	€430	**6,6**	+	+	□	□	+	+	€35	+	2:13	□	□	7	1400
8.	**Whirlpool** Denver 1600	€450	**6,6**	+	+	□	+	+	+	€38	+	2:15	□	□	7	1600
9.	**Bosch** WAS32743NL	€800	**6,6**	+	+	□	+	□	++	€35	+	2:15	–	+	8	1600
10.	**Siemens** WM16S743NL	€850	**6,6**	+	+	□	+	□	++	€35	+	2:15	–	+	8	1600
11.	**AEG** L87685FL	€920	**6,6**	++	+	□	+	□	+	€39	□	2:17	□	□	8	1600
12.	**Bosch** WAS28840NL	€1000	**6,6**	+	+	□	+	□	+	€36	+	2:10	□	+	8	1400
13.	**Miele** W5967WPS	€2300	**6,6**	+	+	–	+	□	++	€37	□	2:35	+	□	8	1600
14.	**AEG** L75475FL	€750	**6,5**	++	□	–	+	□	++	€36	+	2:17	□	□	7	1400
15.	**Siemens** WM14E361NL	€550	**6,4**	+	□	□	+	□	+	€40	□	2:19	–	+	6	1400
16.	**AEG** L75675FL	€800	**6,4**	++	□	––	+	□	++	€37	+	2:19	□	□	7	1600
17.	**Siemens** WM16E462NL	€700	**6,2**	+	+	□	□	□	+	€42	□	2:24	–	□	6	1600
18.	**Samsung** WF8604NHWG	€330	**6,1**	+	+	□	□	□	+	€41	□	1:50	□	–	6	1400
19.	**AEG** L54870	€430	**6,1**	+	□	□	+	□	+	€40	□	2:09	–	□	6	1400
20.	**Whirlpool** Hudson 1400	€430	**6,0**	+	+	–	+	+	++	€30	□	2:38	–	–	6	1400
21.	**Indesit** IWC 5145	€280	**5,9**	++	□	––	+	–	++	€43	□	2:07	–	□	5	1400
22.	**Ikea** Renlig FWM7	€600	**5,9**	+	+	–	□	–	+	€45	+	2:11	–	□	7	1600
23.	**Samsung** WF0804Y8E	€600	**5,9**	+	□	□	□	□	+	€42	+	1:51	□	□	8	1400
24.	**Zanussi** ZWG6140P	€360	**5,7**	+	□	□	+	–	+	€47	□	2:19	––	–	6	1400
25.	**Beko** WMB51420	€280	**5,6**	□	+	+	□	–	□	€51	□	1:43	–	–	5	1400
26.	**Ikea** Renlig FWM5	€300	**5,6**	□	+	□	+	–	+	€46	□	1:47	□	–	5	1200
27.	**Zanussi** ZWF5140P	€300	**5,5**	□	+	□	+	–	□	€48	□	1:55	□	–	5	1400
28.	**Whirlpool** Newport 1400	€450	**5,5**	+	+	––	□	□	++	€32	□	3:05	–	–	7	1400
29.	**Indesit** IWB6165	€300	**5,3**	+	□	–	□	□	++	€37	–	3:12	–	–	6	1600
30.	**Electrolux** EWF146110W	€480	**5,3**	+	□	––	□	–	++	€39	□	2:00	–	–	6	1400

++ Zeer goed + Goed □ Redelijk – Matig –– Slecht ■ Beste uit de test ▶ Beste koop

Technisch gelijk bij Bosch en Siemens zijn respectievelijk: WAS28443NL en WM14S443 NL, WAS32743NL en WM16S743NL.

per week. Twee met 5 kilo en een met 3 kilo katoen en een met 3 kilo synthetisch wasgoed. De gemiddelde kosten per maand over een periode van acht jaar zijn bepalend voor het predicaat Beste koop.

Verkeerde zuinigheid

Vergeleken met tien jaar terug zijn wasmachines veel zuiniger geworden in het verbruik van elektriciteit en water; goed voor het milieu en de portemonnee. Maar helaas is het dalende waterverbruik niet alleen positief. Vooral het spoelresultaat heeft hieronder te lijden. Er blijven meer wasmiddelresten en allergenen achter in de was.
De meeste wasmachines scoren niet meer dan redelijk op spoelresultaat. Slechts enkele modellen weten met weinig water goed te spoelen. Iets om op te letten, zeker voor wie last heeft van allergie.

IN DETAIL

Miele W5929WPS (Beste uit de test)

Prijs: €1700

Testoordeel: 7,2

Beste uit de test zijn drie Mieles. De in 2010 geteste W5929WPS heeft het hoogste Testoordeel. De machine voor maximaal 7 kilo wasgoed doet het goed op alle testaspecten, maar scoort op spoelen iets minder. Hij wast erg schoon en is opvallend stil. Het automatische (externe) doseersysteem werkt alleen met vloeibaar wasmiddel.

Whirlpool Nevada 1400 (Beste koop)

Prijs: €430

Testoordeel: 6,6

Hij benadert op veel punten de Beste uit de test. De bediening en het spoelen zouden iets beter kunnen, maar op belangrijke punten als schoonwassen en verbruikskosten doet hij het goed. Op dit laatste punt scoort hij net iets beter dan de Whirlpool Denver 1600, waarvan hij daarom het predicaat Beste koop overneemt.

Zie ook het dossier *Wasmachines* op www.consumentenbond.nl.

VOEDING

Bouillon

Gezondgids augustus 2012

Zelf een pannetje bouillon trekken is een fluitje van een cent, maar het kost wel een paar uurtjes. Omdat we die tijd niet altijd hebben, bedacht de industrie een gouden formule: de alom bekende bouillonblokjes, poeders en vloeibare bouillons in potten. Eenvoudig en snel, maar ook erg zout. Wie soep maakt volgens de aanwijzingen op de verpakking lepelt met een bordje 2,5 tot ruim 3 gram zout naar binnen. Dat is de helft van wat we dagelijks mogen nuttigen.

De Consumentenbond onderzocht 30 bouillons met de smaken rundvlees, kip en groente op hun zoutgehalte. Dat namen we 30 jaar geleden ook al eens onder de loep. Er is maar weinig veranderd. In 1982 zat er gemiddeld 2,5 gram zout in een bord bouillon en nu is meer dan de helft van de geteste bouillons zelfs nog zouter. De rundvleesbouillonblokjes slaan alles. Die van Jumbo en Aldi (Delicato) leveren 3,3 gram zout per portie van 250 ml. Het kan ook anders: de vloeibare rundvleesbouillons uit een pot bevatten minstens 1 gram minder zout per portie. Nog lager zitten de zoutarme rundvleesbouillon van C1000 en Maggi rundvleesbouillon 33% minder zout, met respectievelijk 0,8 en 1,7 gram zout per portie.

Behalve De Kleinste Soepfabriek, Festivo en Natur Compagnie vermeldt elke fabrikant het zoutgehalte op de verpakking. De metingen van de Consumentenbond kwamen hier redelijk mee overeen. Alleen in de zoutarme rundvleesbouillon van C1000 bleek bijna eenvijfde meer zout te zitten dan de verpakking beloofde.

Smaakversterker

Bouillon is zout en dat verwacht de consument ook wel. Aan heel veel producten is immers zout toegevoegd, bijvoorbeeld als smaakversterker. Uit een onderzoek van het Rijksinstituut voor Volksgezondheid en Milieu blijkt dat volwassen mannen dagelijks gemiddeld 9,9 gram zout binnenkrijgen

Veelgebruikte E-nummers in bouillon

E621 natriumglutamaat Glutamaat komt voor in alle producten die van nature eiwit bevatten, zoals oude kaas en sardientjes. De smaakversterker wordt ook kunstmatig en door fermentatie gemaakt. Gekoppeld aan natrium wordt het natriumglutamaat (E621).

E627 natriumguanylaat Smaakversterker guanylaat (E626) wordt verkregen uit gist of sardientjes en komt voor in alle dieren- en plantencellen. Gebonden aan natrium wordt het E627.

E631 natriuminosinaat Inosinezuur (E630) komt vooral voor in dierlijke producten en spierweefsel. Te verkrijgen uit vleesextracten en sardientjes, maar ook kunstmatig of via fermentatie te maken. Als het wordt gekoppeld aan natrium ontstaat natriuminosinaat (E631).

E635 natriumribonucleotiden Deze smaakversterker wordt gemaakt met E626 en E630 en smaakt veel sterker dan glutamaat.

en vrouwen 7,5 gram. De Gezondheidsraad adviseert onder de 6 gram te blijven en voor de meeste mensen is 1 à 2 gram zout per dag zelfs al genoeg. Met een portie bouillon heb je al bijna de helft van de maximale hoeveelheid van 6 gram per dag binnen. Gelukkig hebben verschillende merken behalve reguliere blokjes of poeders ook een minder zoute versie. In onze test zitten alleen de zoutarme rundvleesbouillon van C1000 en Maggi rundvleesbouillon 33% minder zout, maar ook Knorr, Healthy Planet en Natur Compagnie hebben natrium- of zoutarme varianten. Daarvan hebben we wel de etiketten gecheckt. Producten met de claim natriumarm mogen niet meer dan 0,12 gram natrium per 100 ml of per 100 gram bevatten. Voor bouillon komt dat neer op maximaal 0,75 gram zout per portie.

De geteste bouillon van C1000 zit daar net op; de 0,8 gram in de tabel 'Zout in bouillon' is het gevolg van een afronding. De andere, niet geteste natrium- of zoutarme varianten leveren volgens het etiket ook niet meer dan de toegestane hoeveelheid. In een portie natriumarme magere vleesbouillon van Knorr is het natrium zelfs verwaarloosbaar. Bij de zoutarme groentebouillon van Natur Compagnie is het gissen, want het etiket zegt niets over zout. Bij navraag blijkt dat 0,63 gram per 250 ml bouillon te zijn.

Extra kruiden

Wie een minder zoute bouillon wil maken, kan dus een natriumarm product kiezen, maar ook een stukje van het bouillonblokje gebruiken. Soms doet

Zout in bouillon

Merk & Type	Zout (gram/portie)	Percentage zout (blokje)	Prijs (centen) per portie	Prijs	Inhoud	Smaak versterkers
Rundvlees						
C1000 zoutarme rundvleesbouillon	0,8	17%	4	€0,99	12 blokjes	E621
Maggi rundvleesbouillon 33% minder zout	1,7	39%	7	€1,09	8 blokjes	E621, E635
De Kleinste Soepfabriek runderbouillon (pot)	2,1	nvt	158	€3,79	400 ml	–
Struik krachtbouillon rundvlees (pot)	2,2	nvt	24	€1,34	350 ml	–
Albert Heijn rundvleesbouillon (pot)	2,3	nvt	18	€0,99	350 ml	E621, E631
Knorr rundvleesbouillon	2,4	48%	3	€1,38	20 blokjes	E621, E627, E631
Plus bouillonblokjes rundvlees	2,8	55%	4	€0,99	12 blokjes	–
Maggi rundvleesbouillon	2,8	55%	5	€1,01	10 blokjes	E621, E627, E631
Albert Heijn rundvleesbouillon	3,0	59%	4	€0,99	12 blokjes	E621, E627, E631
Natur Compagnie bouillon met rundvlees	3,1	51%	13	€2,09	8 blokjes	–
Knorr bouillon keteltje vlees	3,1	22%	14	€2,19	8 kuipjes	–
C1000 rundvleesbouillon	3,1	62%	4	€0,99	12 blokjes	E621
Festivo rundvleesbouillon	3,2	64%	2	€0,39	12 blokjes	E621, E631, E627
Delicato bouillon rundvlees	3,3	66%	2	€0,39	12 blokjes	E621, E635
Jumbo runderbouillon	3,3	66%	3	€0,79	12 blokjes	E621, E631, E627
Kip						
Albert Heijn kippenbouillon (pot)	1,8	nvt	18	€0,99	350 ml	E621, E631
Struik krachtbouillon kipfilet (pot)	2,2	nvt	24	€1,34	350 ml	–
Albert Heijn kippenbouillon	2,5	51%	4	€0,99	12 blokjes	E621, E627, E631
Knorr kippenbouillon	2,6	52%	4	€0,85	10 blokjes	E621, E627, E631
Healthy Planet heldere kippenbouillon	2,7	49%	10	€1,19	6 blokjes	–
Delicato bouillon kippen	2,7	54%	2	€0,39	12 blokjes	E621
Maggi kippenbouillon	2,8	54%	6	€0,94	8 blokjes	E621
C1000 kippenbouillon	2,9	57%	4	€0,99	12 blokjes	E621
Groente						
Healthy Planet heldere groentebouillon	2,5	46%	8	€0,99	6 blokjes	–
Albert Heijn groentebouillon	2,5	51%	4	€0,99	12 blokjes	E621, E627
Festivo groentenbouillon	2,6	52%	2	€0,39	12 blokjes	E621, E631
C1000 groentebouillon	2,6	53%	4	€0,99	12 blokjes	E621
Maggi groentebouillon (vegetarisch)	2,9	57%	6	€0,94	8 blokjes	E621
Knorr groentebouillon	2,9	59%	4	€0,85	10 blokjes	E621, E627, E631
Naturel						
Maggi bouillonblokjes	2,8	55%	4	€0,90	32 blokjes	E621

- Delicato is verkrijgbaar bij Aldi, Festivo is te koop bij Lidl, de merken Healthy Planet en Natur Compagnie zijn verkrijgbaar bij Ekoplaza en bouillon van De Kleinste Soepfabriek is onder andere te koop bij Jumbo.
- Een portie is 250 ml.
- De zoutberekeningen zijn gebaseerd op de gebruiksaanwijzing op de verpakking.

de fabrikant dat zelf al, zoals Maggi met zijn rundvleesbouillon 33% minder zout. Die blokjes wegen 1 gram minder dan de reguliere en dat scheelt alvast 10% zout. Verder stopt Maggi er extra kruiden in en ongeveer zes keer zoveel rundvleespoeder.
En dat proef je. We lieten een smaakpanel de twee soorten rundvleesbouillon van Maggi proberen: eentje gemaakt van Maggi's reguliere rundvleesblokjes en eentje van Maggi's rundvleesbouillon 33% minder zout. Het panel vond de rundvleesbouillon 33% minder zout het lekkerst. In de voorgeschreven verdunning (1 blokje per 500 ml) smaakte die minder zout dan de reguliere en iets meer naar groente dan naar rundvlees.
Het smaakpanel werd nog enthousiaster over de zoutarme bouillon als die sterker werd gemaakt. Een bouillon met 1,7 blokje per 500 ml (70% meer dan de verpakking voorschrijft) beviel het best: 'Dit is het helemaal, erg lekker, krachtig en precies genoeg zout.' Die 33% minder zout rundvleesbouillonblokjes zijn dus een goede zet dus van Maggi. Ze zijn lekkerder dan de gewone. Alleen moeten we nog even wennen aan de minder zoute, kruidige smaak, die pas bevredigt bij 70% extra blokje. Jammer dat je daarmee gelijk de zoutbesparing verspeelt.

Illusie

Flink zout dus, die bouillonblokjes. Maar wat zit er verder in? Maakt u zich geen illusies: er zit over het algemeen niet zoveel rund, groente of kip in de bouillon die die naam draagt. Gemiddeld komt het neer op zo'n 2,5% rundvleesextract of -poeder in de rundvleesbouillons. Bij de kip- en groentevariant is dat ietsje meer. Opvallend is dat de rundvleesbouillonblokjes van Maggi slechts 0,4% rundvleespoeder bevatten, terwijl in Maggi's rundvleesbouillon 33% minder zout wel 2,5% rundvleespoeder zit.
Om de smaak op te peppen zit in de meeste geteste bouillons natriumglutamaat (E621), ook wel MSG of ve-tsin genoemd. Fabrikanten gebruiken het onder meer omdat ze dan minder zout hoeven te gebruiken. Daarnaast vinden we in veel bouillons de smaakversterkers natriumguanylaat (E627), natriuminosinaat (E631) en natriumribonucleotiden (E635). Ook bevatten vrijwel alle bouillons gistextract, eveneens een smaakversterker. Omdat het geen E-nummer heeft, gebruiken fabrikanten het maar al te graag. Het wordt gemaakt uit gist en bestaat uit meerdere eiwitten, aminozuren en vitaminen en voor zo'n 5% uit glutamaat. Wie een bouillon wil zonder (natuurlijk) glutamaat, moet bij een natuurvoedingswinkel zijn. Die verkoopt diverse bouillons zonder gist en natriumglutamaat.

Meldplicht

Vanaf 2014 wordt het verplicht de hoeveelheid zout op het etiket te vermelden. De meeste bouillonfabrikanten zetten er nu al de hoeveelheid natrium op. Keukenzout is een verbinding tussen natrium en chloride. De hoeveelheid natrium is gemakkelijk om te rekenen naar zout door deze met 2,5 te vermenigvuldigen.

Authentiek

Dat authentiek en kant-en-klaar ook samen kunnen gaan, bewijst onder meer De Kleinste Soepfabriek. Die maakt zijn vloeibare bouillon op de klassieke manier: door rundvlees zacht en langzaam te laten trekken, het rundvlees en de botten te verwijderen en de bouillon in te dikken. Er gaat zo'n 20 gram vlees in een pot van 400 ml. De bouillon van De Kleinste Soepfabriek heeft met het EKO-keurmerk een streepje voor op de potten van Struik en AH. Ze gebruiken namelijk Nederlandse runderen die diervriendelijk behandeld zijn.

Alleen het etiket van De Kleinste Soepfabriek laat nog wat te wensen over. Want al is het verplicht, de fabrikant vermeldt niet op alle potten hoeveel bouillon ze bevatten. Op de nieuwste potten staat dit wel, al ontbreekt de informatie over de voedingswaarde en de hoeveelheid zout. Volgens Michel Jansen van De Kleinste Soepfabriek is dit omdat het echt getrokken bouillon is en het zoutgehalte daarvan minder stabiel is dan van een industrieel product. Er wordt aan gewerkt, aldus Jansen. Er zijn voorbereidingen getroffen om de voedingswaarde op het etiket te gaan vermelden. Uit onze meting blijkt dat deze bouillon het minste natrium bevat van alle reguliere rundvleesbouillons in de test.

Ook de bouillons van Struik zijn 'lang getrokken'. De vloeibare rundvleesbouillon met rundvlees van AH wordt gemaakt door gekookt rundvlees opnieuw te koken met een variëteit aan ingrediënten, zoals bouillonpoeder, ui, kruiden, specerijen en zout. Want er moet natuurlijk wel flink zout in, zoals dat al dertig jaar gebruikelijk is.

Brood

Consumentengids juli/augustus 2012

Wit, lichtbruin, donkerbruin: hoe donkerder het brood, des te gezonder? Dat gaat helaas niet op. De twee donkerste broden uit onze test staan onderaan in de tabel 'Brood'. Die donkere kleur komt niet van gezonde stoffen, maar van geroosterd moutextract. Zaadjes aan de buitenkant zijn vooral decoratie en zeggen weinig over hoe gezond het brood onder de korst is.

Meel en bloem

Als er 'volkoren' op de verpakking staat, garandeert dit dat het brood gemaakt is van meel waarvoor de hele tarwekorrel is gebruikt. Alle stoffen uit de korrel zitten dan in het meel. In grof volkoren zitten gebroken tarwekorrels, zodat je er meer op moet kauwen dan op een fijnvolkorenboterham. Allinsonbroden (volkorenbrood, genoemd naar J.R. Allison) zijn steviger en compacter en er zit meer water in.
In sommige meergranenbroden is volkorenmeel ook het hoofdingrediënt, maar andere zijn vooral gemaakt van tarwebloem (kortweg bloem). Bloem is meel waar kiemen en zemelen uit zijn gehaald. Dat maakt het brood minder gezond, want vezels, B-vitaminen en mineralen zitten vooral in die buitenste laag van de graankorrel. Bakkers gebruiken bloem ook voor witbrood. Bruinbrood zit tussen wit en volkoren in: het is gemaakt van meel waar een deel van de kiemen en zemelen nog in zitten.
Voor deze test selecteerde de Consumentenbond 15 volkoren- en 10 meergranenbroden uit de maar liefst 300 soorten die je kunt kopen bij de supermarkt. We kochten per soort drie broden en vergeleken ze op zout- en

Papier of plastic?

Wie van een knapperige broodkorst houdt, bewaart zijn brood het best in papier. De korst wordt in plastic namelijk heel snel slap. Hoe langer het geleden is dat het brood is gebakken, des te slapper de korst in plastic wordt. Daarom zijn de broden die ze in de supermarkt afbakken vaak wat knapperiger dan de broden die al in de fabriek zijn afgebakken en verpakt. Plastic is wel handig om het brood in te vriezen.
Bewaar brood op kamertemperatuur en niet in de koelkast, want dan droogt het sneller uit.

vezelgehalte en beoordeelden de informatie op het etiket. Ook lieten we de broden proeven door vier broodexperts.
En wat blijkt: kwaliteit en gezondheid gaan hand in hand. De beste broden vallen namelijk vaker in de smaak dan de minder gezonde soorten. Boeren meergranen van C1000 en Bastille volkoren van Albert Heijn zijn het gezondst en ook volgens de experts een prima keuze. Beide behoren tot de minst zoute in de test. Een minder zout brood hoeft dus niet minder lekker te zijn, integendeel. Een simpel fijnvolkorenbrood koop je het best bij C1000 of de Hema.

Meer kleine vezels

Een gemiddelde volkorenboterham bevat ongeveer 3 gram vezels. Dat is zo'n 10% van wat we dagelijks nodig hebben. Een witte boterham levert 1 gram vezels en een bruine 2 gram. Vezels zijn gezond: ze zorgen voor een goede stoelgang. Er zijn aanwijzingen dat ze ook een rol spelen bij het voorkomen van overgewicht, diabetes en hart- en vaatziekten.
Daarom raadt de Gezondheidsraad aan om 30 tot 40 gram vezels per dag te eten, maar dat haalt bijna niemand. Volgens Gert-Jan Schaafsma, voedingswetenschapper en voorzitter van de commissie die het vezelrapport van de Gezondheidsraad opstelde, is dat geen ramp: 'Een tekort aan vezels kun je niet oplopen. Vezels zijn geen vitaminen.' Maar voedingsmiddelen met vezels zijn volgens Schaafsma wel te verkiezen boven minder vezelrijke producten, 'omdat brood, groente, fruit en noten naast vezels veel andere gezonde stoffen bevatten.'
Maar de ene vezel is de andere niet. Alle vezels hebben met elkaar gemeen dat ze niet worden opgenomen in de dunne darm. Sommige vezels, vooral de kleinere, leveren wel wat energie als bacteriën ze in de dikke darm deels afbreken. Die kleinere vezels kunnen we nu beter in kaart brengen door een nieuwe manier van meten. Gemiddeld meten we in een volkorenboterham 10% meer vezels dan op de oude manier.
Koplopers wat vezelgehalte betreft zijn de twee geteste biologische broden. Meergranenbroden bevatten ongeveer net zoveel vezels als volkorenbroden. De zaden en pitten leveren ook vezels. Soms zijn deze broden van volkorenmeel gemaakt. Maar de broden die 'redelijk' scoren op vezelgehalte zijn allemaal meergranenbroden. Alle geteste volkorenbroden scoren goed of zeer goed. Behalve het volkorenbrood van Bakker Bart, want dat bevat de minste vezels.
Zie ook de test 'Volkoren ontbijtproducten' verderop in dit hoofdstuk.

Brood

		Merk & Type	Prijs	Testoordeel	Zout	Vezels	Etiket	Smaak
		Weging voor Testoordeel			47,5%	47,5%	5%	
■	1.	**C1000** Boeren meergranen	€1,50	**7,9**	+	++	–	👍
■	2.	**AH** Bastille volkoren	€2,10	**7,9**	+	++	–	👍
■	3.	**C1000** Uw Eigen Bakker Grof volkoren	€2,00	**7,8**	+	++	–	
▶ ■	4.	**C1000** Fijn volkoren	€1,00	**7,5**	□	++	–	👍
■	5.	**Aldi** Grof volkoren zonnepit brood	€1,50	**7,5**	+	+	+	👎
■	6.	**AH** Allinson volkoren – biologisch	€2,20	**7,5**	□	++	++	👍
■	7.	**Ekoplaza** Huismerk volkorenbrood	€2,35	**7,5**	□	++	–	👎
	8.	**Hema** Fijn volkoren	€1,25	**7,3**	□	++	––	👍
	9.	**Plus** Ben van Bakel donker meergranen	€2,00	**7,3**	+	++	–	
	10.	**Coop** Fijn volkoren	€1,30	**7,0**	□	++	–	
	11.	**Bakker Bart** Barts donker	€2,40	**7,0**	□	++	––	👎
	12.	**AH** Zaanse snijder volkoren	€1,20	**6,9**	□	+	++	👍
	13.	**Jumbo** Allinson volkoren	€1,55	**6,8**	□	++	––	
	14.	**Dirk van den Broek** Boeren dubbel donker	€1,90	**6,8**	□	+	+	
	15.	**AH** Boulogne meergranen	€2,10	**6,7**	□	++	–	
	16.	**Plus** Fijn volkoren	€1,00	**6,6**	□	+	–	
	17.	**Dirk van den Broek** Fijn volkoren	€1,00	**6,5**	□	+	+	
	18.	**Aldi** Batavenbrood meergranen	€1,50	**6,5**	+	□	++	
	19.	**AH** Zaanse snijder meergranen	€1,25	**6,4**	□	□	++	
	20.	**Jumbo** Fijn volkoren	€1,00	**6,0**	□	+	–	
	21.	**'t Stoepje** Meergranenbrood	€2,10	**6,0**	+	□	++	
	22.	**'t Stoepje** Fijn volkoren	€1,65	**5,9**	□	+	□	
	23.	**Bakker Bart** Volkorenbrood	€2,05	**5,7**	+	–	––	👍
	24.	**Lidl** Meergranenbrood	€1,50	**5,5**	□	□	++	👎
	25.	**Jumbo** Boeren Waldkorn	€1,70	**4,8**	–	□	–	

++ Zeer goed + Goed □ Redelijk – Matig –– Slecht ■ Beste uit de test ▶ Beste koop

- Alle broden bevatten ongeveer 500 gram aan droge stof.
- Allinson volkoren van Albert Heijn is alleen verkrijgbaar als half brood. De vermelde prijs is die van twee halve broden.
- De fijnvolkorenbroden van Jumbo, Plus en Coop kunnen iets variëren in samenstelling, afhankelijk van waar het brood gekocht is.
- De mening van de experts is alleen opgenomen in de tabel als het oordeel unaniem was en het brood opvallend goed of slecht was.
- De broden van Dirk van den Broek zijn ook verkrijgbaar bij Digros en Bas van der Heijden.

Minder zout is goed

De bakkers maken onze boterham inmiddels wat minder zout, iets waarvoor de Consumentenbond zich al jaren inzet. Gemiddeld zit er nu 0,4

IN DETAIL

C1000 Boeren meergranen (Beste uit de test)

Prijs: €1,50

Testoordeel: 7,9

Dit vezelrijke brood krijgt lof van de experts vanwege de originele samenstelling met lijnzaad, mais en havervlokken. 'Voedzaam' en 'gewoon lekker'.

AH Bastille volkoren (Beste uit de test)

Prijs: €2,10

Testoordeel: 7,9

AH Bastille is het minst zout van de 25 geteste broden en bevat nogal wat vezels. Volgens de experts is het een 'mals broodje' met een 'goede bite'.

C1000 Fijn volkoren (Beste uit de test én Beste koop)

Prijs: €1

Testoordeel: 7,5

Een van de goedkoopste broden uit de test. Een basisbrood met veel vezels. Volgens de experts is het een 'smakelijk broodje' waar 'niets verkeerd aan' is.

gram zout in een boterham. In vergelijking met de broden die we in 2007 testten, is het brood nu gemiddeld 20% minder zout. Dat is niet uit vrije wil: op initiatief van de bakkerijsector heeft de overheid het maximaal toegestane zoutgehalte in 2009 verlaagd. In 2013 wordt dit nog verder teruggeschroefd. De broden die in de tabel 'goed' scoren op zoutgehalte voldoen al aan de nieuwe eisen. Boeren Waldkorn van Jumbo is het zoutste brood en zelfs iets zouter dan wettelijk toegestaan.
Dagelijks krijgen mannen gemiddeld 9,9 gram en vrouwen 7,5 gram zout binnen, terwijl we niet boven de 6 gram zouden moeten uitkomen. Te veel zout geeft een grotere kans op een hoge bloeddruk en hart- en vaatziekten.
Minder zout brood is goed, maar het betekent ook dat we nog meer in de gaten moeten houden of we voldoende jodium binnenkrijgen. Dat wordt namelijk toegevoegd aan het zout dat de bakkers gebruiken. Jodium is belangrijk voor de schildklier. Behalve in zeevis, zit het heel weinig in dagelijkse voedingsmiddelen.
En wat zit er behalve meel of bloem en zout verder in brood? Dat loopt nogal uiteen. Het biologische Allinsonbrood van Albert Heijn bestaat maar uit vier ingrediënten: volkorenmeel, water, gist en zout. De meeste broden bevatten veel meer ingrediënten.

Wegen en proeven

Het gewicht van de broden loopt uiteen van 732 gram bij Albert Heijn Boulogne meergranen tot 889 gram bij het Jumbo Allinsonvolkorenbrood; een verschil van 157 gram. Maar dat is niet helemaal eerlijk vergelijken, want Allinson bevat veel meer water. Daarom rekenen bakkers met het gewicht van de droge stof (dat is alles wat overblijft als het water is verdampt). Dan blijkt dat het zware Allinsonbrood maar 9 gram meer voedingsstoffen bevat dan zijn veel lichtere Boulognebroertje.
Wettelijk is vastgelegd dat een heel brood minimaal 480 gram droge stof moet bevatten. Bijna alle broden zitten daar netjes boven. Alleen het meergranenbrood van Lidl haalt dat net niet.
Met de kwaliteit van de meeste broden zit het wel goed. Dat was de conclusie van ons expertpanel na een middag proeven. De kwaliteit van 7 van de 25 broden was volgens de proevers uitstekend. Ze zijn te herkennen aan een opgestoken duim in de tabel. Over vier broden waren ze minder te spreken, die krijgen een duim omlaag.

Champagne

Consumentengids januari 2012

Niet zo gek dat een champagnekurk kan knallen: onder die kurk zit een druk die drie keer zo hoog is als in een autoband. Wordt de fles bovendien flink geschud, dan schieten 47 miljoen belletjes met grote snelheid naar buiten. Die belletjes bestaan uit koolzuurgas. De manier waarop het koolzuur is gevormd, kan echter nogal verschillen en daarmee ook de prijs van de fles. Mousserende wijn kan op drie manieren worden gemaakt.

1 Méthode traditionelle

Deze wijnen hebben bubbels (*mousse*) die zijn ontstaan door de wijn een tweede keer te laten gisten, en wel in de fles. Tot begin jaren 90 werd deze methode van tweede gisting op de fles *méthode champenoise* genoemd, maar die term mag volgens regels van de EU alleen nog worden gebruikt als het om mousserende wijn uit de Champagnestreek gaat.
Het uit druiven geperste sap wordt wijn doordat de natuurlijke gist op de schillen een fermentatieproces in gang zet. De gist zet de suiker in het sap

1 Canard-Duchêne brut
Champagne (Frankrijk)
€27 (AH, Gall & Gall)
Fijne belletjes, zacht schuim en een vriendelijke, niet echt droge afdronk.

2 Castell Llord brut
Cava (Spanje)
€5 (Aldi)
Wat 'boerse' cava met flinke bubbels en veel schuim. Een goed alternatief om goedkoop te knallen!

3 Copa Sabia brut
Cava (Spanje)
€7,50 (Hema)
Deze cava reserva heeft veel aroma's en een frisse, fruitige afdronk. Met andere woorden: hij is gewoon lekker.

4 Coderniu brut
Cava (Spanje)
€9 à €10 (Albert Heijn, Mitra)
Aangenaam, met redelijk fijne bubbels. Hij is wat ingetogen van smaak en niet te droog.

5 Freixenet Cordon Negro seco
Cava (Spanje)
€8,30 à €10 (bij heel veel supermarkten)
Nogal wat schuim, maar toch plezierig, fris en vooral niet te strak en droog.

6 Gran Espanoso brut
Cava (Spanje)
€6 (bij veel supermarkten)
Niet zo frisse geur, veel schuim en ietwat bittere afdronk. Het mag wel wat vrolijker.

7 Henkell Trocken
Sekt (Duitsland)
€8 (Dirck III, MCD)
Een echte smaakknaller. Grove belletjes, redelijk veel schuim, fris, jong en zonder pretenties.

8 Martini Brut

Spumante (Italië)

€9 (Dirck III, Hoogvliet, Jumbo, Plus)

Deze redelijk strakke, droge Italiaan heeft meer dan voldoende lekker schuim.

9 Lindemans Bin 25

Brut cuvée (Australië)

€9 (Albert Heijn)

Fijne mousse, lichte smaak van citrusvruchten en perzik en een redelijk droge afdronk. Verrassend.

10 Moët & Chandon imperial brut

Champagne (Frankrijk)

€30 à €43 (bij supermarkten)

Ietwat harde bubbels, aardig wat zuren en een beetje vlakke afdronk.

11 Piper-Heidsieck brut

Champagne (Frankrijk)

€27 à €36 (bij supermarkten)

Helder van kleur, fijne mousse, fruitig, elegant met een redelijk zachte afdronk.

12 Sant Manel brut

Cava (Spanje)

€6 (Jumbo)

Zeer correcte cava met veel smaak en aangenaam schuim. Deze cava is redelijk vriendelijk in de afdronk.

13 Tierra Buena

Extra brut (Argentinië)

€10 (Plus)

Een aangename verrassing: heerlijke zachte mousse en veel smaakaroma's in de afdronk. Hij is lichtroze van kleur.

14 Veuve Amiot brut

Saumur (Frankrijk)

€12 (Dekamarkt, Gall & Gall, Mitra)

Fijne bubbelwijn uit de Loirestreek, fris, ongecompliceerd en gewoon lekker.

15 Veuve Durand brut réserve

Champagne (Frankrijk)

€15 bij Aldi.

Redelijk kleine belletjes, fruitig en een lichte gistgeur. Een laaggeprijsde champagne bestaat dus.

om in alcohol. Daarbij ontstaat koolzuur, maar dit zorgt nog niet voor bubbels omdat het koolzuurgas nog kan ontsnappen uit de tank waarin de vergisting plaatsvindt. Om een tweede gisting op gang te brengen, wordt de wijn gebotteld, waarbij de producent een mengsel van gist en suiker toevoegt. Vervolgens wordt de fles met een kroonkurk afgesloten en liggend opgeslagen bij een constante temperatuur van 8 à 10 °C. Tijdens het gisten stijgt het koolzuurgehalte van de wijn. In de loop der tijd worden de flessen steeds gekanteld, zodat het bezinksel dat zich tijdens de tweede gisting heeft gevormd langzaam in de hals van de fles zakt. Het bezinksel in de hals moet met zo min mogelijk verlies van koolzuur (en wijn) uit de fles worden gehaald. Vroeger ontkurkten de keldermeesters de fles door met een klap tegen de bodem het bezinksel eruit te slaan. Tegenwoordig zijn er machines die hals en bezinksel bevriezen, waarna de kroonkurk met het bezinksel automatisch wordt verwijderd. Ten slotte gaat er een beetje *liqueur de dosage* bij: champagne aangelengd met rietsuiker. De hoeveelheid suiker bepaalt of een champagne brut (droog), sec (iets zoet) of demi-sec (letterlijk 'halfdroog', maar eerder zoet) wordt. De fles krijgt een kurk, die op z'n plaats gehouden wordt door ijzeren draadwerk, de *muselet*. Er zijn ook champagnes waaraan geen liqueur de dosage wordt toegevoegd, maar alleen champagne van dezelfde soort. Op het etiket staat dan 'brut de brut', 'brut zero' of 'extra brut'.

Hoewel alleen mousserende wijn uit de Champagnestreek champagne mag heten, is de *méthode traditionelle* natuurlijk ook toe te passen op druiven uit andere regio's. De verschillen in bodemsoort, klimaat, druivenras of mengsels van druivenrassen zijn van invloed op de smaak. In Frankrijk worden de wijnen uit andere streken dan de Champagne *crémant* genoemd. Bijvoorbeeld crémant d'Alsace, crémant de Loire en crémant de Bourgogne. Ook in andere Europese landen worden er zo mousserende wijnen gemaakt. Spanje heeft cava, Duitsland sekt (alleen als er 'b.A.' op het etiket staat) en Italië spumante. Buiten Europa is er de vonkelwijn en Cap Classique uit Zuid-Afrika en uit Australië komt de *bottle fermented sparkler*.

2 Méthode charmat

Een minder kostbare manier om mousserende wijn te maken, is door de tweede gisting in de tank te laten plaatsvinden: de *méthode charmat* of *cuve close*. Volgens kenners heeft deze wijn echter minder 'mousse' en minder 'diepgang'. Franse mousseux, de meeste Duitse sekt, prosecco en frizzante uit Italië en Russische Krimsekt worden op deze manier gemaakt. Zoetere mousserende wijnen als Clairette de Die of Moscato d'Asti kennen maar één gistingsproces. Deze wijnen worden al gebotteld als het gistingsproces nog niet is afgerond, wat betekent dat niet alle suiker in het druivensap omgezet wordt in alcohol. Er blijft dus nog een beetje suiker in de wijn over, wat een zoetere smaak geeft.

3 Méthode gazéifiée

De *méthode gazéifiée* wordt ook wel de colamethode genoemd. Hierbij wordt net als bij frisdrank koolzuurgas (CO_2) in de wijn gespoten. Dat gebeurt bijvoorbeeld bij Duitse *schaumwein*. Deze methode wordt zelden toegepast bij kwaliteitswijnen. Het levert meestal wat minder verfijnde bubbels op.

Professionele proevers

De Consumentenbond selecteerde in supermarkten 15 veelverkochte mousserende wijnen van het smaaktype brut en sec. Omdat het ontkurken van de fles bijdraagt aan feestelijke momenten, zijn mousserende wijnen met schroefdop (prosecco bijvoorbeeld) niet getest.
Een professioneel panel heeft de wijnen geproefd en beoordeeld. Het panel bestond uit 16 mensen, waarvan er gemiddeld 5 deelnamen aan een proefsessie. Een medewerker die niet mee proefde, selecteerde de wijnen per type en bracht ze op de juiste temperatuur. Alle flessen werden onherkenbaar gemaakt.
Per wijn werd door ieder lid een notitie gemaakt en onderling werd niet gesproken. Na afloop van de gehele sessie werden de notities verzameld en de commentaren besproken, waarna ook de etiketten van de flessen werden getoond.
Het panel kwam soms een fles tegen die blijkbaar al te lang in de winkel had gestaan. De kurk is dan uitgedroogd en de wijn ruikt muf. Zo'n fles kun je het best gewoon terugbrengen.

Eieren

Gezondgids april 2012

Wat & hoe

De Consumentenbond kocht 17 veelverkochte soorten eieren, veelal middelgrote in de kleinste verpakking. Omdat de samenstelling per ei varieert, maakten we een mengsel van meerdere eieren per merk en soort. Die mengsels testten we op cholesterolgehalte en vetzuursamenstelling. Verder keken we naar het welzijn van de kippen. Omdat deskundigen het oneens zijn over de milieudruk van de verschillende soorten eieren, is dit aspect niet meegewogen.

Een ei zit boordevol voedingsstoffen. Niet zo gek, want het is tenslotte de voorraadkast van het kuiken. Die voedingswaarde zit vooral in de dooier. Die bevat niet alleen het beruchte cholesterol, maar is juist ook een bron van vitaminen en gezonde vetten. Een eidooier bevat gemiddeld 5 gram vet. Ongeveer eenderde daarvan is van de ongezonde verzadigde soort, tweederde is onverzadigd, dus gezond.

'Rijker aan linolzuur', pronkt het doosje maisscharreleieren van Natuurfarm De Boed. 'Betere voedingswaarde', snoeven de viergraneneieren van Kwetters Kakelgoud. Maar in het laboratorium bleek iets anders. Alle 17 eiermerken en -soorten die wij testten, bevatten ongeveer evenveel vet. Ook de verhouding tussen de verschillende vetzuren verschilt niet veel, of het nu een biologisch, vrije-uitloop- of scharrelei was.

Uitzondering zijn de omega-3-eieren van Van Beek, die Albert Heijn, Plus, Jumbo en Coop verkopen. Ze bevatten minder slecht vet en meer gezond vet dan de andere eieren in de test. Er zit vooral veel alfalinoleenzuur in. Bij ratten is aangetoond dat dit omega-3-vetzuur in het lichaam wordt omgezet in EPA en DHA (vetzuren die beschermen tegen hart- en vaatziekten). 'Maar bij de mens blijkt die omzetting nauwelijks te gebeuren', weet Martijn Katan, emeritus hoogleraar voedingsleer aan de Vrije Universiteit in Amsterdam. Hij vindt het daarom geen goed idee om een extra ei te eten als je dat alleen voor je gezondheid doet. Katan: 'De positieve gezondheidseffecten van alfalinoleenzuur op hart en bloedvaten zijn vooral theoretisch. Ze wegen niet op tegen de additionele hoeveelheid cholesterol die je binnenkrijgt als je een eitje extra eet.'

Hoeveel cholesterol is dat dan? Gemiddeld bevat een ei behoorlijk wat van die vetstof, zo'n 200 milligram. De verschillen tussen de geteste merken zijn

klein. Ook het soort ei maakt niet uit: vrije-uitloop- en biologische eieren scoren niet beter dan scharreleieren.
Cholesterol is onmisbaar voor de opbouw van celwanden en de productie van bepaalde hormonen en gal. Te veel is niet gezond, maar het is minder slecht dan werd gedacht. Vroeger werd aangenomen dat cholesterolrijk voedsel een groot effect had op het cholesterolgehalte in het bloed. Inmiddels weten we dat verzadigd vet daarop een veel grotere invloed heeft.
'Toch moeten we de rol van het voedingscholesterol niet uitvlakken', waarschuwt Katan. 'De hoeveelheid cholesterol uit een ei heeft wel degelijk invloed op hart en bloedvaten.' Katan adviseert – net als het Voedingscentrum – om niet meer dan drie eieren per week te eten. Voor liefhebbers is Katan niet te streng: 'Een eitje extra kan best, als je zorgt dat je verder niet al te veel verzadigd vet eet. Bak het dus niet in roomboter, maar in gezonde plantaardige olie.'

Beter dan biefstuk

De dooier van een ei is rijk aan vitaminen. Eieren zijn een belangrijke bron van vitamine A en D. Ze bevatten ook B-vitaminen, waaronder B_{12}. 'Dat is vooral voor mensen die weinig of geen vlees en zuivel eten wel belangrijk', merkt Katan op. Tot slot zijn eieren rijk aan mineralen en sporenelementen als fosfor en selenium.
Het wit van een ei bestaat uit water en eiwitten. Die eiwitten zijn van een hoge biologische waarde. Dat wil zeggen dat de samenstelling ervan nauw aansluit bij de behoefte van het menselijk lichaam – meer dan bijvoorbeeld het geval is bij eiwitten uit zuivel en vlees. 'Maar dat is vooral belangrijk bij een voedseltekort', relativeert Katan. 'In Nederland krijgen we genoeg eiwit van goede kwaliteit binnen.'

Eiwit en dooier

Het eiwit van een pasgelegd ei bevat veel dikwit (dat is rondom de dooier te zien als een dikke laag van het eiwit). Eromheen zit het dunwit. Hoe ouder het ei, des te meer het dikwit verandert in dunwit. Dat zorgt ervoor dat een oud ei veel meer uitloopt in de pan.
De dooier dankt zijn oranje kleur aan de kleurstoffen die de kippen in hun voer krijgen. Nederlanders eten volgens kippenboeren het liefst eieren met oranje dooiers. Biologische eieren hebben vaak een gele dooier. In het voer mogen alleen natuurlijke kleurstoffen van biologische teelt zitten. Die zijn kostbaar, dus gebruiken bioboeren ze met mate.

Eieren

	Merk & Type	Biologisch	Vrije uitloop	Scharrel	Prijs per doosje	Stuks per doosje	Prijs per ei	Testoordeel	Vet	Cholesterol	Dierenwelzijn	Etiket	Dooierkleur	Schaalkleur
■	**AH puur&eerlijk** Rondeeleieren			✓	€1,99	7	€0,28	**7,9**	+	+	++	++	donkeroranje	bruin
■	**Bio+** biologische eieren	✓			€1,75	6	€0,29	**7,9**	+	+	++	++	lichtgeel	bruin
■	**AH puur&eerlijk** biologisch	✓			€1,79	6	€0,30	**7,7**	□	+	++	++	lichtgeel	bruin
▶ ■	**Gebroeders van Beek** Omega 3		✓		€1,45	6	€0,24	**7,6**	++	□	+	++	donkeroranje	bruin
▶	**AH puur&eerlijk** vrije uitloop		✓		€1,39	6	€0,23	**7,1**	□	+	+	++	donkeroranje	bruin
	Gebroeders van Beek Buitenei		✓		€1,45	6	€0,24	**6,8**	□	+	+	++	donkeroranje	bruin
	Lidl scharreleieren			✓	€1,25	10	€0,13	**6,5**	+	+	□	++	donkergeel	bruin
	C1000 weide eieren		✓		€1,49	6	€0,25	**6,5**	+	□	+	+	lichtoranje	bruin
	Kwetters Kakelgoud 4 Granen Ei			✓	€1,45	6	€0,24	**6,4**	□	+	□	++	donkeroranje	bruin
	Albert Heijn scharreleieren			✓	€1,07	6	€0,18	**6,3**	□	+	□	++	lichtoranje	bruin
	Gijs scharreleieren			✓	€1,69	6	€0,28	**6,3**	+	+	□	– –	donkeroranje	bruin
	Plus scharreleieren			✓	€1,07	6	€0,18	**6,0**	+	□	□	++	lichtoranje	bruin
	Natuurfarm De Boed Maïs Scharrel			✓	€1,45	6	€0,24	**5,9**	□	+	□	++	lichtoranje	bruin
	Euroshopper scharreleieren			✓	€1,25	10	€0,13	**5,6**	□	+	□	++	donkergeel	wit
	Jumbo scharreleieren			✓	€0,95	6	€0,16	**5,6**	□	+	□	–	lichtoranje	bruin
	C1000 scharreleieren			✓	€1,07	6	€0,18	**5,5**	□	□	□	– –	donkeroranje	bruin
	C1000 Basis scharreleieren			✓	€1,86	15	€0,12	**4,7**	□	□	□	– –	donkergeel	wit

++ Zeer goed + Goed □ Redelijk – Matig –– Slecht ■ Beste uit de test ▶ Beste koop

Het Testoordeel is opgebouwd uit de oordelen voor vet (40%), cholesterol (25%), dierenwelzijn (30%) en de informatie op het etiket (5%). Het oordeel voor vet omvat verzadigd vet (40%), enkelvoudig (25%) en meervoudig (35%) onverzadigd vet.

Te koop bij:

- Bio+: Jumbo, Plus, Coop, Spar, Emté en Poiesz
- Euroshopper: Albert Heijn
- Gebroeders van Beek: Albert Heijn, Plus, Jumbo, Coop
- Gijs: Plus
- Kwetters Kakelgoud: Albert Heijn, C1000, Jumbo
- Natuurfarm De Boed: Albert Heijn

Winkels mogen eieren verkopen tot 21 dagen na de datum waarop ze zijn gelegd. De dikte van het eiwit zegt iets over de versheid van een ei: hoe ouder, des te dunner het eiwit uitloopt. We maten die dikwithoogte in het laboratorium. Gemiddeld genomen ontlopen de geteste merken elkaar niet veel, maar tussen eieren uit hetzelfde doosje bleken opvallende verschillen te zitten. Dat is te verklaren, zegt pluimvee-expert Ferry Leenstra van Wa-

Eicode

Het eerste cijfer van de code op een ei vertelt of de kip biologisch (0), met vrije uitloop (1), in een scharrelstal (2) of kooi (3) is gehouden. De letters staan voor het land. De laatste cijfers verwijzen naar het bedrijf en de stal. Wie dacht dat alle kippen tegenwoordig scharrelen, heeft het mis. Eenderde van de kippen in ons land leeft in kooistallen. Die eieren zitten nog volop in bewerkte producten, zoals koekjes.

geningen UR Livestock Research: 'De bewaarduur en bewaaromstandigheden hebben invloed op de dikte van het eiwit.'

Eieren worden verkocht in gewichtsklassen. Bij het nawegen merkten we dat het gemiddelde gewicht meestal wel klopt met wat er op het doosje staat, maar dat het vaak aan de lage kant van de klasse is. Dat is uit te leggen: eieren verliezen vocht, en dus gewicht, tijdens het bewaren.

Sommige merken verkopen een combinatie van gewichten in één verpakking. Op de Bio+ die we kochten, staat bijvoorbeeld L/M/S. Toch kwam de weegschaal niet verder dan een gemiddeld formaat S. In piepkleine letters staat op het doosje dat er minimaal 270 gram in zit, wat neerkomt op een wel erg schamele 45 gram per ei.

Prijsverschillen zijn er vooral onder de scharreleieren. De eieren van kippen die speciaal voer krijgen of beter worden behandeld, zijn duurder dan gewone. Lidl, AH Euroshopper en C1000 Basis zijn de goedkoopste uit de test, waarbij Lidl het hoogst scoort. Aldi en Dirk zijn tijdens de test overgestapt van leverancier en staan daarom niet in de tabel 'Eieren'. Plus zegt voortaan alleen nog maar vrije-uitloopeieren te verkopen.

Kiezen voor de kip

Al met al maakt het voor je gezondheid niet uit welk ei je kiest. Maar voor de kip des te meer. 'Kippen houden ervan om te scharrelen en te zoeken naar eten', vertelt pluimvee-expert Leenstra. 'Ze nemen ook graag stofbaden om hun verenpak schoon te houden.' Scharrelstallen zijn daarom een stuk beter dan kooien. Dat biologische en vrije-uitloopkippen naar buiten kunnen, vindt Leenstra maar een kleine verbetering in verhouding met een scharrelstal: 'Het ligt er vooral aan hoe die buitenruimte eruitziet. Kippen willen bijvoorbeeld graag een ruimte met genoeg beschutting tegen roofvogels. En kippen die buiten lopen, hebben wat meer kans op ziekten.'

Een goede indicator voor een kipvriendelijk ei is het Beter-Levenkeurmerk van de Dierenbescherming. Biologische eieren krijgen drie sterren. De kippen hebben de meeste ruimte en kunnen naar buiten. Ook Rondeeleieren krijgen er drie: de stal is met veel aandacht voor dierenwelzijn ingericht. Vrije-uitloopeieren scoren twee sterren als er extra aandacht is voor dierenwelzijn. Alle vrije-uitloopeieren in deze test hebben twee sterren. Scharrelkippen hebben geen buitenruimte. De eieren krijgen één Beter Leven-ster als in de stallen extra aandacht is voor het welzijn van de kip, zoals bij Gijs en Kwetters Kakelgoud. De eieren zonder keurmerk krijgen in onze test een iets lagere score.

IN DETAIL

Gebroeders van Beek Omega 3 (Beste koop én Beste uit de test)

Dat deze eieren de gezondste vetten bevatten, komt doordat de kippen voer met extra lijnzaad en -olie krijgen. Ze komen uit een vrije-uitloopstal en zijn iets goedkoper dan de andere eieren met het predicaat Beste uit de test.

AH puur&eerlijk vrije uitloop (Beste koop)

Eieren met een goede prijs-kwaliteitverhouding. De drie varianten van Albert Heijn puur&eerlijk scoren goed: ze staan allemaal in de top-5.

AH puur&eerlijk Rondeeleieren (Beste uit de test)

De stempel zegt 'scharrelei', maar Rondeelkippen worden diervriendelijker gehouden. De Dierenbescherming geeft deze eieren daarom drie Beter Leven-sterren, net als biologische eieren. Het opvallende ronde doosje verwijst naar de vorm van de Rondeelstallen.

Bio+ biologische eieren (Beste uit de test)

Deze biologische eieren scoren goed op dierenwelzijn en op de samenstelling van het ei. Hoewel er volgens de verpakking eieren van formaat S, M en L in kunnen zitten, zaten in de doosjes die wij kochten vooral kleine eieren.

AH puur&eerlijk biologisch (Beste uit de test)

Deze biologische eieren zijn de duurste uit de test en hebben een Testoordeel van 7,7. Gemiddeld wegen deze eieren wel meer dan de eieren van Bio+, die ook Beste uit de test zijn.

Fruitdranken

Gezondgids juni 2012

Wat & hoe

De Consumentenbond nam van zo'n 170 fruitdranken de etiketten onder de loep en kwam tot de conclusie: niets is wat het lijkt.

Stel: je gaat naar de supermarkt voor een pak lekkere frisse vruchtendrank. Voor het schap valt je oog op – laten we zeggen – een rijtje Roosvicee Multi Vit Bosvruchten. Vanaf de voorkant van het pak glimmen vlierbessen, aardbeien, bramen en rozenbottels je tegemoet. 'Verbeterde receptuur', staat er ook nog op, 'met meer rozenbottel'. Nóg meer? Je gooit snel een pak in je karretje.

Eenmaal thuis komen de kleine lettertjes op de achterkant van het pak in zicht en die beginnen met het belangrijkste ingrediënt: water. Water? Maar dat stond toch niet op de voorkant van het pak? En het wordt nog gekker, want het sap dat bij dit water is gemengd, bestaat voor het grootste deel helemaal niet uit bosvruchten, maar voor bijna tweederde uit gewoon appelsap. Die heerlijke bosvruchtendrank is in werkelijkheid vooral water met ruim 16% appelsap, krap 9% bosvruchtensap, suiker, aroma's, citroenzuur en vitaminen.

Roosvicee is niet de enige drank waarmee je dit zou kunnen overkomen. Van de acht dranken met bosvruchten (zie de tabel 'Fruitdranken met bosvruchten of rood fruit') die worden aangeprezen als 'met bosvruchten' of 'rood fruit' zijn er maar liefst zeven vooral van appelsap gemaakt. Slechts twee daarvan hebben ook het woord 'appel' in de naam.

Babylonische spraakverwarring

Niet alleen bij de bosvruchtendranken lijkt het of er sprake is van een babylonische spraakverwarring. Dat geldt ook voor veel andere fruitdrankvarianten. Neem bijvoorbeeld Spa Fruit Tropisch Fruit. Op de voorkant van het pak staat onder meer passievrucht, ananas en sinaasappel. Dat is nog eens tropisch fruit. Maar de kleine letters op de achterkant onthullen dat er bijna 5% tomatensap in zit. Bij tomaat denk je toch eerder aan groente dan aan fruit.

Verrassender is dat er meer dan 1% wortelsap in de drank zit. Wortelen zijn toch echt geen tropisch fruit. De zo prominent op het pak afgebeelde ana-

nas is goed voor 0,2% van de inhoud en dat geldt ook voor de passievrucht. Ten slotte nog een voorbeeld van Roosvicee Multi Vit Aardbei Sinaasappel. Deze drank bestaat vooral uit water en appelsap. Er zit maar 5% sinaasappelsap in en nog geen 3% aardbeiensap.
Liegen kun je het niet direct noemen en er worden geen wetten overtreden. De fabrikanten van fruitdranken lijken in hun enthousiasme een beetje uit het oog te verliezen welk soort vruchten waar groeit. Daarom is het voor consumenten een aanrader ook eens op de achterkant van een pak te kijken of er daadwerkelijk in zit wat op de voorkant wordt aangekondigd.
Van alle 170 fruitdranken die onze voedingsonderzoeker inkocht, was van 31% (bijna eenderde dus) sap van appels of witte druiven de basis, terwijl dat niet in de naam van de drank werd vermeld. Ook in andere fruitdranken werden verrassende vruchten gevonden. Peer in Sisi Fruit Limo Tropical, appel en sinaasappel in de C1000 Frisse Fruitdrank Bloedsinaasappel en Limoen en ga zo maar door.
Van het fruit dat zo prominent op het pak staat vermeld, zit er vaak maar heel weinig in. Een mooi voorbeeld zijn de dranken met framboos erin. Het hoofdbestanddeel in deze dranken is over het algemeen sap van appels of druiven; frambozensap is niet in grote hoeveelheden aanwezig. Albert

Fruitdranken met bosvruchten of rood fruit

Merk & Type	Prijs	Hoofdingrediënt	Vruchtensap	Bosvruchten of roodfruitsap	Appel	Citroen	Kcal per glas	Suiker per glas	Suiker toegevoegd	Zoetstof toegevoegd	Extra vitamine C
			*	*			Kcal	gram			
AH Water & Fruit Rood	€1,02	blauwe druif	8,3	4,9	✓	✓	70	17,5			
C1000 Frisse Fruitdrank Appel Bosvruchten	€0,78	appel	3,2	1	✓		105	26	✓		✓
Jumbo Tintelfris Appel Bosvruchten	€0,76	appel	3,2	1	✓		105	26	✓		✓
Roosvicee 50/50 Roodfruit	€1,20	appel	8,3	2,8	✓	✓	65	15			✓
Roosvicee Multi Vit Regular Bosvruchten	€1,26	appel	4,2	1,5	✓		100	24	✓		✓
Roosvicee Multi Vit Light Bosvruchten	€1,26	appel	5	1,5	✓		40	7		✓	✓
Spa Fruit Bosvruchten	€0,98	appel	2,5	1	✓	✓	89	22	✓		✓
Spa Fruit Bosvruchten Light	€0,98	appel	2,5	1	✓	✓	19,8	4,3		✓	✓

* = aantal eetlepels per glas, 1 glas is gelijk aan 250 ml, 1 eetlepel is gelijk aan 15 ml

Fruitdranken met appel en/of perzik

Merk & Type	Prijs	Hoofdingrediënt	Vruchtensap	Appelsap	Perziksap	Witte druif	Rozenbottel	Mandarijn	Kiwi	Kcal per glas	Suiker per glas	Suiker toegevoegd	Zoetstof toegevoegd	Extra vitamine C
			*	*	*					Kcal	gram			
AH Frisse Fruitdrank Appel & Perzik	€0,83	appel	3,8	3,7	0,2					112,5	25	✓		✓
AH Frisse Fruitdrank Appel & Perzik Light	€0,79	appel	5,7	5,5	0,2					40	10		✓	✓
C1000 Frisse Fruitdrank Appel-Perzik	€0,77	appel	3,8	3,7	0,2					105	26	✓		✓
Dubbel Frisss Appel & Perzik	€0,94	appel	2,5	2,3	0,2					90	21,5	✓		
Dubbel Frisss Appel & Perzik Light	€0,94	druif	4,2	0,8	0,2	✓				37,5	8,3		✓	
FruitFris Frisse Fruitdrank Appel & Perzik Light	€0,79	appel	5,5	5,3	0,2					37,5	8,3		✓	
Jumbo Tintelfris Appel Perzik	€0,76	appel	3,8	3,7	0,2					105	26	✓		✓
Linessa Frisse Fruitdrank Appel & Perzik	€0,79	appel	5,7	5,5	0,2					45	9,3		✓	
Roosvicee Multi Vit Regular Perzik	€1,22	appel	4,2	nv	0,7		✓	✓		97,5	23,3	✓		✓
Spa Fruit Appel Perzik	€0,98	appel	2,5	2,3	0,1				✓	97,3	23,3	✓		✓

- * = aantal eetlepels per glas, 1 glas is gelijk aan 250 ml, 1 eetlepel is gelijk aan 15 ml.
- nv = niet vermeld.
- FruitFris kun je kopen bij Aldi; Linessa is een merk van Lidl.

Heijn stopt een halve theelepel (1%) in een glas Frisse Fruitdrank Appel & Framboos. Wicky Frambozen maakt het helemaal bont met nog geen theelepel in een heel pak.
Het is erg moeilijk om precies te weten hoeveel er aan 'extra vruchten' in de dranken zit. Fabrikanten zijn alleen verplicht om te noteren hoeveel er van het fruit in zit wat in de naam staat. De ingrediëntenlijst geeft wel een beetje inzicht in de gebruikte hoeveelheden: de ingrediënten staan altijd in de volgorde van aandeel in de drank, van groot naar klein.

Suikerklontjes

Veel water, een beetje sap en veelal zoetmiddelen als suiker of zoetstoffen. Het maakt fruitdranken niet per se gezonder dan gewoon vruchtensap. Voor de calorieën maakt het niet uit of de suikers in een drank uit vruchten komen, of ze zijn toegevoegd of dat ze afkomstig zijn van glucose-

fructosestroop, benadrukt Jaap Seidell, hoogleraar Voeding en Gezondheid aan de Vrije Universiteit in Amsterdam.
In reguliere fruitdranken zit dan wel vaak minder suiker dan in vruchtensap, maar ze zijn alsnog goed voor zo'n 9 tot 10 gram suiker per 100 ml. Dat zijn suikers uit vruchten en toegevoegd suiker, in totaal zo'n vijf tot zes suikerklontjes per glas van een kwart liter, afhankelijk van het merk.
Inmiddels zijn er diverse categorieën waaraan geen suiker is toegevoegd. De meeste daarvan zijn met zoetstoffen gezoet. Vaak zijn dit de lightvarianten. Die bevatten alleen suikers uit de gebruikte vruchten. Daarnaast zijn er soorten waaraan minder of geen suiker is toegevoegd, zoals Roosvicee Original 30% minder suiker of AH Water & Fruit. Vaak staat dat aangegeven met een claim op de verpakking.

Overgewicht

Waar de suiker die je binnenkrijgt ook vandaan komt, een teveel kan leiden tot overgewicht. Een ander nadeel: fruitdranken plegen een grote aanslag op tanden en kiezen, vertelt Dien Gambon, kindertandars. 'Iedereeen weet dat

Fruitdranken met witte druif en citroen

Merk & Type	Prijs	Hoofdingrediënt	Vruchtensap	Druivensap	Citroensap	Appel	Kcal per glas	Suiker per glas	Suiker toegevoegd	Extra vitamine C	Zoetstof toegevoegd
			*	*	*		Kcal	gram			
€ Frisse Fruitdrank Witte druif Citroen	€0,59	witte druif	3,3	1,7	0,8	✓	40	9	✓	✓	
1DeBeste Frisse Fruitdrank Witte druif Citroen	€0,75	witte druif	3,3	2,5	0,8		105	26	✓		✓
AH Frisse Fruitdrank Witte druif & Citroen	€0,79	witte druif	3,3	2,5	0,8		105	25	✓		✓
C1000 Frisse Fruitdrank Witte druif Citroen	€0,77	witte druif	3,3	2,5	0,8		105	26	✓		✓
Dubbel Frisss Witte druiven & Citroen	€0,94	appel	2,5	0,8	0,6	✓	90	21,8	✓		
Dubbel Frisss Witte druiven & Citroen Light	€0,94	witte druif	5,4	4,5	0,9		45	10		✓	
FruitFris Frisse Fruitdrank Appel, Witte druiven & Citroen	€0,79	appel	2,5	0,8	0,7	✓	102,5	24,5	✓		
Jumbo Tintelfris Druif Citroen Light	€0,79	witte druif	5,3	4,5	0,8		47,5	11,8		✓	✓
Plein Sud Frisse Fruitdrank Druiven, Citroen & Appel	€0,79	druif	3,3	1,7	0,8	✓	115	27,5	✓		

- * = aantal eetlepels per glas, 1 glas is gelijk aan 250 ml, 1 eetlepel is gelijk aan 15 ml.
- € Frisse Fruitdrank Witte druif Citroen wordt verkocht bij Jumbo; 1DeBeste is verkrijgbaar bij Digros; FruitFris kun je kopen bij Aldi; Linessa en Plein Sud zijn merken van Lidl.

Vloeibare klontjes

Roosvicee Multi Vit Bosvruchten bevat in totaal 25% vruchtensap en bijna 10% suiker (inclusief suiker uit het vruchtensap). Dat is gelijk aan 5,5 klontjes per glas. Frisse Fruitdrank Appel & Perzik bevat in totaal 23% vruchtensap en 10% suiker (inclusief suiker uit het vruchtensap). Dat is ruim 5,5 klontjes per glas.
In Dubbel Frisss Witte druiven & Citroen zit 20% vruchtensap en bijna 9% suiker (inclusief suiker uit het vruchtensap). Dat is bijna vijf klontjes per glas.

je van suiker gaatjes krijgt, maar dat zure producten en dranken tanderosie geven, is veel minder bekend.' Bij tanderosie lost het harde tandweefsel op. Daar merk je lang niets van. Pas in een gevorderd stadium worden de tanden scherp, rafelig of doorschijnend en kunnen de bobbels van tanden en kiezen verdwijnen.
'Dranken zoals ijsthee en energiedrankjes zijn het meest erosief', zegt Gambon. Om tanderosie te beperken, heeft de kindertandarts een paar goede tips. 'Houd de drank niet te lang in de mond, drink het glas in korte tijd leeg en spoel daarna met water of melk.'
In veel fruitdranken zitten al dan niet toegevoegde vitaminen. Dikwijls wordt vitamine C aan de dranken toegevoegd. Daardoor worden ze langer houdbaar en lijken ze nog wat gezonder. Maar daar moeten we ons volgens Seidell niets van aantrekken. 'Het is onzin om een product met veel ongezonde kanten op die manier gezonder te laten lijken. Tekorten aan bijvoorbeeld vitamine C komen zelden voor en we moeten ze al helemaal niet compenseren met frisdranken, maar met bijvoorbeeld fruit of groente.'
Van Seidell moeten we wennen aan minder zoete dranken en meer water gaan drinken.

Groente en fruit

Consumentengids juli/augustus 2012

Hoe zit het met de kwaliteit van de groente en het fruit in de winkels? Onze smaakpanels testten 600 producten en waren veelal tevreden. Van de producten kreeg 54% een goede of zeer goede beoordeling. Maar... 1 op de 15 producten was ondermaats. Het betrof vooral mandarijnen en tomaten.

Wat & hoe

Bij zeven grote supermarkten (vijf filialen per supermarkt, verspreid over het land), groentespeciaalzaken en bij diverse marktkramen is in maart 2012 een mandje gevuld met appels (elstar), witte druiven, kiwi's, bananen, handsinaasappels, mandarijnen, bloemkool, broccoli, sperziebonen, komkommer, tomaten en rode paprika's. Er waren ook biologische producten bij van het merk puur&eerlijk van Albert Heijn, dat toen helaas geen witte druiven, sinaasappels, mandarijnen en sperziebonen had. Ook bij Aldi ontbraken de witte druiven.
De producten zijn nog op dezelfde dag beoordeeld door twee smaakpanels: een voor groente en een voor fruit. Ze zijn beoordeeld op uiterlijk en smaak, en kregen daarnaast een totaaloordeel.
Voor de prijspeiling is in maart 2012 elke supermarktketen 12 keer bezocht, plus 36 marktkramen en 36 groentespeciaalzaken.

Wie van alle soorten de crème de la crème wil, moet stad en land aflopen en bij veel verschillende winkels iets kopen. Uit ons onderzoek blijkt dat geen enkele winkel over de hele linie met kop en schouders boven de rest uitsteekt. De winkel met de beste paprika's verkoopt bijvoorbeeld verlepte broccoli en druiven met plekjes.
Gemiddeld scoorden alle winkels voor hun hele aanbod om en nabij het rapportcijfer 7. Voor de fruitkwaliteit krijgen C1000 en Albert Heijn puur&eerlijk de hoogste totaaloordelen, de rest zat daar vlak achter. Het fruit van Albert Heijn puur&eerlijk is, omgerekend naar kiloprijzen, wel een stuk duurder dan reguliere, niet-biologische producten. C1000 zit qua prijs in de middenmoot. Voor het totaaloordeel van de groentekwaliteit (zie de tabel 'Totaaloordeel kwaliteit') komt Lidl het best uit de test, al zijn de verschillen met de andere merken gering.

Uiterlijk

Het uiterlijk valt in de winkel het eerst op. Al zegt het lang niet alles over de kwaliteit, we baseren onze aankoop daar vaak wel op. Proeven is immers meestal niet mogelijk.
Ons testpanel beoordeelde het uiterlijk van alle 600 producten. Over het algemeen zagen de groenten en vruchten er goed uit (zie de tabel 'Rapportcijfer uiterlijk'). Het gemiddelde rapportcijfer is een 7 en de verschillen tussen de winkels zijn erg klein. Het beste uiterlijk heeft het fruit van de

Dezelfde prijs
Lidl en Aldi hanteren dezelfde prijzen voor hun fruit, zo blijkt uit ons onderzoek. Dat Aldi €0,33 lager zit, komt door zijn appels. Aldi verkoopt in tegenstelling tot de andere winkels alleen appels in voordeelzakken en niet los per kilo. Daardoor valt de kiloprijs lager uit.

markt, Dirk van de Broek en C1000. De mooiste groenten vind je bij Plus; de andere winkels volgen op de voet.
Een afwijkende vorm of grootte leverde geen minpunten op, tenzij de afwijkingen de kwaliteit aantasten, zoals schimmel, een verdroogde schil en beurse, rotte of bruine plekken. Zo is het belangrijk dat de bananen geen bruine of beurse plekken hebben, de schil van sinaasappels niet verdroogd is en er geen rotte of bruine druiven aan de trossen zitten. Bij de groenten mag bijvoorbeeld de broccoli niet geel of verdroogd zijn, de uiteinden van de komkommers niet slap en de sperziebonen moeten zo vers zijn dat je ze kunt 'knakken'.

Smaak

Helaas is de smaak niet af te lezen aan het uiterlijk. Dat blijkt ook uit onze test. Regelmatig noteerden panelleden: ziet er niet uit, maar de smaak is goed. Zo zaten er bruine druiven tussen de witte van Jumbo, maar de smaak was prima. Bij welke winkel je de tomaten en mandarijnen ook koopt, ze kregen geen van alle een hoog oordeel. De mandarijnen waren nogal eens zuur – waarschijnlijk omdat het niet het goede seizoen was – en de tomaten

Rapportcijfer uiterlijk

	Groente	Fruit
AH	7,0	7,0
AH puur&eerlijk	6,9	7,1
Aldi	7,0	7,0
C1000	7,0	7,2
Dirk van den Broek	6,7	7,2
groentespeciaalzaak	7,2	7,0
Jumbo	7,3	6,7
Lidl	7,3	7,0
markt	7,1	7,2
Plus	7,4	6,8

waren te zacht, hadden weinig smaak of een nare nasmaak. Een tekenende reactie: 'Deze lust ik alleen ergens doorheen.'
Met de smaak van het fruit zit het over het algemeen wel goed: gemiddeld een dikke voldoende. Het lekkerst was het fruit van C1000 en de groentespeciaalzaak. Albert Heijn puur&eerlijk beviel de proevers ook goed, al zaten niet alle onderzochte soorten van onze lijst in het assortiment. Alle andere winkels zitten er niet ver onder.
Het panel heeft ook tomaten, komkommer, paprika en bloemkool rauw geproefd; broccoli en sperziebonen leenden zich hier niet voor. Opnieuw zijn de verschillen klein en eindigt C1000 bovenaan. Deze supermarkt wordt op de hielen gezeten door Aldi, Jumbo en Plus.

Kooptips

- Koop stevige appels, zonder beurse of bruine plekken.
- Kies – tenzij je hem direct opeet – bij voorkeur geen banaan met zwarte plekken op de schil. Die is wel goed eetbaar, maar erg kort houdbaar.
- Bij een goede mandarijn glanst de schil en is die niet gerimpeld.
- Een goede handsinaasappel kun je herkennen aan een gave schil. Ook voelt een sappige sinaasappel lekker stevig en zwaar aan.
- Witte druiven horen gaaf te zijn. Let op of de steeltjes niet verdroogd en/of de schilletjes niet gerimpeld zijn.
- De schil van een kiwi moet intact zijn en de vrucht mag geen zachte plekken hebben. Een kiwi is rijp als hij meegeeft bij lichte druk rond de steelaanzet.
- Broccoli moet stevig aanvoelen en groen van kleur zijn. Koop geen broccoli die geel is.
- Een goede bloemkool is mooi blank, heeft een gesloten structuur en liefst geen slappe blaadjes.
- Een tomaat moet stevig aanvoelen en een effen rode kleur hebben. Een rijpe tomaat geeft mee als je er licht op drukt en heeft een kenmerkende geur.
- Koop alleen stevige komkommers, zonder slappe uiteinden. De schil moet gaaf, glanzend en groen zijn.
- Verse sperziebonen zijn echt groen, stevig en knapperig, zodat je ze kunt 'knakken'.
- De schil van een paprika moet gaaf en stevig zijn. Rimpels, bruine plekken en een doffe kleur zijn niet goed.

Totaaloordeel
Los van de oordelen voor uiterlijk en smaak gaf het panel ook totaaloordelen voor kwaliteit.
Voor fruit scoren C1000 en Albert Heijn puur&eerlijk het hoogst; voor groente is dat Lidl. De winkels doen echter weinig onder voor elkaar, als je naar de gemiddelde oordelen kijkt voor de kwaliteit van zowel groente als fruit.
Wel groot zijn de verschillen op productniveau tussen de winkels. De paprika's zijn bij de ene winkel echt beter dan bij de andere.
Verder verschillen de prijzen behoorlijk tussen de winkels. De beste prijskwaliteitverhouding voor groente heeft Lidl. Voor fruit is deze verhouding het best bij Aldi en Lidl.

Rapportcijfer smaak

	Groente	Fruit
AH	6,7	7,0
AH puur&eerlijk	6,4	7,1
Aldi	7,0	6,8
C1000	7,1	7,2
Dirk van den Broek	6,5	7,0
groentespeciaalzaak	6,8	7,2
Jumbo	7,0	6,7
Lidl	6,9	6,9
markt	6,7	7,0
Plus	7,0	6,8

Totaaloordeel kwaliteit

	Groente	Fruit
AH	6,7	7,0
AH puur&eerlijk	6,6	7,1
Aldi	6,9	6,7
C1000	6,9	7,1
Dirk van den Broek	6,7	6,9
groentespeciaalzaak	7,0	7,0
Jumbo	7,1	6,6
Lidl	7,2	6,9
markt	7,0	6,9
Plus	7,1	6,7

Herken kwaliteit

Uiterlijk Als de vrucht wat ouder is, gaat de schil rimpelen en zal de vrucht uiteindelijk verschrompelen. Beschadigingen in de schil maken groente en fruit extra vatbaar voor gisten, schimmels en andere micro-organismen die bederf veroorzaken. Bruine en beurse plekken kun je meestal wegsnijden, maar kunnen er ook op wijzen dat het rottingsproces al is begonnen. Wanneer groene producten verbleken of rode en geel-oranje producten een diepere kleur krijgen, kan dit ook een teken zijn van kwaliteitsverlies. Eet geen beschimmelde producten. Schimmel is herkenbaar aan witte, bruine of zwarte vlekken.
Tast Vruchten verliezen naarmate ze ouder worden meer vocht en worden slap. Ook is gewicht belangrijk: vruchten als sinaasappels die zwaar aanvoelen, zijn meestal sappiger.
Geur Vruchten die lekker ruiken, hebben meestal meer smaak dan vruchten met minder of geen geur. Over het algemeen ruiken onbeschadigde groenten en vruchten mild, maar die geur verandert als het celweefsel is beschadigd.

Zie ook het dossier *Duurzaam consumeren* op www.consumentenbond.nl.

Kipfilet

Consumentengids februari 2012

Slachtkippen die langer en aangenamer leven, zijn minder ernstig besmet met onuitroeibare bacteriën dan kippen die razendsnel slachtrijp worden gemaakt. Biologische kipfilet vertoont veel minder bacteriën dan reguliere. Dit blijkt uit een test van de Consumentenbond, gefinancierd door het ministerie van Economische Zaken, Landbouw en Innovatie.
Kipfilet afkomstig van langzaam groeiende rassen vertoont slechts eenachtste tot eenvijfde van de ESBL-besmetting op kipfilet uit de intensieve kippenbedrijven. ESBL staat voor *extended spectrum bèta-lactamase*: een enzym dat een bepaalde atoomring in antibiotica openbreekt.

Bacteriën

Besmetting met bacteriën die ESBL produceren, is de jongste kwaal van de intensieve pluimveeteelt. Zulke bacteriën zijn ongevoelig voor de

Ruimte per kip

Houderij/Keurmerk	Binnenruimte per kip	Uitloopruimte per kip
Regulier	20x20 cm	0
Volwaard	25x25 cm	11x11 cm
AH puur&eerlijk Scharrel	28x28 cm	18x18 cm
AH puur&eerlijk Biologisch	32x32 cm	200x200 cm
OnzeKip/Weelder	25x25 cm	0
Bio+	32x32 cm	200x200 cm

meeste antibiotica, omdat ze die afbreken. Zowel onschuldige als ziekmakende bacteriën kunnen het vermogen ontwikkelen om ESBL te produceren. Bij de ziekmakers levert dat grote gevaren op voor mens en dier. Zo bestaan er ESBL-klebsiella- en ESBL-E-colibacteriën, die urine- en luchtweginfecties veroorzaken. De gangbare antibiotica richten daartegen niets meer uit.
De intensieve kippenhouderij heeft het ESBL-probleem zelf in de wereld geholpen. De branche propt zoveel kippen op zo weinig ruimte dat ziektekiemen zich razendsnel verspreiden. De kippenboer beschermt zijn levende have – zijn kapitaal per slot van rekening – door ruimhartig antibiotica toe te dienen, met als onvermijdelijk gevolg dat bacteriën er in de loop van een paar generaties ongevoelig voor worden. Op het ogenblik is er geen kip meer te koop zonder ESBL-bacteriën, al zijn dat niet altijd ziekmakers.
Behalve ESBL hebben voor het Testoordeel meegeteld: besmetting met de ziekteverwekker campylobacter, de versheid en het dierenwelzijn. Op versheid en dierenwelzijn gooit de biologische kipfilet hoge ogen, op besmetting met campylobacter minder. Alles bij elkaar sleept biologische kip de mooiste Testoordelen in de wacht.
En salmonella dan, de beruchte kipbacterie? Die speelt nu geen rol van betekenis meer. Als er al wat salmonella op de kip zit, is die bijna altijd van een voor de mens ongevaarlijke soort.

Wist u dat...

- er geen kip meer te koop is zonder ESBL-bacteriën (al zijn dat niet altijd ziekmakers)?
- de beruchte kipbacterie salmonella geen rol van betekenis meer speelt?
- slachtkippen in de – intensieve – kippenhouderij in maximaal 42 dagen een gewicht van 2,4 kilo bereiken?

Een al langer heersende bedreiging voor de kipconsument is besmetting met de ziekmakende bacterie campylobacter. De bedrijfstak poogt naarstig om deze ziekteverwekker uit te bannen, maar dat is nog niet gelukt. Zo'n 60% van de door de Consumentenbond gekochte kipfiletverpakkingen bevat campylobacter. Dat is bijna twee keer zoveel als in de test van 2007, toen het 34% was. De oorzaak kan liggen in temperatuurverschillen tussen de zomer van 2007 en die van 2012.
Opmerkelijker zijn de grote verschillen tussen de merken en de supermarktketens. Bij Albert Heijn puur&eerlijk biologisch zijn 17 van de 20 monsters besmet met campylobacter; bij C1000 en Bio+ 8 van de 20. Anders dan vaak gesuggereerd wordt, is filet van kippen met uitloop niet vaker besmet dan filet van reguliere kippen. Maar de filet met de meeste campylobacter is afkomstig van een Ekofokkerij: Albert Heijn puur&eerlijk biologisch.
De verdubbeling van het percentage campylobacterbesmettingen is verontrustend. Maar het is niet gezegd dat de gevonden besmettingen mensen ziek maken. Daarvoor moet de besmetting ten minste een bepaalde omvang hebben en die is niet gemeten.

Verse en onfrisse filets

De kipfilet van Lidl is het verst. Hij vertoont in totaal maar weinig bacteriën, van welke soort ook. Dat wijst erop dat de slachter hygiënisch te werk gaat en dat de filet snel, koud en goed verpakt wordt vervoerd en bewaard. Op die manier krijg je relatief verse filet in de winkel. Lidl krijgt zijn kippen van twee slachters: Emsland in Duitsland en Interchicken in Bodegraven. De Duitse slachter werkt aanzienlijk schoner dan de Nederlandse. Zijn kipfilet vertoont bovendien minder ESBL. De klant kan op het etiket zien van welke slachter de kip afkomstig is: DE is van Emsland, NL van Interchicken.

Kiezen

Wie van kip houdt, moet kiezen tussen een kip die een lieve duit kost, maar die wel minder ESBL-bacteriën bevat en langer en aangenamer heeft geleefd, en een spotgoedkope kip, die tijdens haar korte leven van zwakte door haar poten is gezakt en zo vaak antibiotica kreeg toegediend dat de bacteriën vrij spel hebben.
De keuze voor het welzijn van het dier brengt op een paar andere punten een grotere milieubelasting mee. Zo vraagt langer leven meer voer en daarmee meer schaarse landbouwgrond.

Kipfilet

		Merk & Type	Prijs per kg	Testoordeel	Versheid	ESBL	Campylobacter	Dierenwelzijn	Keurmerk	Verkrijgbaar bij
		Weging voor Testoordeel			30%	25%	20%	25%		
■	1.	**Bio+**	€24,00	**8,2**	+	++	+	++	Eko	Bas, Coop, Digros, Dirk, Jumbo, Plus
■	2.	**AH** puur&eerlijk Biologisch	€24,90	**7,6**	++	++	–	++	Eko	Albert Heijn
▶	3.	**AH** puur&eerlijk Scharrel	€10,30	**7,2**	++	++	□	□	Scharrel	Albert Heijn
	4.	**Volwaard**	€10,80	**7,0**	++	++	□	□		Albert Heijn XL, Jumbo, Plus
	5.	**Landjonker**	€5,50	**6,7**	++	++	+	––		Lidl
	6.	**C1000** Onze Kip	€9,00	**6,5**	+	++	+	–		C1000
	7.	**Plus**	€8,00	**5,9**	+	++	+	––		Plus
	8.	**C1000**	€7,20	**5,4**	+	++	□	––		C1000
	9.	**Albert Heijn**	€8,00	**4,9**	+	□	□	––		Albert Heijn
	10.	**First Class**	€7,90	**4,6**	□	□	□	––		Bas, Digros, Dirk
	11.	**Jumbo**	€7,70	**4,4**	+	–	□	––		Jumbo
	12.	**Cornfield**	€5,50	**3,8**	+	––	□	––		Aldi

++ Zeer goed + Goed □ Redelijk – Matig –– Slecht ■ Beste uit de test ▶ Beste koop

De meeste merken scoren op versheid beter dan in onze test van 2007, behalve Aldi. Met zijn merk Cornfield laat Aldi een verslechtering zien.
Over de hele linie is de kipfilet voldoende tot mooi schoon en vers, afgaande op het totaal aantal bacteriën. Maar de test brengt ook een paar ongunstige uitschieters aan het licht. Er zitten een paar hoogst onfrisse filets tussen de bij Dirk van den Broek, Jumbo en C1000 gekochte verpakkingen. Deze filets kunnen we zonder meer bedorven noemen. Mogelijk was de verpakking lek of de koeling stuk.

Zes weken ellende

Slachtkippen in de intensieve kippenhouderij hebben eigenlijk geen leven. Het begint ermee dat ze behoren tot een ras dat speciaal is gefokt om voortdurend te eten en koste wat het kost snel te groeien. Ze bereiken in maximaal 42 dagen een slachtgewicht van 2,4 kilo. Dat is niet gezond meer. De groei van de organen en de botten blijft achter bij het lichaamsdeel waar het de kippenhouder om gaat: de borstspier, die de filet levert. Daardoor liggen de dieren veel, vaak in hun eigen mest. Een kwart van de reguliere slachtkippen loopt mank of helemaal niet; de helft lijdt aan ernstige aandoeningen van de poten, aldus de universiteit van Wageningen op grond van een steekproef bij 18 bedrijven.

Een andere naargeestige omstandigheid is dat de ouders van de slachtkuikens dezelfde behoefte aan voedsel hebben als hun dochters – waaraan de kippenboer niet tegemoetkomt, omdat de ouders niet voor de slacht zijn. Zij hebben dus altijd honger.
Reguliere slachtkippen brengen verder hun korte leven binnenshuis door, bij kunstlicht, op een oppervlakte iets groter dan een half A4'tje. Het is duidelijk dat de dieren zich onder die omstandigheden niet natuurlijk kunnen gedragen en bijvoorbeeld niet naar eten kunnen zoeken of een stofbad kunnen nemen.

Verbetering

Er zijn verschillende initiatieven ontplooid om slachtkippen beter te behandelen. Kipvriendelijker pluimveehouders kiezen voor wat trager groeiende rassen en slachten hun dieren later. Ze gunnen de dieren verder meer ruimte, frisse lucht en daglicht. Daarmee besparen ze de kippen stress.
De biologische kippenboeren hebben het meeste oog voor het welzijn van de kip. Zij geven de dieren de meeste tijd van leven en de meeste ruimte, zowel binnen als buiten. Dat heeft zijn prijs: een biologische kip kost in de winkel drie tot vier keer zoveel als een reguliere kip.
De Dierenbescherming beoordeelt kippenhouders op de aandacht die zij besteden aan het welzijn van hun dieren. Is die voldoende, dan mag de leverancier het Beter-Levenkeurmerk op zijn verpakking zetten, met een aantal sterren. Hoe meer welzijn, des te meer sterren. De reguliere kippenhouderij komt niet in aanmerking voor een ster, evenmin als Onze Kip van C1000, die gelijk is aan Weelderkip van Coop en Dirk/Bas/Digros. Toch heeft Onze Kip/Weelderkip een paar pluspunten boven reguliere kip. Zo gaat het om

Doe de kip het laatst

Zowel campylobacter als ESBL-bacteriën gaan dood als je ze verhit. Bak of braad kip daarom door en door gaar. Voorkom dat bacteriën van de kip ander voedsel besmetten, bijvoorbeeld via de niet afgewassen snijplank.

- Snijd eerst de groente en de andere ingrediënten van de maaltijd.
- Haal daarna met een vork de kip uit de verpakking.
- Gooi de verpakking direct in de vuilnisbak.
- Snijd de kip.
- Doe snijplank en mes direct bij de afwas.
- Was uw handen na contact met kippenvlees.

IN DETAIL

Bio+ (Beste uit de test)
Het Testoordeel is een dikke acht en de beoordeling is zeer goed voor de erg geringe hoeveelheid ESBL-bacteriën (0,3 ESBL-bacteriën per gram kipfilet; het gemiddelde over alle filets van alle leveranciers is 4,1). Deze kip wordt gewaardeerd in culinaire kringen. Zij wordt vetgemest door boeren in de Achterhoek en geslacht, verpakt en geleverd door Kemperkip.

AH puur&eerlijk Biologisch (Beste uit de test)
Deze kipfilet bevat meer ESBL dan Bio+, maar nog altijd weinig: 1,3 ESBL-bacteriën per gram filet. Minpuntje: 17 van de 20 gekochte filets bevatten campylobacter. De kip komt uit België, maar wordt geslacht en geleverd door Plukon te Wezep in Gelderland. Plukon is een grote kipleverancier die ook veel huismerken levert en Volwaard.

AH puur&eerlijk Scharrel (Beste koop)
Ook deze filet bevat weinig ESBL: 0,8 ESBL-bacteriën per gram filet. Het aantal filets met campylobacter bleef beperkt tot 11 van de 20. Ook deze filet is afkomstig van Plukon. Deze onderneming bewaakt de hele productieketen, van kippenhouder tot vrachtrijder, van de samenstelling van het voer tot de toepassing van medicijnen.

een langzaam groeiend ras en krijgen de kippen iets meer ruimte, daglicht en afleiding door gestrooid graan en stro. Maar het is allemaal te weinig voor een ster van de Dierenbescherming en ook de Reclame Code Commissie oordeelt dat deze kip niet verkocht mag worden als 'diervriendelijk'. Maar het is wel genoeg voor een enkele min in plaats van een dubbele min in de kolom 'Dierenwelzijn' van de tabel 'Kipfilet'.
Zie ook de tabel 'Ruimte per kip' voor een overzicht van het dierenwelzijn per type houderij.

Broeikaseffect

We hebben ook onderzocht hoe zwaar de verschillende manieren van kippen houden het milieu belasten door verbruik van schaarse grondstoffen, lucht-, water- en grondvervuiling en bijdrage aan het broeikaseffect.
De milieubelasting, uitgedrukt in een totaalscore, verschilt nauwelijks naar type houderij. Kijken we alleen naar de bijdrage aan het broeikaseffect, dan zien we wel verschillen. De bijdrage van de biologische kip is ruwweg 1,6

keer zo groot als die van de reguliere kip. Dat komt onder meer doordat de kippen langer leven en meer eten.
Anders dan het dierenwelzijn hebben de totale milieubelasting en de bijdrage aan het broeikaseffect niet meegeteld voor het Testoordeel.
Voor verder onderzoek hebben we de leveranciers gevraagd naar de herkomst van de kipfilet. Alleen Aldi en C1000 legden de gevraagde gegevens op tafel.

Zie ook het dossier *ESBL-bacterie* op www.consumentenbond.nl.

Paté

Gezondgids december 2011

Wat & hoe

De Consumentenbond onderzocht 14 soorten room- of crèmepaté en 6 soorten Ardennerpaté uit supermarkten. In het laboratorium werden de hoeveelheden vet, verzadigd vet en natrium gemeten. Ook werd het etiket beoordeeld op de volledigheid van de voedingswaarde-informatie.

Het gemiddelde kookboek weet wel wat er in een goede paté hoort te zitten. De basisbestanddelen zijn lever en vet. Met andere ingrediënten worden die gemengd tot een smeuïge massa. Traditioneel wordt deze massa in een vorm gebakken in de oven. De bovenkant is dan vaak bedekt met een laagje vet of gelei en een mooie garnering van vruchtjes, champignons, peperkorrels of kruiden.
De Consumentenbond onderzocht de voedingswaarde en de samenstelling van paté uit de supermarkt. Wat blijkt: de gemiddelde voedselfabrikant heeft het kookboek misschien wel een keer in handen gehad, maar hij is het vak scheikunde duidelijk ook niet vergeten, getuige alle E-nummers en bindmiddelen die in de gemiddelde paté terug te vinden zijn.

Paté zonder vlees

Voor de wet maakt dat allemaal niets uit. In de Warenwet is niets vastgelegd over paté: niet hoe het moet worden gemaakt of wat de basisingrediënten moeten zijn. Er kan dus van alles in zitten.

Uit navraag bij de vleessector blijkt dat er bijvoorbeeld nauwelijks verschil is tussen leverworst en paté. Erik Vliek, hoofd Kwaliteit van Zwanenberg (producent van Kips en Linera), legt uit: 'De verpakking bepaalt eigenlijk de bereiding.' Wat dat betreft is er ook geen wezenlijk verschil met leverworst. Vliek: 'Het gebruiksmoment bepaalt de naam. Paté heeft een luxere uitstraling. Leverworst is stugger dan paté en wordt vooral op brood gegeten.' Aangezien in de Warenwet niets over paté is vastgelegd, hebben de voedselfabrikanten veel vrijheid en die nemen ze ook. De variaties in paté zijn mede daardoor talloos. De Consumentenbond nam roompaté (*crème* voor de Frans-georiënteerden onder ons) en de eveneens veelverkochte Ardennerpaté onder de loep. Room- of crèmepaté is heel fijn van structuur, terwijl Ardennerpaté grovere stukjes bevat.
Producten met dezelfde aanduiding mogen dan op het oog weinig verschillen, de etiketten vertellen een ander verhaal. De Ardenner-, room- of crèmepaté van het ene merk heeft vaak een compleet andere samenstelling dan die van een ander merk. De hoeveelheden lever en ander vlees variëren sterk. De Ardenner smeerpaté van Linera bevat 40% lever, bijna twee keer zoveel als de roompaté van Hofstee De Drie Eiken van Aldi en de crèmepaté van Plus. Nog grotere variatie is er in de hoeveelheid toegevoegd vlees. In de helft van de patés zit helemaal geen spiervlees, in de andere helft tot wel 33%. De

Wat zit erin?

Paté uit de supermarkt is vaak wat karig met de traditionele ingrediënten. Wat er wel veel in zit, zijn vulmiddelen en E-nummers.

- Voedingsvezels van citroen, appel en bamboe: voor binding en een stevige structuur.
- Citroenzuurester van mono- en diglyceriden: zorgt dat water en vetten goed gemengd blijven.
- Natrium-difosfaat en natrium-polyfosfaat: stabilisatoren die het water binden.
- Tapiocazetmeel: bindmiddel.
- Erwtenzetmeel: als bindmiddel en voor een stevige structuur.
- Maltodextrine: korte stukjes zetmeel, gebruikt als bindmiddel tijdens de bereiding.
- Alkalisulfietkaramel: bruine kleurstof.
- Natriumdifosfaat en natriumpolyfosfaat: stabilisatoren die het water binden.
- Rijstebloem: om het vocht te binden en voor een stevige structuur.
- Tomaat: voor kleur en smaak.

Paté

	Merk & Type	Inhoud	Prijs	Prijs per kilo	Testoordeel	Zout	Verzadigd vet	Etiket	Gehalte lever	Gehalte vlees	Gehalte vet
	Lightpaté										
■	**Linera** Smeerpaté Ardenner	125 g	€1,25	€10,00	**7,2**	–	++	++	40%	14%	12,6%
■	**Linera** Smeerpaté Crème	125 g	€1,25	€10,00	**7,1**	–	++	++	31%	19%	12,3%
▶	**C1000** Paté naturel light	150 g	€0,99	€6,60	**6,9**	□	+	++	23%	33%	16,2%
	Room- en crèmepaté										
	AH roompaté voorverpakt	170 g	€1,59	59,35	**4,1**	+	––	++	36%	0	28,5%
	Pluma crèmepaté	150 g	€0,83	€5,53	**3,5**	□	––	+	34%	12%	30,7%
	AH roompaté versafdeling	variabel	variabel	€10,40	**3,5**	□	––	++	27%	0	31,9%
	Kips roompaté	125 g	€1,39	€11,12	**3,5**	□	––	++	28%	0	29,7%
	Unox crèmepaté	129 g	€1,42	€11,01	**3,5**	□	––	++	28%	28%	32,3%
	Dirk, Bas, Digros crèmepaté	100 g	€1,29	€12,90	**3,4**	□	––	□	28%	0	33,3%
	Dirk, Bas, Digros roompaté	125 g	€0,99	€7,92	**3,2**	□	––	––	37%	17%	28,3%
	Lidl Forestine roompaté	170 g	€0,99	€5,82	**3,0**	□	––	–	31%	12%	35,5%
	Jumbo crèmepaté	variabel	variabel	€9,90	**3,0**	□	––	––	26%	0	36,8%
	C1000 roompaté	variabel	variabel	€10,40	**2,5**	□	––	––	28%	0	33,6%
	Aldi Hofstee De Drie Eiken roompaté	150 g	€0,89	€5,93	**2,4**	–	––	++	22%	24%	31,0%
	Plus crèmepaté	140 g	€1,49	€10,64	**2,2**	–	––	––	22%	10%	35,1%
	Ardennerpaté										
	Kips Ardennerpaté	125 g	€1,39	€11,12	**4,0**	+	––	++	37%	0	28,2%
	Pluma Ardennerpaté	150 g	€0,75	€5,00	**3,4**	□	––	+	30%	24%	33,2%
	AH Ardennerpaté	variabel	variabel	€10,40	**3,4**	□	––	++	37%	0	28,1%
	C1000 Ardennerpaté	variabel	variabel	€10,40	**2,7**	–	––	––	35%	0	28,5%
	Plus Ardennerpaté	140 g	€1,49	€10,64	**2,6**	–	––	––	33%	17%	29,0%

++ Zeer goed + Goed □ Redelijk – Matig –– Slecht ■ Beste uit de test ▶ Beste koop

- Het Testoordeel is opgebouwd uit suboordelen die voor de volgende percentages meetellen: zout 40%, verzadigd vet 55%, informatie op etiket 5%.
- De prijs van paté van de versafdeling is variabel, omdat het gewicht per verpakking verschilt.
- Pluma is verkrijgbaar bij Plus en Jumbo. Linera, Kips en Unox zijn bij diverse supermarkten te koop.

gulste paté, van Unox, bestaat voor ongeveer 90% uit dierlijke bestanddelen (lever, vlees en vet); de karigste, van Kips en AH, maar voor ruwweg 60%. De grote vraag is natuurlijk wat er dan nog meer in zit. Het antwoord: water of melk en allerlei toevoegingen als E-nummers (zie het kader 'Wat zit erin?'). Het vocht zorgt voor smeuïgheid, maar een overmaat moet worden gebonden om ervoor te zorgen dat het er niet met plassen uitloopt.

Tips voor thuisbakkers

In paté zit, net als in de meeste andere vleeswaren, nitriet (E250). Slagers en vleesverwerkers voegen dat meestal toe in de vorm van nitrietzout, dat voor 99,4% bestaat uit keukenzout en voor 0,6% uit nitriet. Dit gebeurt voor het behoud van een aantrekkelijke kleur, de smaak en – heel belangrijk – de veiligheid. Nitriet remt de groei van *Clostridium botulinum*, een ziekmakende bacterie die bestand is tegen verhitting tot 100 °C. Tijdens het afkoelen en bewaren van de paté kan deze bacterie een gifstof produceren die verlammingsverschijnselen veroorzaakt. Uiteindelijk is de kans op de vorming van die gifstof zonder nitriet heel erg laag, maar áls het gebeurt, is het vaak dodelijk.
Is het daarom wel verstandig om zelf thuis paté te maken? 'Dat zijn spannende experimenten', zegt levensmiddelenmicrobioloog Rob de Jonge van het Rijksinstituut voor Volksgezondheid en Milieu. Hij heeft daarom een simpel advies voor de hobbykok: 'Ga naar de slager en haal daar wat nitrietzout.'

Daarvoor zorgen allerlei bindmiddelen en emulgatoren. Ongetwijfeld heeft het met kosten te maken wanneer meer vocht wordt toegevoegd dan strikt noodzakelijk: lever en vlees zijn immers duurder dan water en melk.
Het etiket van Forestine roompaté van Lidl heeft de langste opsomming: 32 ingrediënten maar liefst. Ooit gedacht dat u bamboevezels op uw toastje zou smeren? Of citroenzuuresters van mono- en diglyceriden en alkalisulfietkaramel? Lidl noemt die stoffen liever niet E472c en E150b, want E-nummers hebben een negatieve klank. Bovendien klinken de chemische benamingen natuurlijk ook niet erg smakelijk. Het maakt vooral nieuwsgierig naar de reden waarom deze stoffen worden toegevoegd.
Deze vraag stelden we aan bedrijven. Veel toevoegingen blijken te zorgen voor binding en structuur. Erik Vliek van Zwanenberg legt uit: 'Bloem, tomatenpuree en maltodextrine leveren alle drie een bijdrage aan het creëren van dat specifieke mondgevoel. Tomatenpuree draagt ook bij aan de kleur.' Ook tapiocazetmeel en vezels uit citroen en bamboe zorgen voor binding, meldt Albert Heijn. Het is dus geen poging om ons allemaal wat extra vezels te laten eten en daarmee de voedingswaarde van de paté wat te verbeteren.

Liever light

Voor de gezondheid kun je de geteste patés maar beter laten staan, blijkt uit de analyses van de Consumentenbond. De meeste zijn veel te vet en te zout om dagelijks te eten. Gemiddeld bestaan ze voor bijna eenderde uit vet.

Het vetst zijn de crèmepaté van Jumbo en de Forestine roompaté van Lidl (die in 2012 is omgedoopt tot Saint Alby crèmepaté). De lightvarianten, zoals Linera en C1000, bevatten minder vet en dat is ook nog eens plantaardige olie in plaats van varkensvet. Daardoor bevatten ze een kwart van het verzadigd vet dat in gewone patés zit (3 gram per 100 gram in plaats van 12 gram). Dat is gunstig voor het cholesterolgehalte in het bloed.
Transvetzuren, die nog ongezonder zijn dan verzadigd vet, komen nauwelijks voor in de geteste patés.
Zoals we wel vaker zien bij lightproducten wordt ook bij de patés de smaak opgepept met extra zout. Beide geteste producten van Linera zitten boven de 2,25 gram zout per 100 gram. Dit is de door het Voedingcentrum gehanteerde voorkeursnorm voor zout in vleeswaren. De producent meldt ons dat in de vernieuwde receptuur, die inmiddels in de winkels ligt, het zoutgehalte omlaag is gebracht tot onder deze grens.
Dat verbeterde zoutgehalte zou de producten op het onderdeel zout het oordeel 'redelijk' hebben opgeleverd in plaats van 'matig'. Omdat ook in deze test weer blijkt dat het zoutgehalte enorm varieert, delen wij het oordeel 'goed' uit aan producten met een zoutgehalte van minder dan 1,75 gram per 100 gram. Dit is gelijk aan 0,7 gram natrium per 100 gram. Daarmee zijn wij strenger dan het Voedingscentrum, want minder zout blijkt in paté

Op zoek naar de room

Dat in koninginnesoep geen vorstinnen zijn verwerkt, snappen we allemaal, maar dat in de meeste roompatés geen druppel room zit, verbaast meer.
Simone Hertzberger van Ahold, de firma achter Albert Heijn: 'Room- of crèmepaté is een ingeburgerde naam om zachte paté aan te duiden. Dit gebeurt al decennialang. Overigens werd er vroeger wel room in de paté verwerkt, maar melkeiwit en lactose wekken bij sommige mensen allergische reacties op.'
Ook volgens Erik Vliek van Zwanenberg, producent van Linera en Kips, duidt de naam niet zozeer op de samenstelling als wel op de smeuïgheid. Vliek: 'Traditioneel waren dit de vettere patés, want vet geeft natuurlijk dat romige mondgevoel.' Bij Lidl vonden ze de benaming roompaté ook verwarrend. Vandaar dat de roompaté inmiddels is omgedoopt tot crèmepaté.
Volgens het *Handboek worst en vleeswaren* is roompaté een variatie op het Belgische product crèmepaté. Bij de ingrediënten van roompaté worden in deze slagersbijbel ongeklopte room en melk genoemd. Dus toch mét room.

IN DETAIL

Linera Smeerpaté Ardenner (Beste uit de test)
Het grootste gehalte aan lever (40%) en er zit tegenwoordig ook nog minder zout in.

Linera Smeerpaté Crème (Beste uit de test)
Weinig verzadigd vet, goede informatie op het etiket en bijna eenderde lever.

C1000 Paté naturel light (Beste koop)
Goed etiket, redelijk zoutgehalte en het hoogste vleesgehalte uit de test.

eenvoudig te kunnen. Vleeswaren zijn naast brood en kaas een belangrijke bron van zout voor Nederlanders. Zoutverlaging in deze groep producten is dus extra belangrijk.

Verschillen die tellen

In onze test zitten gelukkig ook al minder zoute patés. De roompaté van Hofstee De Drie Eiken van Aldi bevat 0,41 gram zout per portie van 15 gram, terwijl in eenzelfde portie Ardennerpaté van Kips maar liefst 40% minder zit: 0,25 gram. Op vier toastjes bij de borrel is dat een verschil van 0,6 gram zout. Deze verschillen tellen als we in Nederland van gemiddeld 9 gram zout per dag naar 6 gram willen. Dat zou per jaar 2500 sterfgevallen als gevolg van hart- en vaatziekten schelen.
Het oordeel in de tabel is gebaseerd op de hoeveelheden zout en verzadigd vet. Voor een klein deel weegt ook de volledigheid van de voedingswaarde-informatie op het etiket mee. De minder vette patés van C1000 en Linera komen goed uit onze test, vooral omdat ze ook gezonder vet bevatten.

Schouderham

Consumentengids maart 2012

Rauwe ham, zoals parmaham en coburgerham, wordt houdbaar gemaakt door het vlees te zouten en het lang te laten drogen. Andere soorten ham zijn gekookt en soms ook gerookt of gegrild; achterham en schouderham zijn de bekendste varianten. Schouderham is een bijzonder lid van de hamfamilie.

Hij wordt niet gemaakt van de bil, maar van de schouder. Schouderham is meestal goedkoper dan andere ham. De eiwitten uit het schoudervlees zijn namelijk van mindere kwaliteit. Vlees van de schouder is volgens vleeswarenexpert Paul van Trigt wel erg smakelijk: 'Het is aromatischer dan vlees van de bil. Daarom zeggen slagers wel: hoe dichter bij de kop, des te lekkerder het wordt.'

Losse stukken

Schouderham wordt gemaakt van losse stukken vlees van de varkensschouder. Het vlees wordt eerst geïnjecteerd met pekel (een mengsel van water, zout en hulpstoffen). Daarna is het tijd voor het tumbelen, oftewel het masseren van het vlees zodat het malser wordt en het water wordt gebonden aan het vlees. Na het tumbelen volgt het met stoom in een paar uur gaarkoken van het vlees. Sommige hammen worden daarna nog gegrild of gerookt.

Kenmerken van goede ham

Aan het uiterlijk van een plakje ham valt nogal wat af te leiden. Vleeswarenspecialist Paul van Trigt schreef onder andere het *Handboek worst en vleeswaren*. Samen met Van Trigt bekeken we een aantal schouderhammen en vonden we een aantal kenmerken van goede schouderham: duidelijke vleesstructuur, variatie in kleur, weinig water toegevoegd en geen gaatjes en bloeduitstortingen.

Vleesstructuur Bij een goede schouderham zijn de verschillende stukken vlees goed te herkennen. Sommige soorten zijn gemaakt van fijngemalen vlees – het lijkt dan een soort worst.

Dieproze kleur Er is variatie in kleur tussen de verschillende stukken. Schouderham is wat donkerder dan achterham.

Toegevoegd water Als er veel water aan de ham is toegevoegd, is dit te zien aan waterdruppels in de verpakking en een glazige kleur van het vlees.

Gaatjes Vaak zijn gaatjes in de ham een teken van een mindere microbiologische kwaliteit.

Bloeduitstortingen Een goede ham bevat geen bloedplekken die zijn ontstaan door de slacht.

De rand Aan de rand van de schouderham is te zien of de ham alleen gegaard is, dan wel daarna nog gerookt of gegrild is. Schouderham met een spekrandje is meestal van goede kwaliteit, omdat dan vaak vlees van de hele schouder is gebruikt. Wij troffen schouderham met een spekrandje aan bij slagers, maar nauwelijks in de supermarkt.

Waterig

Bij het injecteren van het vlees met pekel wordt altijd water toegevoegd. Een deel van dit water verdampt tijdens het koken. Sommige hammakers voegen met het zout extra veel water toe. Zo bevat schouderham van C1000 Basis maar liefst eenderde water en andere toevoegingen. Deze waterige ham is een van de goedkoopste in onze test. Wie kwaliteit wil en daar geld voor overheeft, koopt een schouderham met een hoog vleesgehalte. De zes bestscorende producten bevatten 90% of meer vlees.
In onze test hebben we de vocht-eiwitverhouding bepaald om een oordeel te geven over de hoeveelheid water ten opzichte van de hoeveelheid vlees. Daarnaast onderzochten we het zout-, vet- en suikergehalte van schouderham, want dat zijn voor ons graadmeters voor de kwaliteit. Ook zijn het dierenwelzijn en de informatie op het etiket meegewogen in het Testoordeel. De smaak is niet onderzocht.
De meeste soorten schouderham bevatten verbazingwekkend veel toevoegingen. Zo zitten er in de schouderham van Compaxo maar liefst 18 hulpstoffen.

Zout en suiker

De biologische schouderham van Proef, die bijna acht keer zoveel kost als die van Compaxo, wordt gemaakt met slechts twee toevoegingen: nitriet en zout. Nitriet voorkomt de groei van bacteriën en zorgt voor een roze kleur. Zout is onmisbaar bij het maken van ham: het zorgt voor smaak en een langere houdbaarheid.
De meeste schouderham bevat behoorlijk wat zout, zo blijkt uit onze metingen. Wie twee plakjes schouderham eet, krijgt bijna 1 gram zout binnen. Dat het ook met minder kan, bewijst de biologische schouderham. Fosfaat, aardappelzetmeel en eiwitten uit soja en melk worden vaak gebruikt om ham te maken met veel toegevoegd water. Ook wordt soms suiker toegevoegd om ervoor te zorgen dat de ham langer houdbaar is en om de zoute smaak wat te maskeren.
Andere toevoegingen zijn antioxidanten en zuurteregelaars; ingrediënten die zorgen voor een langere houdbaarheid. Voor de smaak bevatten sommige hammen allerlei kruiden en aroma's. Daarnaast is soms mononatriumglutamaat (E621, ve-tsin) als smaakversterker toegevoegd.
De meeste toevoegingen hebben, net als mononatriumglutamaat, een E-nummer. Dit betekent dat deze stoffen door de Europese Commissie zijn toegelaten en in ons voedsel gebruikt mogen worden. Op de meeste schou-

Schouderham

	Merk & Type	Prijs circa/100 g	Testoordeel	Zout	Verzadigd vet	Water	Suikers	Dierenwelzijn	Etiket	Soort verpakking	Vleesgehalte volgens etiket	Aantal toevoegingen volgensetiket
Weging voor Testoordeel				25%	25%	25%	10%	10%	5%			
■ 1.	**Proef** Schouderham	€2,85	**8,5**	+	++	++	++	++	– –	voorverpakt	98%	2
▶ ■ 2.	**Albert Heijn** puur&eerlijk Biologische schouderham	€2,00	**7,9**	□	++	+	++	++	++	voorverpakt	95%	7
3.	**Stamboeck** Schouderham	€1,00	**6,2**	– –	++	+	++	–	++	voorverpakt	90%	11
4.	**C1000** Schouderham	€1,05	**6,2**	– –	++	+	+	–	++	voorverpakt	90%	11
5.	**C1000** Boeren Schouderham (vers)	€1,20	**6,0**	–	+	+	++	–	– –	vers	90%	8
6.	**Albert Heijn** Schouderham grill	€1,25	**6,0**	–	++	+	+	–	– –	vers	95%	8
7.	**Hofstee De Drie Eiken** Schouderham	€0,39	**5,7**	–	++	–	++	–	++	voorverpakt	88%	17
8.	**Chira** Schouderham	€0,40	**5,6**	–	++	–	++	–	++	voorverpakt	85%	13
9.	**Hema** Boeren Schouderham	€0,75	**5,6**	–	++	–	++	–	++	vers	78%	16
10.	**Compaxo** Schouderham	€0,37	**5,5**	–	++	□	+	–	– –	voorverpakt	77%	18
11.	**Landerij** Schouderham	€0,38	**5,5**	– –	++	–	++	–	□	voorverpakt	73%	11
12.	**Albert Heijn** Schouderham gerookt	€1,05	**5,5**	– –	++	□	+	–	++	voorverpakt	75%	17
13.	**C1000** Boeren Schouderham	€1,25	**5,5**	– –	+	+	++	–	+	voorverpakt	90%	11
14.	**Euroshopper** Schouderham	€0,37	**5,2**	– –	++	–	++	–	++	voorverpakt	85%	16
15.	**Albert Heijn** Schouderham	€1,10	**5,2**	– –	++	–	+	–	++	vers	75%	17
16.	**C1000** Basis Schouderham	€0,38	**5,1**	– –	++	–	□	–	++	voorverpakt	67%	17
17.	**First Class** Boeren Schouderham	€1,20	**5,1**	– –	+	□	++	–	□	vers	90%	10
18.	**Jumbo** Euromerk Schouderham	€0,38	**5,0**	– –	++	□	□	–	– –	voorverpakt	68%	17
19.	**Plus** Schouderham	€1,05	**4,7**	–	++	– –	□	–	– –	voorverpakt	70%	13
20.	**Jumbo** Schouderham	€1,00	**4,2**	– –	++	– –	+	–	++	voorverpakt	69%	13
21.	**Plus** Schouderham mager	€1,10	**4,1**	– –	++	– –	□	–	□	vers	70%	13
22.	**Jumbo** Schouderham (vers)	€1,00	**4,0**	– –	++	– –	□	–	– –	vers	75%	13

++ Zeer goed + Goed □ Redelijk – Matig – – Slecht ■ Beste uit de test ▶ Beste koop

Het vleesgehalte van de verse C1000 Boeren Schouderham staat niet op het etiket. Deze informatie is verstrekt door C1000.

Te koop bij:

- Chira: Lidl
- Compaxo: Plus, Supercoop, Emté, Hoogvliet, Deen, Vomar
- Euroshopper: Albert Heijn
- First Class, Landerij en Stamboeck: Dirk van den Broek, Digros, Bas van der Heijden
- Hofstee De Drie Eiken: Aldi
- Proef: EkoPlaza

Hoe leven de varkens?

Varkens leven tot de slacht op varkenshouderijen, voornamelijk in het zuiden en oosten van Nederland. In ons land leven meer dan 12 miljoen varkens. Ongeveer 80.000 daarvan worden biologisch gehouden: er is meer aandacht voor dierenwelzijn en de dieren kunnen zich natuurlijker gedragen. Biovarkens kunnen naar buiten en het voer is biologisch geteeld. De varkens hebben iets meer ruimte per dier en kunnen zich vrijer bewegen. Dit heeft ook negatieve effecten. Zo worden biologische biggen vaker doodgedrukt doordat een moedervarken op een big gaat zitten. De prijs van biologisch vlees is hoger vanwege de hogere kosten voor huisvesting en voer.
Er is ook varkensvlees van niet-biologische varkenshouderijen die extra aandacht besteden aan dierenwelzijn. Voorbeelden zijn vlees van Jumbo Bewust en van scharrelvarkens. Wij troffen nog geen schouderham van dit soort varkensvlees aan.

derhammen staan de E-nummers, op andere is in plaats daarvan de volledige naam van het ingrediënt gebruikt.

Mager

Alle geteste schouderhammen zijn mager, omdat ze minder dan de toegestane 20% vet bevatten. Toch wordt maar één geteste schouderham daadwerkelijk verkocht als 'mager'. Deze schouderham van Plus scoort iets beter dan gemiddeld voor wat betreft de hoeveelheid vet, maar bevat wel de meeste suiker.

Kop en schouders

In onze test steekt biologische schouderham er met kop en schouders bovenuit. Zelfs als we dierenwelzijn buiten beschouwing laten, zijn de testresultaten van de biologische schouderhammen veel beter. Dit komt vooral door de manier waarop de ham wordt gemaakt. De biologische ham bevat weinig water en er zijn weinig hulpstoffen gebruikt.
De milieubelasting van het vlees is niet meegewogen in het Testoordeel. Wat het milieu betreft kun je beter weinig vlees eten. De productie van vlees draagt onder andere bij aan de uitstoot van broeikasgassen. Uit onderzoek blijkt dat de milieubelasting van biologisch varkensvlees in vergelijking met gangbaar varkensvlees iets groter is.
Schouderham is voorverpakt of wordt in de winkel gesneden en verpakt. De voorverpakte schouderham is door een speciaal gas in de verpakking

Proef Schouderham (Beste uit de test)

IN DETAIL

Verkrijgbaar bij: EkoPlaza
Prijs: €2,85 per 100 gram
Testoordeel: 8,5
98% biologisch varkensvlees. De minst zoute. Hij smaakt heel anders en verschilt in structuur van de gebruikelijke schouderham. Deze ham is de duurste uit de test.

AH Puur en Eerlijk Biologische schouderham (Beste uit de test én Beste koop)
Verkrijgbaar bij: AH
Prijs: €2 per 100 gram
Testoordeel: 7,9
Een schouderham van 95% biologisch varkensvlees. Vrij prijzig met relatief weinig toevoegingen. Op die van Proef na het laagste zoutgehalte. Voorverpakt per 100 gram.

ongeopend een paar weken houdbaar. Versgesneden schouderham is maar enkele dagen na de koop houdbaar.
De Consumentenbond vindt informatie over de voedingswaarde op het etiket belangrijk en heeft die dan ook beoordeeld. Er zijn grote verschillen in de hoeveelheid informatie op het etiket (zie de tabel 'Schouderham').

Zie ook het dossier *Duurzaam consumeren* op www.consumentenbond.nl.

Suiker

Gezondgids februari 2012

Suiker heeft een slechte naam, maar we eten het graag. Fabrikanten goochelen daarom met suikerclaims op de verpakking. De Consumentenbond bekeek de etiketten van producten met suikerclaims, controleerde die op juistheid en ontrafelde welke trucs de fabrikanten gebruiken.
Suiker is er in allerlei soorten en maten. Gewone kristalsuiker (sucrose) wordt in het lichaam verteerd tot glucose (druivensuiker) en fructose (vruch-

tensuiker). Die suikers komen ook in voeding voor, bijvoorbeeld in fruit. De verschillende soorten suiker hebben twee dingen gemeen: ze zijn zoet en ze leveren per gram 4 kilocalorieën. Ook voor de gezondheid is de ene suikersoort niet veel slechter dan de andere.
Veel consumenten proberen wat minder suiker te eten, uit angst voor de tandarts of overgewicht. Dat weten fabrikanten ook. Vandaar dat op de verpakkingen van producten vaak prachtige suikerclaims prijken die, zo blijkt uit de kleine lettertjes op de achterkant, maar weinig voorstellen. Hoeveel calorieën en suikers je binnenkrijgt, is vooral afhankelijk van de hoeveelheid die je eet. Of je daarbij kiest voor het standaardproduct of voor een product met minder suiker, maakt meestal minder uit dan je op grond van de schreeuwerige claim zou verwachten. Om dat te illustreren, onderzochten we het waarheidsgehalte van zes suikerclaims.

Truc 1: een misleidende claim

De claim: Hak prijst 'Puur Moes' op de voorkant van de pot aan met de claim '0% toegevoegde suikers'.
Het oordeel: Met de claim dat er geen toegevoegde suikers in het product zitten, jokt Hak. Voor de zoete smaak is namelijk geconcentreerd appelsap toegevoegd. Daarin zitten wel degelijk toegevoegde suikers. De Consumentenbond heeft de Nederlandse Voedsel en Waren Autoriteit (NVWA) daarom gevraagd de claim op Puur Moes te beoordelen. En inderdaad, de NVWA concludeert dat Hak met dit etiket de wet overtreedt. De claim 'zonder toegevoegde suikers' mag alleen worden gebruikt als er geen suikers of andere vanwege hun zoetkracht gebruikte levensmiddelen (zoals appelsap) zijn toegevoegd. Hak zegt de etiketten aan te gaan passen.
Voor de hoeveelheid calorieën maakt het in ieder geval niet veel uit of je gewone appelmoes of Puur Moes kiest. Per 100 gram zitten in Hak Puur Moes precies 6 kilocalorieën minder dan in gewone Hak Appelmoes. Kwam een deel van de calorieën van gewone appelmoes van suiker gemaakt van suikerbieten, de calorieën van Puur Moes komen vooral van suikers uit appels.

Truc 2: goochelen met water

De claim: Roosvicee maakt goede sier met Roosvicee 50/50 roodfruit, een pak van 1,5 liter met de veelbelovende claim '30% minder calorieën & suikers dan andere fruitdrinks'.

Het oordeel: Klinkt nogal vaag, want welke 'andere fruitdrinks' bedoelt Roosvicee nou precies? Als je Roosvicee 50/50 roodfruit vergelijkt met Multivit Regular, een andere drank van Roosvicee, klopt de claim aardig. Wanneer we Roosvicee 50/50 vergelijken met vruchtensap, doorzien we de truc. In gewoon bosvruchtensap zit per 100 ml circa 12 gram suiker, terwijl in Roosvicee 50/50 maar 6 gram suiker per 100 ml zit. En dat is precies de helft. Roosvicee fabriceert een drank met de helft minder suikers en calorieën door aan gewoon sap een sloot water toe te voegen. Aan u het antwoord op de vraag of u Roosvicee nodig heeft om sap aan te lengen. De kraan opendraaien en een beetje water bijmengen, kunt u vast zelf wel.

Truc 3: vermomde zoetmakers

De claim: Gewone ontbijtkoek bulkt van de suiker, bleek uit eerder onderzoek van de Consumentenbond. Voor de liefhebber die minder zoete ontbijtkoek wil, maakt Peijnenburg ontbijtkoek met de claim '30% minder suiker'.

Het oordeel: Peijnenburg maakt zijn belofte waar. Een plakje ontbijtkoek bevat zelfs 40% minder suiker. Maar denk niet dat dat ook gelijk is aan 30% minder calorieën, want dat klopt niet. Neem bijvoorbeeld de reguliere ontbijtkoek van Peijnenburg. Daarin zitten per 100 gram maar 10% meer calorieën dan in de variant met '30% minder suiker'.

Waar komen die calorieën dan vandaan? Om toch een zoete smaak aan de koek te geven, voegt Peijnenburg de zoete voedingsvezel oligofructose toe. Die bevat weliswaar minder calorieën dan suiker, maar volgens de Suikerstichting toch nog 1,5 kilocalorie per gram. Verder zit in de koek meer roggebloem en die levert net zo goed energie.

Nog meer praatjes?

Op dit moment is er discussie over het toelaten van de claim 'bevat nu ...% minder suikers'. Die zou gebruikt kunnen worden als het suikergehalte van een product is verlaagd ten opzichte van het oorspronkelijke product. De Consumentenbond probeert de toelating van dit type claims te voorkomen. Henry Uitslag, campagneleider Voeding bij de Consumentenbond: 'Met deze claim wordt het voor fabrikanten te gemakkelijk om producten gezonder te laten lijken dan ze zijn. We hebben ons standpunt laten weten aan het Europees Parlement, dat hierover moet beslissen.'

Gezond of niet?

De Gezondheidsraad geeft geen aanbevelingen over de hoeveelheid suikers die we per dag mogen binnenkrijgen. Voor de gezondheid is er geen verschil tussen suikers die van nature in het voedsel zitten en toegevoegde suikers. Voor mensen die meer calorieën eten dan ze verbruiken, is minderen van producten met toegevoegde suikers wel aan te bevelen. Ook wordt aangeraden het aantal eetmomenten te beperken tot hoogstens zeven per dag (suikerhoudende dranken tellen daarbij mee) om de kans op gaatjes te verkleinen. Over het algemeen geldt dat mensen die veel producten met toegevoegde suikers eten, minder van nature in voeding aanwezige stoffen binnenkrijgen, zoals vitaminen en mineralen.

Truc 4: een ander soort suiker

De claims: Chocomel pronkt met een ander soort suiker. Op de voorkant van de verpakking prijkt prominent de kreet 'met druivensuiker'. Céréal Ontbijtkoek haalt een soortgelijke truc uit en prijkt op de verpakking met '*sugar control*' en 'gezoet met fructose in plaats van gewone suiker'.
Het oordeel: Wie denkt dat in de Chocomel 'met druivensuiker' geen gewone suiker zit, komt bedrogen uit. Er zit ongeveer tien keer zoveel gewone suiker als druivensuiker in en maar heel weinig druivensuiker. Het was dan ook eerlijker geweest als Chocomel 'met veel suiker en een klein beetje druivensuiker' op de verpakking had gezet.
Céréal Ontbijtkoek bevat fructose in plaats van gewone suiker. Fructose levert evenveel energie, maar is zoeter dan suiker en daarom hoeft er minder van te worden gebruikt. In theorie, want de hoeveelheid suikers en calorieën in Céréal Ontbijtkoek is nauwelijks kleiner dan die in gewone ontbijtkoek. Volgens Céréal is deze ontbijtkoek 'geschikt voor iedereen die uit eigen beweging of op advies minder suiker wil gebruiken'. Volgens ons kun je in dat geval Céréal Ontbijtkoek maar beter laten staan.

Truc 5: met stroop smeren

De claim: Op een pakje Billy's Farm Tarwestroopwafels staat dat ze 'alleen natuurlijke suikers uit graan' bevatten. Daarmee wordt waarschijnlijk ingespeeld op de weerstand die veel mensen hebben tegen gewone suiker die gemaakt is van suikerbieten.
Het oordeel: Of je suikers nu uit bieten, riet of graan haalt en of je ze nu als kristallen of als een stroop in je product stopt, het blijven allemaal suikers.

De zoete smaak van Billy's Farm Tarwestroopwafels komt van tarwestroop en maismoutstroop. Dat zijn inderdaad suikers uit graan. Maar voor de voedingswaarde maakt het weinig uit, blijkt na vergelijking met gewone stroopwafels die zijn gezoet met suiker- en glucose-fructosestroop. Vergeleken met bijvoorbeeld Albert Heijn Stroopwafels bevatten de stroopwafels van Billy's Farm zelfs iets meer suiker en calorieën: per 100 gram 37 kilocalorieën en 2 gram suiker meer.

Truc 6: Liga liegt

De claim: Volgens de verpakking van Liga Continue Minder Suikers zitten er maar liefst 30% minder suikers in dan in Liga Continue Vitamines en Mineralen.

Het oordeel: Een regelrechte leugen. Als we de claim controleren, valt op dat Liga Continue Minder Suikers met 22 gram per ons bijna net zoveel suikers bevat als Liga Continue Vitamines en Mineralen (24 gram per ons). Bij navraag legt Kraft, de fabrikant van de Ligakoekjes, uit dat de samenstelling van Liga Continue Vitamines en Mineralen is veranderd, waardoor de 30%-claim op Liga Continue Minder Suikers niet meer klopt. Kraft stuurt ons een voorbeeld van een sticker die het bedrijf op Liga Continue Minder Suikers zegt te gaan plakken. Op deze sticker geen excuus voor de misleidende productnaam, maar de aankondiging van een nieuw koekje en een uitleg over koekjesvarianten en claims. Inmiddels hebben we de eerste verpakkingen met deze stickers in de supermarkt aangetroffen.

Zie ook het dossier *Diëten* op www.consumentenbond.nl.

Thee

Consumentengids september 2012

Rond 1600 kwam de Chinese thee naar Holland. Wat toen een duur luxeproduct was, is nu een drank voor iedereen. Gemiddeld drinken we in Nederland twee koppen thee per dag.

Thee komt van de plant *Camellia sinensis*. De manier van verwerken van de blaadjes bepaalt of de thee zwart, groen of 'wit' wordt. Zwarte thee wordt vaak genoemd naar de streek waar hij vandaan komt, terwijl dat niet gebeurt

Van plant tot thee

Stomen en drogen De blaadjes voor groene en witte thee krijgen na de pluk een stoombehandeling. Zo worden de enzymen uitgeschakeld. Vervolgens worden ze gedroogd. Dit gebeurt alleen bij groene en witte thee.
Verwelken Voor groene en zwarte thee worden de blaadjes zo'n 12 uur bij 25 °C gedroogd. Ze verliezen vocht en worden slap en soepel.
Rollen De blaadjes voor groene en zwarte thee worden tussen horizontale vlakken gerold. Ze breken en scheuren, waardoor sap vrijkomt. Bij industriële productie worden de theebladeren niet gerold, maar gesneden.
Oxideren Voor zwarte thee worden de gescheurde blaadjes een à twee uur op 25 °C gehouden en wordt er vochtige lucht doorheen geblazen. De enzymen zorgen voor de smaak en de geur van zwarte thee.
Verhitten Bij zwarte thee worden de vochtige blaadjes op 95 °C gedroogd.
NB: Niet alle stappen gelden voor elke theesoort.

bij groene thee. Witte thee komt van de knopjes en malse jonge blaadjes van de theeplant en is net als groene thee niet geoxideerd. Hij heeft een milde smaak. Verder wordt er thee gemaakt van kruiden, zoals rooibos, kamille en pepermunt.

De Consumentenbond liet een panel van 40 mensen Engelse melange (zwarte thee) en groene thee beoordelen, van elke soort 12 merken. Het panel heeft een voorkeur voor de losse Engelse melanges van speciaalzaken Simon Lévelt en Kaldi. Die van Simon Lévelt heeft een 'lekker bittertje' en een 'mooie balans', aldus een van de proevers. De thee van Kaldi heeft 'veel smaak'. De beste Engelse melange uit een zakje is die van Albert Heijn. 'Een mooie roodbruine kleur en een goede smaak.' De zwarte thee van marktleider Pickwick en A-merk Lipton bevallen minder goed.

Ook bij groene thee is de losse variant favoriet. Hier scoort Pickwick juist een stuk hoger dan de andere merken, al is de vergelijking niet helemaal eerlijk. In de Pickwickvariant zit namelijk ook 25% jasmijnthee, al blijkt dat pas als je het etiket goed leest. Een aantal panelleden herkent de jasmijn meteen. Maar de lekkerste pure groene thee komt wederom van Kaldi en Simon Lévelt. De groene thee van Lipton valt niet in de smaak. Volgens een panellid lijkt het op 'groene thee met een smaakje'. Daarmee slaat hij de spijker op de kop. Ook dit is geen pure groene thee, want er zijn aroma's toegevoegd. De groene thee van Jumbo gooit evenmin hoge ogen. Deze thee is erg bitter en ruikt 'een beetje muf'.

Soorten zwarte thee

- Engelse melange: vaak een combinatie van theeën voornamelijk afkomstig uit Sri Lanka, Indonesië en Kenia.
- Ceylon: uit Sri Lanka, het voormalige Ceylon.
- Darjeeling: uit de gelijknamige streek aan de voet van de Himalaya in Noord-Oost India.
- Earl Grey: de thee krijgt zijn kenmerkende smaak door bergamotolie.

Minder bitter

Losse thee scoort in de test beter dan thee in zakjes. Dat komt doordat losse thee veel grover is dan het gruis dat meestal in zakjes zit. 'In heet water ontvouwen de losse theeblaadjes zich en geven dan hun kleur-, geur- en smaakbestanddelen aan het water af', aldus thee-expert Karel Thieme. Daardoor is de smaak van losse thee verfijnder en minder bitter dan van het gruis. De thee van Lipton zit tegenwoordig in piramidezakjes en is wat grover dan de andere zakjesthee. Toch helpt dit Liptonthee niet aan een goede beoordeling. Het goedkoopste kopje Engelse melange zet je met thee van de Aldi, voor nog geen cent per kop. Die theezakjes zijn net als die van Simon Lévelt bedoeld voor een pot en vallen daarom per kop voordelig uit. Losse thee hoeft niet duurder te zijn dan zakjesthee. De groene thee van Kaldi kost €0,08 per kop, net zoveel als Lipton en Pickwick uit een zakje. En dan is niet meegerekend dat je een goede kwaliteit losse thee tot wel drie keer opnieuw kunt opschenken. Met thee uit zakjes is dat lastiger, omdat die bij herhaald gebruik snel bitter wordt.

Thee zetten

We zetten vaak thee door even te hengelen met het zakje. Gemiddeld laten we de thee nog geen minuut trekken. Maar dat is niet de manier waarop de smaak het best tot zijn recht komt. In de test volgden wij de adviezen op de verpakking. Die lopen nogal uiteen, vooral voor groene thee. Zo raadt Kaldi aan om de losse groene thee twee minuten te laten trekken bij 70 °C. Pickwick heeft het over drie tot vijf minuten bij 100 °C.
Volgens thee-expert Thieme hangt het vooral af van de soort groene thee. 'Exclusieve gestoomde Japanse theesoorten kunnen het best worden bereid in water van 70 °C.' Maar de meeste groene theesoorten kun je volgens Thieme het best met water van 90 tot 100 °C zetten, want dan komen alle geur- en smaakstoffen vrij. Als je water dat net van de kook af is in een theeglas

Thee

	Merk & Type	Prijs per verpakking	Prijs per kop (cent)	Rapportcijfer smaak	Verfrissend	Bitter	Los/zakjes	Inhoud	Keurmerk
Engelse melange									
1.	**Simon Lévelt**	€2,95	6	**7,7**	•••	•	los	100 g	Eko
2.	**Kaldi**	€4,45	7	**7,7**	••	••	los	100 g	
3.	**AH**	€0,78	4	**7,6**	••	••	zakjes	20 x 2 g	UTZ
4.	**Jumbo**	€0,75	4	**7,5**	•	••	zakjes	20 x 2 g	
5.	**Aldi** Westminster	€0,59	1	**7,4**	••	••	zakjes	20 x 4 g	
6.	**Pickwick**	€1,22	2	**7,4**	••	•	los	100 g	
7.	**Dilmah**	€3,59	14	**7,4**	•	•••	zakjes	25 x 2 g	
8.	**Plus**	€0,77	4	**7,3**	••	•	zakjes	20 x 2 g	Fairtrade
9.	**Simon Lévelt**	€1,89	2	**7,2**	••	•	zakjes	22 x 2 g	Eko
10.	**Lidl** Lord Nelson	€0,59	3	**7,1**	•	•••	zakjes	20 x 4 g	
11.	**Lipton**	€1,39	7	**7,1**	••	•••	zakjes	20 x 2 g	Rainforest alliance
12.	**Pickwick**	€0,99	5	**6,8**	•	••	zakjes	20 x 2 g	UTZ
Groene thee									
1.	**Pickwick**	€2,59	7	**7,7**	••	•	los	65 g	
2.	**Kaldi** Sencha	€3,95	8	**7,2**	•••	•	los	75 g	
3.	**Simon Lévelt** Sencha classic	€6,95	14	**7,2**	•••	••	los	100 g	
4.	**Plus**	€1,23	6	**7,1**	••	•	zakjes	20 x 2 g	Fairtrade
5.	**Dilmah**	€3,29	16	**7,1**	••	•	zakjes	20 x 1,5 g	
6.	**AH**	€0,64	3	**7,0**	••	••	zakjes	20 x 1,5 g	UTZ
7.	**Lidl** Lord Nelson	€0,89	4	**6,8**	••	••	zakjes	25 x 1,75 g	
8.	**Pickwick**	€1,59	8	**6,8**	••	••	zakjes	20 x 1,5 g	UTZ
9.	**Aldi** Westminster	€0,89	4	**6,7**	••	••	zakjes	25 x 1,75 g	
10.	**Simon Lévelt**	€1,25	13	**6,7**	•	••	zakjes	10 x 1,75 g	Eko
11.	**Jumbo**	€0,94	5	**6,5**	•	•••	zakjes	20 x 2 g	
12.	**Lipton**	€1,59	8	**6,5**	••	•••	zakjes	20 x 1,8 g	Rainforest alliance

- Verfrissend en bitter: hoe meer bolletjes, des te sterker deze eigenschap.
- Groene thee: de nummers 1 en 12 bestaan niet uit pure groene thee, zie het kader 'In detail'; de nummers 4 en 11 zitten in een variatiedoosje met 20 zakjes. In een doosje zitten vijf zakjes groene thee puur.
- Engelse melange: de nummers 5 en 9 zijn zakjes voor het zetten van een pot thee. In de overige gevallen gaat het om eenkopszakjes.

giet, is dat al na enkele minuten afgekoeld tot 70 à 80 °C. Lastiger is het om thee te zetten bij 100 °C, zoals het advies voor zwarte thee unaniem luidt. Verwarm in dat geval het glas of kopje voor.

Thee, de nieuwe wijn?
Thee wordt culinair steeds belangrijker. Sinds 2011 zijn er zelfs Dutch Tea Championships voor professionele theesommeliers. Thee gaat daarmee steeds meer op wijn lijken. Chefkoks combineren hun gerechten met bijpassende theeën en koken vaker met thee. Wat te denken van ijs dat smaakt naar groene thee of op thee gerookte kip?

Wie thee zet van losse blaadjes, moet erop letten dat ze zich optimaal kunnen ontvouwen. Los in de pot werkt volgens theekenner Thieme goed. Maar een nadeel is dat je dan een tweede theepot nodig hebt om de thee in over te schenken. Een thee-ei dan maar? 'Die zijn vaak te klein en het schoonmaken is lastig', aldus Thieme. Theepotten met ruime filters zijn een goed alternatief.
Theekenners benadrukken dat je met zacht water de lekkerste thee maakt. De panelleden zijn het daar niet mee eens. Zij proefden, zonder dat ze dit wisten, dezelfde groene en zwarte thee twee keer, gezet met kraanwater en met spa blauw. Het ging om de thee van Pickwick en Lipton uit een zakje en de losse thee van Simon Lévelt.
In vijf gevallen proefde ons panel weinig verschil. Alleen de kleur van thee gezet met gewoon kraanwater is vaak aanmerkelijk donkerder. De losse groene thee van Simon Lévelt smaakt het panel beter wanneer die met kraanwater is gezet: verfrissender en minder bitter dan met spa blauw.

Gezonde drank

Al in de 17e eeuw werd thee geroemd als middel tegen allerlei kwalen. Ook tegenwoordig pronken verkopers maar wat graag met de positieve effecten van thee. Volgens de Europese voedselveiligheidsautoriteit EFSA ontbreekt daarvoor wetenschappelijk bewijs. De EFSA keek onder meer naar de flavonoïden, de stoffen die verantwoordelijk zouden zijn voor de gezondheidseffecten. Thee bevat ook wat fluoride, een mineraal dat beschermt tegen tandbederf. Een kop zorgt voor 7% van de dagelijkse behoefte.
Maar los daarvan is thee een gezonde drank, vooral door wat er niet in zit. Thee draagt bij aan de vochtinname en bevat geen suiker en calorieën, in tegenstelling tot veel andere dranken.
Thee wordt wel in verband gebracht met een verminderde ijzeropname. Dat zou komen door de tanninen. Dat zijn flavonoïden die pas na enkele minuten trekken vrijkomen. Wie een te laag ijzergehalte heeft, kan thee

beter niet lang laten trekken en bij voorkeur geen thee tijdens of direct na de maaltijd drinken.

IN DETAIL

Simon Lévelt Engelse melange biologisch (los)

Prijs: €2,95 per 100 gram

Rapportcijfer: 7,7

De lekkerste thee uit de test, met een zoete en verfrissende smaak. 'Lekker omdat de thee niet bitter en wrang is', aldus een van de proevers. Deze thee is verkrijgbaar bij de winkels van Simon Lévelt.

Pickwick English Tea Blend

Prijs: €0,99 per 20 x 2 gram

Rapportcijfer: 6,8

De minst lekkere uit de test, maar wel de bekendste Engelse melange. Smaakt volgens een aantal panelleden nogal wrang. Te koop in bijna alle supermarkten.

Pickwick Gentle green (los)

Prijs: €2,59 per 65 gram

Rapportcijfer: 7,7

Smaakt en ruikt het lekkerst van alle groene theeën. Het is geen pure groene thee, want er zit 25% jasmijnthee in voor de bloemige smaak en 3% bloemblaadjes voor de kleur.

Kaldi sencha (los)

Prijs: €3,95 per 75 gram

Rapportcijfer: 7,2

De lekkerste pure groene thee. Hij zit in een handig blikje. Dat is de beste manier om thee lang te bewaren, want zo kan hij geen andere geuren aannemen of vochtig worden. 'Licht en zoet', volgens een van de panelleden.

Lipton Green Tea Indonesian tea sencha tradition

Prijs: €1,59 per 20 x 1,8 gram

Rapportcijfer: 6,5

De minst lekkere groene thee, met 9% toegevoegd aroma. Hij is verpakt in piramidezakjes. Heeft de meeste smaak, maar is ook de bitterste van de groene theeën.

Het is een misverstand dat er in thee geen cafeïne zit; het wordt alleen theïne genoemd. Gemiddeld zit er in thee iets minder dan de helft aan cafeïne vergeleken met koffie. Een andere fabel is dat groene thee minder cafeïne bevat dan zwarte thee. Wie thee wil met minder cafeïne kan ervoor kiezen de thee minder lang te laten trekken of volg een traditioneel Chinees gebruik door de thee te wassen. Daarvoor laat je de thee eerst een halve minuut trekken, vervolgens gooi je dit water weg en giet je opnieuw water bij de thee. Dat tweede kopje bevat aanmerkelijk minder cafeïne.
Bijna de helft van de theeën in het onderzoek heeft een duurzaamheidskeurmerk. Er zijn maar liefst vier verschillende voor thee en koffie: Eko oftewel biologisch, UTZ, Rainforest Alliance en Fairtrade. Zie de test 'Espressocupapparaten' (in het hoofdstuk 'Huis & tuin') voor meer informatie over deze keurmerken.

Vleesvervangers

Consumentengids november 2011

Rare naam eigenlijk: 'vleesvervangers'. De meeste producten onder deze vlag kunnen namelijk alle leveranciers van dierlijke eiwitten vervangen. Dus ook vis, zuivel en eieren. Maar in de praktijk lijken vleesvervangers vaak op gehaktballen, schnitzels of hamburgers en niet op een lekkerbekje. Daarmee is ook meteen de ambitie van de vleesvervanger duidelijk: gemaksvoedsel voor wie best wat minder vlees wil eten, maar niet over de tijd of de kookkunst beschikt om het over een radicaal andere boeg te gooien.
Vegetariërs zien vaak niet zo veel in dit soort producten, juist omdat ze te veel op vlees lijken. Parttimevegetariërs vinden de gelijkenis met vlees wel belangrijk.

Kwestie van tijd

Vlees heeft een bijzondere structuur en het mondgevoel daarvan blijkt moeilijk te imiteren. In deze test zijn alleen Valess (Campina) en vooral Beeter (Ojah) in staat vleeseters op het verkeerde been te zetten. Het voordeel is dat ze sneller worden gewaardeerd en geaccepteerd door de carnivoor.
Bij minder geslaagde vleesimitaties duurt de gewenning langer, maar volgens voedingsonderzoeker Annet Hoek is de waardering daarvoor na een

keer of 20 gelijk aan die voor kip. Een kwestie van tijd dus. De resultaten van Hoeks onderzoek staan in het proefschrift *Will Novel Protein Foods beat meat?* Vrij vertaald: Kunnen nieuwe eiwitrijke voedingsmiddelen vlees vervangen?

Vlees is de belangrijkste leverancier van eiwit, ijzer, vitamine B_{12} en vitamine B_1. Een vleesvervanger bevat bij voorkeur dezelfde voedingsstoffen en weinig verzadigd vet, transvet, toegevoegde suiker en zout. Zes van de geteste vleesvervangers bevatten geen vitamine B_{12}.

Het eiwitgehalte loopt nogal uiteen en is soms heel laag. Het Nederlandse dieet bevat doorgaans zo'n 50% meer eiwitten dan noodzakelijk. Ook vegetariërs (die wel zuivel en eieren eten) hoeven niet te vrezen voor een eiwit- of vitaminentekort.

IJzer is eigenlijk het meest kritisch, omdat dit uit plantaardige bronnen moeizamer wordt opgenomen door het lichaam. In de door de Consumentenbond geteste Quorn 'nasiblokjes' zit helemaal geen ijzer. Vrouwen in de vruchtbare leeftijd kunnen daarom beter een andere vervanger kiezen of een supplement slikken. Alternatieve bronnen van ijzer zijn volkorenbrood, ontbijtgranen, groenten en noten.

Zelf marineren

Veel bewerkte vleesvervangers zijn aan de zoute kant. Sojaproducten worden ook onbewerkt verkocht. Die kunnen dus naar smaak worden gezouten en gekruid. Ook het door ons smaakpanel positief beoordeelde Beeter is ongemarineerd verkrijgbaar. In deze test was Beeter gemarineerd en bewerkt door de Vegetarische Slager uit Den Haag.

De geteste vleesvervangers bevatten gezonder vet dan vlees en de hoeveelheid verzadigd vet blijft ruim binnen de perken. Wel hebben veel producten de neiging zich vol te zuigen met bakvet tijdens de bereiding. Zolang dat gezond vet is, is dat niet direct een probleem, maar het smaakpanel kon er weinig waardering voor opbrengen. In de oven is geen bakvet nodig.

Te veel tijd of moeite? Een koekenpan met antiaanbaklaag en een deksel erop is een soort minioventje. Op een gematigd vuur kun je zo zonder vet en aanbranden toch een redelijk knapperig resultaat bereiken. Vooral bij de groenteburgers leidt een hoge temperatuur algauw tot verbranding, omdat de suikers in het product karamelliseren.

Vleesvervangers zijn vaak mengsels van sojabonen en sojameel, aangevuld met andere peulvruchten, granen, noten en/of zaden. Soja wordt van oudsher veel gebruikt in de oosterse keuken vanwege de hoogwaardige eiwitten

Vleesvervangers

		Merk & Type	Inhoud (gram)	Richtprijs	Prijs/100 g	Verkrijgbaarheid	Testoordeel	IJzer	Zout	Verzadigd vet	Eiwit	Etiket	Vitamine B_{12}
		Wokproducten											
■	1.	**De Vegetarische Slager** Teriyaki	250	€5,00	€2,00	Vegetarische Slager	**7,3**	+	□	++	++	--	
■	2.	**Tivall** Oosterse Wokblokjes	175	€2,50	€1,40	AH	**7,2**	+	□	++	+	++	√
▶	3.	**Alpro Soya** Reepjes Licht Gekruid (Bio)	180	€2,10	€1,15	algemeen	**6,9**	□	□	++	+	++	
	4.	**Quorn** Nasi/ Bamiblokjes	140	€2,50	€1,80	algemeen	**6,8**	--	++	++	□	+	
	5.	**Vivera** Roerbakstukjes Licht Gekruid	175	€2,30	€1,30	Plus, Jumbo, Dirk/ Bas/Digros	**6,3**	++	--	++	+	□	√
		Schnitzels											
■	1.	**Valess** Schnitzel	180	€2,60	€1,45	algemeen	**7,1**	□	□	++	□	++	√
▶ ■	2.	**C1000 (Goodbite)** Schnitzel	180	€2,10	€1,15	C1000	**7,0**	++	–	+	++	++	√
	3.	**Tivall** Schnitzel	200	€2,50	€1,25	AH	**6,8**	□	□	++	□	++	√
	4.	**Soy Good** Vegetarische Schnitzel	200	€1,70	€0,85	Aldi	**6,3**	+	–	++	+	++	√
	5.	**Vivera** Schnitzel	200	€2,20	€1,10	Plus, Jumbo, Dirk/Bas/Digros	**6,3**	+	–	++	+	+	√
		Groenteproducten											
▶ ■	1.	**C1000 (Goodbite)** Groenteschijf	170	€1,90	€1,10	C1000	**7,2**	++	–	++	+	++	√
▶ ■	2.	**Vivera** Groenteschijf	200	€2,10	€1,05	Plus, Jumbo, Dirk/Bas/Digros	**7,1**	+	□	++	□	□	√
	3.	**Tivall** Groenteschijf	180	€2,20	€1,20	AH	**6,9**	□	+	++	–	++	√
	4.	**Valess** Spinazie	200	€3,00	€1,50	algemeen	**6,9**	□	+	++	–	++	√
	5.	**AH P&E** Biologische Groenteburger	150	€2,60	€1,75	AH	**6,3**	□	□	++	–	++	
	6.	**Freshvale** Vegetarische Groenteschnitzel	200	€1,70	€0,85	Lidl	**5,9**	□	–	++	--	++	√

++ Zeer goed + Goed □ Redelijk – Matig -- Slecht ■ Beste uit de test ▶ Beste koop

- Vitamine B_{12} is van nature aanwezig in Valess.
- Het Testoordeel is opgebouwd uit suboordelen die voor de volgende percentages meetellen: ijzer 20%, zout 30%, verzadigd vet 30%, eiwit 15% en etiket 5%.

en gunstige vetzuursamenstelling. Bekende sojaproducten zijn tempé en tofu. Tempé bestaat uit sojabonen die met onschuldige schimmels begroeid zijn. Tempé heeft een lichtzure smaak. Tofu (tahoe, sojakaas) wordt gemaakt van sojamelk die – net als bij het maken van kaas – tijdens het stremmen samenklontert en waarvan de kenmerkende witte blokken worden gevormd. Tofu heeft een zachte, neutrale smaak.

Gisten en schimmels

Behalve van soja worden vleesvervangers gemaakt van gisten en schimmeleiwitten, bijvoorbeeld van paddenstoelen. Quorn is hierop gebaseerd en ook veel patéachtige broodsmeersels bevatten schimmels.
Seitan wordt gemaakt van tarwegluten, de elastische eiwitsubstantie uit tarwemeel. Het wordt ook wel tarwevlees genoemd. Het heeft een vleesachtige structuur en smaakt kruidig. Lupine ontleent zijn naam aan de zaden van de zoete lupineplant waarvan het gemaakt wordt. Lupine doet denken aan tofu, maar is wat kruimeliger van structuur en droger. Lupine bevat van nature vitamine B_{12}, in een vorm die ons lichaam niet kan opnemen.

Het milieu

Valess leunt sterk op kaasbereiding. De ontstane eiwitmassa (wrongel) wordt verrijkt met voedingsvezel en zeewier, waardoor het zijn vlezige beet krijgt. Omdat Valess melk en eieren bevat, is het ongeschikt voor mensen die helemaal geen dierlijke producten eten (veganisten).
Zuivel is bijna net zo milieubelastend als vlees en voor de melkindustrie worden ook dieren gedood (de meeste stierkalfjes gaan naar de slacht). Maar liefst 80% van de landbouwgrond op aarde wordt direct of indirect gebruikt voor de productie van vlees en zuivel. Het zijn allebei geen rendementvolle eiwitbronnen, omdat een koe gemiddeld 6 kilo plantaardig eiwit moet eten om 1 kilo eiwitrijk vlees op te leveren.
Het is veel efficiënter plantaardige producten van bijvoorbeeld soja direct aan de consument te serveren, zodat met minder aardoppervlak meer mensen kunnen worden gevoed. Dat is voor het milieu ook een hele verlichting. De veehouderij draagt voor 12% bij aan de emissie van broeikasgassen. Ook is 30% van het verlies aan biodiversiteit toe te rekenen aan veehouderij.

Cijfers van de proevers

Een panel van 4 ervaren proevers beoordeelde 16 vleesvervangers met rapportcijfers. Dat bleek een hele opgave, omdat de meeste voldoende eiwitten bevatten om ook bij kleine porties vlot een verzadigd gevoel te geven. Op een paar uitzonderingen na viel er culinair niet veel te vieren. De structuur (samengeperst), het mondgevoel (droog) en de nadrukkelijke kruiden

Beter eten

Jeroen Willemsen is een van de oprichters van het Wageningse bedrijf Ojah, dat in het Gelderse Ochten het in deze test succesvolle Beeter produceert. Over de techniek doet het bedrijf geheimzinnig. 'Dat is geen onwil, maar de concurrentie kijkt mee. We geven de consument zo veel mogelijk inzicht in de oorsprong van Beeter. Op www.eetbeeter.nl is daarover veel informatie te vinden. Het is een mechanisch proces gebaseerd op het mengen, kneden, koken en persen van sojameel en water, een beetje zoals spaghetti wordt gemaakt. Verder voegen we er niets aan toe zoals gluten, ijzer of vitamine B_{12}. Dat kunnen onze wederverkopers eventueel zelf doen.'

'Nu onze nieuwe fabriek op volle toeren draait, zullen op Beeter gebaseerde producten binnenkort in meer supermarkten verkrijgbaar zijn. Ik hoop ook dat we spoedig een nieuwe generatie kunnen presenteren die niet met geïmporteerde soja is gemaakt, maar van lokale grondstoffen als erwten en lupine. Het liefst helemaal biologisch.'

en smaakversterkers (zout!) stemden het panel droef. Hoewel het panel voorzichtig positief was over de verbeterde structuur van sommige producten, was het commentaar niet van de lucht: 'Precies wat je verwacht bij een vegetarisch product: schoenzool, droog, sponzig, taai'.
Drie vleesvervangers ontstegen de middelmaat: de teriyaki van De Vegetarische Slager (Beeter), de schnitzel van Valess en de groenteschijf van Tivall. Het minst in de smaak vielen de groenteschijf van C1000 (Goodbite), de schnitzel van C1000 (Goodbite) en de roerbakstukjes licht gekruid van Vivera.

Zie ook het dossier *Duurzaam consumeren* op www.consumentenbond.nl.

Volkoren ontbijtproducten

Gezondgids oktober 2012

Ontbijtkoek, beschuit, knäckebröd en crackers hebben allemaal een volkoren variant in het assortiment. De aanduiding 'volkoren' op de verpakking geeft aan dat de volledige graankorrel is gebruikt. Bij brood en meel is het begrip 'volkoren' zelfs beschermd. In de Nederlandse warenwet is vastge-

Wat & hoe
De Consumentenbond onderzocht 11 bakkerijproducten op vezels. Zeven hiervan heten 'volkoren'. Om het onderscheid te maken, onderzochten we ook vier vergelijkbare producten zonder volkorenkreet.

legd dat brood en meel alleen volkoren mogen heten als de volledige graankorrel (meestal tarwekorrel) erin is verwerkt. Maar in een ander vezelrijk product dat de naam 'volkoren' draagt, hoeft niet de volledige graankorrel te zijn verwerkt.
Om erachter te komen wanneer we de beloofde volledige graankorrels echt binnenkrijgen, onderzocht de Consumentenbond 11 bakkerijproducten op hun vezelgehalte. Hiervoor vergeleken we op basis van het aantal calorieën ontbijtkoek, beschuit, knäckebröd en crackers met volkorenbrood.
Het blijkt dat diverse fabrikanten een loopje nemen met het begrip 'volkoren' zodra het voeren van deze naam niet wettelijk beschermd is. Zo zijn kiemen en zemelen in de onderzochte producten niet of veel minder aanwezig dan in echte volkorenproducten. Hierdoor is de voedingswaarde niet zo goed als wordt gesuggereerd met de term 'volkoren'. We hebben de producten vergeleken met brood en moeten concluderen dat ze qua vezelgehalte niet verder komen dan bruinbrood (dus ergens tussen wit- en volkorenbrood in). Ter vergelijking: een witte boterham bevat 1 gram vezels, een bruine boterham 2 gram en een volkorenboterham 3 gram. Zie ook de test 'Brood' eerder in dit hoofdstuk.

Ontbijtkoek

Hoeveel suiker zit er in ontbijtkoek? Het antwoord is: 40%. Daarnaast zit er vooral roggebloem in een standaardontbijtkoek. Roggebloem bevat van zichzelf al redelijk wat vezels. We vergelijken een plak ontbijtkoek met een boterham, omdat die ongeveer evenveel calorieën bevatten. In de volkorenontbijtkoek is een deel van de roggebloem vervangen door volkoren roggemeel, wat het vezelgehalte met de helft verhoogt. Het zit daarmee op het niveau van bruinbrood en nog lang niet op het niveau van volkorenbrood. Overigens bevatte de Albert Heijn Volkoren Ontbijtkoek meer vezels dan stond aangegeven op het etiket. Bij navraag meldt de supermarkt dat de samenstelling van de koek is veranderd, terwijl het etiket hetzelfde is gebleven. 'We zetten meteen een verpakkingswijziging in gang', aldus Albert Heijn.

Beschuit

Net als witbrood is beschuit een product dat standaard van tarwebloem wordt gebakken. Het wordt één keer vaker gebakken dan brood, waardoor het helemaal droog en licht wordt. Deze methode is lang geleden bedacht om een broodachtig product te krijgen dat veel beter houdbaar is dan gewoon brood. De aanprijzing 'volkoren' wordt uitdrukkelijk op het etiket gevoerd, nadat ruwweg de helft van de bloem is vervangen door volkorenmeel. Dat kan tot een verdubbeling van het vezelgehalte leiden, maar het had een verdrievoudiging kunnen worden als het volledig volkoren zou zijn.

Wat betreft energie kun je twee beschuiten vergelijken met een volkorenboterham. Maar voor wat betreft vezels kom je dan hooguit op het niveau van een bruine boterham, niet op de hoeveelheid vezels in een volkorenboterham.

Knäckebröd

Net als crackers en beschuit is knäckebröd zo gebakken dat het vrijwel geen water meer bevat waardoor het knapperig en houdbaar is. Het oorspronkelijke knäckebröd is niet van tarwe, maar van roggebloem gemaakt. Tegenwoordig kent knäckebröd een breed assortiment, waaronder volkoren. Wat ons betreft zou 'bruin' een betere naam voor Bolletje volkoren zijn.

Hier hebben we echter een winnaar: een 'volkoren' product dat het vezelniveau bereikt van echt volkoren. Het gaat om het puur&eerlijk biologisch volkoren knäckebröd van Albert Heijn. Weliswaar is dit nog steeds niet echt volkoren, maar door het gebruik van volkoren roggemeel zijn twee crackers zelfs nog iets vezelrijker dan de volkorenboterham.

Verkooppraatjes

Wij vroegen de fabrikanten waarom ze producten volkoren noemen die dat strikt gesproken niet zijn. We hebben namelijk het idee dat dat louter gebeurt om de verkoop te stimuleren. De ondervraagde fabrikanten willen alleen kwijt dat het gebruik van het begrip 'volkoren' voor andere bakkerijproducten dan brood en meel is toegestaan door de Nederlandse Voedsel- en Warenautoriteit, mits in de ingrediëntendeclaratie staat aangegeven welk deel van het meel volkoren is. Daarmee geeft de overheid in feite haar goedkeuring voor het uithollen van de term 'volkoren'.

Volkoren en normale producten

Merk	Variant	Prijs	Vezels, gram/100 g	Vezels, gram per plak/stuk
Ontbijtkoek (ongesneden)				
Albert Heijn	volkoren	€1,12	7,5	1,9
Peijnenburg	volkoren	€1,24	7,9	2,0
Peijnenburg	normaal	€1,17	5,7	1,4
Beschuit				
Euro (Jumbo)	volkoren	€0,45	8,1	0,8
Bolletje	knapper volkoren	€1,19	9,5	1,0
Bolletje	normaal	€0,66	5,1	0,5
Knäckebröd				
Bolletje	volkoren	€0,85	8,2	1,2
Albert Heijn puur&eerlijk	biologisch volkoren	€1,53	12,1	1,8
Bolletje	normaal	€0,85	4,8	0,7
Luchtige crackers				
Cracotte, Lu	volkoren	€1,51	9,6	0,7
Cracotte, Lu	normaal	€1,31	4,6	0,3

Crackers

Luchtige crackers, beter bekend onder de merknaam 'Cracotte', zijn vederlichte plakjes, bijna gebakken lucht. Net als witbrood is de naturel Cracotte van LU vooral gemaakt van tarwebloem. Voor de volkorenvariant is ongeveer de helft van de bloem vervangen door volkorenmeel. Bovendien is wat roggemeel in het recept opgenomen. Door deze actie verdubbelt het vezelgehalte, maar het had verdrievoudigd kunnen worden als het echt volkoren zou zijn. Van de 30 tot 40 gram vezels die je op een dag nodig hebt, bevat zo'n cracker overigens maar 0,7 gram.

Vezels

Het blijft moeilijk om aan de volkorenboterham te tippen als je voldoende vezels binnen wilt krijgen. In een gemiddelde voeding levert volkorenbrood algauw de helft van de hoeveelheid aangeraden vezels van 30 tot 40 gram per dag. Woordvoerder Roy van der Ploeg van het Voedingscentrum: 'In veel gevallen zal het moeilijk zijn een volwaardig broodsubstituut te vinden. Maar als mensen voor de variatie eens een cracker, een stuk ontbijtkoek of iets dergelijks kiezen, hebben de "volkorenvarianten" de voorkeur. Per

saldo leveren die nog steeds meer vezels dan hun "gewone" soortgenoten.'
Naast brood zijn groenten, fruit, aardappelen en peulvruchten goede leveranciers van vezels. Toch haalt 90% van de Nederlanders de geadviseerde 30 tot 40 gram vezels per dag niet. Vezelrijk eten is niet alleen goed voor de darmen, het helpt ook om op gewicht te blijven. Voedingsvezels leveren nauwelijks calorieën, maar geven wel een verzadigd, vol gevoel. Ook stelt het Voedingscentrum dat vezelrijke voeding het risico verlaagt op coronaire hartziekten (problemen met de kransslagaders), zoals een hartinfarct. Er zijn aanwijzingen dat deze risicovermindering vooral komt door voedingsvezels uit volkoren graanproducten en fruit. Vezels, zoals pectine uit fruit en bèta-glucanen uit graansoorten, hebben namelijk een positief effect op het (LDL-)cholesterol. De totale vezelinname lijkt verder een bescheiden rol te spelen bij het verlagen van de bloeddruk.
Ook wie gevoelig is voor verstopping, kan er baat bij hebben het vezelgehalte van zijn voeding op te voeren. Diëtiste Ineke Smit: 'We adviseren vaak een voeding met meer vezels in combinatie met genoeg drinken. We zoeken de

Termen

Volkorenmeel Meel van de volledige graankorrel. Alle bestanddelen van de desbetreffende graansoort zijn in hun natuurlijke verhouding aanwezig. Dat eist de Nederlandse warenwet alleen van brood en meel. Voor andere producten dan meel en brood is 'volkoren' een vogelvrij begrip. Volkorenmeel is lichtbruin van kleur.

Vezels Koolhydraten die niet verteerd worden in de menselijke darmen, maar daar wel een functie hebben. Er zijn veel soorten vezels die op een verschillende manier nuttig kunnen zijn. Ze komen voor in plantaardige levensmiddelen: granen, peulvruchten, aardappelen, fruit en groenten.

Vezelrijk De claim dat een levensmiddel vezelrijk is, is alleen toegestaan als het vezelgehalte van het product minimaal 6 g/100 g of 3 g/100 kcal bedraagt.

Bron van vezels De claim dat een levensmiddel een bron van vezels is, is alleen toegestaan als het vezelgehalte van het product minimaal 3 g/100 g of 1,5 g/100 kcal bedraagt.

Meel Gemalen graan waaruit delen van kiem of schil verwijderd kunnen zijn. Meel is de basis van bruinbrood. Het is lichtbruin van kleur.

Bloem Gezeefd meel. Kiemen en delen van de schil zijn niet meer met het blote oog waarneembaar. Dit witte poeder is de basis van witbrood, banket en sommige snacks en is verwerkt in talloze andere levensmiddelen.

vezels in een royaler gebruik van volkorenbrood, aardappelen, groente, fruit en peulvruchten. Een volkorencracker of iets dergelijks past er wel bij, maar slechts als een onderdeel. Vezelrijke voeding moet gevarieerd zijn, omdat er veel verschillende soorten vezels bestaan. Daarnaast moeten mensen met neiging tot verstopping erop letten dat zij genoeg bewegen.'

Wild

Gezondgids december 2011

Wat & hoe

De Consumentenbond verstuurde vragenlijsten naar alle landelijke supermarktketens met de vraag welke wildproducten in december 2011 in de schappen liggen. Ook vroegen we per product naar de prijs, het land van herkomst, of het geschoten of gekweekt is en of het bevroren wordt verkocht.

Als je voor een diner eens speciaal wilt uitpakken, kun je kiezen voor een stukje wild. Filet van wild zwijn, hazenrug, eendenborst, hertenbiefstuk, een combinatie daarvan: het wildpalet biedt oneindig veel mogelijkheden. Naast de typische wildsmaak – het is meestal wat sterker en aromatischer van smaak dan 'gewoon' vlees – waarderen liefhebbers ook de sfeer die er omheen hangt. Wild eten appelleert toch een beetje aan ons 'oergevoel'.
Maar dat wild, zo vertellen we elkaar, moet je wel voorzichtig eten. Voor je het weet, breek je een vulling op een verdwaald kogeltje in een konijnenbout of eendenborst. Wie zuinig is op zijn gebit kan zijn wild het best aanschaffen bij de Nederlandse supermarkten, want in hun 'wild' zul je niet snel een hagelkorrel aantreffen.
De Consumentenbond vroeg namelijk alle grote Nederlandse supermarkten wat ze aan wild in het schap hebben liggen – gedurende het jaar en speciaal rond de feestdagen – en waar het vandaan komt (zie de tabel 'Wild in de supermarkt'). Wat bleek: wat je als 'wild' koopt, is meestal afkomstig van in gevangenschap gefokte dieren.
Een echte wildkenner houd je daar overigens niet mee voor de gek, want 'gekweekt wild' smaakt anders dan 'vrij wild'. 'Meestal is de smaak van vrij wild iets zwaarder en uitgesprokener dan die van kweekwild', zegt Marlies

Wild in de supermarkt

Merk & Type	Inhoud	Richtprijs	Richtprijs per kilo	Herkomst	Wild	Gekweekt	Bevroren geweest?
Eend							
Albert Heijn gerookte eendenborst	100 g	€3,50	€34,90	Frankrijk		✓	nee
Albert Heijn tamme eendenborst	180 g	onbekend	onbekend	Frankrijk		✓	ja
C1000 tamme eendenborstfilet	190 g	€4,70	€25,00	Frankrijk		✓	nee
Coop tamme eendenborstfilet	200 g	€6,00	€30,00	Frankrijk		✓	nee
Jumbo tamme eendenborstfilet	250 g	€7,00	€27,90	Nederland		✓	nee
Lidl barbarie eendenborstfilet*	400 g	€6,50	€16,20	Frankrijk		✓	ja
Lidl eendenpannetje*	1500 g	€10,00	€6,70	Duitsland		✓	ja
Lidl jonge eend*	2400 g	€10,00	€4,20	Duitsland		✓	ja
Plus gerookte eendenborstfilet	90 g	€4,00	€44,00	Frankrijk		✓	nee
Plus tamme eendenborstfilet	220 g	€5,50	€25,00	Nederland		✓	nee
Fazant							
Deka fazant panklaar*	800 g	€9,50	€11,90	Groot-Brittannie	✓		ja
Deka fazantboutjes	300 g	€2,10	€7,00	Engeland	✓		nee
Deka fazantfilet	350 g	€7,00	€20,00	Engeland	✓		nee
Jumbo fazantborstfilet	300 g	€9,00	€29,90	Nederland/ Groot-Brittannië	✓		ja
Haas							
Albert Heijn hazenrugfilet	250 g	onbekend	onbekend	Argentinië	✓		ja
Deka haasbout	300 g	€4,20	€14,00	Argentinië	✓		ja
Deka haasbout*	650 g	€8,40	€12,90	Europa	✓		ja
Deka haasrug*	550 g	€11,00	€19,90	Europa	✓		ja
Jumbo hazenbout	350 g	€7,70	€21,90	Argentinië	✓		ja
Jumbo hazenrug	500 g	€16,50	€32,90	Argentinië	✓		ja
Jumbo hazenrugfilet	200 g	€9,00	€44,90	Argentinië	✓		ja
Lidl Argentijnse hazenbout*	760 g	€8,00	€10,50	Argentinië	✓		ja
Plus hazenbout	350 g	€6,00	€17,00	Argentinië	✓		ja
Plus hazenrugfilet	220 g	€8,40	€38,00	Argentinië	✓		ja
Konijn							
Albert Heijn tamme konijnenbout	420 g	onbekend	onbekend	Frankrijk		✓	nee
C1000 konijnenbouten	450 g	€8,60	€19,00	Frankrijk/ Hongarije		✓	nee
C1000 konijn in delen	500 g	€6,80	€13,50	Frankrijk/ Hongarije		✓	nee
Coop konijnenbouten	450 g	€8,80	€19,50	Frankrijk/ Hongarije		✓	nee
Coop konijn in delen	500 g	€6,80	€13,50	Frankrijk/ Hongarije		✓	nee

Merk & Type	Inhoud	Richtprijs	Richtprijs per kilo	Herkomst	Wild	Gekweekt	Bevroren geweest?
Jumbo tam konijn, bouten	400 g	€6,80	€16,90	Hongarije		✓	ja
Jumbo Bewust konijn in braadzak	400 g	€8,00	€19,90	Nederland		✓	ja
Plus tam konijn, bouten	500 g	€7,50	€15,00	Hongarije		✓	mogelijk
Plus tam konijn, half, gedeeld	500 g	€6,00	€12,00	Nederland		✓	mogelijk
Hert							
Albert Heijn hertenbiefstuk	250 g	€8,90	€35,70	Nieuw-Zeeland		✓	ja
Aldi hertenbiefstuk*	400 g	€7,00	€17,50	Nieuw-Zeeland	✓		ja
C1000 hertenbiefstuk	250 g	€10,00	€40,00	Nieuw-Zeeland		✓	nee
Coop hertenbiefstuk	330 g	€13,20	€40,00	Nieuw-Zeeland		✓	nee
Deka hertbiefstuk	300 g	€9,00	€30,00	Duitsland	✓		nee
Hema hertenbiefstuk	250 g	€7,50	€30,00	Nieuw-Zeeland		✓	ja
Jumbo hertenbiefstuk	300 g	€11,10	€36,90	Nieuw-Zeeland		✓	ja
Lidl hertenbiefstuk	100 g	€2,50	€24,90	Nieuw-Zeeland		✓	nee
Lidl hertenfiletlapjes*	300 g	€10,00	€33,30	Nieuw-Zeeland		✓	ja
Lidl hertengebraad*	750 g	€18,00	€24,00	Nieuw-Zeeland		✓	ja
Lidl hertengoulash*	500 g	€8,50	€17,00	Nieuw-Zeeland		✓	ja
Plus Veluws wild hertenbiefstuk	240 g	€9,10	€38,00	Nederland	✓		mogelijk
Ree							
Jumbo reebiefstuk	200 g	€10,00	€49,90	Nederland/ Groot-Brittannië	✓		ja
Plus Veluws wild reebiefstuk	200 g	€9,50	€47,50	Nederland	✓		mogelijk

- * = diepgevroren.
- Prijzen zoals in november 2011 opgegeven door de supermarkten.

Kolthof van de Koninklijke Nederlandse Jagers Vereniging. 'Dat geldt vooral voor haas en wild zwijn.' Verder bevat gekweekt wild meer vet. Dit komt omdat de dieren hun voedsel keurig aangeleverd krijgen en nauwelijks bewegen. Van het wildaanbod in de supermarkt zijn alleen fazant, haas, ree, roodpootpatrijs en wild zwijn altijd in vrijheid opgegroeid.

Tamme eendjes

Konijn, met name de bouten, is verreweg het populairst bij supermarkten. Ook hertenbiefstuk, haas en eendenborstfilet worden veel verkocht, vooral rond de feestdagen. Aanprijzingen als 'premium wild' (Albert Heijn) wekken de indruk dat de eendenborstjes rechtstreeks van de jachtvelden komen.

Oeps...
Ondanks alle voorzorgsmaatregelen en strenge keuringen zijn er de afgelopen jaren een paar flinke wildschandalen geweest. Zo zal het bedorven kerstkonijn van Albert Heijn (2002) de grootgrutter nog lang achtervolgen. De in China ingevroren konijnen werden hier ontdooid en verkocht, maar bleken bedorven te zijn. En in 2006 trof de Duitse Keuringsdienst van Waren bij het bedrijf Berger Wild een grote, bedorven wildpartij aan.

Geschoten door een stoere jager, die het gevogelte met dodelijke precisie op de korrel heeft genomen.
Maar wie het etiket nader bestudeert, weet beter. Al het eendenvlees in de supermarkt komt van tamme, gekweekte eenden. Gewoon uit een fokkerij, waar de eenden hutjemutje in een hok zitten en zorgvuldig worden vetgemest voor de slacht. Wettelijk gezien mogen deze eenden als wild worden verkocht, mits de herkomst netjes vermeld staat op de verpakking. Ook konijn- en struisvogelvlees uit de supermarkt is vrijwel altijd gekweekt.
Het wild dat in supermarkten wordt aangeboden, is zo vaak afkomstig uit fokkerijen dat je bijna aan jezelf zou gaan twijfelen. Aldi, Dekamarkt en Plus bieden wel hertenvlees aan van dieren die echt in het wild hebben geleefd. Verreweg het meeste wild in Nederlandse supermarkten is geïmporteerd. Plus heeft als enige herten-, reeën- en zwijnenvlees uit eigen land in het assortiment, geschoten door jagers op de Veluwe.
Opvallend zijn de vaak grote prijsverschillen tussen het kweekwild in supermarkten. Zo is de kiloprijs voor gerookte eendenborstfilet bij de Plus bijna €44 en bij C1000 €25. Een kilo hertenbiefstuk kost bij de Aldi €17,48 en bij C1000 €39,95. Dat is onverwacht, omdat het hertenvlees van de Aldi ‘vrij’ wild is en dat van C1000 kweekwild.

Keuring

In Nederland mag op vijf soorten klein wild worden gejaagd: eend, duif, konijn, fazant en haas. Op grof wild, zoals reeën, herten, wilde zwijnen en wilde ganzen, mogen alleen jagers met een speciale vergunning schieten. Traditioneel loopt het wildseizoen vanaf half oktober tot het eind van het jaar, omdat dan de meeste jacht is toegestaan. Veel van het geschoten wild gaat naar poeliers of restaurants, vaak uit de regio.
Al het vlees dat op ons bord terechtkomt, dus ook wild, wordt eerst gekeurd door de Nederlandse Voedsel- en Warenautoriteit (NVWA). Bij wild dat

jagers rechtstreeks aan restaurants leveren, is de keuring uitbesteed aan gekwalificeerde jagers, die daarvoor een speciale opleiding hebben gevolgd. Heeft verpakt vlees de keuring doorstaan, dan staat er een keurmerk op met het nummer van het bedrijf waar het vandaan komt. Bij onverpakt vlees bij slager, poelier of restaurant ontbreekt dat keurmerk, maar de aanbieder moet deze informatie altijd kunnen geven.
'We willen in de administratie kunnen zien waar het wild vandaan komt', zegt Hans Dannenberg, senior beleidsmedewerker van de NVWA. 'Hapert daar iets aan, dan grijpen we in met een waarschuwing of boete.'
Ook geïmporteerd wild ontkomt niet aan de strenge blik van de NVWA. Vooral wild dat van ver komt, wordt vaak bevroren vervoerd. Dit hoeft geen probleem te zijn, mits het invriezen hygiënisch gebeurt. Het is toegestaan dat de aanbieder het vervolgens ontdooit, tot bijvoorbeeld biefstukjes verwerkt en weer invriest.
'Maar ook dat moet onder nauwkeurig omschreven condities plaatsvinden', stelt de NVWA. Bevroren wild is in de diepvries enkele maanden houdbaar. Invriezen leidt wel tot smaak- en vochtverlies, dus een aanrader is het niet. Wie een (overgebleven) stukje zwijnenvlees wil invriezen, kan het best eerst de vetlaag verwijderen. Die kan een ranzige smaak aan het vlees geven.
Wat opvalt is dat de hertenbiefstuk van de Plus, geschoten op de Veluwe, soms bevroren is geweest en die van bijvoorbeeld de Coop, helemaal uit Nieuw-Zeeland, nooit. Volgens de Coopwoordvoerder is daar bewust voor gekozen. 'Hertenbiefstuk wordt op de *farm* in Nieuw-Zeeland geslacht en meteen vacuüm verpakt en vervoerd. Tijdens het transport kan het in de koeling besterven. Daar wordt het alleen maar lekkerder van.'

Zwijn met beestjes

Een risico bij wild, vooral bij zwijn, is besmetting met de parasiet *Trichinella* (een microscopisch wormpje waarvan je behoorlijk beroerd kunt worden). De larven veroorzaken de ziekte trichinellose, die onder meer leidt tot buikpijn, diarree, jeuk, koorts en op den duur chronische spierpijn.
Jaarlijks zijn er in Nederland minder dan tien besmettingen, vrijwel altijd in het buitenland opgelopen. Toch moet je het risico niet onderschatten, zegt Hans Dannenberg van de NVWA. 'Nederland is al bijna tien jaar Trichinella-vrij, maar in bijvoorbeeld Oost-Europa komt het veel voor. Daarom onderzoeken we van elk wild zwijn een monster op de parasiet.'

Welk wild is diervriendelijker?
Marlies Kolthof, communicatiemanager van de Koninklijke Nederlandse Jagers Vereniging: 'Vrij wild is diervriendelijker dan kweekwild. Het heeft in vrijheid kunnen leven, zonder kunstmatig voedsel of antibiotica. Sommige mensen hebben er moeite mee dat wild geschoten is. Maar het leven van een dier is meer dan het moment waarop hij sterft. Bovendien volgen jagers in Nederland een opleiding voor ze mogen jagen. Ze worden getraind om een dier zo kort mogelijk te laten lijden. De meeste dieren zijn in één schot dood. In Nederland geschoten wild is ook duurzamer. Ongeveer 90% van het wild dat we in Nederland eten, is geïmporteerd. Dat vlees moet vele kilometers afleggen om op het bord van de consument te belanden.'
Niels Dorland, woordvoerder van de Dierenbescherming: 'Het is kiezen uit twee kwaden. Gekweekt wild is een intensieve, enigszins verborgen bio-industrie. Konijnen leven op draadgazen vloeren, eenden hebben geen zwemwater en veel dieren hebben veel te weinig bewegingsruimte. Daar tegenover staat dat de jacht voor veel onrust zorgt in de natuur. Het komt te vaak voor dat wild half aangeschoten wordt en verminkt verder leeft. De Dierenbescherming heeft voor vlees een sterrensysteem ontwikkeld: hoe meer sterren, des te diervriendelijker. Dat is een stap in de goede richting. Als consument mag je best rekening houden met het dier. Dat gebeurt bij wild te weinig, of het nu gaat om gekweekt of vrij wild.'

Verwerkt wild

Behalve bouten, biefstukken en filetjes liggen in de supermarktschappen ook allerlei bewerkte producten en schotels met wild erin. Sommige producten, zoals de chipolataworstjes en miniburgers van Albert Heijn, bevatten ook varkensvlees. Dat is toegestaan, zolang het vreemde vlees maar op het etiket is vermeld.
Niet iedere fabrikant neemt het daarmee even nauw, blijkt uit jaarlijks onderzoek van de NVWA. De samenstelling van het product komt soms slechts gedeeltelijk overeen met die op het etiket. Zoals een 'spuitzak van eend en ganzenlever', die ook kip- en varkensvlees bevatte en een 'wildsoep van haas en hert', waar ook varkensvlees in zat. Bij dit soort gerechten is het te hopen dat er geen echte wildkenner bij je aan tafel zit.

VRIJE TIJD & VERVOER

Auto-ecotest

Consumentengids februari 2012

Fabrikanten vermelden in advertenties en folders het brandstofverbruik en de CO_2-uitstoot van hun auto's. Ze willen goed voor de dag komen met mooie cijfers, maar hoe realistisch zijn die? De gegevens van de fabrikanten zeggen voornamelijk iets over hoe zuinig een auto is. Of een auto ook schoon is, hangt af van de uitstoot van schadelijke gassen.
In de EcoTest, uitgevoerd door de ADAC ('de Duitse ANWB'), wordt zowel de uitstoot van schadelijke stoffen als het (meer realistische) verbruik gemeten. De metingen leiden tot een oordeel dat de milieubelasting van de auto aangeeft. De cijfers van de fabrikanten zijn gebaseerd op metingen voor de typegoedkeuring. Die staan vrij ver af van de praktijk van het autorijden. In de ADAC-rollenbankmeting zitten niet alleen een stadsrit en een tamme rit over de buitenweg, maar ook een snelweggedeelte. Verder wordt er op de snelweg feller (lees: waarheidsgetrouwer) geaccelereerd, staat de verlichting aan en is de airco gedeeltelijk ingeschakeld. Het EcoTestverbruik ligt daarom dichter bij het praktijkverbruik dan de typegoedkeuringswaarden uit de advertenties, vooral voor kleine auto's.

Strengere normen

De score voor uitstoot van schadelijke stoffen is in de EcoTest gebaseerd op de uitstoot van onverbrande koolwaterstoffen (HC), stikstofoxiden (NO_x), koolmonoxide (CO) en roet (bij diesels). Bij nieuwe auto's worden de maximaal toelaatbare waarden steeds verder verlaagd. Deze eisen zijn vastgelegd in de Euronormen. Op dit moment moeten nieuwe auto's voldoen aan de Euro 5-norm. Zo mag een dieselauto per kilometer maximaal 500 mg koolmonoxide uitstoten en 5 mg roetdeeltjes.
Medio 2014 gaat de strengere Euro 6-norm gelden. Dan wordt vooral de uitstoot van stikstofoxiden aan banden gelegd. Er zijn op dit moment al fabrikanten met modellen die aan de Euro 6-norm voldoen en dus op de

Uitstoot en verbruik

Merk & Type	Klasse	Cilinderinhoud (l)/ vermogen (kW)	Motor	EcoTestoordeel		Schadelijke stoffen	Uitstoot CO_2	Brandstofverbruik in test (1 op ... km)	Opgegeven verbruik (1 op ... km)	Verbruiks-verschil (%)
Minst milieubelastende										
Toyota Auris 1.8 Hybrid	4	1.8/100	hybride	★★★★★	(94)	++	+	22,7	25,0	10
Lexus CT 200h aut.	4	1.8/100	hybride	★★★★★	(94)	++	+	22,4	25,2	12
BMW 520d EfficientDynamics Edition	6	2.0/135	diesel	★★★★★	(93)	+	++	20,0	22,2	11
Skoda Superb Combi 1.6 TDI Greenline	6	1.6/77	diesel	★★★★★	(93)	+	++	20,4	22,7	11
BMW 320d EfficientDynamics Edition	5	2.0/120	diesel	★★★★★	(92)	++	++	22,7	24,4	7
Toyota Prius 1.8 Hybrid	4	1.8/100	hybride	★★★★★	(92)	++	+	21,7	25,6	18
Audi A6 Avant 2.0 TDI	6	2.0/130	diesel	★★★★★	(91)	+	++	18,5	20,0	8
Honda Insight 1.3 Hybrid	4	1.3/72	hybride	★★★★★	(91)	++	+	21,7	22,7	5
Toyota Prius 1.8 Plug-In Hybrid	4	1.8/100	hybride	★★★★★	(91)	++	+	21,7	40,0	84
Mercedes-Benz S 250 CDI BlueEfficiency aut.	7	2.1/150	diesel	★★★★★	(90)	+	++	15,7	17,5	12
Volkswagen Passat 1.6 TDI BlueMotiona	5	1.6/77	diesel	★★★★★	(90)	+	++	22,2	24,4	10
Bestverkochte										
Volkswagen Golf 1.6 TDI BlueMotion	4	1.6/77	diesel	★★★★	(86)	+	+	24,4	26,3	8
Peugeot 508 SW e-HDi 110 EGS6 Stop&Start	5	1.6/82	diesel	★★★★	(85)	+	+	20,0	22,2	11
Volkswagen Golf 1.2 TSI BlueMotion Techn.	4	1.2/77	benzine	★★★★	(85)	++	+	18,5	19,2	4
Volkswagen Passat 1.8 TSI	5	1.8/118	benzine	★★★★	(84)	++	□	14,9	14,9	0
Skoda Octavia 1.6 TDI	5	1.6/77	diesel	★★★★	(83)	+	+	20,0	22,2	11
Volkswagen Polo 1.2 TDI BlueMotion 87g	3	1.2/55	diesel	★★★★	(83)	+	+	26,3	30,3	15
Peugeot 508 SW 155 THP	5	1.6/115	benzine	★★★★	(82)	++	□	14,5	15,6	8
Skoda Octavia Combi 1.4 TSI DSG (7-traps)	5	1.4/90	benzine	★★★★	(81)	++	□	14,5	15,9	10
Ford Focus 2.0 TDCi	4	2.0/120	diesel	★★★★	(80)	+	+	20,8	20,0	-4
Ford Focus SW 1.6 EcoBoost	4	1.6/110	benzine	★★★★	(80)	++	□	16,4	16,7	2
Opel Astra Sports Tourer 1.7 CDTI	4	1.7/92	diesel	★★★★	(78)	+	+	20,0	22,2	11
Kia Picanto 1.0 EcoDynamics (op LPG)	2	1.0/60	LPG	★★★★	(76)	++	□	14,9	17,2	16
Citroën C3 HDi 90	3	1.6/68	diesel	★★★★	(75)	+	□	21,7	25,0	15
Opel Astra 1.4 Turbo	4	1.4/103	benzine	★★★★	(75)	++	□	15,4	16,9	10
Suzuki Swift 1.2	3	1.2/69	benzine	★★★★	(75)	++	□	17,2	20,4	18
Toyota Auris 1.4 D-4D	4	1.4/66	diesel	★★★★	(75)	+	□	18,5	20,8	13
Kia Sportage 1.6 GDI 2WD	5	1.6/99	benzine	★★★★	(74)	+	□	13,3	14,9	12
Skoda Fabia 1.2 TSI	3	1.2/77	benzine	★★★★	(73)	++	□	16,9	18,9	11
Volkswagen Polo 1.2 TSI	3	1.2/77	benzine	★★★★	(73)	++	□	17,2	18,9	9

Merk & Type	Klasse	Cilinderinhoud (l)/ vermogen (kW)	Motor	EcoTestoordeel	Schadelijke stoffen	Uitstoot CO_2	Brandstofverbruik in test (1 op ... km)	Opgegeven verbruik (1 op ... km)	Verbruiks-verschil (%)
Fiat 500 1.2 8V	2	1.2/51	benzine	★★★★ (72)	++	–	19,6	19,6	0
Opel Corsa 1.4	3	1.4/64	benzine	★★★★ (72)	++	–	16,1	17,5	9
Seat Ibiza ST 1.6 TDI	3	1.6/77	diesel	★★★★ (71)	+	□	21,3	23,8	12
Fiat Punto EVO 1.3 JTD 16V Start&Stop	3	1.2/70	diesel	★★★★ (70)	+	□	21,7	23,8	10
Ford Fiesta 1.25	3	1.2/60	benzine	★★★★ (70)	++	–	16,7	17,9	7
Skoda Fabia Combi 1.6 TDI	3	1.6/77	diesel	★★★★ (70)	+	□	20,4	23,8	17
Citroën C3 VTi 95	3	1.4/70	benzine	★★★ (69)	++	–	16,4	17,2	5
Fiat 500C TwinAir	2	0.9/63	benzine	★★★ (68)	+	□	19,2	24,4	27
Suzuki Alto 1.0	2	1.0/50	benzine	★★★ (68)	+	–	19,2	22,7	18
Fiat Punto EVO 1.4 Turbo Start&Stop	3	1.4/99	benzine	★★★ (67)	+	–	15,9	17,9	13
Kia Sportage 2.0 CRDi 2WD	5	2.0/100	diesel	★★★ (66)	□	□	15,9	16,9	7
Seat Ibiza SC 1.4 TSI DSG (7-traps)	3	1.4/132	benzine	★★★ (65)	++	–	15,2	15,6	3
Chevrolet Spark 1.0	2	1.0/50	benzine	★★★ (61)	++	–	16,4	19,6	20
Renault Twingo 1.2 LEV 16V 75	2	1.1/55	benzine	★★★ (61)	++	–	16,4	20,0	22
Hyundai i10 1.1	2	1.1/51	benzine	★★★ (58)	+	––	15,9	21,3	34

++ Zeer goed + Goed □ Redelijk – Matig –– Slecht

Klasse-indeling

1 Kleine stadsauto
2 Stadsauto
3 Compacte auto
4 Kleine middenklasse
5 Middenklasse
6 Grote middenklasse
7 Luxeauto

EcoTestoordeel

Het EcoTestoordeel bestaat uit het aantal ecosterren met tussen haakjes het totaal van de oordelen voor schadelijke uitstoot en CO_2-uitstoot. Vanaf 90 punten krijgt de auto 5 sterren, vanaf 70 punten 4 sterren enzovoort.

Brandstofverbruik

Het tijdens de test gemeten verbruik van benzine of diesel is vermeld als '1 liter op ... km'. Dan volgt het door de fabrikant opgegeven verbruik en het verschil tussen die twee in procenten.

CO_2-uitstoot

In plaats van het brandstofverbruik wordt binnen de EU de CO_2-uitstoot steeds maatgevender voor fiscale maatregelen. De EU eist dat de gemiddelde CO_2-uitstoot in de toekomst omlaaggaat naar 130 g/km.
De CO_2-uitstoot en het verbruik zijn natuurkundig aan elkaar gekoppeld: hoe hoger het verbruik, hoe hoger de CO_2-uitstoot. De omrekenfactoren zijn 23,7 voor benzinemotoren en 26,5 voor dieselmotoren.
Een voorbeeld. In de folder van de Toyota Aygo 1.0 staat een CO_2-uitstoot van 106 gram per kilometer. Het is een benzinemotor, dus het verbruik is 106/23,7 = 4,5 l/100 km. Omrekenen naar '1 op...' gaat via 100/4,5 = 22,4.
Deze omrekening gaat niet bij alle motoren op. Bijvoorbeeld de TwinAir-motoren van Fiat stoten minder CO_2 uit dan het verbruik doet vermoeden. Het verbrandingsproces wijkt af van normale benzinemotoren en daardoor stoot hij meer andere vervuilende stoffen uit.

wetgeving vooruitlopen, zoals enkele modellen van Audi en de BlueTEC-motorversies van Mercedes-Benz.
Door de kooldioxide-uitstoot (CO_2) te meten, kan worden berekend wat het brandstofverbruik is. In principe verbruiken grotere, zwaardere auto's meer brandstof dan kleinere auto's en zijn ze dus niet vergelijkbaar.
Na de test worden oordelen gegeven voor de uitstoot van CO_2 en schadelijke stoffen. De relatieve beoordeling van de CO_2-uitstoot leidt ertoe dat niet alleen de allerkleinste zuinigheidswondertjes hier goed scoren, maar dat ook de grotere auto's een hoge score kunnen krijgen.
Bij elke auto in de tabel 'Uitstoot en verbruik' is de klasse vermeld. Uit deze scores (punten) volgt een sterrenbeoordeling. Vanaf 90 punten haalt een auto 5 sterren, vanaf 70 punten 4 sterren enzovoort.
Op www.consumentenbond.nl/ecotest staan inmiddels van 1100 auto's de oordelen. Voor de tabel is een selectie gemaakt van auto's die vijf sterren hebben gehaald en nu nog in de showroom staan. Dat lijstje wordt in de loop der jaren steeds langer.

Hybrides aan kop

De eerste positie wordt gedeeld door de Toyota Auris Hybrid en zijn luxere broertje, de Lexus CT 200h. Voor schadelijke uitstoot halen ze de maximumscore. Door het lage gemeten verbruik van bijna 1 op 23 doen ze het ook op CO_2-uitstoot goed. Dit resulteert in een totaalscore van 94 punten.

De gedeelde tweede plaats gaat naar de BMW 520d EfficientDynamics Edition en de Skoda Superb Combi 1.6 TDI Greenline. Al zijn deze diesels uitgerust met een roetfilter, toch kan de uitstoot van schadelijke stoffen beter. Op verbruik doen ze het wel zeer goed. Met een testverbruik van 1 op 20 – dat is voor deze relatief grote stationwagons erg zuinig – halen ze 93 punten.
Op drie opnieuw een (gedeelde) plaats voor een BMW: de 3-serie. Met dezelfde 2-liter EfficientDynamics Edition-dieselmotor als de 520d scoort de 320d op zowel schadelijke stoffen als verbruik (met bijna 1 op 23) zeer goed. Het totaal is 92 punten. De Toyota Prius heeft ook 92 punten. Op schadelijke stoffen scoort hij maximaal. Met een verbruik van 1 op 22 doet de Prius het iets slechter dan de bovenste twee van de tabel, die dezelfde techniek hebben. Dan zijn er nog vijf auto's met 91 of 90 punten. Volkswagen en Mercedes-Benz krijgen in deze groep een pluim voor de Passat 1.6 BlueMotion-diesel respectievelijk de S-klasse. Dat is een limousine met een relatief kleine 2,1-liter viercilinder dieselmotor. Het testverbruik van 1 op 16 is absoluut gezien niet spectaculair, maar wel voor deze klasse.

Uitschieters

In de tabel staan verder de hoogstscorende motorvarianten van de bestverkopende auto's die de EcoTest hebben ondergaan. Vooral de nieuwe Twin-Air-motor van Fiat, het tweecilindertje dat een heel laag verbruik belooft, valt redelijk door de mand. In plaats van 1 op 24,4 verbruikt hij 1 op 19,2; dat is 27% meer. Ook zijn relatief grote uitstoot van koolmonoxide draagt bij aan de lage score. Een andere negatieve uitschieter is de Hyundai i10 1.1 met een meerverbruik van 34%.
Gelukkig zitten er ook auto's aan de andere kant van het spectrum. Zo

Bijladen telt ook mee

Fabrikant Toyota beweert dat de Prius Plug-in, een van de eerste geteste stopcontacthybrides, een verbruik heeft van 1 op 40; in de test was het 1 op 29,4. Maar met de CO_2-uitstoot van het elektrisch opladen meegerekend, stijgt het verbruik uiteindelijk naar 1 op 21.
De oorzaak is dat Toyota niet het bijladen van de accu meetelt, wat uiteraard in de EcoTest wel gebeurt. Plug-inhybrides, zoals deze Prius Plug-in, en elektroauto's met *range extender*, zoals de Opel Ampera, halen hun energie uit het lichtnet en de brandstoftank.

zijn er zelfs goedverkopende auto's die in de test minder verbruiken dan de fabrieksopgave. De Ford Focus 2.0 TDCi haalt in totaal 80 punten. De Focus zou volgens fabrieksopgave 1 op 20 rijden, in de test is dat 1 op 21. De Fiat 500 1.2 en VW Passat 1.8 TSI verbruiken in de test evenveel als de fabrieksopgave.

IN DETAIL

Benzine

De BMW 520i Touring-automaat haalt in de EcoTest van de ADAC 88 punten. Met een CO_2-uitstoot van 156 g/km, omgerekend 1 op 14, is hij vrij zuinig voor een grote auto met benzinemotor. Ook de uitstoot van schadelijke stoffen is erg laag.

Diesel

De Skoda Superb Combi Greenline heeft met zijn 1,6-liter TDI-dieselmotor een fantastisch laag verbruik en stoot opvallend weinig schadelijke stoffen uit. De fabrikant belooft 1 op 23, in de test komt hij uit op 1 op 20,4; een meerverbruik van 11%. De totaalscore is 93 punten.

LPG

De Kia Picanto 1.0 is de schoonste benzineauto met standaard LPG-installatie. Hij staat wat lager in de tabel en scoort 76 punten. Met 1 op 15 is hij niet extreem zuinig voor een auto van dit formaat, maar de score voor CO_2-uitstoot valt mee.

Hybride

Toyota en zijn luxedivisie Lexus hebben met de Auris Full Hybrid respectievelijk CT 200h de hoogstscorende auto's met maar liefst 94 punten, door een testverbruik van bijna 1 op 23 en een onmeetbaar geringe uitstoot van schadelijke stoffen.

Zie ook het dossier *Ecotest* op www.consumentenbond.nl.

Autobanden: vierseizoenen en winter

Consumentengids november 2011

Het bekende misverstand over winterbanden is dat ze alleen bij temperaturen onder nul en op een glad wegdek beter rijden dan zomerbanden. Elk jaar blijkt uit de test dat winterbanden het niet alleen op besneeuwde wegen en op ijs, maar ook op natte en droge wegen bij temperaturen tot enkele graden boven het vriespunt beter doen dan zomerbanden.
Op het eerste gezicht lijken winterbanden een hele investering, maar in de praktijk valt dat mee. Je gebruikt immers twee sets banden elk steeds een halfjaar. Als je ze in bewaring geeft bij het bedrijf dat de banden monteert, kun je volstaan met één set velgen. De meeste banden worden daar namelijk zonder velg opgeslagen.
Het voordeel van twee sets velgen is dat de (de)montage van de zomer- en winterset en het vooraf balanceren van de band-velgcombinatie niet meer nodig zijn. Er is bovendien minder kans op beschadiging van de band als hij niet steeds van de velg gehaald en gemonteerd hoeft te worden. Je hebt natuurlijk wel de meerkosten van een extra set velgen; die bedragen zo'n €200 tot €300. De meeste automobilisten laten de zomerbanden rond fraaie lichtmetalen velgen monteren en de winterbanden op reguliere stalen velgen; die zijn goedkoper en beter bestand tegen weersinvloeden en pekel.

Thuis opslaan

Zorg bij thuisopslag dat de banden op een donkere, koele en droge (motorolie en bandenrubber zijn geen vrienden) plek liggen. Banden zonder velg kun je het best loodrecht staand bewaren. Draai ze om de paar weken een kwartslag, zodat er geen platte vlakken ontstaan.
Rijd voor de banden eraf gaan langs het tankstation en breng ze op een spanning van 0,5 bar boven de fabrieksopgave. Dan kunnen ze tijdens de zomer- of winterslaap een beetje lucht verliezen. Markeer de banden met de codes LV, LA, RV en RA, voor linksvoor, linksachter enzovoort. Kijk ze na op beschadigingen en scheuren. Vervang een beschadigd exemplaar direct.

In het bandenhotel

Is thuis opslaan geen optie, dan kun je terecht in een 'bandenhotel'. De grootste staan in Barneveld (van bandenleverancier Continental) en Etten-Leur (van autoserviceketen Kwik-Fit). In Etten-Leur heeft Kwik-Fit zo'n 240.000 banden opgeslagen.

Marketingmanager Arjan van der Meer: 'Consumenten kunnen online (www.kwik-fit.nl) een afspraak maken voor een bandenwissel en de opslag van de winter- of zomerset. De meeste klanten laten de banden zonder velg opslaan. Dat kost €100 per jaar voor vier banden. Ze zijn bij ons verzekerd en de bandenwissel hoeft niet altijd op hetzelfde servicestation te gebeuren.'
Naast de tarieven voor opslag en (de)montage is de verzekeringsvorm van een bandenhotel belangrijk. Bij een primaire verzekering zijn de banden tijdens de opslag door het bedrijf verzekerd, zoals bij Kwik-Fit. Bij een secundaire verzekering vraagt het bedrijf de automobilist om schade (bijvoorbeeld door brand) te claimen bij zijn verzekeraar.
Over het algemeen kost de opslag en het tweemaal wisselen van de bandensets per jaar zo'n €100 tot €200, zo blijkt uit onze prijspeiling. Er zijn ook tarieven aangetroffen van €25 tot €50 per jaar voor opslag en €30 tot €85 per keer voor het wisselen.

Twee maten

De Consumentenbond heeft, naast de reguliere winterbanden in twee breedtematen, vierseizoenenbanden getest. De maat 175/65 R14T (zie het kader 'Bandenmaten uitgelegd') zit onder populaire kleine en compacte auto's als de Ford Fiesta, Peugeot 206, Renault Clio en Toyota Yaris.
De 20 millimeter bredere 195/65 R15T is bijvoorbeeld standaard gemonteerd onder de (kleine) middenklassers Audi A3 en A4, BMW 3-serie, Ford Focus, Opel Astra, Volkswagen Golf en Volvo V50.
In de 175-groep zijn 13 banden getest; zie de tabel 'Winterbanden' voor de resultaten. Alle banden hebben de hogesnelheidsproef goed doorstaan; dit testonderdeel staat niet in de tabel. Opvallend zijn de testresultaten van

Bandenmaten uitgelegd

Er zijn veel verschillende uitvoeringen en maten van banden. Welke maat nodig is, hangt af van het type auto. De betekenis van de bandenmaat 195/65 R15 T is:

- 195 is de breedte van de band in millimeters;
- het getal 65 heeft betrekking op de hoogte. Deze is 65% van de breedte van de band (in dit geval 0,65 x 195 = 127 millimeter);
- de R staat voor radiaal;
- 15 is de diameter van de velg in inches (1 inch = 25,4 mm, dus 15 inch = 381 mm);
- T betekent geschikt voor een snelheid tot 190 km/u.

Winterbanden

		Merk & Type	Richtprijs	Testoordeel	Op droge weg	Op natte weg	Op sneeuw	Op ijs	Slijtvastheid	Rolweerstand (brandstofverbruik)	Geluid	Pak's
175/65 R14 T												
■	1.	**Continental** WinterContact TS800	€80	**7,1**	+	+	+	+	+	++	□	++
▶	2.	**Michelin** Alpin A4	€85	**6,9**	+	+	+	+	++	+	–	++
	3.	**Dunlop** SP Winter Response	€85	**6,5**	+	+	+	+	+	+	□	++
	4.	**Maloya** Davos	€80	**6,1**	+	□	□	+	+	+	–	++
	5.	**Vredestein** Snowtrac 3	€80	**6,0**	+	□	□	+	++	+	□	++
	6.	**Uniroyal** MS plus 6	€70	**5,9**	□	+	□	+	+	+	□	++
	7.	**Goodyear** UltraGrip 8	€85	**5,9**	+	+	□	+	++	+	□	++
	8.	**Sava** Eskimo S3 +	€60	**5,8**	+	□	□	+	+	+	□	+
	9.	**Semperit** Master-Grip	€70	**5,8**	□	+	+	+	+	+	□	++
	10.	**Pirelli** Winter 190 Snowcontrol 3	€85	**5,5**	□	+	+	+	□	+	–	++
	11.	**Firestone** Winterhawk 2 Evo	€70	**5,4**	+	□	+	□	+	+	□	+
	12.	**Formula** Winter	€60	**5,0**	□	□	□	□	+	+	□	+
	13.	**Falken** Eurowinter HS439	€70	**3,3**	+	□	–	+	□	+	□	+
195/65 R15 T												
■	1.	**Continental** WinterContact TS830	€85	**7,1**	+	+	+	+	+	+	□	++
■	2.	**Goodyear** UltraGrip 8	€90	**7,0**	+	+	+	+	+	+	□	++
	3.	**Semperit** Speed-Grip 2	€80	**6,9**	+	+	+	+	+	++	□	+
	4.	**Dunlop** SP Winter Sport 4D	€90	**6,9**	+	+	+	+	+	+	□	+
▶	5.	**Michelin** Alpin A4	€90	**6,8**	+	+	+	+	++	+	□	++
	6.	**Pirelli** Winter 190 Snowcontrol 3	€90	**6,7**	+	+	+	+	+	+	□	+
	7.	**Nokian** WR D3	€85	**6,2**	+	□	+	+	+	+	□	□
	8.	**Vredestein** Snowtrac 3	€85	**6,2**	□	□	+	+	+	+	□	+
	9.	**Barum** Polaris 3	€80	**5,9**	+	□	+	+	+	+	□	+
	10.	**Kumho** I'Zen KW23	€90	**5,8**	+	□	+	+	□	+	–	++
	11.	**Fulda** Kristall Montero 3	€80	**5,7**	□	□	+	+	+	+	□	++
	12.	**Bridgestone** Blizzak LM-32	€85	**5,3**	+	□	+	□	+	+	□	+
	13.	**Kleber** Krisalp HP2	€80	**4,9**	+	□	+	+	++	+	–	++
	14.	**GT Radial** Champiro WinterPro	€80	**4,8**	□	□	□	+	+	+	□	++
	15.	**Falken** Eurowinter HS439	€80	**4,2**	+	□	–	+	□	+	□	+
▼	16.	**Trayal** Arctica	€70	**1,0**	––	––	□	□	++	□	–	+

++ Zeer goed + Goed □ Redelijk – Matig –– Slecht ■ Beste uit de test ▶ Beste koop ▼ Afrader

Het Testoordeel is opgebouwd uit suboordelen die voor de volgende percentages meetellen: op natte weg (rijgedrag, remmen, aquaplaning, cirkelbaan) 30%, op droge weg (stuurrespons, uitwijken en remmen) 15%, op sneeuw (remmen, grip en accelereren) 20%, op ijs (remmen en grip) 10%, slijtvastheid 10%, rolweerstand 10% en geluid binnen/buiten auto 5%.

de Falken Eurowinter HS439. Deze band blijft duidelijk achter op een besneeuwd en in mindere mate op een nat wegdek.
In de 195-groep zijn 16 banden getest, waarbij de Trayal Arctica negatief opvalt; zie het kader 'In detail'.
De Beste kopen zijn gebaseerd op de slijtvastheid en de prijs. Beide gegevens leiden tot een soort 'prijs per kilometer' en de banden met de laagste kilometerprijs krijgen het predicaat Beste koop.

Vierseizoenenband

Naast de 13 winterbanden zijn 6 vierseizoenenbanden (*all season*-banden) getest in de 175-groep. Geen van deze banden doet het goed op sneeuw en ijs. Onder zomerse omstandigheden zijn de testresultaten op een natte en droge weg van de meeste van deze banden ook niet beter dan redelijk; zie de tabel 'Vierseizoenenbanden'.
Op basis hiervan blijft de Consumentenbond adviseren om voor winterbanden te kiezen. Alleen als je jaarlijks weinig kilometers rijdt en de auto kunt laten staan bij echt winterse omstandigheden, is de aanschaf van vierseizoenenbanden te overwegen.

Verplicht of niet?

In veel Europese (wintersport)landen zijn winterbanden wettelijk verplicht, in Nederland nog niet. Bijvoorbeeld in Duitsland, Frankrijk, Italië, Luxemburg, Oostenrijk en Zwitserland loop je zonder winterbanden de kans een boete te krijgen en kun je bij een verkeersongeval buiten je schuld toch medeaansprakelijk worden gesteld. Bij 'grove nalatigheid' kan de verzekeraar weigeren de kosten te vergoeden.

Vierseizoenenbanden

	Merk & Type	Richtprijs	Testoordeel	Op droge weg	Op natte weg	Op sneeuw	Op ijs	Slijtvastheid	Rolweerstand (brandstofverbruik)	Geluid	Pak's
175/65 R14 T											
1.	**Goodyear** Vector 4Seasons	€85	**5,0**	□	□	□	□	++	+	□	++
2.	**Barum** Quartaris	€70	**4,9**	□	□	□	□	+	+	–	+
3.	**Sava** Adapto	€70	**4,4**	□	□	–	□	+	++	–	++
4.	**Kleber** Quadraxer	€75	**4,0**	□	–	□	□	++	+	–	++
5.	**Hankook** Optimo 4S H730	€75	**3,5**	□	□	–	□	+	+	□	+
6.	**Vredestein** Quatrac 3	€80	**3,0**	+	□	–	□	++	+	–	+

IN DETAIL

Continental WinterContact TS800/TS830 (Beste uit de test)
(175-groep/195-groep)
Prijs: €80/€85
Testoordeel: 7,1/7,1
In beide groepen banden is de Continental WinterContact Beste uit de test. Hij scoort op alle voor de veiligheid relevante aspecten goed en hij haalt in beide maten de hoogste scores in de sneeuw en voor rolweerstand.

Goodyear UltraGrip 8 (Beste uit de test)
(195-groep)
Prijs: €90
Testoordeel: 7,0
Net als de Continentalband is de Goodyear UltraGrip 8 in de 195-groep Beste uit de test, omdat hij op alle aspecten die voor de veiligheid belangrijk zijn, goed scoort. Daarnaast doet hij het uitstekend op een nat wegdek.

Michelin Alpin A4 (Beste koop)
(175-groep/195-groep)
Prijs: €85/€90
Testoordeel: 6,9/6,8
De Michelin Alpin A4 is Beste koop in beide maten, omdat hij goede scores op alle veiligheidsaspecten combineert met de hoogste score voor slijtvastheid. Dit laatste betekent de laagste prijs per kilometer van de goedscorende banden, ondanks de iets hogere aanschafprijs.

Trayal Arctica (Afrader)
(195-groep)
Prijs: €70
Testoordeel: 1,0
De Trayal Arctica, een band van Servische makelij, heeft kleine tekortkomingen op sneeuw en ijs. Maar de bedroevende testresultaten op een droge en zeker op een natte weg worden de Trayal Arctica veel sterker aangerekend. Ze leiden tot een Testoordeel van 1,0. Daarmee is deze band een regelrechte afrader.

Zie ook het dossier *Autobanden* op www.consumentenbond.nl.

Autobanden: zomer

Consumentengids maart 2012

Dat de geteste zomerbanden het op een nat wegdek beter doen dan bij eerdere tests, kan te maken hebben met de introductie van het Europese bandenlabel in november 2012. Dit label moet de consument informatie geven over de grip op een natte weg, het geluid dat de band produceert en de rolweerstand. Het laatstgenoemde aspect heeft veel invloed op het brandstofverbruik en dus de CO_2-uitstoot. De Consumentenbond vindt het een goede zaak dat het label wordt ingevoerd, maar plaatst wel wat kanttekeningen.
Op het label worden de drie aspecten apart vermeld. Dat is moeilijk te interpreteren, omdat er geen totaaloordeel is. Verder vinden wij dat brandstofbesparing niet ten koste mag gaan van veiligheid. In principe geldt: hoe lager de rolweerstand, des te minder goed de wegligging op een nat wegdek is. In de door Europese consumentenorganisaties en automobielclubs uitgevoerde test worden de banden op veel meer aspecten beoordeeld, onder andere het rijden op een droge weg en de slijtvastheid.
Diverse bandenfabrikanten lijken de aandacht nu meer op de grip op een natte weg te richten en dat kan ten koste gaan van de slijtvastheid. Een goede slijtvastheid is namelijk lastig te combineren met een goede grip op een natte weg. Een goed voorbeeld hiervan is de Infinity, die van de geteste banden het meest slijtvast is, maar ook de enige is die het slecht doet op een natte weg.

Populaire maten

Jaarlijks testen we autobanden in twee maten. Deze keer gaat het om de 165/70 R14T en 205/55 R16V (zie het kader 'Snelheidsindex').

Snelheidsindex

Onder elke auto moeten banden zitten die de maximumsnelheid van de auto aankunnen. De snelheidsindex geeft met een letter de maximale snelheid weer die een band kan hebben; in deze test een T of een V.
Er wordt getest of de band zware belasting en hoge snelheden kan doorstaan. Het gaat in deze test om snelheden boven het aangegeven maximum (200 km/u voor de T-banden en 250 km/u voor de V-banden). Alle banden doorstonden deze proef, waarbij onze normen strenger zijn dan de officiële Europese.

Het type auto bepaalt de maat van de band. Grotere en snellere auto's hebben bredere banden dan kleinere en lichtere auto's.
De 165 millimeter brede band is vaak gemonteerd onder kleine en compacte auto's, zoals de Citroën C3, Fiat Panda, Renault Kangoo, Toyota Yaris en de Volkswagen Polo.
De 205 millimeter brede band is een van de meest verkochte voor (kleine) middenklassers, zoals de Audi A3, Ford Focus, Mercedes C-Klasse, Opel Astra en de Volkswagen Golf.

13 meter meer

Op een droge weg doen de 165/70 R14T-banden het over het algemeen prima, op een natte weg iets minder. De Infinity INF-030 haalt op een nat wegdek een slechte score en krijgt daardoor het predicaat Afrader. Volgens de fabrikant wordt de band niet meer geproduceerd, maar bij internetwinkels troffen we hem nog wel aan.
In de top-5 staan Continental, Michelin, Pirelli, Apollo en Barum. Ze scoren goed op alle aspecten die van belang zijn voor de veiligheid. Opvallend zijn de Continental- en Michelinbanden 165/70, die heel verschillende testresultaten hebben ten opzichte van de vorige test. De Continental is slijtvaster en heeft een lager brandstofverbruik. De Michelin is nu op een nat wegdek de beste, terwijl de slijtvastheid niet beter is dan die van veel andere banden. De Continental is erg slijtvast: hij gaat zo'n 20% langer mee dan Michelin. Ook qua rolweerstand en dus brandstofverbruik is de Continental de beste: hij verbruikt in de test ongeveer 0,15 liter per 100 km minder dan de Michelin. De slechte beoordeling van de Infinity wordt onder andere veroorzaakt door de slechte resultaten bij remmen op een natte weg. Een auto met deze banden heeft bij een snelheid van 80 km per uur 13 meter meer nodig dan een auto met de best remmende band, de Pirelli. Als de auto met Pirellibanden al stilstaat, heeft de auto met Infinitybanden nog een snelheid van 45 km per uur.

Brandstofverbruik bijna gelijk

Alle banden in de maat 205/55 R16V scoren redelijk of goed op een natte weg. Dat gaat bij diverse banden ten koste van de slijtvastheid, waaraan het Europese bandenlabel geen eisen stelt. Vier banden zijn minder slijtvast en krijgen daardoor een wat lager Testoordeel.
De banden van Continental, Dunlop, Goodyear, Bridgestone en Semperit doen het prima op alle belangrijke aspecten: rijden op een natte en droge weg, rolweerstand en slijtvastheid.

Zomerbanden

		Merk & Type	Richtprijs	Testoordeel	Op een droge weg	Op een natte weg	Geluid	Rolweerstand (brandstofverbruik)	Slijtvastheid
	Weging voor Testoordeel				20%	40%	10%	10%	20%
	Bandenmaat 165/70 R14 T								
▶ ■	1.	**Continental** ContiEcoContact 5	€85	**7,4**	++	+	+	++	++
■	2.	**Michelin** Energy Saver	€85	**7,2**	+	+	□	+	+
■	3.	**Pirelli** Cinturato P1	€80	**7,0**	++	+	□	+	+
	4.	**Apollo** Amazer 3G Maxx	€70	**6,8**	+	+	–	+	+
	5.	**Barum** Brillantis 2	€70	**6,6**	+	+	□	+	+
	6.	**Hankook** Kinergy Eco K425	€70	**6,3**	+	□	□	+	+
	7.	**Firestone** Multihawk	€70	**6,1**	+	□	□	+	+
	8.	**Dunlop** SP Street Response	€75	**6,1**	+	□	□	+	+
	9.	**Goodyear** DuraGrip	€75	**5,9**	++	□	□	+	++
	10.	**Yokohama** BluEarth	€80	**5,9**	++	+	□	+	□
	11.	**Fulda** EcoControl	€75	**5,5**	+	□	□	+	++
	12.	**Kumho** Solus KH 17	€75	**5,5**	+	+	□	+	□
	13.	**GT Radial** Champiro Eco	€65	**5,2**	+	□	□	+	+
	14.	**Semperit** Comfort-Life 2	€75	**5,0**	+	+	□	+	□
▼	15.	**Infinity** INF-030	€60	**1,5**	+	––	–	+	++
	Bandenmaat 205/55 R16 V								
▶ ■	1.	**Goodyear** OptiGrip	€105	**7,2**	+	+	□	+	++
■	2.	**Continental** ContiPremiumContact 5	€120	**7,2**	++	+	□	+	+
■	3.	**Dunlop** SP Sport FastResponse	€110	**7,1**	++	+	□	+	++
	4.	**Bridgestone** Turanza T001	€115	**6,9**	++	+	□	+	+
	5.	**Semperit** Speed-Life	€100	**6,8**	+	+	□	+	+
	6.	**Maloya** Lugano	€100	**6,3**	+	□	□	+	+
	7.	**Hankook** Kinergy Eco K425	€105	**6,0**	+	□	□	+	+
	8.	**Pirelli** Cinturato P7	€110	**6,0**	+	□	□	+	++
	9.	**Kumho** Ecsta HM KH31	€100	**5,5**	++	□	□	+	□
	10.	**Nokian** V	€100	**5,5**	++	+	□	+	□
	11.	**Uniroyal** RainExpert	€100	**5,5**	+	+	□	+	□
	12.	**Yokohama** C.drive 2	€105	**5,5**	++	+	□	+	□
	13.	**Fulda** EcoControl HP	€110	**5,1**	++	□	□	+	+

++ Zeer goed + Goed □ Redelijk – Matig –– Slecht ■ Beste uit de test ▶ Beste koop ▼ Afrader

Testonderdelen

- Op een natte weg zijn het rij- en remgedrag en de neiging tot aquaplaning getest. Op een droge weg zijn stuurrespons, remmen en uitwijken beoordeeld.
- Het geluid is zowel binnen als buiten de auto gemeten.
- Indien een van de vier oordelen – op een natte weg, op een droge weg, slijtvast-

heid en rolweerstand – lager dan 'goed' is, kan het Testoordeel niet hoger zijn dan de score voor dat suboordeel.

Prijs

- De richtprijs is inclusief balanceren, monteren en ventiel, maar exclusief verwijderingsbijdrage. De prijzen zijn van januari 2012.
- Bij het bepalen van de Beste koop weegt ook het oordeel voor slijtvastheid mee.

Qua brandstofverbruik zijn de verschillen tussen de 13 banden niet groot. Met Pirelli en Hankook verbruikt de auto de minste brandstof, maar het verschil met andere banden is nog geen 6%: minder dan 0,4 liter per 100 km.

Andere maat, ander oordeel

In de ene maat goede testresultaten laten zien, betekent niet automatisch dat banden van hetzelfde merk en type ook in een andere maat goed scoren. De in 2011 geteste Uniroyal RainExpert 175/65 R14T was Beste uit de test en Beste koop, mede door een goede beoordeling voor slijtvastheid. Maar de nu geteste Uniroyal RainExpert 205/55 R16 V heeft een relatief laag Testoordeel door de slechts redelijke beoordeling voor slijtvastheid.
De Michelin Energy Saver 165/70 R14T is nu Beste uit de test, maar de Energy Saver 195/65 R15V kreeg in 2011 een Testoordeel van slechts 5,3, vooral doordat hij het niet zo goed deed op een nat wegdek. De eveneens in 2011 geteste Energy Saver 175/65 R14T deed het wel goed op een nat wegdek en kreeg een 6,9 als Testoordeel.
Merk en type van een band blijken dus geen garantie voor goede testresultaten in alle maten, zeker niet als het om een band uit een andere snelheidscategorie gaat.
De banden die het de laatste jaren slecht doen, zijn niet van de bekende merken, maar veelal van Chinese makelij.

De Beste koop bepalen

De Beste koop wordt normaliter bepaald door het Testoordeel en de aanschafprijs. Maar bij banden is het oordeel voor slijtvastheid medebepalend. Op een nat wegdek slijt een band sneller dan op een droog wegdek en ook de rijstijl van de bestuurder en het soort wegdek spelen een rol, net als de bandenspanning en de omgevingstemperatuur. Daarom is niet exact te voorspellen hoelang een band meegaat. In onze test kunnen we de banden wel vergelijken op slijtvastheid, omdat de omstandigheden gelijk zijn.

IN DETAIL

Continental ContiEcoContact 5 (Beste koop én Beste uit de test)

Maat: 165/70 R14 T

Prijs: €85

Testoordeel: 7,4

De Continental ContiEcoContact 5 is Beste uit de test in de 165-groep, onder meer omdat hij (zeer) goede scores op de weg combineert met het laagste brandstofverbruik. Door een zeer goede slijtvastheid is hij ook Beste koop.

Goodyear OptiGrip (Beste koop én Beste uit de test)

Maat: 205/55 R16 V

Prijs: €105

Testoordeel: 7,2

In de 205-groep krijgt de Goodyear OptiGrip een dubbel predicaat: Beste uit de test én Beste koop. De band doet het goed op een natte en droge weg en zeer goed op slijtvastheid.

Infinity INF-030 (Afrader)

Maat: 165/70 R14 T

Prijs: €60

Testoordeel: 1,5

Opnieuw krijgt een Chinese band het predicaat Afrader door een zeer laag Testoordeel. De Infinity INF-030 schiet ernstig tekort op een natte weg.

Door de aanschafprijs aan de levensduur te koppelen, is een prijs per kilometer berekend, waarop ons predicaat Beste koop is gebaseerd.

Zie ook het dossier *Autobanden* op www.consumentenbond.nl.

Autohuur

Reisgids september 2012

Wat & hoe

Wij vergeleken de prijzen van vijf autoverhuurders (Alamo, Avis, Europcar, Hertz en Sixt) en zes *brokers* (Autoeurope, Autohuren.nu, Car del Mar, Economy Car Rentals, Holidaycars.com en Sunny Cars). We kozen voor de goedkoopste auto die beschikbaar was uit de mini- of economyklasse in Barcelona, Málaga, Nice, Florence, Londen, Split, Alghero en Vancouver. Daarbij keken we uitsluitend naar het prijsverschil tussen huren in de stad, op het station en op de luchthaven. De prijzen gelden voor de week van 22-29 september 2012. Peildata zijn 13 tot en met 16 juni en 14 juli 2012.

Bij vakantievoorbereidingen is de zoektocht naar een leuke camping of een gezellig hotel meestal het belangrijkst. Het vinden van een goede en goedkope auto komt pas daarna. Als je niet te veel wilt uitgeven, is prijzen vergelijken een must, niet alleen tussen de verhuurders onderling, maar ook bij dezelfde verhuurder. Door niet in de stad maar op de luchthaven te huren (of juist andersom), kun je in veel gevallen geld besparen.

Weinig transparant

Uit ons onderzoek naar autohuur in acht steden op twee of drie verschillende locaties – stadskantoren, stations en luchthavens – blijkt dat je de meeste kans op een goedkope huurauto hebt als je hem op de luchthaven ophaalt. Van een luchthaventoeslag is dus lang niet altijd sprake. De luchthaven is in 26 gevallen voordeliger en de stads- en stationskantoren 15 keer. Let wel goed op: het is lang niet altijd duidelijk of een tarief in- of exclusief afkoop eigen risico is. In sommige gevallen verklaart juist dat het verschil in prijs. Transparantie is nog altijd ver te zoeken in de autoverhuurbranche. Steeds meer *brokers* – zij bieden wagens aan van verschillende verhuurbedrijven waaronder ook goedkope lokale – hanteren een all-intarief waarbij het eigen risico volledig is afgekocht, zoals bij Car del Mar, Economy Car Rentals en Sunnycars. Soms valt de dekking van glas- en bandenschade daar echter buiten. Bij bijvoorbeeld Car del Mar moet je die nog extra verzekeren. Bij Autohuren.nu kozen we standaard voor een tarief inclusief schadekostenrestitutieplan, hoewel niet altijd duidelijk is of dit echt nodig is. Uiteraard is het veel rustiger rijden als je weet dat alle risico's zijn afgekocht. Avis

Autoverhuur op luchthavens en in de stad

	Europcar	Avis	Hertz	Sixt	Alamo	Autoeurope	Sunny Cars	Economy Car Rentals	Autohuren.nu	Car del Mar	Holidaycars.com
Locatie	Prijs excl./incl. afkoop eigen risico	Prijs excl./incl. afkoop eigen risico	Prijs excl./incl. afkoop eigen risico	Prijs 1)	Prijs 2)	Prijs/Eigen risico 3)	Prijs 4)	Prijs 4)	Prijs 4)	Prijs 4)	Prijs excl. /incl. eigen risico
Barcelona stad	€142/€251	€126/€167	€135/€386	€191	€155	€124,74/€865	€148	€103	€168	€112	€183/€212
Barcelona luchthaven	€142/€251	€126/€167	**€126/€259**	€206	€155	€124,74/€865	**€145**	€107	€163	**€94**	**€101/€130**
Barcelona station	€142/€251	€126/€167	€135/€268	€206	€155	€124,74/€865	€148	*€103*	*€143*	€112	€183/€212
Málaga stad	€142/€251	nb	nb	nb	€191	€142/€706	€150	€115	€164	€126	€173/€203
Málaga luchthaven	€142/€251	€152/€167	**€126/€259**	€142	€200	**€115/€0**	€150	**€114**	**€163**	**€88**	**€114/€144**
Málaga station	€142/€251	*€126/€167*	€135/€268	nb	€200	€129/€865	nb	€115	*€163*	nb	€173/€203
Nice stad	€249/€340	€209/€232	€187/€270	€209	nb	€250/€0	nb	€196	€234	€219	nb
Nice luchthaven	€249/€340	€209/€232	€210/€293	€257	€242	€223/€850	€245	**€196**	€240	€219	**€212/€242**
Nice station	€249/€340	€209/€232	€210/€293	nb	€242	*€198/€800*	nb	€205	€240	€219	€291/€321
Florence stad	€169/€329	€199/€216	€151/€329	€289	€259	€199/€1029	€227	€131	€184	€187	€189/€218
Florence luchthaven	€189/€350	**€190/€216**	€163/€341	€312	€259	**€140/€1000**	€227	€131	€184	€187	€189/€218
Londen station Victoria	€199/€332	nb	€245/€399	*€133*	€185	€156,33/ €1125	€187	€157	€203	€183	€204/€233
Londen Gatwick	€199/€332	€191/nb	€245/€399	€189	€185	**€118/ €700**	€187	**€120**	**€133**	**€157**	**€189/€219**
Londen stad	€199/€332	€191/nb	€245/€399	nb	€185	€187/ €1110	€187	€275	€229	€187	€204/€233
Split stad	nb	nb	€307/€377	nb	nb	€235/€600	€211	€194	€234	nb	€227/€256
Split luchthaven	€285/€390	€283/nb	€307/€377	€243,00	nb	**€158/€575**	€211	**€147**	**€225**	€160	**€188/€217**
Split haven	nb	nb	nb	nb	nb	nb	nb	€184	€338	nb	nb
Alghero stad	€177/€338	€188/€194	nb	nb	nb	€200/€600	nb	€161	€213	nb	nb
Alghero luchthaven	€177/€338	€172/€194	€173/€351	nb	€259	**€172/€600**	€227	€161	**€195**	€180	€189/€218
Vancouver stad	€323 incl.	€421 incl.	nb	nb	€282	€223/€0	€245	€201	**€255**	nb	nb
Vancouver luchthaven	€323 incl.	€421 incl.	nb	nb	€282	€223/€0	€245	€201	€297	nb	€274/€303
Vancouver station	nb	nb	nb	nb	nb	€223/€0	nb	nb	nb	nb	€274/€303

nb = niet beschikbaar, onderstreept = stadskantoor goedkoopst, cursief = station goedkoopst, vet = luchthaven goedkoopst

1) Bij Sixt is het eigen risico in de ene stad wel en in de andere stad niet afgekocht.
2) Bij Alamo kozen we standaard voor een tarief exclusief afkoop eigen risico (kan oplopen tot €175).
3) Onduidelijk is wat afkoop eigen risico kost, daarom hier behalve de prijs ook de hoogte van het eigen risico genoemd.
4) Het eigen risico is €0.

heeft dat inmiddels ook ontdekt en biedt naast de standaardtarieven nu ook de mogelijkheid om all-in te boeken.

Kleine en grote verschillen

De vertrouwde namen Alamo, Avis, Europcar en Hertz hanteren het vaakst uniforme prijzen voor de luchthaven, het station en het stadskantoor. Bij Avis en Hertz is het soms goedkoper in de stad en soms op de luchthaven, maar het verschil bedraagt hooguit €26. Bij Europcar vonden we alleen een prijsverschil in Florence en ook bij Alamo noteerden we slechts eenmaal een prijsverschil. Bij Sixt moet je vooral in de stad zijn voor een goedkope auto.
In Londen vonden we een verschil van maar liefst €179. Maar het ene tarief bleek inclusief afkoop eigen risico, terwijl je in het andere geval nog een torenhoog bedrag van €202 moest betalen om het eigen risico af te dekken. Het all-intarief is dan dus uiteindelijk goedkoper.
Bij de brokers valt veel meer winst te behalen. Soms gaat het om minieme verschillen, zoals bij Economy Car Rentals in Málaga, waar je €1 bespaart door op de luchthaven te huren. Bij dezelfde verhuurder loopt het verschil echter flink op in Londen. Als je daar de auto ophaalt bij de Tower Bridge, betaal je maar liefst €155 meer dan op luchthaven Gatwick. Ook bij Autohuren.nu ben je op Gatwick veel goedkoper uit (€96) dan in hartje stad. Het opvallendste verschil vonden we bij Autohuren.nu in Split. Als je in de Kroatische hoofdstad een auto in de haven afhaalt, ben je €113 duurder uit dan wanneer je hem op de luchthaven huurt. Holidaycars heeft over het algemeen scherpe luchthaventarieven onder de noemer WOW. In Barcelona kun je zo €82 besparen, in Nice €79 en in Málaga €59.

Handige brokers

Bij Autoeurope is de luchthaven in vijf gevallen het goedkoopst en ben je

eenmaal goedkoper uit op een station. In Málaga bedroeg het verschil tussen luchthaven en stad €27. Eigenlijk is dat verschil groter, omdat bij de verhuurder op de luchthaven (Niza Cars) het eigen risico volledig was afgedekt, terwijl je bij de verhuurders in de stad (National en Avis) daarvoor nog extra in de buidel moet tasten.
Groter was het verschil in Florence, waar je op de luchthaven €59 minder betaalt dan in de stad. Op de luchthaven van Split ben je helemaal goedkoper uit dan in de stad. Daar betaal je namelijk €77 minder en is je eigen risico ook nog €25 lager. Car del Mar en Economy Car Rentals hanteren all-intarieven waarbij het eigen risico is afgedekt, maar schade aan banden en ruiten valt daar weer niet onder.
Houd er overigens wel rekening mee dat het afhalen van de auto in sommige gevallen wat langer kan duren als je bij een broker huurt. In Málaga is een aantal autoverhuurbedrijven bijvoorbeeld niet op de luchthaven gevestigd, maar even daarbuiten. Als je je vluchtnummer doorgeeft, word je afgehaald en met een busje naar de garage gebracht (en bij terugkomst naar het vliegveld gereden). Ook kan het voorkomen dat de auto klaarstaat op een afgesproken tijdstip.

Conclusie

Er is soms meer dan €100 te besparen op de vakantiekosten door de auto op de luchthaven af te halen of juist bij een stadskantoor of een station. Wees alert, want bij sommige brokers is afkoop eigen risico de ene keer wel en de andere keer niet inbegrepen. Over het algemeen is vooral Economy Car Rentals op de luchthaven voordelig.

Autokinderzitjes

Consumentengids juli/augustus 2012

Kinderzitjes zijn er voor drie gewichtsklassen: groep 0+ (voor kinderen tot 13 kilo), groep 1 (9-18 kilo) en groep 2/3 (15-36 kilo). Daarnaast moet je een keuze maken voor de manier van vastzetten in de auto. Er zijn zitjes met gordelbevestiging, met de speciale Isofixbevestiging en met beide. Isofixzitjes bieden gemiddeld wat meer bescherming, maar niet iedere auto beschikt over bevestigingspunten. Let erop dat niet elk Isofixzitje universeel is. Check de handleiding of de website van de fabrikant om te zien of het stoeltje wel in de auto past.

Correct gebruik

In groep 0+ en 1 zitten kinderen vast met een harnasje, meestal een vijfpuntsgordel, of met een vangtafel. Deze laatste vinden niet alle kinderen even prettig.
Alleen als het zitje correct wordt gebruikt, biedt het maximale bescherming. De kans op onjuist gebruik weegt daarom mee in het Testoordeel. Een belangrijk veiligheidsverhogend aspect is de kinderen zo lang mogelijk achteruitkijkend vervoeren. Bij een frontale botsing zijn de krachten op de kindernek dan tot vijf keer zo laag. Blijf een zitje uit de groep 0+ dus gebruiken zolang het kind er nog in past.

IN DETAIL

Römer Baby-Safe plus II SHR (Beste uit de test)
Type: groep 0+ Isofix
Prijs: €310
Veiligheid: ++
Gebruiksgemak: ++
Testoordeel: 8,6 (2011) en 8,0 zonder een Isofixonderstel

Kiddy Energy Pro (2) (Beste uit de test én Beste koop)
Type: groep 1 gordel
Prijs: €220
Veiligheid: ++
Gebruiksgemak: ++
Testoordeel: 8,3 (2011)
Lichtgewichtzitje met een vangtafel.

Cybex Juno-Fix (Beste uit de test én Beste koop)
Type: groep 1 Isofix
Prijs: €250
Veiligheid: ++
Gebruiksgemak: +
Testoordeel: 8,2 (2012)
Lichtgewichtzitje met een vangtafel.

Römer Kidfix SICT (Beste uit de test)
Type: groep 2/3 Isofix
Prijs: €180
Veiligheid: +
Gebruiksgemak: ++
Testoordeel: 8,1 (2011)
Breed zitje, maar van goede kwaliteit.

Cybex Solution X2 (Beste uit de test)
Type: groep 2/3 gordel
Prijs: €180
Veiligheid: +
Gebruiksgemak: ++
Testoordeel: 8,0 (2012)
Zitje met hoge afwerkingskwaliteit.

Maxi-Cosi Rodifix
Type: groep 2/3 Isofix
Prijs: €170
Veiligheid: +
Gebruiksgemak: ++
Testoordeel: 7,9 (2012)
Goed zitje voor kinderen tussen ongeveer 4 en 12 jaar.

Römer Trifix (Beste uit de test)
Type: groep 1 Isofix
Prijs: €400
Veiligheid: +
Gebruiksgemak: +
Testoordeel: 7,7 (2012)
Extra bevestigingspunt voor spanband nodig.

Maxi-Cosi Tobi (Beste koop)
Type: groep 1 gordel
Prijs: €180
Veiligheid: +
Gebruiksgemak: +

Testoordeel: 7,1 (2009)
Goede optie zonder een vangtafel.

BeSafe iZi Combi X3 Isofix
Type: groep 0+/1 Isofix
Prijs: €435
Veiligheid: +
Gebruiksgemak: +
Testoordeel: 7,0 (2011)
Achteruitkijkend, ook voor groep 1. Erg groot zitje.

Graco Junior Maxi (Afrader)
Type: groep 2/3 gordel
Prijs: €90
Veiligheid: –
Gebruiksgemak: +
Testoordeel: 2,8 (2012) zonder rugleuning; 5,0 met rugleuning (dan geen afrader).

Kiddy Guardianfix Pro (Afrader)
Type: groep 1/2/3 gordel
Prijs: €300
Veiligheid: –
Gebruiksgemak: +
Testoordeel: 2,8 (2012), maar 7,7 met Isofix (dan geen afrader).

Easycarseat Inflatable (Afrader)
Type: groep 2/3 gordel
Prijs: €65
Veiligheid: ––
Gebruiksgemak: +
Testoordeel: 1,6 (2012)
Slechtst scorende zitje uit alle tests ooit.

Zie ook het dossier *Autostoeltjes* op www.consumentenbond.nl.

Autokosten

Consumentengids oktober 2012

De grote kostenposten van een auto zijn de afschrijving en de brandstof. De prijs van Euro 95 is in slechts tien jaar tijd gestegen van €1,16 (2003) naar €1,86 (augustus 2012). De brandstof drukt hiermee een steeds grotere stempel op de autokosten.
De Consumentenbond verzamelt al vele decennia cijfers voor de vergelijking van autokosten en -mankementen. Voor beide werd er vooral geput uit gegevens van het eigen autopanel. Daarvoor houden een paar duizend leden bij welke kosten ze aan hun auto hebben en welke mankementen er zijn opgetreden. Sinds 2011 pakken we het wat anders aan. Het mankementenonderzoek vindt voortaan plaats in samenwerking met het magazine *AutoWeek* en een deel van de kostendata komt nu uit externe bronnen.

Meestverkocht

De groep onderzochte auto's verandert ook. Waren het eerst alleen de merken en typen van de panelleden, tegenwoordig zijn daar de meestverkochte merken en typen bijgekomen die in het panel minder vertegenwoordigd waren.
De gebruiksduren waarmee nu wordt gerekend, zijn: nieuw tot drie jaar, nieuw tot zes jaar en gebruikt van drie tot zes jaar. Het jaarkilometrage is voor benzine- en dieselauto's 16.000.
De autokosten bestaan uit twee delen: de vaste en de variabele kosten. De vaste kosten bestaan uit afschrijving (gebaseerd op inruilprijsberekeningen van Autotelex, waarbij de auto wordt ingeruild voor een vergelijkbaar nieuw exemplaar), verzekering (alle jaren volledige cascodekking en een no-claimbonuskorting van 50%), motorrijtuigenbelasting en rentederving.

CO_2-grenzen steeds scherper

Sinds 1 juli 2012 zijn de CO_2-grenzen, waaronder een nieuwe auto nog zonder aanschafbelasting BPM en zonder motorrijtuigenbelasting de weg op mocht, weer aangescherpt. Een benzineauto mag nog maar maximaal 102 g/km CO_2 uitstoten en een dieselauto 91 g/km. Voor beide brandstoffen loopt dit getal geleidelijk terug tot 82 g/km in 2015. Op www.consumentenbond.nl/auto staat een overzicht van welke auto's nu nog aan de voorwaarden voldoen en welke daarvan per 2013 belastingplichtig worden.

De variabele kosten bestaan uit onderhoud en reparaties, gebaseerd op de kosten van onze panelleden, en uit brandstofkosten, gebaseerd op de gemiddelde brandstofprijs in 2011 opgegeven door het CBS.

Kostenposten

De afschrijving blijft de hoogste kostenpost. Met elke maand dat de auto voor de deur staat en met elke gereden kilometer neemt zijn waarde af. Vooral in de eerste jaren is de afschrijving relatief hoog.
De eerstvolgende hoge kostenpost wordt gevormd door de brandstofkosten. In dit onderzoek rekenen we voor Euro 95 een literprijs van €1,64 in 2011. Voor diesel is een literprijs van €1,348 gehanteerd. Voor het verbruik is gebruikgemaakt van Ecotestgegevens. Dat geeft een waarheidsgetrouwer verbruik dan de fabrieksmeting. Als er geen Ecotest van de auto is, wordt er gerekend met het fabrieksverbruik plus 20%. Deze post is sterk afhankelijk van ieders 'zwaarte van de rechtervoet' en de bereidheid tot zuinig autorijden.
De motorrijtuigenbelasting is een stabiele kostenpost. Zij daalt gemiddeld, omdat er steeds meer belastingvrije auto's op de weg komen.
De verzekeringspremie is in 2011 gestegen. De premieverhoging is voornamelijk afgewenteld op jongeren en senioren (vanaf 70 jaar). Consumentenbondonderzoeker Mark Drabbe: 'Volgens de statistieken van de verzekeraars veroorzaken deze twee groepen de meeste schade. In december 2010 waarschuwde toezichthouder De Nederlandsche Bank een aantal autoverzekeraars dat ze een niet-kostendekkende premie rekenden, wat niet is toegestaan. De premies moesten bij deze verzekeraars dus omhoog.'
Voor de post reparaties en onderhoud is gebruikgemaakt van de panelgegevens. Hierbinnen is berekend hoe hoog de kosten in 2011 waren bij in het onderzoek vertegenwoordigde merken, typen en motoren. Was de auto niet (voldoende) vertegenwoordigd in het panel, dan is er gerekend met het gemiddelde van zijn klasse.

Cijferbrij

Om de cijferbrij wat meer te duiden, volgt nu een praktijkvoorbeeld. De waarde van een Peugeot 207 1.4 XR (zie de tabel 'Autokosten per maand (2011)') neemt in de eerste drie jaar gemiddeld met €2300 per jaar af; als occasion van drie jaar oud is dat nog maar €500 per jaar. De auto is leverbaar geweest van 2006 tot 2009 en kostte ongeveer €14.500. Bij drie jaar gebruiksduur kostte hij in 2011 €5600. Bij wie in 2011 van plan was er zes

Autokosten per maand (2011)

Merk & Type & Uitvoering	Bouwjaren	B=benzine, D=diesel, H=hybride	Nieuw tot 3 jaar			Totale kosten bij diverse gebruiksduren		Besparing	
			Vaste kosten	Variabele kosten	Totale kosten	Nieuw tot 6 jaar	Tweedehands 3 – 6 jaar	1 occasion (3 tot 6 jaar) t.o.v. nieuw (0 tot 3 jaar)	2 occasions (3 tot 6 jaar) t.o.v. nieuw (0 tot 6 jaar)
Kleine klasse			€145	€150	€295	€290	€275	10%	5%
Citroën C1 1.0 Ambiance 3 dr	2008-2010	B	€135	€135	€270	€245	€210	19%	10%
Fiat 500 1.4 Pop 3 dr	2007-2010	B	€220	€170	€390	€365	€345	11%	6%
Fiat Panda 1.2 Dynamic 5 dr	2003- 2009	B	€140	€150	€290	€280	€265	9%	5%
Fiat Panda 1.1 8V Active	2003- 2009	B	€140	€155	€295	€280	€270	9%	5%
Ford Ka 1.3 Futura 3 dr	2005-2007	B				€355	€335		5%
Ford Ka 1.2 Titanium 3 dr	2008-2010	B	€150	€155	€305	€290	€285	6%	2%
Hyundai i10 1.1 Pure 5 dr	2008-2012	B	€125	€140	€265	€265	€260	2%	2%
Kia Picanto 1.1 X-tra 5 dr	2007-2010	B	€175	€170	€345	€340	€335	3%	1%
Peugeot 107 1.0-12V XS 5 dr	2008-2010	B	€135	€140	€275	€250	€230	16%	8%
Peugeot 107 1.0 XS 3 dr	2005-2008	B	€125	€140	€265	€250	€235	11%	5%
Renault Twingo 1.2 Authentique 3 dr	2007-2010	B	€135	€155	€290	€275	€265	9%	5%
Renault Twingo 1.2 16V Dynamique 3 dr	2007-2009	B	€195	€155	€350	€305	€260	25%	14%
Suzuki Alto 1.0 Comfort	2009-2012	B	€110	€140	€250				
Toyota Aygo 1.0-12V VVT-i 3 dr	2005-2009	B	€120	€150	€270	€250	€235	12%	6%
Toyota Aygo 1.0-12V VVT-i Comfort 3 dr	2009-2012	B	€120	€140	€260				
Compacte klasse			€240	€170	€410	€375	€340	18%	9%
Fiat Punto 1.2 Classic Edizone Cool 3 dr	2006-2009	B	€170	€175	€345	€330	€315	8%	4%
Fiat Punto Evo 1.2 Active 3 dr	2009-2012	B	€220	€165	€385				
Ford Fiesta 1.3 8V 3 dr	2007-2007	B				€370	€340		9%

Merk & Type & Uitvoering	Bouwjaren	B=benzine, D=diesel, H=hybride	Nieuw tot 3 jaar			Totale kosten bij diverse gebruiksduren		Besparing	
			Vaste kosten	Variabele kosten	Totale kosten	Nieuw tot 6 jaar	Tweedehands 3 - 6 jaar	1 occasion (3 tot 6 jaar) t.o.v. nieuw (0 tot 3 jaar)	2 occasions (3 tot 6 jaar) t.o.v. nieuw (0 tot 6 jaar)
Ford Fiesta 1.25 Titanium 3 dr	2008-heden	B	€265	€150	€415	€350	€285	31%	19%
Mitsubishi Colt 1.5 Intense 3 dr	2008-2010	B	€255	€180	€435	€395	€360	17%	10%
Opel Corsa 1.2-16V Enjoy 3 dr	2006-2009	B	€275	€170	€445	€375	€310	30%	18%
Opel Corsa 1.2-16V Selection 3 dr	2010-2011	B	€230	€160	€390				
Peugeot 207 1.4 XR 3 dr	2006-2009	B	€280	€180	€460	€395	€330	29%	17%
Peugeot 207 1.4 VTI X-Line 5 dr	2009-2012	B	€285	€170	€455				
Renault Clio 1.2-16V Authentique 3 dr	2005-2009	B	€250	€180	€430	€380	€325	24%	14%
Renault Clio 1.4-16V Campus 3 dr	2004-2008	B	€230	€205	€435	€395	€360	16%	9%
Seat Ibiza 1.4 Style 5 dr	2008-2012	B	€270	€175	€445	€405	€370	17%	9%
Seat Ibiza 1.2 Reference 5 dr	2008-2012	B	€225	€165	€390	€360	€325	17%	9%
Skoda Fabia Combi 1.4-16V Elegance	2008-2010	B	€315	€175	€490	€420	€360	27%	15%
Suzuki Swift 1.3 Comfort 3 dr	2007-2010	B	€200	€175	€375	€340	€300	20%	11%
Toyota Yaris 1.0 VVTi 3 dr	2005-2008	B	€200	€170	€370	€345	€325	12%	6%
Toyota Yaris 1.3 VVTi Linea Sol 3 dr	2005-2008	B	€255	€185	€440	€405	€370	17%	9%
Volkswagen Polo 1.4-16V Comfortline 3 dr	2006-2009	B	€260	€195	€455	€425	€390	15%	8%
Volkswagen Polo 1.2 TDI BM Comfortline	2010-heden	D	€245	€85	€330				
Kleine middenklasse			**€370**	**€180**	**€550**	**€505**	**€450**	**20%**	**11%**
Audi A3 1.6 Ambition 3 dr	2008-2010	B	€485	€195	€680	€570	€470	31%	18%
BMW 116i 5 dr	2004-2006	B				€555	€475		14%
Ford Focus 1.4-16V Trend 3 dr	2005-2008	B	€360	€195	€555	€485	€415	25%	14%
Ford Focus 1.6 Ghia 5 dr	2008-2010	B	€395	€180	€575	€485	€400	30%	17%

Merk & Type & Uitvoering	Bouwjaren	B=benzine, D=diesel, H=hybride	Nieuw tot 3 jaar			Totale kosten bij diverse gebruiksduren		Besparing	
			Vaste kosten	Variabele kosten	Totale kosten	Nieuw tot 6 jaar	Tweedehands 3–6 jaar	1 occasion (3 tot 6 jaar) t.o.v. nieuw (0 tot 3 jaar)	2 occasions (3 tot 6 jaar) t.o.v. nieuw (0 tot 6 jaar)
Opel Astra 1.4 Essentia 5 dr	2004-2007	B				€445	€375		15%
Opel Astra 1.4 100 pk Edition 5 dr	2009-2011	B	€250	€165	€415				
Peugeot 307 1.6-16V Premium 5 dr	2006-2007	B				€545	€495		9%
Peugeot 308 1.6 Vti XS 5 dr	2007-2011	B	€380	€180	€560	€525	€490	12%	6%
Renault Mégane 1.4-16V Authentique 3 dr	2006-2008	B	€385	€200	€585	€520	€460	21%	12%
Renault Mégane 1.6 Authentique 5 dr	2008-2012	B	€330	€185	€515	€485	€455	12%	6%
Volkswagen Golf 1.4 16V TSI 122 pk C 5 dr	2007-2008	B	€330	€175	€505	€500	€500	0%	0%
Volkswagen Golf Variant 2.0 TDI Comf.	2003-2008	D	€660	€125	€785	€665	€545	31%	18%
Middenklasse			**€550**	**€185**	**€735**	**€690**	**€610**	**22%**	**12%**
Audi A4 2.0 TDI 143 pk Pro Line	2008-2011	D	€765	€130	€895	€775	€665	26%	14%
BMW 318i 4 dr	2008-2012	B	€575	€165	€740	€655	€580	22%	13%
Ford Mondeo 2.0-16V Ghia 4 dr	2007-2010	B	€485	€200	€685	€600	€520	24%	13%
Skoda Octavia 1.6 Comfort 5 dr	2009-2010	B	€340	€205	€545				
Toyota Avensis 1.6 VVTi Comfort 4 dr	2009-2012	B	€400	€190	€590				
Toyota Prius 1.8 HSD Comfort	2009-2011	H	€335	€125	€460				
Volkswagen Passat 1.6 TDI 105 pk Variant	2010-heden	D	€665	€105	€770				
Volkswagen Passat 2.0 16V TSI Comf.	2005-2010	B	€590	€210	€800	€720	€645	20%	11%
Volvo S40 1.8 Kinetic 4 dr	2007-2009	B	€535	€210	€745	€645	€550	26%	15%
Grote middenklasse									
Volvo V70 2.0D Summum	2007-2011	D	€905	€145	€1050	€880	€715	32%	19%

Merk & Type & Uitvoering	Bouwjaren	B=benzine, D=diesel, H=hybride	Nieuw tot 3 jaar			Totale kosten bij diverse gebruiksduren		Besparing	
			Vaste kosten	Variabele kosten	Totale kosten	Nieuw tot 6 jaar	Tweedehands 3–6 jaar	1 occasion (3 tot 6 jaar) t.o.v. nieuw (0 tot 3 jaar)	2 occasions (3 tot 6 jaar) t.o.v. nieuw (0 tot 6 jaar)
Kleine ruimtewagen			€350	€170	€520				
Opel Meriva 1.6-16V Cosmo 5 dr	2005-2010	B	€410	€205	€615	€530	€455	26%	15%
Compacte ruimtewagen			€530	€185	€715	€625	€550	23%	12%
Citroën C4 Picasso 2.0 HDiF Amb. 7p 5 dr	2006-2009	D	€805	€155	€960	€780	€600	37%	23%
Opel Zafira 1.8 Cosmo 5 dr	2008-2011	B	€520	€210	€730	€640	€550	25%	14%
Renault Scénic 1.6-16V Dynam. 5 dr	2006-2008	B	€510	€220	€730	€645	€560	23%	13%
Renault Scénic 1.6-16V Dynamique 5 dr	2009-2011	B	€370	€190	€560				
Toyota Corolla Verso 1.8 VVT-i Sol 5 dr	2004-2007	B				€555	€540		3%
Volkswagen Touran 1.9 TDI Comf. 5 dr	2006-2010	D	€670	€140	€810	€705	€610	25%	14%
Compacte SUV									
Nissan Qashqai +2 2.0 tekna	2008-2010	B	€530	€215	€745	€640	€530	29%	17%

- Bij de kostenberekeningen is uitgegaan van 16.000 kilometer per jaar rijden en er zijn gemiddelden genomen voor de brandstofprijs en de verzekeringspremie.
- In de tabel staan de gemiddelde maandkosten over de hele gebruiksduur. Als er geen bedrag is vermeld, is de situatie niet van toepassing of hebben wij de gegevens niet.
- In de eerste kolom staan de uitvoering en het aantal portieren (… dr).
- Eigen kosten kunnen afwijken, bijvoorbeeld vanwege een andere uitvoering en/of ander gebruik.
- In de derde kostenkolom staan de totale maandkosten voor een nieuwgekochte auto waarmee drie jaar wordt gereden. De maandkosten zijn uitgesplitst in een vast en een variabel deel. In de kolommen daarna staan de totale maandkosten van een nieuwgekochte auto bij zes jaar gebruik en de maandkosten van tweedehands-auto's, gekocht als ze drie jaar oud zijn en waarmee drie jaar wordt gereden.
- Niet alle onderzochte auto's staan in de tabel. De complete tabel staat op www.consumentenbond.nl/auto en de data zijn verwerkt in de Autovergelijker.
- Het gemiddelde per klasse (de witte cijfers op de donkergrijze achtergrond) is bepaald als er in de complete tabel voor die klasse minimaal vijf merken/typen zijn. Het gemiddelde van de in deze tabel opgenomen auto's is niet gelijk aan het gebruikte gemiddelde.

jaar mee te rijden, loopt dit bedrag terug naar €4750 per jaar. Voor wie hem als drie jaar oude occasion kocht en plande er drie jaar mee te rijden, kostte hij €3950 per jaar.
Een uitsplitsing voor deze nieuwgekochte auto, waarbij hij gemiddeld 1 op 13 rijdt en 1200 liter à €1,64 verbruikt:

Afschrijving	€2300
Rentederving	€200
Verzekering	€400
Motorrijtuigenbelasting	€500
Brandstof	€2000
Onderhoud	€200
In 2011 totaal	**€5600**

Zie ook het dossier *Auto's* op www.consumentenbond.nl.

Autonavigatie

Consumentengids mei 2012

Navigatiesystemen zijn al flink ingeburgerd in Nederlandse auto's. Zowel de losse als ingebouwde systemen zijn erg handig om je naar je bestemming te leiden. Maar navigeren kan ook – en steeds beter – met een smartphone die is voorzien van een navigatieprogramma (*app*). Voorwaarde is dat de telefoon een ingebouwde gps-ontvanger heeft.

Navigeren met smartphone

Bij losse navigatiesystemen wordt altijd een raamhouder met voedingskabel meegeleverd, maar voor de smartphone moet je die zelf kopen. De aanschaf van zo'n carkit is wel aan te raden, zodat de smartphone niet over het dashboard slingert en de accu via de 12-voltaansluiting van de auto kan worden opgeladen.
Een telefoon met een navigatie-app is goedkoper dan een los systeem, mits je al een smartphone hebt. De prijzen van apps variëren sterk: van gratis tot wel €90. Bij de apps kun je vaak kiezen uit verschillende kaarten, bijvoorbeeld

alleen de Benelux of heel Europa. Hoe groter de kaart, des te duurder het pakket. Bijvoorbeeld Skobbler GPS Navigation 2 kost €1,59 voor de Apple iPhone en vanaf €3 kun je er diverse kaarten bij kopen. Wie geen kaarten installeert, zal de routekaart steeds via de dataverbinding moeten binnenhalen. Is er geen dataverbinding, dan zal navigeren niet lukken.
Een smartphone is nogal persoonlijk en leen je niet zo makkelijk uit. Een apart navigatiesysteem dat altijd in de auto aanwezig is, is dan handiger. Daar staat tegenover dat je de telefoon meestal bij je hebt en je dan dus altijd beschikt over een navigatiesysteem. Een ander voordeel is dat software-updates van de apps makkelijk te ontvangen en te installeren zijn. Voor een los systeem moet je het apparaat eerst met de computer verbinden om te zien of er updates zijn. Dit geldt overigens niet voor updates van de kaart. Ook bij apps krijg je die niet zomaar en moet je daarvoor meestal betalen.

Bellen onderweg

Uit onze test kwamen ook een aantal andere, onverwachte verschillen tussen de apps naar voren. Dat je met een smartphone kunt bellen en gebeld kunt worden tijdens het navigeren is logisch. Maar dit is niet altijd even gebruiksvriendelijk. Zo moet je zelf het navigatiescherm weer tevoorschijn halen nadat je het gesprek hebt aangenomen. Bij sommige apps blijven de gesproken navigatie-instructies gewoon doorgaan. Bij Sygic gaat dit zelfs zo luid, dat ze door de beller te horen zijn.
Een aantal losse navigatiesystemen is uitgerust met bluetooth, waarmee verbinding kan worden gelegd met de mobiele telefoon. Zo kun je telefoontjes via het navigatiesysteem laten lopen. Bij sommige modellen werkt dit beter dan bij een navigatie-app op de telefoon. Je kunt met een druk op het apparaat het gesprek aannemen, waarna het scherm meteen weer de route laat zien. De gesproken instructies worden gedurende het gesprek automatisch onderdrukt.

Welke app op welke telefoon?

Sommige fabrikanten maken een apps voor verschillende soorten smartphones. Zo heeft Navigon een app voor zowel Androidtelefoons als iPhones. De apps zijn niet identiek. Zo dempt de Navigon-app op de iPhone de gesproken instructies als je aan het bellen bent, terwijl op de Androidversie de instructies op hetzelfde geluidsniveau gewoon doorgaan.
Google Maps Navigatie en Nokia Drive zijn gratis en standaard al geïnstalleerd op smartphones met Android (Google Navigatie) en op de Lumiamodellen van Nokia. Beide pakketten hebben wel een dataverbinding

Autonavigatie

	Merk & Type	Richtprijs	Testoordeel	Navigatie	Bedieningsgemak	Installatie en constructie	App-eigenschappen	Veelzijdigheid	Accugebruik navigeren	Bellen en gebeld worden	Spraakbediening	Kaart	Verkeersinformatie via TMC	Verkeersinformatie via gsm-netwerk	Werkt zonder dataverbinding	Getest voor
Losse navigatiesystemen				50%	40%	5%		5%								
■ 1.	**TomTom** Go Live 825	€210	**7,7**	7,9	7,6	+		+	□	+	–	Europa	optie	√	√	
■ 2.	**TomTom** Go Live 1005	€270	**7,7**	7,9	7,5	++		+	□	+	–	Europa	optie	√	√	
▶ 3.	**TomTom** Start 20	€140	**7,5**	7,9	7,5	+		–	□			Europa	optie		√	
4.	**TomTom** Via 110	€150	**7,5**	7,9	7,5	+		–	□		–	Europa	optie		√	
5.	**TomTom** Start 25	€160	**7,5**	7,9	7,7	+		–	□			Europa	optie		√	
6.	**Garmin** nüvi 2495LMT	€190	**7,2**	6,6	7,7	+		+	□	+	+	Europa	√		√	
7.	**Garmin** nüvi 3490LT	€280	**7,2**	6,7	7,5	++		+	□	+	+	Europa	√		√	
8.	**Navigon** 92 Premium	€280	**7,2**	6,8	7,7	+		□	–	–	–	Europa	√		√	
9.	**Garmin** nüvi 2445LT	€150	**7,0**	6,6	7,6	+		□	□			W-Eur.	√		√	
10.	**Navigon** 72 Premium	€200	**7,0**	6,8	7,5	+		□	□	–	–	Europa	√		√	
11.	**Navigon** 72 Easy Europe 23	€150	**6,9**	6,5	7,5	+		□	+			W-Eur.	√		√	
12.	**Navigon** 42 Premium	€170	**6,9**	6,4	7,6	+		+	+	–	–	Europa	√		√	
13.	**Navigon** 72 Plus	€180	**6,9**	6,8	7,4	+		□	□			Europa	√		√	
14.	**Navigon** 42 Plus	€150	**6,8**	6,4	7,5	+		□	+			Europa	√		√	
15.	**Mio** Spirit 687 Live TMC	€180	**6,6**	6,8	6,3	+		□	□	–	––	Europa	√		√	
16.	**Mio** Spirit 685 Live TMC	€120	**6,5**	6,8	6,3	+		□	□			W-Eur.	√		√	
17.	**Garmin** nüvi 40	€100	**6,3**	6,6	6,1	+		–	□			C-Eur.			√	
18.	**Mio** Spirit 485	€90	**6,1**	6,9	5,2	+		□	□			W-Eur.	√		√	
19.	**Mio** Spirit 486 Live TMC	€140	**6,1**	6,9	5,2	+		□	□			Europa	√		√	
20.	**Mio** Moov M610	€90	**6,0**	6,9	5,3	□		–	□			W-Eur.	optie		√	
Navigatie-apps voor smartphones				50%	40%		5%	5%								
1.	**TomTom** App West-Europa (v1.9)	€70	**7,6**	7,5	7,9		+	□	+	□	–	W-Eur.		optie	√	App.
2.	**ALK** CoPilot Live Prem. (v9.1.0.214)	€37,50	**7,1**	6,1	8,1		++	+	+	□	□	Europa		optie	√	And.

	Merk & Type	Richtprijs	Testoordeel	Navigatie	Bedieningsgemak	Installatie en constructie	App-eigenschappen	Veelzijdigheid	Accugebruik navigeren	Bellen en gebeld worden	Spraakbediening	Kaart	Verkeersinformatie via TMC	Verkeersinformatie via gsm-netwerk	Werkt zonder dataverbinding	Getest voor
3.	**Navigon** MobileNavigator (v4.0.2)	€60	**7,0**	6,4	7,7		++	□	+	–	–	Europa		optie	√	And.
4.	**Navigon** Europe (v2.0.1)	€90	**7,0**	6,3	7,7		++	□	□	□	–	Europa		optie	√	App.
5.	**Garmin** Streetpilot (v2.0)	€80	**6,8**	6,4	7,4		+	□	+	□	–	W-Eur.		optie	√	App.
6.	**Sygic** GPS Navigation (v11.2.5)	€40	**6,4**	6,1	7,1		+	–	+	––	□	W-Eur.		optie	√	And.
7.	**Google** Maps Navigatie (v5.2.1)	€0	**6,1**	5,8	6,8		––	+	+	□	–	Europa		√		And.
8.	**Skobbler** GPS Navigation 2 (v4.1)	€7,60	**5,9**	5,4	6,2		++	□	□	□		Europa			optie	App.
9.	**Nokia** Drive (v1.0.0.1101)	€0	**5,5**	5,3	6,0		–	□	–	□		Wereld				Win.

++ Zeer goed + Goed □ Redelijk – Matig –– Slecht ■ Beste uit de test ▶ Beste koop ▼ Afrader

- App. = Apple iOS, And. = Android, Win. = Windows Phone.
- Alle apparaten zijn getest met minimaal één kaart van (een deel van) Europa.
- Op het moment testen we nog meer modellen. Op onze website staat een actueel overzicht met de Beste koop. Van de apps hebben we er nog te weinig getest om aanbevelingen te kunnen doen.
- Sommige losse systemen hebben bluetooth om te bellen en gebeld te worden.
- Wanneer er geen oordeel is voor 'Bellen' of 'Spraakbediening', beschikt het model niet over deze functies.
- Bij de app Skobbler GPS Navigation 2 is het optioneel om kaarten naar de smartphone te downloaden. Zonder kaarten is een dataverbinding vereist. Voor deze test hebben we een kaart van Europa gedownload.
- Skobbler en ALK Copilot zijn niet beschikbaar in de Nederlandse taal.
- Nokia Drive: werkt alleen op de Nokia Lumia.
- Wanneer TMC optioneel is, moet je er vaak een losse ontvanger bij kopen. Bij de Mio Moov M610 is ook een software-update nodig om TMC te ontvangen.
- Bij alle TomTom Live-modellen is verkeersinformatie via TMC optioneel na afloop van het Live Services-abonnement.
- Verkeersinformatie via gsm-netwerk: indien optioneel, kun je een betaald abonnement op verkeersinformatie afsluiten na aanschaf van de app, voor €10 tot €30 per jaar. Bij losse navigatiesystemen is het abonnement het eerste jaar na aanschaf vaak gratis.

nodig om te kunnen navigeren, in tegenstelling tot de andere geteste apps. Bij Google Maps Navigatie zijn namelijk geen kaarten geïnstalleerd op het apparaat. Ze worden naar de smartphone gedownload zodra je een bestemming kiest en een route bepaalt. Bij Nokia Drive staan de kaarten al wel op de telefoon, maar is voor de berekening van de route naar de gekozen bestemming wel een dataverbinding nodig. Met de in het voorjaar van 2012 uitgebrachte update voor Nokia Drive (nog niet getest) kunnen Lumiabezitters wél zonder dataverbinding werken. Om het dataverbruik via mobiel internet te beperken, kun je de routes het best thuis berekenen wanneer de telefoon via wifi op het thuisnetwerk is aangesloten en pas daarna op pad gaan.

Apps getest

De apps testen we zo veel mogelijk op dezelfde manier als autonavigatiesystemen, behalve aspecten als de installatie in de auto en de constructiekwaliteit. De resultaten zijn dan ook voor 95% vergelijkbaar. We gebruiken kwalitatief goede smartphones voor de diverse app-platformen: een Samsung Galaxy SII voor de Android-apps, een Apple iPhone 4S voor iOS-apps en een Nokia Lumia 800 voor Windows Phone-apps. Bij andere smartphones kunnen sommige aspecten anders uitpakken. Zo is de bedieningssnelheid van de app voor een belangrijk deel afhankelijk van de snelheid van de smartphone.

IN DETAIL

TomTom Go Live 825 Europe (Beste uit de test)

Prijs: €210

Testoordeel: 7,7

Hij biedt een prima navigatiekwaliteit met adequate zichtbare en gesproken instructies. Ook het vinden en invoeren van een bestemming gaat makkelijk. Minpunt is dat het opstarten wat langzaam gaat.

Dataverbruik

Het dataverbruik onderweg met deze twee apps valt mee zolang je de route volgt. Maar zodra je met Google Navigatie (flink) van de route afwijkt, moet het systeem meer kaartgegevens downloaden via de mobielinternetverbinding. Op een testroute van ongeveer 180 kilometer verbruikte Google ongeveer 3,5 MB nadat we na 110 km van de route afweken. Binnen Europa kost deze afwijking van de route al zo'n €7 aan dataverbuik. Een papieren kaart kan dan een handig en goedkoop alternatief zijn.

Zie ook het dossier *Navigatiesystemen* op www.consumentenbond.nl.

Citycards

Reisgids september 2012

Citycards zijn populair. Zowel verkeersbureaus als reisorganisaties verkopen de voordeelpassen graag aan hun klanten en steeds vaker verschijnt de citycard als extra optie in het scherm als je online een stedenreis boekt. De meeste kaarten hebben een eigen website met daarop alle informatie over prijzen, kortingen en de aangesloten musea en attracties.
Er zijn ook commerciële clubs die voordeelpassen aanbieden voor diverse steden, zoals Parijs, Londen, Berlijn, New York en Philadelphia. Deze citycards zijn niet goedkoop, maar wel heel breed inzetbaar. Je hebt onder meer toegang tot het openbaar vervoer en de belangrijkste musea en attracties en je krijgt veel kortingen. Bij alle cards, behalve bij de Budapest Card, krijg je een gids voor alle aangesloten musea en attracties. Voor sommige steden, zoals Berlijn, zijn er zelfs twee citycards.
Andere interessante extra's zijn kortingen op winkels, restaurants, een citytour per bus of boot en een *hop-on-hop-off*-bus. De tours geven een leuke eerste impressie van een stad. De Firenze card is de enige waarbij je geen korting krijgt op een stadstour of -wandeling. Een grappig extraatje vonden we bij de Venice Card. Hiermee kun je tweemaal gratis gebruikmaken van een openbaar toilet.

Waar voor je geld

Of je met een citycard waar voor je geld krijgt, hangt af van de hoeveelheid bezienswaardigheden die je wilt bezoeken, de prijs van de kaart, wat die biedt en het prijsniveau van de stad. Om te beoordelen of je echt bespaart met een citycard, is het handig om vooraf een lijstje te maken van wat je wilt zien en doen. Bedenk daarbij dat staatsmusea in sommige steden en op bepaalde dagen gratis kunnen zijn, zoals in Londen en in Kopenhagen. Ben je van plan veel musea en attracties te bezoeken en neem je regelmatig de

Prijzen van 16 citycards

Naam kaart	1 dag/24 uur [1]	2 dagen/48 uur [1]	3 dagen/72 uur [1]	Inbegrepen musea/attracties [2]	Korting op hop-on-hop-off-bus	Korting boottocht	Korting in winkels	Korting in cafés/restaurants	Toegang zonder rij en reservering	Website
Barcelona Card		**€29**	**€35**	ja 20	nee	ja	ja	ja	ja	www.barcelona-card.com www.barcelonaturisme.com
Berlin WelcomeCard		**€18**	**€24**	nee	nee	nee	ja	ja	nee	www.visitberlin.de
The Berlin Pass		**€69**	**€82**	ja 50	gratis	gratis	ja	nee	ja	www.berlinpass.com
Budapest Card	**€14**	**€35**	**€29**	ja 1	gratis[3]	gratis[3]	ja	ja	nee	www.budapest-card.com
cOPENhagen Card	**€35**		**€65**	ja 70	ja	ja	ja	ja	ja	www.visitcopenhagen.com
Firenze Card			**€50**	ja 50	nee	nee	nee	nee	ja	www.firenzecard.it
Lisboa Card	**€17**	**€27**	**€34**	ja 25	nee	ja	ja	ja	nee	www.golisbon.com/lisboa-card
The London Pass	€58/**68**	€77/**100**	€93/**125**	ja 55	nee	ja	ja	ja	ja	www.londonpass.com
Madrid Card	**€39**	**€49**	**€59**	ja 50	nee	nee	ja	ja	ja	www.madridcard.com
The New York Pass	€65	€106	€135	ja 70	nee	gratis	nee	ja	ja	www.newyorkpass.com
The Paris Pass		**€105**		ja 60	gratis	ja	ja	ja	ja	www.parispass.com
Prague Card		€37/**45**	€41/**55**	ja 40	ja	ja	ja	ja	nee	www.praguecitycard.com
Roma Pass			**€30**	ja 2	nee	ja	nee	nee	nee	www.romapass.it
Stockholm Card	**€54**	**€75**	**€90**	ja 80	nee	gratis	nee	nee	ja	www.visitstockholm.com
Venice Card [4]	€40/**60**	€40/**70**	€40/**75**	ja 25	nee	nee	ja	ja	nee	www.venicecard.com
Wien Karte			**€20**	nee	ja	ja	ja	ja	nee	www.wienkarte.at

1) De tarieven in het vet zijn inclusief openbaar vervoer.
2) Het getal verwijst naar het aantal musea/attracties waarvan het bezoek is inbegrepen bij de kaart zonder bijbetaling.
3) Bij de tweedaagse Budapest Card zijn een gratis ticket voor de hop-on-hop-off-bus en een boottocht op de Donau inbegrepen.
4) De Venice Card is zeven dagen geldig vanaf het eerste moment van gebruik.

metro of de bus, dan kan een citycard voordelig zijn. Wie meer houdt van wandelen, winkelen en een terrasje pakken, haalt de kosten van de stadspas er misschien niet uit.
Behalve besparen is er nog een tweede motief voor de aanschaf van een citycard. Bij de topmusea in bijvoorbeeld New York, Londen en Florence kun je de lange wachtrijen voor de ingang omzeilen en aansluiten in een speciale (kortere) vip-rij. Vooraf reserveren is met een citycard vaak niet meer nodig. Als je met de pas onbeperkt met het openbaar vervoer

kunt reizen, geeft dat ook veel gemak omdat je geen losse kaartjes hoeft te kopen.

Hoe werkt de kaart?

Alle citycards kun je van tevoren online bestellen en in laten gaan op een bepaalde datum. Je kunt ze ook in de stad zelf kopen, bijvoorbeeld bij een toeristeninformatiepunt, op trein- en busstations en soms in winkels. Online gelden vaak voordelige actietarieven. Een ander bijkomend voordeel is dat je de kaart meteen hebt als je aankomt. De kaarten gelden voor een aantal aaneengesloten dagen, meestal twee of drie dagen, soms een tot vijf dagen of zelfs zeven dagen. Andere kaarten hanteren periodes van 24, 48 of 72 uur (of meer).

De kaart is pas geldig als je naam is ingevuld en als hij 'gestempeld' is bij het eerste gebruik. Dat kan zowel een museumbezoek zijn als een ritje met de bus of metro. Meestal mag een museum of attractie met de kaart maar één keer worden bezocht. Voor een meerdaagse kaart geldt de eerste dag van gebruik als hele dag. Kaarten die 24 uur gelden of een veelvoud daarvan, zijn die hele periode geldig ongeacht de dag.

We hebben voor drie citycards berekend of ze hun geld waard zijn bij een 'normaal' programma tijdens een stadsbezoek van drie dagen. Behalve de belangrijkste musea en attracties hebben we een stadstour per bus of boot meegenomen, het vervoer van en naar het vliegveld en een kaart voor het openbaar vervoer. De entreeprijzen gelden voor een volwassene.

cOPENhagen Card

Als je in drie dagen vier topmusea bezoekt, naar amusementspark Tivoli en de Zoo gaat, een boottocht maakt, de trein neemt van en naar het vliegveld en een tienrittenkaart koopt voor het openbaar vervoer, ben je ongeveer 782 Deense kronen (€105) kwijt voor één volwassen persoon. Omdat de entree voor de meeste musea en attracties inbegrepen is bij de cOPENhagen Card, ben je alleen al met de bezoeken aan de musea en attracties uit de kosten.

Maak je daarnaast gebruik van het openbaar vervoer en de trein van en naar het vliegveld, dan wordt het voordeel snel groter. Daarnaast geeft de cOPENhagen Card nog 10% korting op een stadstour in een open bus, 25% korting op fietshuur via Bike cOPENhagen en kortingen in onder meer cafés, restaurants en winkels.

Voor gezinnen met jonge kinderen is de cOPENhagen Card extra aantrek-

Voordeel met de cOPENhagen Card

	(prijzen in Deense kronen)
Amaliënborg	65
Carlsberg Glypotheek	75
Dansk Designcenter	55
Thorvaldsenmuseu (op wo. gratis)	40
Tivoli park	95
Copenhagen Zoo	140
Boottocht	70
Trein van/naar vliegveld	52
10-rittenkaart openbaar vervoer	190
Totaalprijs	**782/€105**
Besparing cOPENhagen Card	**€40**

Voordeel met de Barcelona Card

	(kortingen in euro) In plaats van de entreeprijzen staan hieronder de kortingen die je krijgt met de Barcelona Card.
Basiliek van de Sagrada Familia	2
Picassomuseum	2
Museum voor de Catalaanse kunst (MNAC)	10
Joan Mirómuseum	2
Museum voor hedendaagse kunst (MACBA)	1,50
Aquarium	4
Trein van/naar het vliegveld	7
3-dagenkaart openbaar vervoer	16,50
Totaalbedrag aan kortingen	**€45**
Besparing Barcelona Card	**€10**

Voordeel met de London Pass

	(prijzen in Engelse ponden)
Tower of London	18
Westminster Abbey	16
London Bridge Experience	23
Windsor Castle	17
St. Paul's Cathedral	14,50
Cruise over de Thames	13,50
London Zoo	18,60
Kew gardens	13,90
3-dagen Travelcard	10
Totaal	**144,50/€183**
Besparing London Pass	**€58**

kelijk, want maximaal twee kinderen tot en met negen jaar mogen gratis mee op de kaart van een volwassene. De cOPENhagen Card is dus niet alleen een goede keuze voor kunstliefhebbers, maar ook voor een doorsnee, gevarieerd stadsbezoek.
Op de website van de cOPENhagen Card staat een rekenmodule waarmee je gemakkelijk kunt uitrekenen wat je voordeel is. Hierin is wel een stelpost van ongeveer 320 DKK (€33) voor gebruik van het openbaar vervoer meegerekend. In die variant zou je met de cOPENhagen Card zo'n €55 besparen op bovengenoemd programma, inclusief onbeperkt vervoer.

De Barcelona Card

De Barcelona Card is met €35 voor 3 dagen relatief goedkoop, maar er zijn slechts 20 musea inbegrepen. Vaak geldt een korting van 20% of een vast bedrag van enkele euro's. Je hebt de kaart er bij een gemiddeld programma dus minder snel uit. Dat lukt wel als je ook de trein van en naar het vliegveld en een driedagenkaart voor het openbaar vervoer meerekent. Als je weinig gebruikmaakt van het openbaar vervoer en uitgaat van twee ritjes per bus of metro per dag (circa €3), speel je net quitte met de kaart.
Andere extra's, zoals 30% korting op thematische stadswandelingen met een gids en kortingen in restaurants en winkels, maken de aanschaf van de kaart wellicht toch het overwegen waard.
Let op: de Barcelona Card geldt per dag en niet per periode van 24 uur. Laat de kaart dus pas ingaan op een dag die je helemaal te besteden hebt om er optimaal profijt van te hebben.

Kaarten geschud

Een overzicht van de beschikbare citycards van 34 steden in 21 Europese landen staat op www.europeancitycards.com. De lijst is niet compleet, maar bevat ook minder bekende steden als Belfast, Dubrovnik, Göteborg, Krakau, Reykjavik en Vilnius. Een andere website met ruim 40 citycards is www.neoturismo.com. Beide sites geven beknopte informatie over kaart, prijzen, musea en attracties waarvoor gratis entree of korting geldt en speciale aanbiedingen. Op deze sites kun je de kaarten online bestellen. Wie meer informatie wil over met name de voorwaarden doet er goed aan om (ook) de eigen website van de citycard te raadplegen of de website van het toeristeninformatiepunt of het verkeersbureau.

De London Pass

Een gevarieerd driedaags programma met een bezoek aan de musea en attracties uit het kader 'Voordeel met de London Pass' zou zonder London Pass €183 kosten. De London Pass zonder openbaar vervoer kost voor drie dagen 77 pond (€98). Dus bij een bezoek aan die topattracties kom je ruim uit de kosten. Bovendien biedt de London Pass gratis entree en kortingen voor heel veel andere bezienswaardigheden, stadswandelingen en -tours, winkels, bars en restaurants.
Een London Pass inclusief gratis gebruik van het openbaar vervoer voor drie dagen kost €125. Ook de London Pass geldt per kalenderdag en niet voor een periode van 24 uur. Koop de pas dus voor het aantal volledige dagen dat je in de stad te besteden hebt.

Conclusie

Ga voor de aanschaf goed na of je de kaart eruit haalt. Het goedkoopst zijn de kaarten die gesubsidieerd worden door de VVV en haar nationale collega's, de commerciële aanbieders zijn een stuk duurder.
Ook zijn er flinke verschillen in wat de kaarten bieden. Zo is bij de Berlin WelcomeCard en de Wien Karte geen enkele entree inbegrepen; ze bieden alleen korting.
Een goede prijs-kwaliteitverhouding bieden onder meer de Lisboa Card, de Firenze Card en de cOPENhagen Card met zowel openbaar vervoer als entree tot een groot aantal musea en aardig wat extra's. De Berlin Pass, London Pass, Paris Pass en New York Pass bieden het compleetste pakket, maar daar hangt dan ook een flink prijskaartje aan.

Elektrische fietsen

Consumentengids juni 2012

'Nu ik een elektrische fiets heb, kan ik er weer op uit', schrijft een van de deelnemers aan het panelonderzoek van de Consumentenbond. Deze quote maakt duidelijk waarom elektrische fietsen zo in trek zijn: je kunt er ook mee fietsen wanneer je op eigen kracht de pedalen niet meer zo makkelijk rond krijgt. Niet voor niets omarmde tien jaar geleden de oudere generatie als eerste de 'fiets met trapondersteuning'.

De *e-bike*, zoals de elektrische fiets tegenwoordig heet, is hip en voor iedereen. Ook voor de forens, die er de auto voor laat staan. Dat laatste is goed voor het milieu en helpt tegen de files. Volgens Milieu Centraal zijn kilometers met een e-bike 50 keer minder milieubelastend dan met een auto. Wettelijk mogen e-bikes ondersteuning geven tot een maximumsnelheid van 25 km per uur en is het motorvermogen beperkt tot 250 W. Daarboven wordt het een snorfiets. Op een e-bike hoef je geen helm te dragen en een WA-verzekering is niet verplicht.

Tevreden gebruikers

Wie voor het eerst op een e-bike rijdt, zal verrast zijn door het gevoel van comfort als de motor gaat helpen. Uit een enquête onder zo'n kleine 150 gebruikers blijkt dan ook vooral dat velen tevreden zijn. De meesten geven hun fiets een acht of een negen. Een op de drie gebruikt hem dagelijks en nog eens 30% minimaal elke week. Zelfs in herfst en winter stapt 75% op de fiets, zij het wat minder vaak.

Elektrische fietsen

	Merk & Type	Richtprijs	Testoordeel	Elektrische ondersteuning	Uitrusting	Actieradius	Gewicht en rijeigenschappen	Bediening en gebruik display	Gemak opladen	Bouwkwaliteit	Handleiding	Gewicht fiets met/ zonder accu (kg)	Actieradius (km)	Capaciteit accu (Wh)	Versnellingen
Weging voor Testoordeel				25%	20%	15%	15%	10%	5%	5%	5%				
▶ ■ 1.	**Raleigh** Dover Impulse	€2100	**7,8**	++	□	++	+	++	+	+	++	25,8/22,9	68	558	8, naaf
2.	**Flyer** C8 De luxe	€3100	**7,4**	++	□	□	+	++	□	++	++	29,0/25,3	46	432	8, naaf
3.	**Batavus** Socorro Easy	€2400	**7,3**	++	++	□	□	+	□	++	+	27,7/24,3	41	360	21, derailleur
4.	**Koga** E-Tour	€3000	**7,3**	++	++	−−	□	++	++	+	++	26,9/24,5	22	250	21, derailleur
5.	**Dutch ID** Sport Lady	€2400	**7,2**	++	□	−	+	+	□	++	++	27,0/24,5	34	288	8, naaf
6.	**Sparta** Ion GLS+	€2700	**7,2**	++	□	−	+	++	+	++	++	27,5	38	360	24, derailleur
7.	**Qwic** Trend3	€1850	**6,6**	□	+	□	+	+	□	+	++	27,0/23,8	45	360	7, naaf
8.	**Trek** L300+ Navigator	€2200	**6,6**	++	++	−−	+	+	□	□	□	27,6/24,6	26	300	7, naaf
9.	**Gazelle** Excellent Innergy	€2600	**6,0**	−	□	□	+	+	+	++	++	27,6/24,1	45	396	8, naaf
10.	**MC** Elegance-E	€2900	**6,0**	□	□	−−	++	+	□	++	++	22,2/19,4	26	270	9, derailleur
11.	**Bikkel** ibee T2	€1600	**5,7**	□	□	−−	+	+	□	++	++	24,6/21,9	24	276	7, naaf

++ Zeer goed + Goed □ Redelijk − Matig −− Slecht ■ Beste uit de test ▶ Beste koop

Wanneer de ondersteuning wegvalt, bijvoorbeeld door een lege accu, moet je zelf trappen. Met een betrekkelijk zware e-bike valt dat niet altijd mee. Een kleine 10% had hier nog geen ervaring mee. Een op de drie beoordeelt rijden zonder ondersteuning als zeer goed of goed, 35% als redelijk en 23% als slecht of zeer slecht. Met een lichte fiets en een versnelling met een laag verzet ben je dan in het voordeel.
Een e-bike is duur. Hoewel er via internet al fietsen te koop zijn vanaf zo'n €600, betaal je in de praktijk meestal tussen €1500 en €3000. Terwijl de fiets zelf nog lang niet is afgeschreven, is de accu na drie tot vijf jaar wel toe aan vervanging. Een nieuwe accu kost afhankelijk van de capaciteit zo'n €300 à €600. De fiets inruilen voor een nieuwe is dan een optie, maar de restwaarde zonder accu valt tegen. Ook de verzekering is wat duurder dan die van een gewone fiets (zie de test 'Fietsverzekeringen' verderop in dit hoofdstuk). Soms is pechhulp dan wel meeverzekerd.
Wanneer je de afschrijving niet meerekent, is elektrisch rijden niet duur. Het opladen van een accu kost slechts een fractie van een cent per kilometer.

Actieradius

De actieradius, het aantal kilometers dat je met een volle accu kunt afleggen, is veelbesproken. Begrijpelijk, want het is niet prettig als je midden op de Veluwe met een lege accu komt te staan. Toch wordt het belang ook wel overschat. Wanneer je met gemiddelde ondersteuning niet meer dan zo'n 30 à 40 km per dag aflegt en de fiets 's avonds weer aan de oplader zet, is ook een goedkopere accu met wat minder capaciteit geschikt. De capaciteit van de accu, uitgedrukt in wattuur (Wh), bepaalt de actieradius. Daarnaast spelen het gewicht van berijder, fiets en bagage, de zwaarte van het parcours, tegenwind of hellingen, de bandenspanning en niet te vergeten het rijgedrag een rol. De mate van ondersteuning door de motor is instelbaar. Met de zwaarste ondersteuning en vaak wegrijden in een hoge versnelling is elke accu snel leeg. Wanneer je met lage of gemiddelde ondersteuning en een gestage snelheid fietst en ook zelf actief bent, kun je ook boven de 100 km komen. Niettemin is de opgave van fabrikanten vaak wat te optimistisch.

Testritten

Voor deze test hebben we 11 veelverkochte fietsen geselecteerd. Ze zijn in het dagelijks verkeer stevig aan de tand gevoeld door fietsexperts, op een pittig traject met flink wat hoogteverschil. Ze fietsten met maximale ondersteuning. Tijdens deze testritten gebruikten de meeste fietsen rond 10 Wh

per kilometer. Dat betekent dat de fiets met een accu van 350 Wh zo'n 35 km kan afleggen. De actieradius in de test varieerde van 22 tot 68 km, wat meer is dan in vorige jaren.
Op het display aan het stuur is te zien hoeveel energie er nog in de accu zit. Dit geeft een indicatie van de afstand die je nog kunt afleggen, maar deze is meestal niet erg betrouwbaar. Hoe ouder de display, des te groter de kans op een afwijking. De weergave op de accu zelf is doorgaans betrouwbaarder.
Er zijn veel verschillende e-bikes, maar voor de ondersteuning zijn er maar een paar systemen. De e-bikes van Sparta, Koga en Batavus maken vooral gebruik van de ION-technologie. De motor van Panasonic zit onder andere op fietsen van Flyer en het Duitse Kalkhoff. Ook heeft Kalkhoff fietsen met het Boschsysteem, met een motor bij de trapas, net als onder andere Cannondale en Dutch ID. Veel goedkope fietsen (onder €1600) hebben een voorwielmotor, een (lichte) accu onder de drager en een eenvoudige display.
Uit onze tests blijkt dat de ION-technologie en de motorsystemen van Bosch en Panasonic zorgen voor een goede tot zeer goede dosering van de ondersteuning, onder alle omstandigheden. Dit bepaalt grotendeels het rijcomfort. Ook de plaats van de motor en de accu dragen hieraan bij. Een motor in het voorwiel kan de fiets bij gladheid in een bocht minder stabiel maken. Motor en accu laag in het midden van de fiets zorgen juist voor een goede stabiliteit.
De accu maakt een e-bike duur. Een nieuwe accu kost al snel tussen de €300 en €600, afhankelijk van de capaciteit. Een zorgvuldig gebruik is daarom geboden. Uit het panelonderzoek blijkt dat hierover nog veel onduidelijkheid heerst. Een op de zes gebruikers heeft problemen gehad met de accu en 7% heeft zelfs binnen twee jaar een nieuwe moeten kopen. Meer dan de

Accu slim gebruiken

- Voorkom dat de accu helemaal leegraakt. Overigens zijn de meeste accu's hiertegen beveiligd.
- Laad de accu de eerste vijf keer volledig op.
- Laad hem na elk gebruik op, bij een temperatuur van minstens 10 °C.
- Gebruik alleen de meegeleverde oplader.
- Accu's leeg bewaren is funest voor de levensduur. Wordt de fiets lang niet gebruikt, bewaar de accu dan uit de fiets, opgeladen, droog en koel (circa 5 °C). Laad hem elke twee maanden een paar uur bij.
- Raadpleeg ook de gebruiksaanwijzing van de fabrikant.

Kooptips

- Maak een uitgebreide proefrit, liefst op verschillende fietsen en ook heuvel op.
- Voor woon-werkverkeer volstaat wellicht een wat kleinere actieradius en dus een accu met iets minder capaciteit. Dat maakt de fiets goedkoper.
- Voor stadsverkeer, met veel stilstaan en optrekken, is een fiets met krachtsensor het gemakkelijkst, zeker voor wie niet veel kracht in de benen heeft.
- Voordeel van een naafversnelling is dat je ook bij stilstand kunt schakelen. Een derailleurversnelling schakelt soepeler, maar is iets onderhoudsgevoeliger.
- Koop een elektrische fiets bij een winkel in de buurt. Als je problemen krijgt, heb je hulp bij de hand.

helft zegt de accu pas op te laden wanneer die bijna leeg is, terwijl deskundigen adviseren dit na elk gebruik te doen. Bij een op de vijf staat de fiets niet vorstvrij, wat slecht is voor de accu. Zie de tips in het kader 'Accu slim gebruiken'.

Thuis opladen

Een accu van bijvoorbeeld 400 Wh kan vier uur lang 100 W leveren of twee uur lang 200 W. Volgens fabrikanten kunnen accu's circa 500 à 700 maal worden geladen. Bij een lege accu duurt dat drie tot vijf uur. Ook wanneer je een fiets niet of nauwelijks gebruikt, slijt de accu. Hoe hoger de temperatuur, des te sneller. Ze gaan daardoor meestal maar drie tot vijf jaar mee. Oude accu's leveren minder energie.
Alle A-merken hebben inmiddels ook fietsen met een uitneembare accu. Voordeel is dat je zo'n accu binnen kunt opladen en dat je de fiets makkelijker kunt meenemen op een fietsdrager.
Steeds meer merken bieden keuze uit accu's met weinig, gemiddeld of hoog vermogen. Bij alle fietsen kun je de actieradius flink uitbreiden door de ondersteuning in een lagere stand te zetten. Optrekken in de hoogste versnelling vreet stroom.
Naast de fietsen in deze test heeft de Consumentenbond een aantal e-bikes op een beperkter aantal punten beoordeeld in samenwerking met de Fietsersbond en *De Telegraaf*. De Dutch ID Sport, Koga E-limited XTE en Flyer T8 DeLuxe eindigden daarbij op de plaatsen een tot en met drie. De subtop bestaat uit de Batavus Socorro Easy, Trek L300+, Kalkhoff Tasman City Roller en de Giant Twist Lite Power.

1 Raleigh Dover Impulse (Beste koop én Beste uit de test)

Prijs: €2100
Plaats motor: op trapas
Sensor: beweging en kracht
Testoordeel: 7,8
De Raleigh heeft een zeer grote actieradius (door de accu met de hoogste capaciteit uit de test) en een goede ondersteuning. De testfiets had de neiging al weg te spurten bij geringe kracht op de pedalen. Door een betere afstelling bij aanschaf is dit te verhelpen.

2 Flyer C8 De luxe

Prijs: €3100
Plaats motor: op trapas
Sensor: beweging en kracht
Testoordeel: 7,4
De Flyer rijdt comfortabel, mede omdat de accu en de motor onderin voor een goede gewichtsverdeling zorgen. Erg geschikt voor routes met veel klimmen. Nadelen zijn de prijs, het gewicht en de brede accu, die alleen los van de fiets te laden is.

3 Batavus Socorro Easy

Prijs: €2400
Plaats motor: in achterwiel
Sensor: kracht
Testoordeel: 7,3
Goed uitgeruste fiets met derailleur, mooi display, energieterugwinning bergaf, parkeerassistentie voor- en achteruit (handig bij een stalling met hellingbaan) en *boost*-functie (extra aandrijving). Achterlicht makkelijk van de accu te halen; dat betekent meer diefstalrisico.

4 Koga E-tour

Prijs: €3000
Plaats motor: in achterwiel
Sensor: kracht
Testoordeel: 7,3
Fiets met veel accessoires, zoals energieterugwinning bergaf en parkeerassistentie voor- en achteruit (handig bij een stalling met hellingbaan). Met derail-

leur. De accu zit in het frame, maar is wel uitneembaar. Uitgebreid display met veel snufjes. De actieradius valt tegen.

5 Dutch ID Sport Lady

Prijs: €2400
Plaats motor: op trapas
Sensor: beweging en kracht
Testoordeel: 7,2
Mooie fiets, die met een accu met wat grotere capaciteit nog hogere ogen zou gooien. De accu is alleen los van de fiets te laden. Hij is uitgerust met de excellente motor van Bosch, die onder alle omstandigheden goede ondersteuning biedt.

6 Sparta ION GLS+

Prijs: €2700
Plaats motor: op achterwiel
Sensor: kracht
Testoordeel: 7,2
Mooie, goed uitgeruste fiets met derailleur. De accu is weggewerkt in de onderbuis van het frame en niet afneembaar. De lichtste versnelling heeft een verzet van 1,5, waarmee je ook kunt thuiskomen als de motor uitvalt. Uitgerust met een hydraulische velgrem.

7 Qwic Trend3

Prijs: €1850
Plaats motor: in voorwiel
Sensor: beweging
Testoordeel: 6,6
Niet duur, maar uitgerust met uitsluitend een bewegingssensor. Wel parkeerassistentie vooruit en *boost*-functie, die zorgt voor extra aandrijving. De verlichtingskabels laten makkelijk los. Het display van de geteste fiets gaf geen juiste accustatus aan. Dit is in latere modellen aangepast.

8 Trek L300+ Navigator

Prijs: €2200
Plaats motor: in voorwiel
Sensor: kracht
Testoordeel: 6,6

De Trek valt op door een elektrisch instelbare remwerking. Dat spaart de onderdelen van het remsysteem. Uitgerust met energieterugwinning bergaf. Een nadeel is de bedrading, met kabels en stekkertjes op kwetsbare plaatsen. Met bagage achterop is de accu niet te wisselen. De actieradius valt tegen.

9 Gazelle Excellent Innergy

Prijs: €2600
Plaats motor: in voorwiel
Sensor: kracht en beweging
Testoordeel: 6,0
Voldoet op de vlakke weg, maar is minder geschikt voor hellingen. Assistentie over de hele linie aan de lage kant. Verkrijgbaar met vier verschillende accu's oplopend in capaciteit en prijs. De fiets in deze test had een accu van 396 Wh.

10 MC Elegance-E

Prijs: €2900
Plaats motor: in voorwiel
Sensor: beweging
Testoordeel: 6,0
Lichte fiets, die op het eerste oog niet direct te herkennen is als een e-bike. Uitgerust met parkeerassistentie vooruit, derailleur en hydraulische velgrem. Hoewel niet goedkoop, uitgevoerd met uitsluitend een bewegingssensor en accu met vrij lage capaciteit. Bescheiden actieradius.

11 Bikkel ibee T2

Prijs: €1600
Plaats motor: in voorwiel
Sensor: beweging
Testoordeel: 5,7
Goedkoopste fiets uit deze test en betrekkelijk licht. Bescheiden actieradius. Met uitsluitend een bewegingssensor. Geen directe ondersteuning bij het wegfietsen, maar wel adequaat bij constante snelheid, vooral bij fietsen in een lage versnelling. Parkeerassistentie vooruit.

Zie ook het dossier *Elektrische fietsen* op www.consumentenbond.nl.

Fietsverzekeringen

Consumentengids mei 2012

In 2004 werd 965.000 keer een fietsdiefstal aangegeven. In 2012 is het aantal geregistreerde fietsdiefstallen gedaald tot zo'n 450.000.
Er zijn de laatste jaren nogal wat maatregelen genomen om het aantal fietsdiefstallen terug te dringen. Zo voorzien de Nederlandse fabrikanten hun fietsen sinds 2005 van een uniform framenummer en een streepjescode, die door de politie kan worden uitgelezen.
Nieuwe fietsen werden al eerder uitgerust met een antidiefstalchip (ADC), maar pas sinds 2007 is de informatie over alle gestolen fietsen te vinden in het RDW-register op internet. De politie beschikt over een vijftigtal scanners, die in directe verbinding staan met dit register en waarmee binnen twee seconden kan worden gecontroleerd of een fiets gestolen is.

Let op

- Het verzekeren van een stadsfiets in grote steden kost in drie jaar al snel eenderde van de aanschafprijs.
- De hoogte van de premie is afhankelijk van de gekozen dekking, de postcode en de nieuwwaarde van de fiets.
- Bij diefstal vragen verzekeraars altijd om twee originele fietssleutels van een ART-goedgekeurd slot, waarvan er één gebruikssporen dient te vertonen.
- Sommige verzekeraars maken een uitzondering als de fiets uit schuur of berging is gestolen, andere kennen een coulanceregeling.
- Veel inboedelverzekeringen dekken een uit de berging gestolen fiets ook, maar vaak wordt dan slechts de dagwaarde vergoed.
- Alleen de Europeesche en Unigarant bieden een doorlopende fietsverzekering: de premie wordt per maand of (half)jaar geïnd. Na drie of vijf jaar ben je duurder uit dan met een aflopende verzekering.
- Het risico dat een fiets wordt gestolen, is het grootst in het eerste jaar na aanschaf. In dat geval is een doorlopende verzekering gunstiger, want dan heb je minder premie betaald.
- Alleen Univé hanteert bij diefstal in de vier grote steden een eigen risico van 10%.

Chip in slot

De fietsverzekeraars geven doorgaans enkele tientjes premiekorting bij een fiets die is voorzien van een ADC, maar zijn niet onverdeeld enthousiast over de chip. 'De ADC zit in het slot', zegt directeur Douwe Boeijenga van verzekeraar Enra. 'En wat doet een fietsendief als eerste? Die haalt het slot eraf en gooit het weg. Ik vind het geen succes.' Orion Direct en de Europeesche maken in hun premiebepaling geen onderscheid meer tussen fietsen met en zonder ADC.
Er zijn 21 gemeenten die een depot hebben geopend waar alle foutgeparkeerde en gevonden fietsen worden verzameld, geregistreerd én gecontroleerd op diefstal. Regelmatig duiken bij zo'n depot (soms Afac genoemd) fietsen op die bij de verzekeraar als gestolen zijn opgegeven. Heeft de verzekeraar al uitgekeerd, dan wordt deze eigenaar van de teruggevonden fietsen. Die worden van tijd tot tijd verkocht en een deel van de opbrengst vloeit naar het Centrum Fietsdiefstal. Het Centrum, in 2008 opgericht om het aantal diefstallen verder terug te dringen, schaft met dit geld onder meer gps-systemen aan en stelt deze ter beschikking van de politie.

Lokfietsen

'De gps-systemen zitten op lokfietsen', vertelt Mojgan Yavari, projectleider van het Centrum Fietsdiefstal. 'Die versturen voortdurend sms'jes, waardoor de politie kan volgen waar zo'n lokfiets zich bevindt. Dat maakt de fiets traceerbaar tot in het schuurtje van de dief of heler.' Sinds mei 2010 zijn de 20 lokfietsen (10 met gps) ruim 200 keer ingezet, met 41 aanhoudingen als gevolg. Klein bier, afgezet tegen het nog altijd grote aantal fietsen dat jaarlijks gestolen en niet teruggevonden wordt.
En dan zijn er nog de talrijke gestolen fietsen waarvan geen aangifte wordt gedaan en die buiten de officiële cijfers blijven. We kunnen er wel van uitgaan dat die fietsen niet verzekerd waren, aangezien er alleen wordt uitgekeerd als er aangifte is gedaan.
Een blik op de premies van de fietsverzekeraars werpt de vraag op of deze cijfers wel bij hen zijn doorgedrongen. Opvallend is bijvoorbeeld dat de ANWB op zijn website anno 2012 nog altijd schermt met de alarmerende tekst: 'Maar liefst 500.000 fietsen gestolen in 2009!' Elders meldt de ANWB 'zo'n 800.000 diefstallen per jaar'.

Fietsverzekeringen

		Verzekeraar (verkooppunt)	Testoordeel	Looptijd in jaren	Uitkering bij diefstal	Prijsstijging meeverzekerd tot	Premie stadsfiets €750 in Amsterdam (verandering t.o.v. 2009)	Premie stadsfiets €1500 in Amsterdam (verandering t.o.v. 2009)	Premie stadsfiets €750 in Zoetermeer (verandering t.o.v. 2009)	Premie stadsfiets €1500 in Zoetermeer (verandering t.o.v. 2009)	Premie stadsfiets €750 in Harlingen (verandering t.o.v. 2009)	Premie stadsfiets €1500 in Harlingen (verandering t.o.v. 2009)	Premie e-bike
■	1.	**Rijwielverzekeren.nl**	**7,9**	2,3,4	geld	4% per jaar	€208 (+€8)	€325 (+€9)	€103 (+€6)	€157 (+€7)	€103 (+€6)	€157 (+€7)	tot €509
	2.	**Enra**	**7,4**	3,4,5	in natura	4% per jaar	€216 (+€9)	€338 (+€18)	€121 (+€3)	€196 (+€8)	€104 (+€1)	€161 (+€6)	€163
	3.	**Unigarant** (intermediair)	**7,4**	3,5	geld	0%	€192 (-€3)	€253 (0)	€105 (-€3)	€178 (-€1)	€91 (-€3)	€135 (-€2)	€155-€225
	4.	**Unigarant** (rijwielhandel)	**7,3**	3,5	in natura	10%	€192 (-€3)	€253 (0)	€105 (-€3)	€178 (-€1)	€91 (-€3)	€135 (-€2)	€155-€225
	5.	**ANWB**	**7,3**	1,3,5	geld	0%	€187 (+€3)	€246 (+€5)	€105 (+€2)	€174 (+€4)	€91 (+€1)	€133 (+€3)	€152-€158
	6.	**Helepolis**	**6,3**	3	in natura	0%	€207 (0)	€320 (0)	€107 (0)	€173 (0)	€107 (0)	€173 (0)	€180
	7.	**Orion Direct**	**6,3**	3	in natura	12%	€198 (+€6)	€277 (+€25)	€109 (+€2)	€182 (€4)	€94 (+€1)	€142 (+€6)	€120-€200
	8.	**Univé**	**6,2**	3	geld	15%	€235 (0)	€330 (0)	€100 (0)	€176 (0)	€84 (0)	€136 (0)	€130
	9.	**Europeesche Verzekeringen**	**6,0**	3	geld	0%	€211	€376	€211	€376	€146	€277	tot €1145
	Doorlopend												
■	1.	**Unigarant** (internet/intermediair)	**7,7**	nvt	geld	0%	€231	€281	€156	€206	€96	€115	€137-€218
	2.	**Unigarant** (rijwielhandel)	**7,5**	nvt	in natura	10%	€231	€281	€156	€206	€96	€115	€137-€218
	3.	**Europeesche Verzekeringen**	**5,8**	nvt	geld	0%	€300	€547	€300	€547	€201	€399	tot €1699

■ Beste uit de test

- De uitkering bij diefstal door Unigarant hangt af van waar de polis is afgesloten: via website, tussenpersoon (geld) of rijwielhandelaar (in natura).
- In 2009 deed de Europeesche niet mee aan onze test.
- Maximale fietsleeftijd: hierna is hij niet als nieuw te verzekeren.
- Maximale waarde fiets: zonder aanvullende voorwaarden of toestemming.
- De premies (maart 2012) zijn voor volledig casco (diefstal en beschadiging), inclusief assurantiebelasting en poliskosten en gebaseerd op een contractduur van drie jaar. Die van de ANWB zijn inclusief 5% ledenkorting.

De e-bike rukt op

De opmars van de prijzige *e-bikes* is bij de fietsverzekeraars niet onopgemerkt gebleven. Hanteerden de meeste maatschappijen drie jaar geleden nog een vaste premie, intussen wordt er meer onderscheid gemaakt naar locatie en/of aanschafprijs. Dat maakt een premievergelijking juist hier noodzakelijk. Doordat deze fietsen vooral door ouderen worden gebruikt voor toertochtjes, is het risico op diefstal klein. Dat vertaalt zich bij de meeste verzekeraars in relatief lage premies. Rijwielverzekeren.nl hanteert echter nog hetzelfde premiestelsel als voor standaardfietsen en kan daardoor bijzonder prijzig uitpakken.

Diefstal én schade

De twee grootste spelers, Enra en ANWB-dochter Unigarant, zeggen weinig te merken van de spectaculaire daling. 'Die cijfers zijn maar een deel van de werkelijkheid', zegt Gerard Nijdam van Unigarant. 'We hebben exact inzicht in dat wat wij verzekeren en wij zien nauwelijks een daling.'
Boeijenga van Enra: 'Wij zien misschien íets minder diefstallen, maar het aantal schadegevallen neemt juist toe. Er worden nu dan ook meer volledig cascoverzekeringen (diefstal en schade) afgesloten. Daarbij zijn de schadebedragen hoger, doordat mensen gemiddeld steeds duurdere fietsen kopen.'
'Er is weinig ruimte om de premies te verlagen. En als er al ruimte is, gebruiken wij die liever om ons product te verbeteren', vervolgt Nijdam, wijzend op de *e-bike*-verzekering waarin de schadegevoelige accu, verhaalsrechtsbijstand en pechhulp zijn meeverzekerd.

Bij de dealer

Kennelijk spreekt Nijdam voor de hele branche, want sinds de vorige test van fietsverzekeringen (*Consumentengids* maart 2009) zijn de premies eerder gestegen dan gedaald. De verklaring zit deels in de specifieke eigenschappen van deze markt, die wordt verdeeld door een beperkt aantal specialisten. Het leeuwendeel van de fietsverzekeringen wordt afgesloten bij de koop van de fiets, dus bij de dealer, die daarvoor provisie ontvangt. De consument betaalt de premie daarbij in één keer vooraf. Als de verzekering bij diefstal uitkeert, betekent dit in de praktijk dat dezelfde (of een vergelijkbare) fiets bij deze dealer kan worden afgehaald.
De meeste dealers hebben een contract met één verzekeraar – veelal Unigarant of Enra – en zijn minder geïnteresseerd in de premie van de polissen dan in de kwaliteit en het gemak ervan. Er is dus nauwelijks concurrentie op

prijs, ook al omdat veel consumenten voor deze relatief kleine polissen niet de moeite nemen te zoeken naar de beste aanbieding. Terwijl dat – zeker bij de steeds populairdere e-bikes – wel degelijk de moeite kan lonen.

IN DETAIL

Rijwielverzekeringen.nl (Beste uit de test)
Bij Rijwielverzekeren.nl zijn prijsstijgingen tot 4% per jaar meeverzekerd. Dat geldt ook voor schade door schuld zonder opzet en ongevallen van opzittenden. Nog een voordeel is dat er uitgekeerd wordt in geld.

Unigarant (Beste uit de test)
Unigarant introduceerde in 2011 een doorlopende fietsverzekering. De premie wordt per maand of per jaar geïnd; handig als je liever niet in één keer de premie betaalt.

Zie ook het dossier *Fietsverzekeringen* op www.consumentenbond.nl.

Hotelboekingssites

Reisgids mei 2012

Wie kent en gebruikt ze niet voor een weekendje weg of een vakantie: hotelboekingssites (ook wel *portals* genoemd) als Booking.com, Expedia.nl en Hotels.com? Erg handig om een hotel te zoeken. Dankzij de foto's krijg je een goede indruk en door de beoordelingen van de gasten weet je meteen of je een goed hotel te pakken hebt. Bovendien is er volop keuze. Zo heeft Booking.com maar liefst 205.000 hotels in zijn bestand en dat aantal groeit nog steeds. Ben je op deze websites goedkoper uit dan bij het hotel zelf? Dat is niet altijd het geval, zo blijkt. Maar meestal ben je er ook niet duurder uit.

Prijsopdrijving

Natuurlijk werken de boekingssites niet voor niets. Vaak bedraagt de commissie circa 10 tot 15%, maar het kan ook oplopen tot zelfs 25%. Wil je als hotel hoger op de lijst met zoekresultaten komen te staan, dan kost dat meer commissie. Daar merk je als klant niks van, want die commissie is opgenomen in de kamerprijs.

Wat & hoe

We zochten voor 16 hotels in Amsterdam (5), Berlijn (6) en Brussel (5) de prijs voor een overnachting in een standaardtweepersoonskamer van 2 op 3 juni en van 7 op 8 juni online bij het hotel zelf en bij de boekingssites Booking.com, Expedia.nl, Hotels.com, Hotelspecials.nl, Hotels.nl, Venere.com, Splendia.com, HRS, Ebookers.nl, Otel.com, Easytobook.com, Agoda en Hotel.info. Ook belden we de hotels met de vraag hoeveel een kamer kost op de genoemde data. Lang niet elke boekingssite had alle 16 hotels in het assortiment; sommige boden maar een of enkele hotels aan van ons lijstje.

De hoteliers moeten dus een flinke veer laten voor de vele kamers die de boekingssites vullen. Daar zijn ze niet blij mee. Bestuurder Frans Hazen van Koninklijke Horeca Nederland stelt dat de machtige hotelportals prijsverhoging in de hand werken. Het gevolg is volgens hem dat gasten tot zo'n 30% te veel betalen voor een hotelkamer.

De hotelportals zijn van mening dat de hoteliers niet moeten zeuren. Ze zorgen immers voor veel gasten en dat doen ze niet voor niets. De hoteleigenaren willen echter weer baas worden over hun eigen kamers en prijsstelling, maar ze kunnen niet om de portals heen. Extra zuur is dat de commissie ook nog eens wordt berekend over de prijs inclusief btw. Bij de Mededingingsautoriteit krijgen de hoteliers nul op het rekest, want ze gaan de contracten vrijwillig aan. Als ze oproepen de boekingssites te boycotten, worden ze zelf aangepakt.

Vaak dezelfde prijzen

De boekingssites beconcurreren elkaar amper. Zo bleek voor hotel Manor en hotel The Times in Amsterdam de prijs bij 70% van de websites (bijna) gelijk aan de prijs op de website van het hotel. Bij de hotels in Amsterdam was bij maar liefst 83% de prijs (praktisch) gelijk, tegenover 67% in Berlijn en 65% in Brussel.

Toch is vergelijken wel zinvol. Zo bleek Venere.com voor hotel Ramada Alexanderplatz in Berlijn maar liefst €110 duurder dan de andere portals en het hotel zelf. Bij HRS (www.hrs.com) waren we €105 duurder uit voor een kamer in het Martins hotel Central Park in Brussel.

Als er al sprake was van prijsverschil, dan waren Ebookers.nl en Otel.com in een handvol gevallen wat goedkoper en HRS, Hotel.info, Otel.com en Venere.com wat duurder dan de andere boekingssites en de hotelsite. On-

Tips bij het boeken

- Vooral in toeristische topsteden is het weekend duurder, terwijl de hotels in steden met veel zakelijke bezoekers, zoals Brussel, dan juist goedkoper zijn.
- Ga in steden met belangrijke beurzen, zoals Berlijn en Keulen, na wanneer die zijn. Vanwege de hoge prijzen kun je dan beter andere data kiezen.
- Boek bij gelijke prijzen bij het hotel zelf, dan heb je kans op een betere kamer en soms hebben ze aantrekkelijke acties.
- Probeer, zeker bij onafhankelijke hotels die niet bij een keten zijn aangesloten, of telefonisch boeken goedkoper is.
- Al maakt de prijs vaak niet uit, de voorwaarden verschillen soms wel. Zo kun je bij Booking.com in het algemeen gratis annuleren tot de dag voor aankomst.
- Als je een vlucht en een hotel wilt boeken, kijk dan naar websites die beide aanbieden, zoals Expedia.nl. Dat kan flink schelen.
- Wil je in één oogopslag zien hoeveel de verschillende boekingssites rekenen voor een hotel? Kijk dan op www.hotelscombined.com. De aanbiedingen van meer dan 30 boekingssites zijn daar in kaart gebracht.
- Sommige hotels venten hun goedkope kamers uit via een app.

geveer een op de vier keer bleek telefonisch reserveren voordeliger dan online boeken. In de meeste gevallen ging het daarbij om onafhankelijke hotels die geen onderdeel zijn van een keten. Het grootste voordeel bedroeg €86. Bij de andere hotels bleef de 'winst' beperkt: €10 tot €19. En waar in twee gevallen online geen kamer meer verkrijgbaar was, lukte dat nog wel telefonisch. Vier keer waren we aan de telefoon juist duurder uit (€10-€20) dan op de website van het hotel.

Lastig vergelijken

Zelf de prijzen van hotelportals vergelijken is veel werk. Ze werken met verschillende prijzen: waar de een de kale kamerprijs noemt, telt de ander daar de btw bij op. Als er staat dat het bedrag inclusief alle toeslagen en belastingen is, betekent dit niet dat de plaatselijke belastingen ook inbegrepen zijn. Dat moet je nagaan in de algemene voorwaarden. Meestal is de prijs exclusief ontbijt, maar soms is dat wel bij de prijs inbegrepen. Het is ook niet altijd duidelijk om welk type kamer het gaat.
Dan is er ook nog een groot verschil in de gebruiksvriendelijkheid van de websites. Zo is het ploeteren op Ebookers.nl en is boeken haast een genot op www.hrs.com.

Conclusie

Online verschillen de hotelprijzen tussen de boekingssites en de websites van de hotels vaak weinig. Deze opvallende uitkomst van ons onderzoek is inmiddels voorgelegd aan de Nederlandse Mededingingsautoriteit. Informeer zelf ook altijd telefonisch naar de hotelkosten, want dan heb je een goede kans op de laagste prijs.

Kinderwagens

Consumentengids januari 2012

Wie een wandelwagen wil kopen, ziet algauw door de bomen het bos niet meer. Bedenk allereerst hoelang de wagen mee moet kunnen. Kinderwagens zijn in principe alleen geschikt voor baby's tot en met een paar maanden oud. De baby ligt plat in een bak, die vaak ook als losse reiswieg kan worden gebruikt. Maar zodra het kind kan zitten, heb je niets meer aan de bak.

Wandelwagens kunnen langer mee, tot een jaar of vier. Ze hebben een zitje en de rugstand hiervan is aan te passen. Wanneer de rug helemaal horizontaal kan, zijn deze wagens soms ook geschikt voor baby's. De meeste merken bieden ook een combinatie van een wandel- en kinderwagen aan: de combiwagen. De eerste maanden past de reiswieg of het autozitje op het onderstel en vervolgens kun je hem gebruiken met zitje.

Wiebelwielen

Enkele populaire modellen staan niet in de tabel 'Kinderwagens'. De Bugaboo Bee ontbreekt, omdat er een probleem was met de wielen. Die konden gaan zwabberen. De metalen lagers werden vervangen door kunststof exemplaren, maar dit gaf opnieuw problemen: nu konden de wielen zelfs blokkeren. Daarom werd de verkoop tijdelijk stilgezet en wordt er nu een set ringetjes meegeleverd die het zwabberprobleem zou oplossen.

De Xplory van Stokke ontbreekt ook. Het geteste model is in de tussentijd dusdanig gewijzigd dat wij wachten op een nieuw exemplaar.

Hetzelfde geldt voor de vernieuwde Joolz day en Mima kobi van Koelstra en twee Maxi Cosi's.

Zitten en meerijden

Buggy's zijn licht, hebben kleine wielen en zijn vaak erg gemakkelijk in en uit te klappen. Je kunt ze echter niet gebruiken met reiswieg of autokinderzitje. Een buggy is pas geschikt als een kind al zelf kan zitten.
Wie twee kleine kinderen mee wil nemen, zal blij zijn met een duowagen, waar twee kleintjes samen in kunnen zitten, of met een wandelwagen, voorzien van een 'meerijdplank' waar het oudere kind op kan staan.
Aangezien combiwagens en buggy's het populairst zijn, hebben we die getest samen met een tweetal wandelwagens. Op www.consumentenbond.nl/kinderwagens staan ook geteste duowagens en oudere modellen die tweedehands te koop zijn.
Aangezien wandelwagens en buggy's intensief worden gebruikt, moeten ze wel handig zijn. Er zijn weinig negatieve uitschieters op het aspect 'Gebruiksgemak'. De Mutsy en Quinny Zapp scoren het best. Het panel van ouders dat de wagens testte, liet weten dat het tuigje van de Quinny Buzz lastig vast te zetten is en dat de MacLaren Grand Tour LX niet in kleine auto's past. De Quinny Buzz 3 en 4, de Mutsy Spider en de Gracio Symbio hebben beperkte bergruimte en zijn dus niet zo handig met boodschappen doen.

Testparcours in de winkel

De geteste wagens zijn gemakkelijk te duwen, maar probeer in de winkel en op verschillende ondergronden – sommige winkels hebben een testparcours – of ze prettig rijden en of de duwstang in hoogte verstelbaar is. Voor wie graag door het bos of over het strand wandelt, zijn er *allterrain*-wagens te koop.
Wie een beetje speurt op internet of de winkels ingaat, zal verbaasd zijn over de grote prijsverschillen. Dit zit vaak in de accessoires. Bij sommige winkels zijn die bij de prijs inbegrepen en bij andere niet. De prijzen van accessoires kunnen flink oplopen. Handig zijn in elk geval regenhoes, voetenzak, zonnekap en parasol. Voor wie ook een wat ouder kind heeft, is een meerijdplank aan te raden.
De tweedehandsmarkt van kinderwagens is enorm. Wie overweegt een tweedehandswagen te kopen, moet vooral op deukjes, beschadigde onderdelen, roest en wiebelige wielen letten. Kijk ook of het frame solide is en keur de remmen, de bevestigingsklemmen en het profiel van de wielen. Koop een kinderwagen alleen tweedehands als deze een vijfpuntstuigje heeft. Is dit allemaal in orde, dan loop je weinig risico.

Kinderwagens

		Merk & Type	Richtprijs	Testoordeel	Gebruiksgemak	Gebruik van tuigje/gordeltjes	Kind in wagen plaatsen	Tillen en verplaatsen ingeklapte wagen	Remmen	Opbergen in de auto	Reinigingsgemak	Gebruik van bagagenet/-zak	Duwcomfort	Besturen en rijden	In- en uitklapgemak	Gemak instellen rugleuning	Gebruik in openbaar vervoer	Kijkrichting kind	Gewicht in kg
		Weging voor Testoordeel			20%							10%	10%	30%	15%	10%	5%		
		Combiwagens (reiswieg + zitje, 0 tot 4 jaar)																	
▶	1.	**Quinny** Buzz 4	€460	**7,9**	+	++	++	□	+	□	+	□	++	++	+	++	+	v/a	14
	2.	**Bugaboo** Donkey Duo	€1005	**7,7**	+	+	+	□	++	++	++	++	++	++	+	++	––	v/a	18
	3.	**Mountain Buggy** Urban	€580	**7,6**	+	+	++	–	++	–	++	++	+	++	+	+	□	v	12
	4.	**Phil & Teds** Vibe	€660	**7,5**	+	++	++	□	++	□	++	+	+	+	+	+	–	v	12,5
	5.	**Mutsy** 4 Rider Light	€530	**7,4**	++	++	++	□	++	□	++	+	+	+	+	□	++	v/a	14
	6.	**Easywalker** Sky	€480	**7,4**	+	+	++	–	++	□	++	□	+	++	+	□	□	v	16
	7.	**Phil & Teds** Verve	€750	**7,3**	+	+	+	□	+	++	+	++	++	+	+	□	□	v	15,5
	8.	**Maxi-Cosi** Mura 3	€480	**7,1**	+	+	+	□	++	□	0	□	+	+	+	++	–	v/a	16,5
	9.	**Easywalker** QTRO	€480	**6,9**	+	++	++	–	++	□	+	□	+	++	+	–	–	v	14
	10.	**Phil & Teds** Classic	€400	**6,7**	+	+	+	□	+	+	++	+	+	+	+	–	+	v	10,5
	11.	**Quinny** Buzz 3	€440	**6,7**	+	□	+	□	++	□	++	□	+	+	□	+	+	v/a	12,5
	12.	**Maxi-Cosi** Mura 4	€450	**6,4**	+	+	+	–	++	□	++	□	+	+	+	□	––	v/a	17,5
	13.	**Phil & Teds** Explorer	€500	**6,2**	+	+	+	□	+	++	++	+	+	□	□	□	–	v	14
		Buggy's (zelfstandig zitten, vanaf +/- 6 maanden tot 4 jaar)																	
■	1.	**MacLaren** Volo	€110	**8,2**	+	+	++	++	+	++	++	□	+	++	++	nvt	++	v	5
■	2.	**Chicco** Lite Way	€100	**8,1**	++	++	++	+	+	++	+	+	++	+	++	++	+	v	8,5
▶	3.	**Safety** 1st Compacity	€80	**7,9**	++	+	++	+	+	++	++	+	+	+	++	□	++	v	8
	4.	**MacLaren** Techno XLR	€380	**7,9**	+	+	++	+	++	+	++	+	+	++	++	□	+	v	8
	5.	**Maxi-Cosi** Mila	€150	**7,7**	++	++	++	+	+	++	++	+	+	+	++	+	++	v	8,5
	6.	**MacLaren** Techno XT	€230	**7,6**	+	+	++	++	+	++	++	□	+	++	++	+	+	v	7,5
	7.	**MacLaren** Q. Sport (2011)	€180	**7,4**	+	+	++	++	□	++	+	□	+	+	++	□	++	v	6
		Wandelwagens (alleen reiswieg, 0 tot 6 maanden)																	
	1.	**Quinny** Zapp Xtra	€180	**7,4**	+	+	++	+	++	++	+	□	+	+	□	++	++	v/a	9
	2.	**Mutsy** Spider	€160	**7,0**	++	+	++	+	++	++	++	□	+	+	+	–	+	v	9,5

v = vooruit a = achteruit ++ Zeer goed + Goed □ Redelijk – Matig –– Slecht ■ Beste uit de test ▶ Beste koop

- De prijzen zijn van november 2011.
- De Bugaboo Donkey en de modellen van Phil & Teds zijn ook als duowagen te gebruiken.

Remmen op twee wielen

Natuurlijk moeten de vingertjes en voetjes van je kind niet bekneld kunnen raken tussen onderdelen van de wandelwagen. Gelukkig zit dit bij alle geteste wagens goed. Maar de meeste invloed op de veiligheid heb jezelf. Kies in ieder geval een wandelwagen of buggy met een goede rem, het liefst een die op twee wielen remt. Wanneer de rem met de voet wordt bediend, is het verstandig even na te gaan of dit ook goed gaat met slippers of sandalen aan. Zet de kinderwagen altijd op de rem als je hem klaarmaakt voor vertrek of als hij stilstaat. Maak de gordeltjes meteen vast als je kind in de wagen zit, ook als je de voetenzak gebruikt. Hang geen zware tassen aan de duwbeugel, maar gebruik de bagagemand of het bagagenet. Anders bestaat het gevaar dat de wagen omvalt. Een veilige buggy heeft een dubbele beveiliging tegen plotseling inklappen. Controleer de wagen regelmatig op mankementen en onderhoud hem goed.

IN DETAIL

Quinny Buzz 4 (Beste koop)

Deze wagen is erg geschikt voor zowel door de stad rijden als in het bos. Hij gaat makkelijk de stoep op en af, maar doet het ook prima op ruwer terrein. De wagen is wel lastig te tillen en je hebt behoorlijk wat ruimte nodig om hem op te bergen.

Safety 1st compacity (Beste koop)

De handvatten zijn in hoogte verstelbaar. De wagen is makkelijk in te klappen en dus handig mee te nemen. Ook rijdt hij soepel in de stad, in het bos en op het strand. Minder handig is het bergvak, dat lastig te bereiken is.

Zie ook het dossier *Kinderwagens* op www.consumentenbond.nl.

Online reisboeken kopen

Reisgids mei 2012

De traditionele reisboekenwinkel sterft uit. Dat is jammer, want met zijn advies op maat verslaat de bevlogen winkelier iedere digitale adviseur. Toch is online kopen een alternatief met belangrijke voordelen, zoals makkelijk

Online reisboeken kopen

Boekhandel, plaats of land	Website	Gebruiksgemak webwinkel	Rough Guide Spain 2012	Lonely Planet South Africa, Lesotho & Swasiland 2009	Eyewitness (Capitool) Florence & Tuscany 2011	Michelin Groene Gids Provence 2010 (NL) [1]	Michelin Greenguide Provence 2010	100% Amsterdam 2011 (mo' media)	DuMont Kunstreiseführer Libyen 2007	Verzendkosten voor deze levering	Totaal
Zandvliet, Leiden	www.zandvlietleiden.nl	****	€23,95	€23,95	€19,95	€16,95 [2]	€17,95	€12,95	€28,75	**€0**	€126,50
De Zwerver, Groningen	www.dezwerver.nl	*****	€23,95	*€26,95*	€25,99	*€22,50*	–	€12,95	€27,90	€6	€146,24
Stanley & Livingstone, Den Haag	www.stanley-livingstone.nl	***	€23,95	€22,95	€19,95	*€22,50*	*€21,50*	€12,95	*€29,95*	€5	€137,25
De Noorderzon, Arnhem	www.denoorderzon.nl	**	€23,80	€22,95	*€26*	**€19,95**	–	€12,95	€28,90	**€0**	€134,55
Pied à terre, Amsterdam	www.jvw.nl	***	€24,95	€24,95	€20,95	**€19,95**	€18,95	€12,95	*€29,95*	€4,95	€138,65
Interglobe, Utrecht	www.interglobetravel.nl	*	€24,60	€19,95	€19,95	**€19,95**	–	€11,95	€29,80	**€0**	€126,20
Bol.com, Nederland	www.bol.com	*****	€20,99	€20,99	€22,99	*€22,50*	€18,99	€12,95	€25,99	€1,95	€128,36
Proxisazur.be, België	www.proxisazur.be	**	*€25,99*	–	€24,99	*€22,50*	€16,99	€12,95	–	€2,95	[3]
Amazon.de, Duitsland	www.amazon.de	****	**€15,95**	**€16,95**	**€13,95**	–	**€16,20**	**€10,22**	**€25,90**	**€0**	€99,17
Buecher.de, Duitsland	www.buecher.de	*****	**€15,95**	**€16,95**	**€13,95**	–	€16,95	*€13,95*	**€25,90**	*€6,95*	€110,60

- Peildatum 26 en 27 maart.
- Vet = goedkoopste, cursief = duurste.
- We hebben het gebruiksgemak van webwinkels beoordeeld met een vijfsterrensysteem.

1) Bij Michelin namen we bij de Nederlandse winkels de Groene Gids, bij de buitenlandse winkels de goedkopere Engelse Greenguide.
2) Bij Zandvliet betreft het een gedateerd exemplaar.
3) Niet berekend wegens het ontbreken van titels.

zoeken, meer aanbod en scherpe prijzen. Wat de ene webwinkel niet heeft, is met een paar muisklikken elders gauw gevonden.
Met name in Duitsland zijn voor reisboeken uitstekende deals te vinden. We zochten online naar zeven populaire titels bij zes speciaalzaken met een webwinkel en vier algemene internetboekwinkels (zie de tabel 'Online reisboeken kopen').
Van de winkels die alle titels op voorraad hadden, is Amazon.de met €99,17 voor ons pakket, inclusief verzendkosten, de goedkoopste. De Zwerver in Groningen brengt voor een vergelijkbaar stapeltje bijna €46 meer in rekening. Van de Nederlandse reisboekenwinkels is Interglobe de goedkoopste. Het Belgische Proxis (thans Proxis/Azur) dat zich tien jaar geleden nog even als prijsvechter op de Nederlandse markt presenteerde, kan zich niet meten met de andere winkels. Daarvoor is het assortiment te beperkt en zijn de prijzen te hoog.
Amazon.de is mede dankzij de portvrije verzending naar Nederland het beste adres om reisboeken te kopen. De Zwerver is het duurst: alles wat niet door de brievenbus past, krijgt een opslag van €6.

Winkel(on)gemak

Online zoeken en kopen gaat bij de ene webwinkel makkelijker dan bij de andere. Dat Bol.com en Amazon hun zaken goed voor elkaar hebben, is geen verrassing. Maar bij Proxis – toch ook een webwinkel van het eerste uur – is het armoe troef: veel gaten in de collectie, geen of karige informatie en vaak niet eens een plaatje van de omslag.
Van de speciaalzaken heeft De Zwerver de fijnste website: heldere indeling, goede zoekfunctie en ter zake doende informatie bij de titels. Ook de vormgeving is strak en rustig.
Superspecialist Pied à Terre uit Amsterdam heeft een site die overloopt van de informatie, maar vergeet vaak het jaar van uitgifte te vermelden. Dat is bij reisgidsen met een hoge updatefrequentie een vrij essentieel detail. Ook de plaatjes doen een beetje amateuristisch aan.
Ronduit primitief is de webwinkel van Interglobe in Utrecht. Geen zoekfunctie maar alle landen achter een lange rij knoppen (waarin Italië trouwens ontbrak tijdens onze peiling). Daarop klikken levert een rijtje beschikbare titels op die via knippen en plakken in een mailtje bij de winkel kunnen worden besteld.

Jaargang

Geen enkele winkel heeft voor alle boeken de gezochte jaargang, soms was alleen een oudere beschikbaar, soms alleen een nieuwere. Aan de prijs is dat niet altijd af te lezen. Vaak is een oudere jaargang wat goedkoper, maar bij de DuMont-kunstreisgids van Libië, waar we maar liefst vier jaargangen van aantroffen (2006, 2007, 2010, 2011), is de logica helemaal zoek.
Stanley & Livingstone geeft een vage garantie op de site ('nieuwste editie: ja'), terwijl de vermelde jaargang gedateerd blijkt. De prijs is desalniettemin de hoogste.

Pdf's

Als je laptop, *e-reader* of tabletcomputer meegaat op reis, opent zich een wereld van nieuwe mogelijkheden. Digitale gidsen zijn actueel, nemen geen extra ruimte in, zijn makkelijk doorzoekbaar en soms zelfs per hoofdstuk aan te schaffen. Nadeel: als de accu leeg is, kun je niet bij de reisinformatie en in de felle zon zijn zeker laptopschermen slecht leesbaar.
De Nederlandse uitgever Odyssee geeft tegenwoordig alleen nog maar reisgidsen als pdf uit. Met ongeveer 50 Europese bestemmingen, waaronder veel Griekse eilanden en Engeland, is de keuze beperkt en de omvang van de meeste gidsen is doorgaans slechts enkele tientallen pagina's. Je kunt een gids nog verder verkleinen door alleen de hoofdstukken te kiezen die je wilt. Duur is het met een vaste paginaprijs van €0,12 niet. Per order komt daar €2 bovenop, ongeacht het aantal hoofdstukken of titels.
Ook de wereldberoemde Lonely Planetgidsen (Engelstalig) zijn als pdf en per hoofdstuk te downloaden. De pdf's zijn zo'n 30% goedkoper dan de papieren versie. De Zuid-Afrikagids (zie de tabel) kost in de webwinkel van Lonely Planet €21,50 en als pdf €15,05. Als je maar één regio bezoekt, kun je alleen dat deel uit de gids aanschaffen. Dat kost je dan slechts €3,50 per hoofdstuk.
De 24 in het Nederlands vertaalde Rough Guides zijn via www.roughguides.nl ook te downloaden als e-book met een aantrekkelijke korting van 25%.

Op z'n Frans en Duits

In Frankrijk is Le Petit Futé de pionier op het gebied van digitale reisgidsen. De digititels zijn uitsluitend in het Frans verkrijgbaar, maar voor wie de taal machtig is, zijn het fijne actuele gidsen met een scherp oog voor lekker eten en comfortabel slapen.
De papieren gidsen zijn rechtstreeks bij de uitgever te bestellen en zijn dan 5% goedkoper dan in de Franse boekwinkel. De edities van vorig jaar wor-

den voor half geld verkocht. Verzendkosten naar Nederland bedragen minimaal €7 (afhankelijk van het gewicht).
In Duitsland zet Dumont, uitgever van bekende titels als Marco Polo, Kompass en Baedecker, de eerste schreden op de digitale weg. Een deel van de collectie is verkrijgbaar als pdf of ePub en is zo'n 20% goedkoper dan print.

In het Nederlands

Bekende series als Rough Guide, Michelin, Guide Routard (Trotter), Marco Polo, Eyewitness (Capitool) en Dumont (ANWB Extra) verschijnen ook in het Nederlands, maar alleen van de populaire bestemmingen.
Het voordeel van een reisgids in de originele taal is dat ze doorgaans goedkoper en actueler zijn. Uiteraard komt het voor dat de Nederlandse vertaling een recenter jaartal heeft dan de oorspronkelijke uitgave, maar dat gaat zelden gepaard met versere informatie.
Veel leveranciers hebben zowel de Nederlandse als de oorspronkelijke uitgave, maar De Zwerver lijkt de voorkeur te geven aan de Nederlandse uitgave. Hoe origineler de bestemming, des te kleiner de keuze in de Nederlandse boekwinkel. Voor de regio Havelland (ten westen van Berlijn) is in Nederland vrij weinig te krijgen. Uiteraard is dat bij Duitse winkels beter, maar uiteindelijk zijn er heel wat regio's op deze aardbol waarvan je boeken en kaarten alleen ter plaatse kunt krijgen. Jammer voor de voorbereiding, maar prettig voor de portemonnee. Lokaal aangeschaft zijn ze vaak goedkoper.

Informatie

www.arrivalguides.com
www.dumontreise.de
www.fodors.com
www.lonelyplanet.com
www.odyssee-reisgidsen.nl
www.petitfute.com
www.roughguides.nl
www.worldtravelguide.net

Tweedehands

Voor praktische reisgidsen met veel informatie over eten en onderdak is de recentste jaargang aan te bevelen, zelfs als die niet in je moerstaal is. Als informatie over het jaar van uitgifte bij de webwinkel ontbreekt, kijk dan op de site van de uitgever of bij de concurrent.
Voor informatie over kunst, cultuur en geschiedenis is het jaar van uitgifte minder doorslaggevend en is een tweedehandsexemplaar te overwegen.

Amazon en Bol.com bieden ook tweedehandsboeken en -kaarten aan en op www.marktplaats.nl is de rubriek reisboeken zeer uitgebreid. Ook zeer recente jaargangen en scherpgeprijsde nieuwe boeken zijn daar volop te vinden.

Gratis of als app

Met name de websites van Lonely Planet, Fodor's en Petit Futé zijn aantrekkelijke plekken om reisinspiratie op te doen en zitten boordevol gratis actuele informatie. Datzelfde geldt voor www.worldtravelguide.com en www.arrivalguides.com. Andere gratis reisgidsen zijn te vinden door in het zoekveld van bijvoorbeeld Google 'gratis reisgids Florence' in te tikken. Meer aanbod krijg je met de zoekterm '*free travel guide* Florence'.
Een betrekkelijk nieuwe trend is de minireisgids als *app* voor smartphone en *tablet*. Voor iPhone en iPad zijn er meer apps dan voor andere systemen. Het gaat hier meestal om steden- en winkelgidsjes. Betaalde versies zijn er bijvoorbeeld van Fodor's, Lonely Planet en Rough Guide. Ze kosten tussen de €0,70 en €6 per stuk. Kopers zijn scherp verdeeld over de meerwaarde van deze gidsjes.
Vergelijkbare apps van minder bekende uitgevers zijn gratis te krijgen. Je kunt ze vinden door 'guide' en de naam van de bestemming in te tikken in de *app store*. Zet een vinkje bij 'gratis' en sorteer op 'populariteit'. Check vooraf de gebruikerscommentaren en kijk of de app vereist dat gps of dataverbinding is geactiveerd. Dat kan namelijk flink in de papieren lopen in het buitenland.
Voor iPhone-bezitters kunnen de 400 gratis bestemmingen van Arrival guides.com interessant zijn. Van bijna een kwart van die bestemmingen is ook een Nederlandstalige versie beschikbaar.

Reisverzekeringen

Consumentengids februari 2012

In de zomer van 2011 werd een Nederlandse vrouw wekenlang vermist in Zuid-Spanje. Ze was gaan wandelen en spoorloos verdwenen. Reddingsdiensten en helikopters werden ingeschakeld om haar te vinden. Uiteindelijk werd ze gezond en wel aangetroffen in de bergen.

Het risico op dit soort calamiteiten is misschien niet zo groot, maar in zo'n situatie is een reisverzekering onmisbaar. De opsporings- en reddingskosten kunnen behoorlijk in de papieren lopen (van enkele duizenden tot tienduizenden euro's). Bij elke doorlopende reisverzekering valt dit dan ook onder de basisdekking.
Het nut van de meeste andere onderdelen, zoals werelddekking, autopechhulp, geneeskundige kosten en annulering, hangt voor een groot deel af van wat voor reiziger je bent. Ga ook altijd na of er geen overlap is met andere verzekeringen, zoals met de zorgverzekering.

Uitgebreid of eenvoudig

Wat aandacht schenken aan je reisverzekering is eigenlijk net zo belangrijk als ervoor zorgen dat de buren de planten verzorgen en de poes eten geven tijdens de vakantie. Wat is verstandig: een uitgebreide duurdere verzekering waar alles automatisch in zit (Beste uit de test zijn Aegon en Univé) of een goedkopere met daarbij een aantal aanvullingen(Beste koop is Mondial Assistance)?
We nemen als voorbeeld een echtpaar van rond de 50 jaar. Hun kinderen zijn inmiddels het huis uit en ze hebben wat meer tijd om te reizen. Begin

Bij pech en schade

Autopech of -schade tijdens de vakantie is vervelend. Zeker als blijkt dat de autoverzekering geen hulp biedt. Peter Gumbmann, manager Mobiliteit bij alarmcentrale SOS International, legt uit: 'Veel vakantiegangers denken bij pech terecht te kunnen bij de (allrisk)autoverzekering. Maar pech is vaak uitgesloten. Zeker bij eenvoudige gevallen, zoals een lekke band, geeft de autoverzekering doorgaans niet thuis. Dat geldt ook bij zelf veroorzaakte pech, bijvoorbeeld als je de sleutels in de auto laat zitten. Een reisverzekering met automobilistenhulp biedt dan wel ondersteuning.'
Bij schade kun je natuurlijk een beroep doen op de autoverzekering. Gumbmann: 'De autoverzekeraar mag een vastgesteld aantal werkdagen doen over de (nood)reparatie. Als er een weekend tussen zit, duurt het soms vijf nachten voordat je verder kunt. Bij een reisverzekering met automobilistenhulp gaat de alarmcentrale in overleg met de vakantieganger op zoek naar een goede oplossing. Soms is het beter direct een vervangende auto te regelen, zodat de vakantie kan worden voortgezet.' Gumbmann tipt: 'Neem een creditcard mee, want anders is het vaak niet mogelijk een vervangende auto mee te krijgen.'

maart gaan ze op wintersport, tijdens het Hemelvaartweekend zijn ze een paar dagen in Barcelona en in de zomer trekken ze twee maanden met een camper door Amerika.
Het stel zal eerst moeten bepalen of ze voor een doorlopende reisverzekering kiezen of voor een aparte polis voor elke reis. Voor stellen geldt als vuistregel dat het goedkoper is een doorlopende polis af te sluiten bij minimaal drie weken vakantie per jaar. Voor gezinnen ligt dit omslagpunt al bij twee weken. Het voordeel van een doorlopende polis is bovendien dat je niet telkens opnieuw een verzekering hoeft te regelen. De keuze valt dus op een doorlopende reisverzekering.

Dekkingen checken

Voor de skivakantie is wintersportdekking nodig. Bij een aantal verzekeraars zit die in het standaardpakket. Wie nooit skiet, kan dus beter voor een andere verzekering kiezen. Wintersportdekking is vaak wel aanvullend af te sluiten. Houd er rekening mee dat niet alleen wintersport, maar ook andere risicovolle activiteiten (zoals parasailing, bergbeklimmen en duiken) vaak buiten de standaarddekking vallen.
Voor de autoreis naar de Alpen is het slim als het echtpaar nagaat of het goed verzekerd is voor pech onderweg (zie het kader 'Bij pech en schade').
Voor hun reis naar Amerika moeten ze goed letten op het onderdeel geneeskundige kosten. Anke van Nieuwenhuizen van de alarmcentrale SOS International zegt daarover: 'Ga altijd na of je een extra dekking voor geneeskundige kosten nodig hebt. Via de basiszorgverzekering ben je wereldwijd verzekerd voor het in Nederland gangbare tarief. Dat is in de Verenigde Staten en Canada echt onvoldoende.' Dekking voor geneeskundige kosten in dure landen is bij te verzekeren via de reisverzekering. Heb je een aanvullende zorgverzekering, dan is het mogelijk al gedekt.
Ook de maximumreisduur die een verzekeraar hanteert, speelt een rol bij de keuze voor een verzekering. Doorlopend betekent namelijk niet dat je permanent op vakantie kunt gaan. Bij sommige verzekeringen (SNS Bank, Reaal, ING) mag je niet langer dan 45 dagen aan één stuk vakantievieren. Het Amerikaanse avontuur uit dit voorbeeld duurt langer. Overigens is voor deze reis uiteraard werelddekking nodig.
De ouders van 'ons' echtpaar zijn al dik in de 80. Hoe vervelend ook, het is dan niet ondenkbaar dat het stel plotseling terug moet naar huis of dat de net geboekte reis niet door kan gaan. Bij goedkope reizen is het te overwegen dit annuleringsrisico voor eigen rekening te nemen. Maar voor verre

Doorlopende reisverzekeringen

	Merk & Type	Testoordeel	Eigen risico bij bagage	Standaard maximale reisduur (dagen)	Werelddekking inbegrepen	Geneeskundige kosten inbegrepen	Wintersport inbegrepen	Vervangende auto	Annulering inbegrepen	Jaarpremie alleenstaande	Jaarpremie 2 volwassenen	Jaarpremie gezin met 2 kinderen
■ 1.	**Aegon** Vakantie-Jaarverzekering	**8,1**	€0	90	√	√	√	√	√	€68	€136	€179
■ 2.	**Univé** Comfort	**7,7**	€50	180	√	√	√			€42	€79	€99
3.	**Avéro Achmea** Vrij op reisverzekering	**7,4**	€0	365						€30	€49	€85
4.	**Centraal Beheer Achmea**	**7,4**	€0	365						€36	€68	€100
5.	**Mondial Assistance** Premium	**7,4**	€0	60						€36	€65	€76
6.	**MoneYou**	**7,4**	€100	60	√		√	√	√	€57	€114	€166
7.	**De Europeesche** top	**7,3**	€0	90						€55	€90	€115
8.	**Univé** Budget	**7,3**	€50	60						€23	€42	€50
9.	**Interpolis**	**7,2**	€0	60			√	√		€49	€77	€88
10.	**Mondial Assistance** Comfort	**7,2**	€50	60						€27	€49	€57
11.	**Verzekeruzelf.nl**	**7,2**	€50	60	√					€26	€47	€54
12.	**ZLM**	**7,2**	€50	60		√				€29	€57	€86
13.	**ANWB** Iedentarief	**7,1**	€0	60						€28	€44	€55
14.	**ASR Verzekeringen**	**7,1**	€75	60			√			€33	€63	€85
15.	**De Europeesche** basis	**7,1**	€50	60						€30	€55	€75
16.	**Unigarant**	**7,1**	€0	60						€38	€63	€86
17.	**Delta Lloyd**	**7,0**	€70	365	√		√			€35	€60	€77
18.	**Kruidvat**	**7,0**	€100	180			√			€27	€53	€71
▶ 19.	**Mondial Assistance** Budget	**7,0**	€50	60						€19	€34	€40
20.	**Nationale-Nederlanden** ZPP	**7,0**	€100	60				√		€70	€97	€122
21.	**Ohra**	**7,0**	€70	365	√		√			€36	€63	€81
22.	**Reaal** Vakantieverzekering Volledig	**7,0**	€50	60		√				€34	€60	€84
23.	**Allianz Nederland**	**6,9**	€45	60	√		√	√		€49	€83	€114
24.	**De Goudse** Continu	**6,9**	€0	90		√		√		€54	€76	€98
25.	**ING**	**6,9**	€100	45		√				€33	€55	€88
26.	**Polis Direct**	**6,9**	€75	60		√				€37	€68	€99
27.	**ABN Amro** Uitgebreid	**6,8**	€0	60	√		√	√		€59	€117	€150
28.	**FBTO**	**6,8**	€100	60						€26	€42	€60
29.	**De Nederlanden van Nu**	**6,8**	€100	60						€34	€62	€84
30.	**SNS Bank** Wereld	**6,8**	€50	60	√	√				€33	€49	€67
31.	**ABN Amro** Standaard	**6,6**	€0	60	√		√	√		€39	€79	€112
32.	**Florius** (inclusief provisie)	**6,6**	€0	60	√		√	√		€39	€79	€112
33.	**Reaal** Vakantieverzekering Voordelig	**6,6**	€100	45		√		√		€23	€43	€60
▶ 34.	**SNS Bank** Europa Plus	**6,6**	€50	60		√				€20	€33	€43
35.	**Zilveren Kruis Achmea** uitgebreid	**6,6**	€0	180			√	√		€44	€80	€104
36.	**London Verzekeringen**	**6,4**	€34	60	√		√			€33	€52	€70
▶ 37.	**SNS Bank** Europa	**6,4**	€100	45		√				€18	€25	€34
38.	**Zilveren Kruis Achmea** basis	**6,3**	€0	180			√	√		€30	€55	€71

■ Beste uit de test ▶ Beste koop

Bron: MoneyView, bewerking Consumentenbond.
Peildatum: 19 december 2011.

Bijzonderheden

- De reisverzekeringen van SNS Bank bestaan ook onder de namen Zelf.nl en Route Mobiel.
- Bij ING kun je eenmalig een wintersport- (€10) of werelddekking (€15) afsluiten. De bedragen zijn per persoon per reis.

Premies

- De tabel heeft betrekking op de aangeboden basisdekking. De premies zijn inclusief hulpverlening en bagagedekking.
- Bij de bagagedekking zijn we uitgegaan van een eigen risico van €0 en een dekking van minimaal €1000.
- De premies zijn inclusief assurantiebelasting, maar exclusief poliskosten.
- ABN Amro biedt 20% korting bij een betaalrekening.
- Aegon biedt 40% korting bij een inboedelverzekering en kent een 10% premieterugregeling wanneer er geen schade is geclaimd.
- ING biedt 10% korting bij een ING autoverzekering.
- Interpolis biedt korting bij een Rabo TotaalPakket of Rabo RiantPakket en aan studenten.
- Jongeren (tot 27 jaar) ontvangen korting bij Mondial Assistance en Zilveren Kruis.
- Bij Allianz de wintersportdekking laten vervallen, geeft 10% korting.

en dure reizen kan het verstandig zijn dit wel te verzekeren. Maar let wel op het gedekte bedrag.

Dagwaarde

Tot slot: denk na over het onderdeel bagage. Eigenlijk associëren we het verlies van camera, mobieltje en merkzonnebril met een reisverzekering, maar voor veel vergoedingen geldt een maximum en een eigen risico.
Ook krijg je doorgaans alleen de dagwaarde terug en die is (aanmerkelijk) lager dan de aanschafprijs. Overweeg, zo mogelijk, deze dekking achterwege te laten.
Het echtpaar uit ons voorbeeld reist veel en wil een uitgebreide dekking. Ze kiezen dan ook voor een polis met een ruime standaarddekking.

Modules

Een doorlopende reisverzekering is aan te vullen met de volgende modules (het aantal eurotekens geeft de relatieve prijs aan):

Geneeskundige kosten (€€) Dekt de kosten van een ziekenhuisopname of artsbezoek. Deze module is aan te raden voor vakanties in landen waar de kosten van medische zorg veel hoger zijn dan in Nederland, zoals de Verenigde Staten.

Doorlopende annulering (€€€€€) Een annuleringsverzekering vergoedt de kosten als een vakantie om vervelende redenen niet doorgaat of onderbroken wordt. Denk aan ernstige ziekte, overlijden, echtscheiding en onvrijwillige werkloosheid na een vast dienstverband.

Reisrechtsbijstand (€€€) Juridische bijstand op reis kan handig zijn, maar is soms al deels geregeld via de autoverzekering of de rechtsbijstandsverzekering.

Werelddekking (€€) Noodzakelijk voor een vakantie buiten Europa. Maar reisverzekeraars rekenen vakantiebestemmingen als de Azorgen, Madeira, de Canarische Eilanden, Egypte, Marokko, Tunesië en Turkije ook tot Europa.

Ongevallen (€) Deze aanvullende dekking keert een vast bedrag uit bij overlijden of blijvende invaliditeit tijdens de vakantie. Een gewone ongevallenverzekering doet hetzelfde, maar dan ook in het dagelijks leven.

Autopechhulp (€€) Hulp bij autopech is soms al geregeld via een pechhulpdienst, de autodealer of de autoverzekering. Wie prijs stelt op een vervangende auto na pech heeft niet veel aan de laatste twee. Dit onderdeel zit wel standaard in sommige reisverzekeringen of is gedekt via de autopechhulpmodule.

Bagagedekking (€) Bagage is standaard gedekt, maar is dat echt nodig? Soms valt bagagedekking al onder de inboedelverzekering. Zelfs als dat niet het geval is, valt te overwegen het risico zelf te dragen.

Zie ook het dossier *Reisverzekeringen* op www.consumentenbond.nl.

Vakantieveilingen

Reisgids november 2011

Wat & hoe

Wij onderzochten vijf veilingwebsites: VakantieVeilingen.nl, Veilingreus.nl (deze werd na onze test failliet verklaard), D-reizen.nl, HotelkamerVeiling.nl en Uitstapjesveiling.nl. We bekeken ook de veiligheid bij registratie en of je waar voor je geld krijgt. We gingen na of het eindbod van een aantal veilingen inderdaad goedkoper is dan andere aanbiedingen, zoals via spaarkaarten of airmiles.

Ze schieten als paddenstoelen uit de grond: websites waar je kunt bieden op hotelkamers, weekendjes weg, kaartjes voor pretparken en zelfs complete zonvakanties. Je zou zo voordelig je slag kunnen slaan, soms al vanaf €1. Maar hoe zit het precies met die veilingen voor vakanties, dagjes uit en weekendjes weg? Tijd voor een test van bekende veilingwebsites met tips om de kans op 'winnen' te vergroten.

Bieden

De meeste veilingsites werken met een opbodprincipe: er staat een laag startbod en een aflopende klok naast de aanbieding. Alleen Veilingreus.nl – deze aanbieder is na onze test failliet verklaard – veilt op afslag: de veiling begint met een hoge prijs en deze daalt per seconde met een paar eurocent tot de prijs die het minimaal zou moeten opbrengen of tot iemand biedt. Sommige websites hanteren minimumprijzen: lager kun je dan niet gaan. Zomaar meedoen aan internetveilingen kan niet, zo blijkt uit de test. Je moet naam, adres, telefoonnummer, e-mailadres en soms geboortedatum en geslacht invullen. Bij VakantieVeilingen.nl moet je zelfs je bankrekeningnummer opgeven. Niet bepaald vrijblijvend dus. De website geeft aan deze drempel op te werpen om zo nepbiedingen te voorkomen.
Als dit alles in een veilige omgeving gebeurt, is de kans klein dat er iets met je gegevens gebeurt. Veilingreus.nl en Uitstapjesveiling.nl gaan hiermee echter de mist in: hun registratieomgeving is niet beveiligd. Niet prettig als privégegevens zomaar op straat kunnen komen te liggen. Let dus op of er 'https://' in de adresbalk staat, want dan zit je safe. Of check de sitepagina bij eigenschappen via een klik met de rechtermuisknop.
Je moet bij de meeste websites steeds minimaal €1 hoger bieden. Tegelijk met een ander hetzelfde bedrag bieden kan niet. Bij een veiling voor hotel-

kamers ging het bod telkens met €1 of €2 omhoog, tot vlak voor de sluiting. Toen kwam er ineens €27 bij. 'Het leek wel alsof de hotelkamer niet onder een bepaald bedrag weg mocht', aldus een gebruiker.
De veilingsites geven aan de gebruikersgegevens zo veel mogelijk te controleren om biedingen tot een minimum te beperken en alleen met gerenommeerde aanbieders te werken. Toch is misbruik volgens hen nooit helemaal uit te sluiten.

Eens geboden blijft geboden

Na het 'winnen' van de aanbieding begint het pas, want eenmaal geboden blijft geboden. Je kunt een bod niet meer intrekken en zit eraan vast. Betalen dus. Annuleren kan alleen bij HotelkamerVeiling.nl, maar dat kost €25. Bij VakantieVeilingen.nl moet je binnen vijf dagen betalen, anders komen er €2,50 incassokosten bij. Bij D-reizen moet je telefonisch bereikbaar zijn als je de veiling hebt gewonnen. Binnen twee uur na afloop wordt contact met je opgenomen. Geen bereik? Dan vervalt de aanspraak op de aanbieding. Extra kosten: €63.
Wie denkt de hoofdprijs te hebben binnengehaald, kan voor verrassingen komen te staan, want het winnende bod is vaak een exclusief-prijs. Je moet rekening houden met extra kosten. Veilingkosten worden door alle websites gerekend, behalve door D-reizen. Wanneer de aanbieder de reis zelf afhandelt (vooral bij duurdere reizen), worden geen veilingkosten in rekening

Niet meteen bieden

Wie mee wil doen aan een veiling doet er volgens ervaringsdeskundige Ellen Huizinga slim aan om niet meteen als een bezetene te bieden. 'Het bieden duurt uren. Pas op het laatste moment is te zien welk bedrag er ongeveer moet worden neergeteld voor een aanbieding. Staat dit je aan? Doe dan je bod en wacht af.'
Volgens Huizinga is timing belangrijk: 'In de avond is het vaak druk en is er een kleine kans dat je de veiling kunt winnen. Kruip tussen 7 en 8 uur 's ochtends achter de computer en bekijk welke veilingen bijna aflopen. De meeste mensen zijn op dit tijdstip erg druk in de weer met hun dagelijkse beslommeringen en hebben geen tijd om te bieden. Op deze manier heb ik eens een leuke vakantie naar Duitsland kunnen bemachtigen: vier overnachtingen plus ontbijt in een mooi *Gasthaus* voor twee personen voor €85.'

Veilingwebsites

Voor onze test selecteerden we vijf veilingwebsites, maar er zijn er nog veel meer. Bij deze wat minder bekende en kleinere websites kan de kans om met een laag bod te winnen groter zijn. Immers: hoe minder mensen bieden, des te groter de kans dat je wint. Een kleine greep uit het aanbod:

- www.biedengeniet.nl: hotels, zonvakanties, dagjes uit, beautyarrangementen, vakantiehuizen en cruises;
- www.camping-veilingen.nl: kampeerplekken, bungalows en chalets en werkt op afslag;
- www.dinerveiling.nl: onderdeel van Uitstapjesveiling.nl, veilt dinershows, hightea-, lunch-, brunch-, en dinerarrangementen;
- www.biedenboek.nl: vakanties in eigen land, maar het aanbod is enigszins beperkt.

gebracht. HotelkamerVeiling.nl heeft met €7,50 de hoogste veilingkosten. Bij een voucher voor een hotelovernachting moet soms extra worden betaald als je in een van de duurdere hotels van een keten wilt verblijven of als je in het weekend wilt overnachten. Zo moet je bij een hotelvoucher voor een overnachting in een Bilderberghotel, gekocht via HotelkamerVeiling.nl, €10 per persoon bijbetalen voor een overnachting op zaterdag. Een verblijf in een van de duurdere Bilderberghotels kost €15 extra.

We hebben per veilingsite tien aanbiedingen bekeken en geïnventariseerd wat de bijkomende kosten zijn als je deze via de site koopt. Wat we zoal tegenkwamen, waren: veilingkosten, toeristenbelasting, reserveringskosten, bijdrage Calamiteitenfonds, energiekosten, schoonmaakkosten en kosten voor een ontbijt.

Het hoogste bedrag aan bijkomende kosten werd gerekend bij de huur van een chalet via VeilingReus.nl: in totaal moesten we nog €63 betalen aan reserveringskosten, toeristenbelasting en schoonmaakkosten.

De volle mep

Hoe weet je of je niet te veel hebt geboden? Om te bepalen wat je maximaal zou willen betalen voor bijvoorbeeld een vakantie of concertkaartje, zou het handig zijn als de aanbieder de daadwerkelijke prijs toont. Alleen D-reizen en VeilingReus.nl vermelden standaard de prijs bij het aanbod. VakantieVeilingen.nl en Uitstapjesveiling.nl doen dit in enkele gevallen en HotelkamerVeiling.nl zegt het nooit te doen.

Een hoop gedoe

Het is maar de vraag of je wel aan een weekendje weg of uitje toekomt met de gewonnen buit van een internetveiling. Een veelgehoorde klacht is dat vouchers soms nauwelijks of tegen zeer strenge voorwaarden in te wisselen zijn. Zo is er slechts een beperkt aantal kamers voor bezitters van een veilingvoucher beschikbaar, is het niet mogelijk om à la minute te reserveren of is er geen plaats in de herberg voor de winnaars van veilingen.
'Al geruime tijd probeer ik mijn waardebon te verzilveren, maar voor deze voucher is er nooit een kamer beschikbaar', aldus een winnaar. 'Ik heb al een aantal keren geprobeerd te reserveren met de waardebon van Fletcher die ik won bij VakantieVeilingen.nl, maar het hotel zit altijd vol', is ook een veelgehoorde klacht. 'Reserveren kan pas 12 dagen van tevoren. Wat een leuk weekendje weg zou moeten zijn, heeft me een hoop tijd en gedoe gekost.'

VakantieVeilingen.nl heeft liever dat bieders zelf bepalen wat een aanbieding waard is en HotelkamerVeiling.nl laat weten dat hotelkamerprijzen te veel fluctueren om altijd actueel te kunnen zijn.
Loop je risico om te veel te bieden? Wij volgden een aantal winnende biedingen en controleerden de oorspronkelijke prijs. Geen enkele keer werd te veel geboden, maar in enkele gevallen zat het bod maar nauwelijks onder de volle mep. Zo was iemand via VakantieVeilingen.nl voor kaartjes voor het Dolfinarium slechts €3 voordeliger uit dan online bij het park zelf. Toegangskaarten voor de Apenheul waren via de veiling slechts €1 voordeliger dan via de website van de Apenheul.
Op hotelkamers kun je wel flink besparen via veilingwebsites. Een arrangement bij HotelkamerVeiling.nl bleek een stuk voordeliger dan reserveren bij het hotel zelf of via boekingswebsites of betalen met de Hotelbon. Zo kostte een arrangement voor twee nachten bij HotelkamerVeiling.nl €91, terwijl rechtstreeks reserveren bij het hotel €225 zou kosten en boeken via HotelSpecials.nl €190.
Verder blijkt: hoe duurder de reis, des te groter de kans dat je de mist in gaat. Zo kocht iemand voor €555 twee tickets naar Ibiza via de veiling van D-Reizen. Als diegene op de dag van vertrek bij de luchtvaartmaatschappij zelf de tickets had gekocht, was hij €35 voordeliger uit geweest en via Vliegticket.nl maar liefst €118! Overigens heeft D-reizen laten weten dat deze klant een nieuw voorstel heeft gekregen, omdat op andere tijden voordeliger klassen beschikbaar waren. Hier heeft hij echter geen gebruik van gemaakt.

Conclusie

De verschillende aanbiedingen van uitjes, weekendjes weg en tickets goed vergelijken of je airmiles tellen is het devies. Je bent dan wellicht voordeliger of bijna net zo goedkoop uit als met een veiling en je hoeft niet urenlang achter de computer te zitten.

Vliegen: lowcostmaatschappijen

Reisgids mei 2012

Wat & hoe

We zochten uit welke lowcostmaatschappijen in Europa vliegen en zetten de service, de bagagetarieven en de reserveringskosten op een rij. Verder bekeken we voor welk bedrag een leuke rondreis door Europa mogelijk is.

In mei 2012 waren er meer dan 30 lowcostmaatschappijen actief in Europa. Namen als Ryanair en easyJet zijn gevestigde begrippen; BelleAir, WOW air en Volotea zijn echter veel minder bekend. Deze prijsvechters nemen ruim 40% van de Europese vliegmarkt voor hun rekening. Nog even en de traditionele luchtvaartmaatschappijen zullen in de minderheid zijn (zie de test 'Vliegen: traditionele luchtvaartmaatschappijen' verderop in dit hoofdstuk). In geen enkele regio ter wereld tref je zoveel prijsvechters aan als in Europa. Dat wetende zouden er volop mogelijkheden moeten zijn om voor een spotprijs een aardige rondreis samen te stellen. Bijvoorbeeld een trip naar Scandinavië met een uitstapje naar IJsland via Berlijn? Of vlieg je liever naar Italië, om daar te beginnen met een tocht langs Zuid-Europese stranden, eilanden en cultuursteden? Als je handig meerdere maatschappijen combineert, kun je het allemaal in één reis ontdekken tegen relatief lage kosten.

Gewoon van A naar B

Het grote verschil met de reguliere luchtvaartmaatschappijen is dat prijsvechters hun tickets altijd verkopen op basis van een enkele reis. Eenvoudiger kan het niet, gewoon van A naar B. Wie met KLM, Lufthansa, British Airways of andere traditionele maatschappijen vliegt, moet meestal een retourvlucht boeken. Zonde van het geld als je maar een enkeltje nodig hebt.

Lowcostmaatschappijen in Europa

Luchtvaart-maatschappij	Website	Vliegt vanaf	Catering inclusief	Kosten bagage per stuk [1]	Gewicht ruimbagage	Afmetingen handbagage in cm	Gewicht handbagage	Reserverings-kosten
Air Baltic	airbaltic.com	Riga	nee	€20	20 kg	55x40x20	8 kg	€10 per ticket
Air Berlin	airberlin.nl	Europa	ja	gratis	20 kg	55x40x20	6 kg	€10 per ticket
Air Italy	airitaly.it	Italië	ja	€17	23 kg	55x40x20	8/5 kg eu/it	€6 per ticket
Air One	flyairone.com	Italië	nee	€10	20 kg	55x35x20	8 kg	€10 per ticket
BelleAir	belleair.it	Italië, Albanië	nee	gratis	20 kg	100cm [2]	6 kg	€12 per enkele reis
Blue Air	blueairweb.com	Roemenië	nee	€17-20	32 kg	55x40x20	7 kg + laptop	€8 per enkele reis
Blu-Express	blu-express.com	Italië	nee	10	20 kg	55x40x20	5 kg	€7 per enkele reis
Bmibaby	bmibaby.co.uk	Engeland	nee	€17-19	22 kg	55x40x20	10 kg	geen [3]
Cimber Sterling	cimber.dk	Denemarken	nee	€7	20 kg	55x40x20	8 kg	€5,50 per ticket
Condor	condor.de	Duitsland	ja	gratis	20 kg	55x40x20	6 kg	€3 per enkele reis
Corendon	corendon.nl	Amsterdam	nee	gratis	20 kg	45x35x15	8 kg	€6 per ticket
easyJet	easyjet.com	Europa	nee	€11	20 kg	56x45x25	ongelimiteerd [4]	€11 per ticket
Eurolot	eurolot.com	Polen	ja	gratis	20 kg	55x40x20	6 kg	geen
Flybe	flybe.com	Engeland	nee	€15	15 kg	50x35x23	10 kg	€6,50 per enkele reis
Germanwings	germanwings.com	Duitsland	nee	€10	20 kg	55x40x20	8 kg	geen
Helvetic	helvetic.com	Zwitserland	nee	gratis	20 kg	55x40x20	5 kg	geen
Iceland Express	icelandexpress.com	IJsland	nee	gratis	20 kg	55x35x25	10 kg	€10 per enkele reis
Intersky	intersky.biz	Duitsland	nee	gratis	15 kg	55x40x20	5 kg	geen
Jet2	jet2.com	Engeland	nee	€20	20 kg	56x45x25	10 kg	3,6% [5] per boeking
Jetairfly	jetairfly.com	België	nee	gratis	20 kg	55x40x20	6 kg	€15 per boeking
Meridiana	meridiana.it	Italië	ja	€17	23 kg	55x40x20	8 kg	€6 per ticket
Monarch	monarch.co.uk	Engeland	nee	€19	20 kg	56x45x25	10 kg	geen
Norwegian	norwegian.com	Scandinavië	nee	€6-12	20 kg	55x40x23	10 kg	geen
Ryanair	ryanair.com	Europa	nee	€15-30	15 kg	55x40x20	10 kg	€6 per enkele reis
Smartwings	smartwings.com	Europa	nee	gratis	20 kg	56x45x25	5 kg	€12,40 per ticket
Sverigeflyg	sverigeflyg.com	Zweden	nee	gratis	20 kg	45x35x20	5 kg	geen
Transavia	transavia.com	Nederland	nee	€10	15 kg	55x35x25	10 kg [6]	€3 per enkele reis
Trawel Fly	trawelfly.com	Italië	nee	gratis	15 kg	55x35x25	5 kg	geen
Volotea	volotea.com	Italië	nee	€15	23 kg	55x40x20	10 kg	geen
Vueling	vueling.com	Spanje	nee	€12	23 kg	55x40x20	10 kg	geen
Wind Jet	volawindjet.it	Nederland/ Italië	nee	€14	20 kg	55x35x25	10 kg	€7 per ticket
Wizz Air	wizzair.com	Europa	nee	€15-20	32 kg	55x40x20	10 kg	geen
WOW air	wowair.com	IJsland	nee	gratis	20 kg	55x35x25	8 kg	geen

Peildatum is 20 maart 2012.
1) Indien vooraf online gekocht.
2) Maximale totale omvang.
3) Ticketprijs inclusief reserveringskosten.
4) Je moet de handbagage zelf in de bagagebak kunnen plaatsen.
5) Je betaalt €7 voor het online inchecken per vlucht en 3,6% of minimaal €7 reserveringskosten.
6) Afhankelijk van het soort ticket.

Wie toch een enkele vlucht wil, moet als 'straf' bij hen gemiddeld vijf keer de prijs betalen van het voordeligste retourtarief.
Binnen Europa is het maken van een rondreis met de traditionele luchtvaartmaatschappijen dus een kostbare aangelegenheid. Dat wordt in de meeste gevallen alleen door zakenreizigers gedaan. De lowcostmaatschappijen zijn voor de vakantieganger meestal de beste keuze. Overigens boeken ook steeds meer zakenreizigers bij de prijsvechters.

Bijkomende kosten

De ruim 30 budgetmaatschappijen rekenen vaak bijkomende kosten. Slechts één maatschappij biedt een allesomvattend product tegen een vaste prijs aan: gratis koffer mee, kosteloze versnaperingen aan boord en geen reserveringskosten. We hebben het over Eurolot, een dochtermaatschappij van het Poolse LOT. Vanaf Amsterdam kun je via Krakau en andere Poolse steden bijvoorbeeld vliegen naar Hamburg, Dubrovnik, Florence en Zürich.
Bij het overgrote deel van de prijsvechters moet je betalen voor een kopje koffie en een sandwich aan boord. Iets wat je eigenlijk wel kunt verwachten voor zo'n lage prijs. Je koffer vliegt slechts bij 33% zonder kosten mee. Moet je betalen, let dan goed op, want het maximale gewicht bij het laagste tarief voor ruimbagage ligt tussen de 15 kilo (Flybe, Ryanair, Transavia, Trawel Fly en Intersky) en 32 kilo (Blue Air).

Bij de hand

De handbagage is tegenwoordig ook een punt van ergernis. De meeste maatschappijen wegen bij de gate je rugzak of trolleykoffer en zijn daarbij onverbiddelijk. Kijk dus niet vreemd op als ze voor het instappen €40 tot €50 extra in rekening brengen als je handbagage iets te zwaar is.
Bij easyJet mag je je tas onbeperkt vullen, zolang je deze zelf maar in de bagagebak kunt stoppen. Heel anders is het bij Blu-Express, Helvetic,

Smartwings, Sverigeflyg, Intersky en Trawel Fly, waar slechts 5 kilo is toegestaan. Overigens is handbagage meenemen bij Transavia niet bepaald eenduidig. Hier is namelijk het type ticket bepalend voor het aantal kilo's. Koop je op de website van Transavia een vliegticket, dan mag je 10 kilo zonder kosten meenemen. Is je vliegbiljet onderdeel van een pakketreis of koop je het op basis van een campingvlucht, dan slinkt de limiet naar 5 kilo.

Vlieg doordeweeks

Zoals meestal het geval is, betaal je in de zomermaanden een stuk meer dan in het tussen- of laagseizoen. Wil je in mei boeken voor vertrek in september of oktober, dan zijn er nog genoeg aanbiedingen te vinden.
In de regel kun je voor €20 tot €50 een enkele reis boeken. Of het om een

Reis- en prijsvoorbeelden

We stelden twee rondreizen samen op basis van zevenmaal een enkele reis. De prijzen zijn exclusief kosten voor ruimbagage. Peildatum 10 april 2012, reisdata in september 2012.

Rondreis 1	
Amsterdam-Berlijn (Transavia)	€47
Berlijn-Reykjavik (WOW air)	€132
Reykjavik-Londen (Iceland Express)	€119
Londen-Bilbao (Vueling)	€70
Bilbao-Rome (easyJet)	€44
Rome-Stockholm (Ryanair)	€42
Stockholm-Amsterdam (Norwegian)	€47
Totaal voor zeven vluchten	**€501**

Rondreis 2	
Amsterdam-Manchester (easyJet)	€47
Manchester-Faro (Monarch)	€73
Faro-Madrid (Ryanair)	€45
Madrid-Ibiza (Vueling)	€60
Ibiza-Milaan (Ryanair)	€45
Milaan-Praag (easyJet)	€49
Praag-Amsterdam (easyJet)	€47
Totaal voor zeven vluchten	**€366**

lange of korte vlucht gaat, is vaak niet echt van belang. Wel de dagen waarop je wilt vliegen. Verwacht geen spotprijzen als je op vrijdag of zondag wilt reizen, want dat zijn traditioneel dure dagen om op pad te gaan. Kies daarom als het even kan voor een doordeweekse dag.
Voor het najaar kun je ook goed hotels reserveren tegen een scherpe prijs. Veel drie- en viersterrenhotels bieden in het najaar tal van koopjes aan. Van maandag tot en met donderdag zijn de prijzen van hotels aan de kust doorgaans lager. Voor stadshotels ben je daarentegen vaak voordeliger uit van vrijdag tot en met zondag, omdat er in het weekend weinig tot geen zakelijke reizigers een kamer boeken. Bijkomend voordeel is dat de hotels meestal dan een gratis ontbijtbuffet aanbieden om je over te halen juist gedurende het weekeinde te komen.

Vergelijken

De meeste lowcostmaatschappijen bieden op hun websites de mogelijkheid een hotelkamer (en een huurauto) te reserveren. Ga er niet automatisch vanuit dat ze de beste prijs bieden. Bezoek voor de hotels ook andere websites, zoals www.expedia.com, www.hotels.com en www.kayak.com (zie ook de test 'Hotelboekinggsites' eerder in dit hoofdstuk). Kijk ook op de website van het hotel zelf. Weet dat je de goedkoopste kamers vaak niet meer kunt wijzigen of annuleren. Voor een paar euro meer per nacht blijf je flexibel. Dat kan handig zijn als er een betere aanbieding voorbijkomt of wanneer je je reisplannen toch nog moet of wilt omgooien.

Conclusie

Het is goed mogelijk om voor een bedrag van rond de €400 een vliegrondreis door Europa te maken en daarbij zes of zeven steden aan te doen. Houd wel rekening met extra reserverings- en bagagekosten.

Vliegen: met een baby

Reisgids september 2012

Wie met een kleine gaat vliegen, moet alles extra goed plannen. Heb je alle bagage bij je, inclusief flesvoeding, luiers en buggy of kinderwagen? Eenmaal goed ingepakt maar hopen dat de baby zich rustig houdt op de luchthaven en aan boord. Het laatste wat je wilt is een luchtvaartmaatschappij die het je nog moeilijker maakt.

Kind gratis, bagage €5

Luchtvaartmaatschappijen zijn allesbehalve eenduidig als het om kinderen gaat. Dat begint al bij het boeken. Reguliere maatschappijen als KLM berekenen 10% van de kale ticketprijs voor volwassenen. Maar vaak geldt dat niet voor een ticket dat in de aanbieding is.
Prijsvechters en chartermaatschappijen hanteren in de regel een vaste prijs per enkele reis. Dat rekent per retourvlucht lekker makkelijk (Transavia €30, Ryanair €40, easyJet €48). Vreemd genoeg kan die vaste prijs bij Ryanair duurder zijn dan het ticket voor de ouder. Corendon lijkt het meest prijsvriendelijk, want daar vliegt je kleintje gratis mee. Lijkt, want dat geldt alleen voor de baby; alle benodigde bagage brengen ze in rekening à €5 per kilo per enkele vlucht.

Alleen fles, luier en dekentje

Als volwassene mag je kosteloos handbagage meenemen. Voor baby's gelden meestal andere regels. KLM, easyJet, ArkeFly en Air Berlin zijn het kindvriendelijkst en staan tussen de 6 en 20 kilo vrij toe. Ryanair, Norwegian en Transavia daarentegen accepteren, met uitzondering van een flesje, luier en dekentje, helemaal niets. Tenzij je voor je kind (meestal voor de volle mep) apart een stoel reserveert. Dan is een reistasje weer wel toegestaan. Voor ruimbagage geldt bij Corendon, easyJet en Ryanair een toeslag. KLM en ArkeFly nemen 10 kilo gratis mee. Een echte uitschieter is Air Berlin. Daar mag de baby net als de (groot)ouder 23 kilo inchecken. Een buggy mag bij alle maatschappijen gratis mee. Heb je een kinderwagen, kijk dan vooraf goed of deze zonder kosten in het bagageruim mag. In de meeste gevallen dient hij van een reishoes voorzien te zijn.

Autostoeltje mee aan boord

Ook een eigen babyautostoeltje mag mee aan boord. Voorwaarde is wel dat je een aparte zitplaats voor je baby koopt. Hierbij is tevens van belang dat het model voldoet aan speciale keurmerken. Dit is te checken door middel van de veiligheidseisen ECE R44/04 van de Europese Unie. Van het merk Maxi Cosi is bijvoorbeeld het type Citi SPS geschikt. In (online)babywinkels zie je welke andere modellen zijn toegestaan.

Reizen met een kind tot 2 jaar

Maatschappij	Ticketprijs/korting	Korting voor eigen zitplaats [1]	Handbagage	Ruimbagage	Voorrang bij instappen	Autostoeltje [2]	Kinderwagen	Buggy	Flesje verwarmen	Luiers/babymelk	Informatie op website
Air Berlin	90%	33%	6kg	23kg	ja	toegestaan [1]	gratis	gratis	ja	ja	zeer goed
ArkeFly	variabel [3]	nee	10kg	10kg	ja	toegestaan [1]	gratis	gratis	ja	ja	matig
Corendon	gratis	nee	nee [4]	5euro/kg	ja	nee	€5 /kg	gratis	ja	nee	redelijk
easyJet	€24 [5]	nee	ja [4]	ja [6]	ja [7]	toegestaan [1]	gratis	gratis	ja	nee	zeer goed
KLM	90% [8]	25% [8]	10kg	10kg	ja	toegestaan [1]	gratis	gratis	ja	ja	goed
Norwegian	90%	25%	nee [4]	5kg	ja	toegestaan [1]	gratis	gratis	ja	nee	redelijk
Ryanair	€20 [5]	nvt	nee	nee	ja €5 [7]	nee	gratis [9]	gratis [9]	nee	nee	redelijk
Transavia	€15 [5]	nee	nee [10]	10kg	op verzoek	toegestaan [1]	tegen kosten	gratis	ja	nee	redelijk

Peildatum is 24 juli 2012.

1) Kosten voor een extra zitplaats.
2) Erkende zitjes mogen op een stoel worden geplaatst.
3) Volledige willekeur qua tarieven.
4) Luiers, voeding en dekentje zijn toegestaan; bij easyJet één stuk handbagage, gewicht vrij.
5) Vaste prijs per enkele reis.
6) Tegen betaling mogelijk.
7) Alleen bij aanschaf *speedy boarding.*
8) Vaak geen korting op de voordeligste (actie)tarieven.
9) Eén kinderwagen of buggy mag gratis mee.
10) 10 kilo als eigen zitplaats is betaald.

Qua informatievoorziening scoort ArkeFly matig. We moesten bellen om erachter te komen hoe het met de voorzieningen zit. Air Berlin en easyJet geven online daarentegen bijzonder veel en duidelijke informatie.

Speedy boarding

Tot voor kort mochten families met kleine kinderen altijd als eerste aan boord. Maar daarop kun je tegenwoordig niet meer automatisch rekenen. Bij Transavia moet je er speciaal om vragen bij de gate. Vlieg je met Ryanair of easyJet, dan is de aanschaf van *speedy boarding* noodzakelijk. Dat betekent voor een gezin €20 tot €50 extra kosten om eerder dan andere passagiers in te kunnen stappen.

Babyfaciliteiten op Schiphol
Als je naar een niet-Schengenland vliegt met een lijndienstmaatschappij biedt Schiphol de Babycare Lounge. Hier kun je je baby in bad doen, verschonen, voeden of laten slapen. Voor de ouders zijn er comfortabele stoelen om nog even uit te rusten. De lounge bevindt zich ter hoogte van de Holland Boulevard tussen terminal 2 en 3. Alle reizigers met een baby hebben gratis toegang.

Een flesje laten opwarmen is natuurlijk altijd mogelijk, zou je denken. Helaas niet bij Ryanair. Ook al is er een magnetron en heet water aan boord, volgens de reglementen mogen stewardessen en stewards niet helpen met de babyvoeding. Let daar dus op als je van plan bent om een wat langere vlucht naar Zuid-Europa te boeken. Al moet je je wel afvragen of er geen betere alternatieven zijn, gezien alle toeslagen en het zeer matige serviceniveau.

Conclusie

In onze minitest kwamen twee luchtvaartmaatschappijen glansrijk als winnaar uit de bus. In de eerste plaats Air Berlin en KLM als goede tweede. Zij weten wat je als (groot)ouder nodig hebt en leveren dat ook. De andere maatschappijen zien je kind, hoe jong ook, als melkkoe. Zelfs KLM-dochter Transavia kan het niet laten om voor wat handbagage al extra geld te vragen.

Vliegen: traditionele luchtvaartmaatschappijen

Reisgids november 2011

Veel reizigers bepalen de keuze van een luchtvaartmaatschappij op basis van hun recentste ervaring. Wie tevreden is, zal graag weer met dezelfde maatschappij vliegen. Goede luchtvaartmaatschappijen doen daarom hun uiterste best het de passagiers naar de zin te maken.
Dat begint al tijdens het boeken op internet. Bijvoorbeeld doordat je een stoel kunt uitkiezen, een speciale maaltijd kunt bestellen of per mobiele telefoon kunt inchecken. Aan boord bestaat de service onder andere uit extra beenruimte, gratis alcoholische drankjes en keuze uit honderden speelfilms.

Skytraxscores voor luchtvaartmaatschappijen

	Totaalscore	Afhandeling bagage	Hoeveelheid maaltijden	Wc schoon	Stoelcomfort	Enthousiast personeel	Reactie op verzoeken	Service/ efficiency
Qatar Airways	5	4	4	4	5	5	4	4,5
Singapore Airlines	4	4	4	4,5	4	5	4,5	5
Malaysia Airlines	4	4	4	4	4	5	4,5	5
China Southern	4	4	4	4	3,5	4	3,5	4,5
Garuda Indonesia	4	3,5	4	3,5	4,5	4	4	4
South African Airways	4	4	3,5	3,5	4	4	3,5	4
Lufthansa	3,5	3	3,5	3,5	3,5	3,5	3,5	4
Finnair	3,5	3,5	4	3	4	3	3	3,5
Emirates	3,5	3	3,5	3	3,5	3,5	3	4
British Airways	3,5	3,5	3	2,5	3	3,5	3,5	4
Qantas	3,5	3	3	2,5	3	3,5	3,5	3,5
Air Berlin	3	4	4	3,5	3	3,5	3,5	3,5
Aeroflot	3	4	4	3	3	3	3	3
Air France	3	3	4	3	3	4	3,5	3,5
Alitalia	3	3,5	2,5	3	3	3	3	3
KLM	3	3	3	3	3	3	3	3
Delta	3	3	2	2	3	3	3	3
Iberia	3	3	3	2	3	3	2	3
United	3	3	2	2	3	3	2	3
Arkefly	3	3	nb	3	2,5	3,5	3	3,5

- Het gaat om de economyclass op intercontinentale vluchten. De score loopt van minimaal 1 tot maximaal 5.
- nb = niet bekend

Welkom aan boord

Vliegen doen de meeste reizigers niet elke week, maar hooguit een of twee keer per jaar. De verwachtingen zijn daarbij veelal hooggespannen. Dat wordt mede veroorzaakt door de luchtvaartmaatschappijen die met hun advertenties de romantiek van het reizen proberen te verkopen.
Dat plaatje wordt al meteen op de luchthaven verstoord. Voor het inchecken en bij de veiligheidscontroles moet je lang in de rij staan. Koffer of tas moet op de band, schoenen uit, riem en sieraden af en als je pech hebt, ben je ook nog vergeten om vloeistoffen in een piepklein zakje te stoppen.
Kortom, veel stress voor je überhaupt bij de gate bent. Daar is het vaak een drukte van belang om aan boord te komen. Je moet het gevecht met mede-

passagiers aangaan om de handbagage in een vrije bak te kunnen opbergen. Zit je dan eindelijk, spreekt de stewardess je vermanend toe om de stoelgordel snel dicht te maken. Welkom aan boord anno 2012!

Passagiersoordeel

Ondanks de gang van zaken op de luchthavens lukt het diverse maatschappijen om hoge waarderingen te krijgen. Op www.airlinequality.com, de site van Skytrax met reviews, krijgen de luchtvaartmaatschappijen een tot vijf sterren voor de geboden service.
De maatschappij met de minste waardering voor algehele service (één ster), is de onbekende Chinese Air Koryo. Positieve punten zijn veel beenruimte en goede maaltijden en dranken, maar de toestellen zijn van Russische makelij. En dat valt niet in goede aarde bij veel reizigers.
In de hoogste regionen treffen we alleen Aziatische maatschappijen aan: Singapore Airlines, Cathay Pacific, Qatar Airways, Kingfisher (India), Asiana (Korea) en Hainan Airlines (China). De economyclass van Cathay, Kingfisher en Singapore Airlines krijgt vier sterren. Dat is een ster meer dan de Nederlandse maatschappijen Arkefly en KLM. Diverse SkyTeam-partners van KLM scoren overigens ook niet hoger dan drie sterren.

Klachten via Twitter en Facebook

Wie een negatieve vliegervaring heeft, kan dit melden aan de luchtvaartmaatschappij via Twitter of Facebook. Sommige maatschappijen zijn daar gevoelig voor, want slechte reclame kan leiden tot minder passagiers.
In Nederland is KLM het meest vooruitstrevend op dit vlak. Je kunt de maatschappij 24 uur per dag bereiken via Facebook of Twitter en hebt in korte tijd een reactie. Bij een klacht zoeken ze in de meeste gevallen een oplossing en bieden ze zo mogelijk compensatie aan als de negatieve reactie gegrond is. Al bijna 300.000 mensen hebben online een link met de KLM. Een teken dat KLM populair is, maar ook dat meldingen door zeer veel personen worden gelezen. Voordeel van Twitter en Facebook is dat je veel sneller een reactie op je bericht krijgt dan wanneer je een brief schrijft. De maatschappijen zijn er immers bij gebaat een negatief bericht in de sociale media snel om te vormen tot iets positiefs. Maar hoever kunnen ze hierin gaan? Stel dat een maatschappij miljoenen onlinefans heeft, is ze dan nog steeds in staat om snel, adequaat en kosteloos op alle meldingen te reageren? Grote kans dat dit een toekomstig onderdeel zal zijn binnen de onderzoeken van Skytrax en andere vergelijkingssites.

Aeroflot, Air France, Delta, Aeromexico, AerolineasArgentinas, Alitalia en Czech Airlines scoren net als KLM gemiddeld. Garuda, China Airlines en China Southern zitten daar boven met vier sterren.
Maar waar zit hem dan het verschil in? In de beenruimte, dat extra drankje of heel andere zaken? Gelukkig laat Skytrax vrij gedetailleerd zien op welke aspecten een maatschappij scoort. Die scores zijn niet het resultaat van hun expertbeoordelingen, maar afkomstig van passagiers die ze jaarlijks benaderen voor een enquête. De passagiers geven een waardering voor onder andere de kwaliteit en de frequentie van de maaltijden, het schoonmaken van de toiletten, de werking van het videosysteem en het op tijd arriveren van de bagage. Daarnaast beoordelen ze het cabinepersoneel op enthousiasme, *efficiency*, servicegerichtheid en talenkennis.

Service

Als passagier is het handig vooraf te weten wat je kunt verwachten, zeker als je een lange vliegreis gaat maken. Veel maatschappijen verkopen elkaars vluchten en combineren die in één ticket (*code sharing*). Bijvoorbeeld op een vlucht met KLM naar Sydney, kun je tussen Amsterdam en Singapore in een KLM-toestel zitten, terwijl de aansluitende ruim zeven uur durende vlucht verzorgd wordt door Qantas.
Wij bekeken de Skytraxscore van 20 maatschappijen op www.airlinequality.com. Hierbij viel direct op dat de verschillen met name te maken hebben met het personeel aan boord. De toppers uit de jaarlijkse enquête steken ver boven de rest uit als het gaat om de service van het personeel. Houding en enthousiasme behoren daartoe, evenals het anticiperen op verzoeken. Dus hoe snel je een drankje krijgt geserveerd of hulp wordt aangeboden als je vragen hebt over het tv-scherm.
Duidelijk werd ook dat je bij de Amerikaanse maatschappijen minder maaltijden krijgt en dat het ze niet lukt de toiletten tot het eind toe schoon te houden op een lange vlucht.
Arkefly heeft gezien de uitkomsten enthousiaster personeel aan boord dan KLM. Het stoelcomfort is daarentegen weer een stuk minder; want de economystoelen staan gemiddeld 3 cm dichter bij elkaar dan die van KLM.
Wellicht zou je verwachten dat de service van KLM en Air France gelijk is na de fusie. Helaas is dat niet het geval. Zo waarderen de bezoekers van Skytrax de maaltijden van Air France beduidend hoger. Hiermee zit Air France op hetzelfde niveau als Air Berlin, Garuda, Malaysia Airlines, Singapore Airlines en Aeroflot.

Vliegen: tickets wijzigen of annuleren

Reisgids januari 2012

Het is handig ticket is het om te weten wat de kosten zijn als je onverhoopt je reisplannen moet wijzigen vanwege bijvoorbeeld werk of ziekte. De annuleringsverzekering biedt dan veelal geen uitkomst (zie ook de test 'Reisverzekeringen' eerder in dit hoofdstuk). De wijzigingskosten komen voor eigen rekening en dat is een nare verrassing.

Annuleren kost €70

De prijsvechters zijn meesters in het rekenen van extra toeslagen voor ruimbagage, stoelvoorkeur of creditcardbetaling. Als je deze voorkeuren wilt wijzigen of annuleren, voegen ze daar nog eens flink wat heffingen aan toe. Soms zijn die toeslagen zo hoog dat het goedkoper is om een geheel nieuw vliegticket te kopen. De annuleringskosten bedragen namelijk vaak 100% van de ticketprijs, ongeacht of je de stoel voor een paar tientjes of voor honderden euro's hebt geboekt.

Weinig reizigers weten dat je de luchthavenbelastingen wel altijd terug kunt vorderen. Helaas dien je ook voor deze 'service' een toeslag te beta-

Wijzigings-/annulerings-kosten bij onlinereisagenten

Reisagent	Wijzigen/ annuleren	Op website vermeld
ATP.nl	€30	ja
Cheaptickets.nl	€50	ja
D-reizen.nl	€20 [1]	nee
Expedia.nl	€0	ja
TIX.nl	€0 [2]	nee
Vliegtarieven.nl	€45	ja
Vliegtickets.nl	€45	ja
Vliegwinkel.nl	€50	ja
Wereldtickets.nl	€25	ja
Worldticketcenter.nl	€75	ja

- De peildatum is 21 oktober 2011.
- Genoemde kosten zijn per persoon/vliegticket.

1) De kosten gelden voor de gehele boeking, ongeacht het aantal reizigers.
2) Geen kosten vanaf 24 uur nadat je hebt geboekt, binnen 24 uur €45 als er al een *e-ticket* is uitgeschreven.

len. Ryanair verlangt per ticket €20 administratiekosten, wat weinig is vergeleken met de €72 van easyJet.
De luchthavengelden vallen in Europa overigens redelijk laag uit, gemiddeld tussen €30 en €50. Grote kans dus dat de uiteindelijke terugbetaling op slechts een tientje of iets meer zal uitkomen.
Bij easyJet verdampt wat er overblijft vrijwel altijd door de torenhoge administratiekosten. Bovendien staat op de website niet eens hoeveel je kwijt bent aan deze luchthaventaxen. Je moet easyJet bellen (tot €0,45 per minuut) om te horen waar je eventueel recht op hebt. Een slechte zaak.
Ook Wizzair doet het op dit punt niet best. Om in aanmerking te komen voor de luchthavengelden dien je eerst het ticket te annuleren: kosten €120 per retourvlucht.
Heb je een Air Berlin spaartariefticket, wees dan extra alert, want de annulering moet voor vertrek zijn aangemeld. Ben je een *no-show* (als je niet komt opdagen), dan vervalt je recht op een teruggave helemaal.
Brandstoftoeslagen worden door geen van de onderzochte maatschappijen terugbetaald.

Driemaal een pluim

ArkeFly en KLM doen het een stuk beter. Ze rekenen geen of relatief weinig kosten als je de luchthavenbelasting terugvraagt. Maar dan moet je het ticket wel direct bij hen hebben gekocht. Heb je het ticket bij een reisagent geboekt, dan kan het reisbureau aanvullende kosten in rekening brengen, zowel voor een wijziging en een annulering van een lijndienstticket als een lowcostticket.
Ook bij reisbureaus krijg je dus in de meeste gevallen niets of weinig terug van de betaalde belastingen en heffingen. Expedia vraagt geen kosten voor de bemiddeling, maar kies je voor Cheaptickets.nl of Vliegwinkel.nl dan betaal je tot €50. Uitschieter is het WorldTicketCenter. Daar kost een aanpassing van het ticket maar liefst €75. Dat staat in geen enkele verhouding tot de relatief eenvoudige handeling om een ticket te annuleren of om te boeken.
Bij wijzigen – op een andere datum vliegen of iemand anders op je ticket laten reizen – zijn de regels nog onoverzichtelijker. Iemand anders laten reizen kan vrijwel alleen bij de budgetmaatschappijen. Bij wijziging geldt er een standaardtoeslag per enkele reis die ongeveer €40 à €50 bedraagt.
Dat klinkt redelijk, maar verder kijken de maatschappijen of de tickets in de tussentijd duurder zijn geworden. Is dat het geval, dan moet je ook het

prijsverschil bijbetalen. En natuurlijk hoef je andersom geen korting te verwachten. Het kan dan soms voordeliger zijn om een nieuw ticket aan te schaffen, al duiken dan ook weer de onvermijdelijke reserveringskosten en creditcardkosten op.

Niet te vroeg

Ryanair biedt de mogelijkheid om al vanaf 15 dagen voor vertrek in te checken. Goede service zou je wellicht denken, maar ook hier zit een adder onder het gras. Wil je bij Ryanair binnen twee weken voor vertrek je ticket wijzigen, dan moet je eerst de *check-in* ongedaan laten maken voor een bedrag van €15 per vlucht. Een merkwaardige regel, maar noodzakelijk om daarna je boeking aan te kunnen passen. Heb dus geduld met het uitprinten van de instapkaarten.
Een tip die betrekking heeft op alle maatschappijen: schaf niet gelijk bij boeking (extra) ruimbagage aan. Bij een annulering krijg je deze toeslagen namelijk niet terug. Een dag voor vertrek kun je dit nog prima regelen. De internetkorting is dan nog steeds van toepassing op vooraf ingekochte bagagekilo's. Op dat moment weet je bovendien veel beter hoeveel gewicht je daadwerkelijk gaat meenemen.

Tikfoutje = kassa

Heb je onverhoopt de naam van een medepassagier of van jezelf verkeerd gespeld tijdens het online boeken? Of heb je per ongeluk 'mevrouw' in plaats van 'meneer' aangevinkt? Reken dan opnieuw op extra kosten en weinig coulance. Probeer dit altijd via internet te corrigeren. Bellen naar de informatielijn kan namelijk flink in de papieren lopen.
Ryanair spant de kroon bij tikfouten met een bedrag van €160. Transavia en Air Berlin hanteren 'boetes' van respectievelijk €80 en €100. EasyJet rekent boven op een bedrag van €96 een extra 2,5%, omdat je verplicht bent dit met een creditcard af te rekenen.
Dat het anders kan bewijst Wizzair: even bellen is genoeg om het foutje kosteloos te wijzigen. KLM heeft dezelfde prettige service, mits je het ticket natuurlijk bij hen hebt geboekt. Bovendien kun je bij het online inchecken altijd nog 'meneer' in 'mevrouw' veranderen. Met één punt kunnen we Ryanair overigens wel complimenteren. Alle mogelijke toeslagen die van toepassing kunnen zijn, staan in een handige tabel op de homepage. Daar kunnen veel andere maatschappijen een voorbeeld aan nemen.

Wijzigings- en annuleringskosten bij luchtvaartmaatschappijen

Maatschappij	Vluchtwijziging (online)	Vluchtwijziging (telefonisch)	Naamswijziging (online)	Naamswijziging (telefonisch)	Annulering	Kosten teruggave luchthavebelasting	Teruggavetermijn	Aanvraag teruggave
AirBerlin	€50 [1]	€50 [1]	€100 [1]	€100 [1]	100% [10]	€25	10)	mail, fax, schriftelijk
ArkeFly	–	€75 [1]	–	€27 [11]	100%	€0	<90 dagen	telefonisch [13]
easyJet	€42 [1,3,5]	€48 [1,3,5]	€84 [1,3,5,8]	€96 [1,3,5,8]	100% [2,4]	€72	<24 uur na boeking	telefonisch
KLM	€50 [1]	€50 [1]	–	€0 [11]	100%	€15	–	internet [13]
Ryanair	€50 [1,6]	€75 [1,6]	€110 [6,8]	€160 [6,8]	100% [15]	€20	<30 dagen	schriftelijk
Transavia	€35 [1]	€40 [1]	€70 [1,8]	€80 [1,8]	100% [14]	€30 [7]	<90 dagen	internet [13]
Vueling	€39 [1]	€39 [1]	–	€100 [1,8]	100%	€15	–	telefonisch
Wizzair	€30 [1]	€45 [1]	€80	€160	€120 [9]	€0 [12]	9)	telefonisch

- Peildatum: 21 oktober 2011.
- Alle genoemde kosten zijn per persoon/vliegticket binnen Europa.
- De kosten voor een naamswijziging of annulering gelden voor een retourvlucht.

1) Naast dit bedrag betaal je het prijsverschil tussen het nieuwe en het oude tarief.
2) Vluchten, reserveringskosten, creditcardkosten en kosten extra bagage niet retour.
3) Exclusief een creditcardtoeslag van 2,5% over het totale bedrag.
4) Annuleren is alleen mogelijk binnen 24 uur na boeking.
5) Wijzigen is niet meer mogelijk na het inchecken.
6) Na het inchecken kost wijzigen €30 per retourvlucht.
7) De kosten gelden per boeking.
8) Bij een verkeerd gespelde naam betaal je naamswijzigingskosten.
9) Annuleren is mogelijk tot 14 dagen voor vertrek, de vluchtkosten krijg je dan terug.
10) Annuleren is mogelijk tot het moment van vertrek.
11) Kosten gelden bij kleine correcties in gespelde naam, een ander laten reizen kan niet.
12) Plus €120 om eerst je ticket te annuleren.
13) Indien niet geboekt bij de luchtvaartmaatschappij, teruggave via de reisagent.
14) Ingewisselde airmiles krijg je bij annuleren niet terug.
15) Als je de heenreis annuleert, vervalt de terugreis niet automatisch.

Conclusie

Als je vliegtickets koopt, is het belangrijk om te weten hoeveel het kost als je deze wilt wijzigen of annuleren. De luchtvaartmaatschappijen hanteren daarvoor strikte regels die nogal uiteenlopen. Direct boeken bij de luchtvaartmaatschappij is in de regel de voordeligste optie. Zo voorkom je administratiekosten die een (online)reisagent extra in rekening brengt. Neem bij annulering altijd de moeite betaalde luchthavenbelastingen terug te vragen, want daar heb je recht op.

REGISTER

Langer plezier van je pc

Nieuwe pc's en laptops zijn lekker snel en werken (vrijwel) foutloos. Dat duurt meestal niet lang. Je installeert nieuwe software, de harde schijf raakt voller, stuurprogramma's worden niet bijgewerkt: binnen enkele maanden merk je al dat de computer niet meer zo snel reageert als eerst. Dit boek toont stap voor stap hoe je een nieuwe computer snel houdt en een al wat oudere sneller maakt.

2e druk, oktober 2012
ISBN 978 90 5951 1880
176 pagina's, full colour
ledenprijs €18 – niet-ledenprijs €22,50

Tips & toeslagen

Veel mensen betalen te veel belasting of weten niet dat ze in aanmerking komen voor bepaalde toeslagen, waardoor ze honderden euro's mislopen. Dit boek laat zien hoe je binnen de grenzen van de wet de fiscus te slim af kunt zijn door tijdig aftrekposten te regelen en het vermogen te beïnvloeden. En met heldere informatie over allerlei fiscale toeslagen: wanneer kom je ervoor in aanmerking en hoeveel kan het opleveren?

1e druk, november 2012
ISBN 978 90 5951 2078
128 pagina's
ledenprijs €13,25 – niet-ledenprijs €16,50
e-book ledenprijs €8,50 – niet-ledenprijs €10,75

Verder lezen

Geld & verzekeringen

- 101 Slimme geldtips*
- Belastingtips voor senioren*
- De beste bespaartips*
- Handboek voor huiseigenaren
- Samenwonen of trouwen*
- Scheiden*
- Slim nalaten en schenken*
- Testament & overlijden*
- Tips & toeslagen*
- Uw recht bij geldzaken*

Computers & internet

- Alles over digitale fotografie
- Alles over digitale video (met dvd)
- Beeld & geluid in huis
- Foto's bewerken
- Grote schoonmaak van uw computer
- Langer plezier van je pc
- PC-EHBO
- Slim internetten
- Veilig online

Gezondheid & voeding

- Blijf gezond!
- Gezond eten voor senioren
- Gezond ouder worden*
- Greep op de overgang
- Greep op uw geheugen*
- Hart & vaten gezond
- Het juiste medicijn
- Het Keuzedieet
- Het Keuzedieet 2
- Lekker en licht eten
- Minder kans op kanker
- Veilig eten
- Voeding en uw gezondheid
- Vrouw & gezondheid*
- Zelf dokteren*

Diversen

- 1001 Reparaties in huis
- 301 Gouden energiebespaartips*
- 500 Handige huishoudtips
- Buitenonderhoud
- De mooiste steden
- Groen leven*
- Haal uw recht*
- Ruimte winnen in huis
- Vlekkengids
- Water, elektriciteit & gas*

*ook verkrijgbaar als e-book

Bestellen?

Leden van de Consumentenbond ontvangen korting op deze boeken. U bestelt ze eenvoudig in onze webwinkel op **www.consumentenbond.nl/webwinkel**.
U kunt ook telefonisch bestellen via onze afdeling Service en Advies: **(070) 445 45 45**. Bent u lid? Houd dan uw lidmaatschapsnummer gereed. We zijn op werkdagen van 8 tot 20 uur bereikbaar (vrijdag van 8 tot 17.30 uur).